U0039000

CHIANG
FAN

蔣
凡

學術論文集

（下集）

本書出版得到設在美國的 "張敬教授國學基金會" 的經費資助，謹致衷心的謝意！

目　錄

第二部分　中國古代文論與古典美學

下　冊

第三部分　中國古代文學研究

第三部分

中國古代文學研究

「散」字藝術三昧

——漫談古典散文的藝術特色

　　散文是一種獨具藝術特點的文學樣式。它不同於小說，沒有完整的故事情節和全面的人物形象刻畫；但有時卻也可以有近乎小說的描繪，如《莊子·外物篇》的一段：

> 儒以《詩》《禮》發冢。大儒臚傳曰：「東方作矣，子之若何？」小儒曰：「未解裙襦，口中有珠。《詩》固有之：『青青之麥，生於陵陂。生不布施，死何含珠爲？』（逸詩。今本《詩經》無此句。）」接其鬢，壓其顪，儒以金椎控其頤，徐別其頰，無傷口中珠。

幹盜墓的差事，本不光彩。但欺世盜名者流卻偏要引經據典，說些冠冕堂皇、酸不溜湫的廢話。語言富於個性化，動作合乎人物的微妙心理，因而形象活靈活現。文章對於高談詩書禮法的儒家極盡諷刺挖苦之能事。這很像現在的「小小說」。但它終究不是小說。這段故事在整篇文章中並無獨立的地位，它只不過是作者用來說理的一個譬喻。因此，只能說是帶點小說味的散文。

　　散文也不同於詩歌。它不像詩歌那樣有比較固定的形式和嚴密的格律要求；但它有時也要推敲聲律，縱情抒懷，寫得有點近乎詩歌，讓人讀起來朗朗上口，一片宮商，激動不已。如范仲淹的《岳陽樓記》，歐陽修的《秋聲賦》等，實際上猶如一首又一首的

散文詩。散文詩當然具有詩歌的一些特點。又如蘇軾的《前赤壁賦》，此文句式長短參差，不拘一格，並不像詩；但隨語氣的自然發展作不規則的押韻，讀來又是鏗鏘悅耳，煞似好聽。這實際上是以散文的語法和氣勢，來駕馭詩一樣的旋律，因而顯得變化跳動，餘音裊裊，如果誦讀得法，就會感到很有詩味。

由此可見，散文是一種介乎小說與詩歌之間的文學樣式，具有自己的藝術特點。人們常說散文姓「散」。的確，一個「散」字就把散文和其他文學樣式自然地區別開來了。「形散而神不散」，這是散文獨具的藝術特徵。既散又不散，這就是散文的藝術辯證法。散文創作的一個「散」字，寓有很高的藝術要求。簡而言之，可用「快」、「真」、「神」三字來加以概括。

先說「快」。散文的「散」，當然表明了散文藝術在形式上、筆法上的靈活變化，長短如意。生活豐富多彩，千姿百態，不斷有許多感人的新鮮事物湧現，散文創作可據此作出靈活快速的反映，而不必拘泥程式，死於句下。魯迅先生在《且介亭雜文序言》中說：散文家的任務，「是在對於有害的事物，立刻給以反響或抗爭，是感應的神經，是攻守的手足。潛心於他的鴻篇巨製，爲未來的文化設想，固然是很好的，但爲現在抗爭，卻也正是爲現在和未來的戰鬥的作者，因爲失掉了現在，也就沒有了未來。」散文的「散」，常是抓住剛出現的新鮮事中的一、二點加以發揮，文字短小精悍，適於把那充滿神經線的觸角，自由地伸向社會生活的各個角落，並作出急速的反映，從而達到戰鬥的目的。散文的筆法，有時是嚴肅認眞，侃侃而論；有時又詼諧戲謔，妙趣橫生。散文之「散」，首先在於它是一種短小精悍的隨感。它反映現實的速度之快，在諸種文學樣式中是名列前茅的。如歐陽修的《與高司諫書》，所敍事發生在宋仁宗景祐三年（1036年）。事情剛一發生，年輕的歐陽修立即挺身而出，用散文作武

器，猛烈抨擊了破壞改革、詆毀君子的小人。文章慷慨激昂，正氣凜然，感情色彩十分强烈，士風人心爲之一振，使人讀後感到新鮮與振奮。據說諫官高若訥也因此文而聲名狼藉，人所不齒。由此可見散文因「散」見「快」，包含了短小精悍、自由靈活、快速反映、鬥爭性强諸特點，這樣，也就使古典散文更富於時代意義了。

再談「眞」。這裡的「眞」，不僅指生活的眞實，而且指作者激情的眞誠。散文因「散」而顯示了它那極大的靈活性。古典散文大師就善於捕捉生活撞擊時那瞬間閃現的火花，把它作爲火種，點燃起人類心靈的熱火。散文家光圖一個「快」字，是不夠的，還要講究散文藝術的感染力。散文家必須有眞情實感，激動不已，才會產生强烈的創作欲望，猶如骨鯁在喉，必欲吐之而後快。「散」的藝術魅力還來自於心靈的共鳴。比如《與高司諫書》，歐陽修一反以往紆徐從容，娓娓而談的文風，氣沖斗牛，憤怒激動。爲什麼文風陡然一變？古人曾有評說：「憤激於中，有不能遏抑者邪？」這話很有道理。當時歐陽修不是言官，朝廷又屢次下令「戒百官不得越職言事」，他的文章寫出後，一旦高若訥一夥人「攜此書於朝」，等待他的命運是可想而知的。後來，他果然因此而貶官夷陵。這個嚴重後果歐陽修本來就非常明白，只因眞情迸發，連他自己也無法遏阻。但是，這篇不計後果的散文，就以它那强烈的眞情實感而震撼了人們的心靈，從而成爲流傳千古的藝術珍品了。由此可見，散文是因「散」見「快」，「快」中求「眞」，飽含激情。這是散文之「散」所以有藝術感染力的原因之一。

最後談「神」。「快」與「眞」這兩點是重要的，沒有它們，就不成其散文；但這還不是散文所獨具的特點。「形散而神不散」，才是散文的本質特徵。優秀的古典散文，往往通過一鱗

半爪、一隻鼻一雙眼的具體描繪，就可透過雲天霧海，窺見那見首不見尾的全龍的生氣與神態。關於這一點，古文家有很好的經驗總結。姚鼐在《與陳碩士》一文中說：「歸震川能於不要緊之題，說不要緊之語，卻自有風韻疏淡，此乃是於太史公深有會處。此境又非碩士所易到耳。文家有意佳處，可以著力，無意佳處，不可著力，功深聽其自至可也。」姚鼐把散文的藝術特徵說得很生動很形象。「形散而神不散」，形「散」之中，自有它的「風韻疏淡」。所謂「風韻」，也就是藝術形象的神氣丰采。貌似拉雜隨便的「無意佳處」，實際上卻常常是最為動人的傳神之筆。散文的境界、氣骨、風格、形象和情感，常是通過「不要緊」的筆觸來傳達。這樣的「散」，非常隨便，貌似「不要緊」，實際卻是散文創作中功夫至深的「大吃緊」處。

如歸有光《寒花葬志》：

> 婢，魏孺人媵也。嘉靖丁酉五月四日死。葬墟丘。事我而不卒，命也夫！
>
> 婢初媵時，年十歲，垂雙鬟，曳深綠布裳。一日天寒，爇火煮荸薺熟，婢削之盈甌。予入自外，取食之；婢持去，不與。魏孺人笑之。孺人每令婢倚几傍飯；即飯，目眶冉冉動。孺人又指余以為笑。
>
> 回思是時，奄忽便已十年。吁，可悲也已！

全文僅一百十二字，故事當然不可能有頭有尾，有的只是幾件似乎不相連貫的生活瑣事，但卻無事不在刻畫那天真活潑的女孩的形象，悼念亡妻之情也油然而生，因而文雖短而神氣畢現。這猶如一幅生活氣息十分濃烈的社會風俗畫，咫尺具萬里勢，文雖短而容量無限。如果不是大手筆，那是很難達到這一點的。姚鼐所

說的「不可著力」，並不是無須精心錘鍊，恰恰相反，這是慘澹經營後的平常心。散文那拉家常似的「散」與「淡」，看似平常，卻是作家心血的結晶。它像橄欖，頗耐咀嚼回味。所以劉大櫆說：「文貴遠，遠必含蓄，……遠則味永。文至味永，則無以加。昔人謂子長文字，微情妙旨，寄之筆墨蹊徑之外；又如郭忠恕畫天外數峯，略有筆墨，而無筆墨之迹。故太史公文，並非孟堅所知。意盡而止者，天下之至言也；然言止而意不盡者尤佳。」

散文的「散」實際上是有文字處可傳神，無文字處也同樣傳神。這就是「意到處言不到，言盡處意不盡」的藝術境界。

（原載《文科月刊》1984年第11期）

古典散文的音節聲調與形象塑造

　　散文是一種語言的藝術。我國的古典散文大師非常重視散文語言的藝術美。但是，散文的語言藝術又是怎樣表現的呢？一是通過語言符號所代表的意義來描繪；一是通過語言的聲音節奏來刻畫。對於優秀的古典散文，人們常有「描聲繪色」之譽。色，是一種視覺形象；聲，則是一種聽覺形象。聲與色，都是塑造散文藝術形象的重要手段。對於散文中可見的色，人們容易看到；而對於無形的聲，今天的許多人則不太重視。他們以爲散文的語言長短不拘，變化如意，非常隨便，不用著力；它不是詩歌，又何必去推敲語言的音樂性呢？這話似是而非。古文家就不是這麼看的。過去有許多老先生敎古文，並不急於解釋章句字義，而是先叫學生反覆地高聲誦讀。老師閉眼靜聽，時而示意停下，讓學生把某句重讀一遍，並要求解釋，然後再指出學生的理解錯誤。原來，老師是通過誦讀時聲調、音節的抑揚頓挫，來了解學生是否眞正理解了作品的。比如《莊子》的《馬蹄》篇，學生把開頭兩句連續爲「馬蹄可以踐霜雪，毛可以禦風寒」，先生馬上叫停，並改讀爲：「馬，蹄可以踐霜雪，毛可以禦風寒」。「馬」字後頭，實際上省略了「之」字，意思是「馬之蹄」、「馬之毛」如何如何。省略「之」字後，在誦讀時就必須略作停頓，使「馬」字統領起下面音節勻稱的兩個對偶句。這種讀法，既準確傳達了文章的意思，又充分顯示了散文語言的音樂美，文句顯得神氣活現。此辦法表面看來玄乎其玄，實際上卻是具體可行。文章的氣

勢體現了作者的感情，而文氣又與具體的語氣密切相關：說話時總有聲氣，在內運行爲氣，離喉出口爲聲，順筆而書則化爲文章字句。於是在書面化的文章中，就必然有客觀的語言聲氣寓藏其中。人們一旦理解了此中奧祕，並找出聲氣的線索，自然能通暢無阻地朗朗誦讀，整篇文章也就具有一定的氣勢，體現了細緻入微的感情，描繪了具體可感的形象。這就是文氣。文章的神氣離不開文氣，而文氣又離不開具體語言的音節聲調。肯定地說，語言的音節聲調是塑造散文形象的重要藝術手段之一。

正因爲如此，所以從唐宋八大家到清代的桐城派，都十分重視散文語言音節聲調的音樂美。桐城「三祖」姚鼐說得很明白：「詩、古文多要從聲音證入。不知聲音，終爲門外漢耳。」（《與陳碩士》）不懂語言音節的妙用，就不懂什麼是散文。爲什麼？林紓《春覺齋論文・聲調》中有很好的解釋：「古文中亦不能無聲調。蓋天下之最動人者，聲也。試問易水之送荊軻，聞變徵之聲，士何爲泣？及爲羽聲，士又何爲怒？本知荊軻之必死，一觸徵聲，自然生感；本惡暴秦無道，一觸羽聲，自然生怒耳。」他把聲音與感情的內在聯繫說得很清楚。散文也應該塑造藝術形象，但它的形象更多的是通過抒發情感傳達出來的。既然聲音語氣與人們的內在感情相聯繫，那麼要塑造散文的藝術形象，當然必須重視語言的音節聲調的運用。古文家這樣強調，一點也不過分。古典散文家運用聲音刻畫形象的辦法很多，現在略加歸納，舉例以說明。

一、直接的摹聲

如《莊子・齊物論》之寫「風」：

　　夫大塊噫氣，其名爲風，是唯無作，作則萬竅怒號，而獨
　不聞之翏翏乎？……激者謞者，叱者吸者，叫者讓者，宎
　者咬者，前者唱于，而隨者唱喁。

　　寫出了風吹洞竅而激起的各種聲音。通過直接的摹聲描寫，
把無形的風刻畫得形象畢現。又如歐陽修《秋聲賦》之寫「秋
聲」：「歐陽子方夜讀書，聞有聲自西南來者，悚然而聽之，
曰：『異哉！』初淅瀝以蕭颯，忽奔騰而澎湃，如波濤夜驚，風雨
驟至。其觸於物也，鏦鏦錚錚，金鐵皆鳴，又如赴敵之兵，銜枚
疾走，不聞號令，但聞人馬之行聲。」實際上都是通過直接的摹
聲，化無形爲具體可感的藝術形象。

二、音節的巧妙安排

　　關於散文音節的妙用，劉大櫆《論文偶記》有一段話很好：
「音節高則神氣必高，音節下則神氣必下，故音節爲神氣之迹。
一句之中，或多一字，或少一字；一字之中，或用平聲，或用仄
聲；同一平字仄字，或用陰平、陽平、上聲、去聲、入聲，則音
節迥異，故字句爲音節之矩。」以音節見神氣，這樣論述是合乎
創作實際的。如柳宗元的《種樹郭橐駝傳》：「凡植木之性：其本
欲舒，其培欲平，其土欲故，其築欲密，旣然已，勿動勿慮，去
不復顧。」其中「舒」、「故」、「顧」作不規則的押韻，使語
言音節愈加鏗鏘流暢。從「其本欲舒」起，連用四個主謂結構的
四言詞組（或稱短語），語言節奏顯得非常平穩。這樣的音節，
把郭橐駝這個植樹專家在種樹時能順應自然、得心應手，因而悠
閒從容的神態刻畫了出來。後面插入短語「旣然已」，旣明語
氣，又通脈絡，使人感到音節有所變化。再下面的「勿動勿慮」

是並列結構的詞組，四言二音步；而「去——不復顧」雖也是四言，卻以一音與三音相配合，更顯得平穩中又多變化。這樣以四言句式爲主又有所變化的語言節奏，形成了聽覺形象，使人感到郭橐駝這個勞動者既平穩又不呆滯的性格與心靈。但後面一段，意義對比明顯，因此語言音節也陡然一變：

> 旦暮吏來而呼曰：官命促爾耕、勖爾植、督爾穫，蚤繰而緒，蚤織而縷，字而幼孩，遂而雞豚，鳴鼓而聚之，擊木而召之。吾小民輟飧饔以勞吏者，且不得暇，又何以蕃吾生而安吾性耶？

從「促爾耕」始，連用三個三字句，音節短促迅猛，特別是用了「穫」這個入聲字，猶如大鼓叩擊心胸，令人怦怦心跳不已。這就把官吏下鄉時那一迭連聲的狂呼亂叫的瞎指揮，通過音節形象地刻畫了出來。最後「吾小民……」這樣幾十字的長句，把百姓鬱壓在胸中的憤怒與抗議，通過長串不歇的音節，暴風雨般地傾瀉了出來。音節的變化，又寓有何等鮮明的感情色彩！在這裡，柳宗元通過平與不平的多變的語言音節，從另一側面把郭橐駝的形象刻畫得栩栩如生。

又如韓愈的《進學解》。韓文的語言風格，一般說來是以雄奇奔放的氣勢見長。但《進學解》則不然。學生指出國子先生懷才不遇，先生則出於無奈地强作解語：「方今聖賢相逢，治具畢張；撥去凶邪，登崇俊良。占小善者率以錄，名一藝者無不庸，爬羅剔抉，刮垢磨光。蓋有幸而獲選，孰云多而不揚？」以四言句式爲主，作不規則的押韻，讀來朗朗上口，既平穩又流暢，充分體現了散文語言的音樂美。這樣的音節安排，與一般韓文的語言氣勢不同。爲什麼？因爲音節必須符合作品主人公的性格。《進學

解》的音節句式，是從《詩經》中頌體變化而來，非常合乎國子先
生的身分，旣學識淵博，志大才高，又謹小愼微，鬱鬱寡歡，通
過聲音形象，把先生說話時那股酸楚之味描繪得維妙維肖，使藝
術形象愈加豐滿，更加富於個性特徵。

三、虛詞的合理運用

　　如果說駢文主要著重於實詞的安排，因而講究聲律的話，那
麼古文則進一步強調虛詞的合理運用而講究語氣、文氣。這是一
個進步。因爲虛詞的用與不用，關係到語言的脈絡和文章的神
氣。清代謝鼎卿在《虛字闡義・總論》中說：「實字求義理，虛字
審精神。」古文家談散文創作，則總結出「虛字詳備、作者神態
畢出」的規律。古典散文大師通過虛詞的合理運用，改變了語言
音節的抑揚頓挫，微妙地體現了作品的語氣、文氣、神氣。如歐
陽修《相州畫錦堂記》的開頭兩句，原作「仕宦至將相，富貴歸故
鄉」。文章寫好寄出後，歐陽修突然想到這兩句欠妥，派專人快
馬追回，加了兩個「而」字，成了「仕宦而至將相，富貴而歸故
鄉」。有人以爲兩個句式意義無甚差別，何必多此一舉？其實不
然。從意義或語法說，少個「而」字固然合「法」，但從音節和
文氣上考慮，不加虛詞「而」字，音節就顯得急促，似乎主人是
一個熱中功名富貴的人物，這就與整篇文章的主題不盡相符了；
加「而」以後，語氣則變得舒徐自如，優游不迫。音節一變，主
人公不以富貴功名爲懷的高尚品格也愈加分明了。由此可見語言
音節與形象神氣的關係是很密切的。又如韓愈《送石處士序》：
「辨古今事當否，論人高下，事後當成敗，若河決下流而東注，
若駟馬駕輕車就熟路，而王良造父爲之先後也；若燭照，數計而
龜卜也。」三個由虛詞「若」統領的譬喩句，雖不規則，卻一氣

呵成，有機地組成了一個氣勢磅礴的三十六字的複合長句，如長
江大河、滾滾東下！這是何等的氣勢！那慷慨激昂的音調，馬不
停蹄的急速節奏，把石處士那氣勢逼人的辯才，高人一路的智
慧，寫得有聲有色。

　　總之，在古典散文中讀到的雖然是無聲的文字，但卻似乎聽
到了活生生的聲音。古文家總結了以音節變化來塑造「神態畢
現」的散文藝術形象的規律，對今天的散文創作，不是很有借鑑
意義的嗎？

（原載《文科月刊》1984年第3期）

《詩經》的諷刺詩與愛情詩

　　《詩經》，原稱《詩》或《詩三百》，是我國古代最早的一部詩歌總集，共收詩三百零五篇。它的作者，有貴族出身的知識分子，但更多的是「勞人思婦」——也就是普通的民間百姓。雅、頌部分基本上是知識分子的作品；而十五國風則多數是民歌，雖然在流傳與編集的過程中，可能經過知識分子的加工潤飾，但仍然閃爍著勞動人民的藝術智慧光輝。關於《詩經》的寫作年代，可加考證的作品，最早的邠風《破斧》明言「周公東征」，那是發生於前1114年前後的事情；最晚的是陳風《株林》，是陳國百姓譏刺陳靈公等與夏姬淫亂的作品，這是《左傳》宣公九年十年（即前600年左右）的事。因此，《詩經》所反映的大致是從西周初年至春秋中期的歷史生活畫面。它爲我國的文學史彈奏出激動人心的輝煌璀璨第一樂章。

　　《詩經》所描寫的生活是深刻而廣泛的。其中有史詩般的民族敍事詩，如大雅中的《生民》《公劉》《緜》等，以神話般的彩筆，渲染了周部族的發展史；有生動展現古代勞動生活場面及抨擊國家弊政、反映人民苦難的詩篇，如邠風的《七月》《東山》，唐風的《鴇羽》，小雅的《大東》等，現實性非常強烈；還有飽醮愛國激情的慷慨高歌，如秦風《無衣》諸篇。這些作品都值得我們學習與借鑑。但比較而言，在《詩經》的百花園中，抨擊時政的政治諷刺詩及描繪男女之間戀愛婚姻的愛情詩，是兩叢最爲鮮艷奪目的奇葩，具有深刻的社會意義和更高的審美價值。

關於政治諷刺詩。漢儒說《詩》有所謂「美」「刺」的理論。「美」就是詩人對所反映的生活採取了歌頌與讚美的態度；「刺」則相反，是批判與暴露。《詩經》中的政治諷刺詩，多數屬「刺」詩，它們撕破了掩蓋生活本質的溫情脈脈的面紗，徹底暴露了統治階級的僞善醜惡嘴臉，並在冷嘲熱諷的笑罵聲中，給予了無情的鞭撻，從而喚醒人們，引以爲戒，在拋棄醜惡現實的同時，開始了對美好未來的憧憬與追求。這是我國最早的一批以批判暴露爲中心任務的諷刺文學。它們又因作者羣的差異而帶來了藝術風格的不同，大致可分爲貴族士人的政治諷刺詩和一般百姓的諷刺性民歌兩大類。貴族士人的政治諷刺詩，多數見於大、小雅中（當然，十五國風中也可能雜有少量知識分子的作品），如大雅《民勞》《桑柔》，小雅《北山》《巷伯》等。這類作品，除了小量是東周初年的作品外，多數產生於西周末年厲王、幽王兩朝政治極其腐敗黑暗的動盪年代。如《桑柔》，據《毛詩小序》，是周大夫芮伯「刺厲王」的作品，反映的是周厲王殘暴無道、倒行逆施，人民被迫即將起義的社會動亂情景。詩的開篇，就以桑樹譬喩國家興衰：「菀彼桑柔，其下候旬。將採其劉，瘼此下民。」意思是說，周初建國，如繁茂的桑樹，庇育萬民，何其興盛；今天的統治者則相反，他們昏暗無道，敗壞國家，就像經過無情採伐的枯桑敗葉，一片凋零慘象，因而導致了「亂生不夷，靡國不泯，民靡有黎，具禍以燼」的嚴酷局面。於是官逼民反，揭竿而起：「民之貪亂，寧爲荼毒！」這使詩人憂心如焚，擔心會有國破家亡的厄運降臨，所以「旣作爾歌」——用詩篇來諷諭告誡，以期引起統治者的警惕並加以改正。而小雅的《北山》《巷伯》之類的作者，在統治階級中屬於出身低微的人物，因而他們一方面繼續憤怒地揭露了黑暗與醜惡；一方面又以諷刺爲武器，揭示了奴隸社會崩潰前夕改革派與保守派的鬥爭。如《北山》所載：「或燕燕居

息，或盡瘁國事；或息偃在牀，或不已於行；或不知叫號，或慘慘劬勞；或棲遲偃仰，或王事鞅掌；或湛樂飲酒，或慘慘畏咎；或出入風議，或靡事不爲。」現據余冠英先生《詩經選譯》譯爲現代漢語：「有些人在家裡安安逸逸，有些人爲國事精疲力竭；有些人吃飽飯高枕無憂，有些人在道路往來奔走；有些人不曉得人間煩惱，有些人身和心不斷操勞；有些人隨心意優游閒散，有些人爲王事心忙意亂；有些人貪杯盞終日昏昏，有些人怕得罪小心謹慎；有些人耍嘴皮只會扯淡，有些人爲公家什麼都幹。」即使是統治階級中的「偕偕士子」——即一般知識分子，也爲生活的苦難而發出了慘痛的呼號，更何況是普通的老百姓呢！生動的藝術對比，產生了震撼人心的藝術力量。從鮮明的藝術對比中，人們看到了「貴」與「賤」的鬥爭，詩人在揭露與諷刺醜惡的同時，道盡了人世的不平與無盡的心酸。難怪《巷伯》的作者寺人孟子大聲疾呼：「取彼譖人，投畀豺虎！」諷刺之中，具有一定的鬥爭性。但總的說來，貴族士人的政治諷刺詩雖然憫時傷世，但目的仍然是爲了統治階級的長遠利益打算。所以大雅的《瞻卬》說：「無忝皇祖，式救爾後」，要爲統治階級的子孫下代考慮。而與諷諭目的相聯繫，這類詩歌的藝術風格，就多數是「怨而不怒」，即使是憤怒，也還是充滿了期待和希望，所以是委婉的形象諷諫，而不是最後決裂的戰鬥號角。比較而言，則百姓的諷刺性民歌的戰鬥火力要猛烈得多，藝術的筆調也就更爲尖銳、辛辣和無情。而且，貴族和知識分子的諷諭詩有較多的直接議論，而民歌則多以形象來加以抒發，因而藝術上也就更爲生動，更富有感染力。如魏風《伐檀》：「坎坎伐檀兮，置之河之干兮，河水清且漣漪。不稼不穡，胡取禾三百廛兮？不狩不獵，胡瞻爾庭有縣（懸）貆兮？彼君子兮，不素餐兮！」對不勞而食的剝削者極盡諷刺挖苦之能事。勞動者不得食；而無所事事的老爺「君子」卻

野味懸樑、米糧滿倉。在強烈的藝術對比中，形象地展現了人間的不平！「彼君子兮，不素餐兮」，那些老爺「君子」是不會白吃閒飯的啊！冷嘲熱諷，反話正話，無情的諷刺猶如鋒利的解剖刀。魏風《碩鼠》則把貪婪的統治者比爲偷食人民米糧的大老鼠，形象準確生動，令人發笑，笑聲否定了醜惡，憧憬著幻想中的「樂土」，並表示了堅決與舊生活決裂的態度。鄘風《相鼠》的諷刺藝術也別具一格：「相鼠有皮，人而無儀。人而無儀，不死何爲？」藉鼠起興，斥責統治者禽獸不如，老鼠還有一張皮，他們卻連臉皮都不要！所以鄘風《牆有茨》唱道：「牆有茨，不可掃也。中冓之言，不可道也。所可道也，言之醜也。」含蓄的語言，辛辣的諷刺，把這批滿嘴仁義道德、肚裡男盜女娼的衣冠禽獸的醜行，徹底暴露在光天化日之下而無地自容。

關於愛情詩。這類作品在《詩經》中占有很大的比重，主要是表現在十五國風之中，而以被封建士大夫斥爲「淫奔」之作的「鄭衞之音」爲代表，其中又以鄭風爲甚。如鄭風二十一首，其中愛情詩達十七首之多，於此可見其重要。這是歷史條件使然。春秋以前的奴隸社會，存在著原始的「羣婚制的殘餘」，「允許姑娘們在結婚前有性的自由」（恩格斯《家庭、私有制和國家的起源》）；再加以地廣人稀，因戰爭和勞動力的需要，迫切要求著殖人口。《周禮·地官·媒氏》：「中春之月，令會男女，於是時也，奔者不禁。若無故不用令者罰之；司男女之無夫家者而會之。」這與後來封建禮教對婦女的束縛，有所不同。如鄭風《溱洧》：「溱與洧，方渙渙兮，士與女，方秉蕑（蘭）兮。女曰：『觀乎？』士曰：『旣且（徂）。』『且往觀乎！洧之外，洵訏且樂。』維士與女，伊其相謔，贈之以芍藥。」當時鄭國的風俗，三月的上巳節是最受青年歡迎的節日，成雙成對的戀人，互歌對答，贈物定情，歡樂相謔。戀歌聲中，充分顯現了青春的美麗與

生命的活力。鄭風《褰裳》同樣寫上巳節，但卻又不一樣：「子惠思我，褰裳涉溱。子不我思，豈無他人？狂童之狂也且！」少女的感情是純眞、熱烈而又充滿自信，在風趣橫生的戲謔之中，寄寓了純潔而大膽的愛情追求。因此，所謂「奔者不禁」，並不是動物本性的發作，而是以男女雙方彼此之間的愛情爲基礎的。而愛情又是嚴肅的，所以鄭風《出其東門》說：「出其東門，有女如雲。雖則如雲，匪我思存。縞衣綦巾，聊樂我員。」雖說東門之外美麗的姑娘千千萬，但卻沒有一個是我想見。只有那衣巾樸素的姑娘，我才日夜思念把她戀。詩人的歌唱，反映了愛情的專貞與純潔。又如鄘風的《柏舟》，描寫了一個少女青春的蘇醒與熱戀中的執著追求。當母親強迫她改變主意時，她發出了「之死矢靡他」的誓言，感情何等熾熱！爲了忠於愛情而準備獻出年輕的生命，這種純眞之情，引起了千古的共鳴。又如邶風的《靜女》：「靜女其姝，俟我于城隅。愛（曖）而不見，搔首踟躕。」不見所愛的人兒，急得抓耳撓腮。「愛而不見，搔首踟躕」，生動的細節描繪，把複雜而微妙的戀愛心理表現得維妙維肖。但戀愛是雙方的，而不是一廂情願，因此愛情生活也免不了風波與曲折，如鄭風《狡童》：「彼狡童兮，不與我言兮。維子之故，使我不能餐兮！」少女深陷失戀的痛苦之中，情人的變心使她臥不成眠，茶飯不思。在藝術上，這種細膩的心理刻畫也是極其成功的。而對於愛情的不義背叛，詩人則憤怒地加以譴責。《詩經》中有兩篇棄婦詩，一是邶風的《谷風》，一是衞風的《氓》。詩人對社會地位低下的婦女充滿了同情，因爲她們所受的壓迫最深，被男人當玩物而拋棄——而這正是對於人性的踐踏。《谷風》一詩，棄婦泣訴了故夫的喜新厭舊，並傾瀉了自己的一味癡情，性格較爲柔順，似乎對負心人存有幻想。而《氓》則不然。詩中的女主人公悔恨地追述了從相愛、結婚直到遭受拋棄的過程，痛苦的現實教訓使她

有了清醒的認識，在實際的兩性生活中，男女是不平等的：「女
也不爽，士貳其行。士也罔極，二三其德。」對背叛愛情的負心
人表示憤怒的譴責。「于嗟女兮，無以士耽（酖）！」表現出決
絕的態度，其鬥爭性已大大提高。而在藝術上，《氓》詩敍事性
強，已有一定的故事和情節發展，矛盾衝突層層推進，並注意到
藝術形象的刻畫，心理描寫也細膩動人，因而真正做到了以情感
人。而對於當時統治者的淫亂生活，民歌作者則表現了鄙視與憎
惡，並在詩中把衣冠禽獸的那些見不得人的醜事加以揭露和批
判。如邶風《新台》：「新台有泚，河水瀰瀰。燕婉之求，籧篨不
鮮。」籧篨，蝦蟆。不鮮，醜陋。借用余冠英先生的翻譯：「河
上新台照眼明，河水溜溜滿又平。只道嫁個稱心漢，縮脖子蝦蟆
真嘔心。」這詩諷刺衛宣公強奪自己兒子公子伋的新娘的亂倫醜
行，並把他比作癩蝦蟆而加以辛辣的嘲諷，形象非常生動。有所
反對就有所贊成。這類詩歌是對愛情詩的補充，它從另一側面，
表達了勞動人民對於真摯愛情的歌頌。總之，《詩經》中的大量愛
情詩，反映了戀愛生活中的各種矛盾，吐露了情人的心曲隱衷，
形象地描繪了各種微妙動人的心理。例如有的描寫青年男女的投
李報桃、兩小無猜，盡情地痛飲愛情的醇酒；有的反映幽期密約
的激動、興奮和不安，既有一見鍾情的喜悅，也有兩情未通的苦
悶；有相愛過程中的風波曲折，也有刻骨思念之後的相聚狂歡；
此外，當然也有失戀的痛苦和愛情之花被摧殘後的零落慘象。在
藝術上，民間的情歌是以詩意濃郁，音節流暢，叩動了人們的心
弦。藝術風格多數是大膽潑辣、淳樸率真，感情是那樣熾熱奔
放，情趣是何等純潔健康！直到今天，仍以其成功的藝術，給予
人們以無限的美的享受。

（原載《語文學習》1986年第10期）

《離騷》光輝齊日月

　　《離騷》是我國古典抒情長詩的典範。詩人舉起浪漫主義彩筆，運用絢麗多姿的文學語言，吸取古代神話的奇麗故事，馳騁豐富的藝術想像，把久鬱心底的呼聲變爲突然迸發的火山，強烈震撼了人們的心弦。司馬遷《史記・屈原列傳》引劉安的話，稱頌《離騷》「雖與日月爭光可也」，在藝術上給予極高的評價。從思想內容看，《離騷》表現了對眞理的執著追求和對罪惡勢力的無情批判，是一支激越慷慨的愛國交響曲。那深刻的主題思想，通過完美的藝術形式得以展現。因此，唯有把握其藝術特色，才能體會到它那動人的思想力量。

　　《離騷》是一首抒情長詩，若以讀短篇抒情詩、甚至是以讀敍事詩、小說、散文的方法來讀《離騷》，是無法理解抒情長詩其自有的藝術特點的。《離騷》既有抒情性，又有敍事性，包括了許多離奇曲折的情節和生動有趣的故事。但它與一般的敍事詩又有不同的特點。敍事詩無論長短，也不管是採用順敍、插敍或倒敍的筆法，一般總是按照客觀事物發展的生活邏輯來安排篇章，故事有頭有尾，情節集中連貫，因而眉目清楚，脈絡易尋。《離騷》敍事，則往往無頭無尾，情節不一定連貫，可說是來無蹤影，去無消息，飄忽不定，難以捉摸。《離騷》無論是抒情還是敍事，都是反反覆覆，極盡詠嘆之事，表面毫無頭緒，實際不難理解。因爲其中的敍事部分，是爲抒情部分服務的，感情得到了表現，於是如莊子所說，得意忘言，事情自然就可撇開不講。感情不同於客

觀事物，是主觀的，帶有一定的隨意性，它通過自由想像，有時似乎表現爲隨心所欲，不見規律。如人慘痛之極，呼天搶地，語無倫次，這是無法按照客觀的生活邏輯來判斷的。這一感情在表面上雖然「隨意」，但實際上最終仍受客觀生活制約，自有其內在的發展邏輯。《離騷》紋事，節奏跳動很大，如「朝發軔於蒼梧兮，夕餘至乎縣（懸）圃」，蒼梧即湖南九疑山，懸圃在崑崙神仙，二者相去何止十萬八千里，但詩人卻說是「朝發夕至」，按照古代的一般生活常識，根本無法理解。但它安排在《離騷》中，卻極其妥貼自然。爲什麼？因爲詩人描寫的重點不在「事」而在「情」，抒情長詩主要是受內在感情邏輯發展的支配，並以此來組織詩章。「朝發夕至」，正表現了詩人上下求索的急迫心情。讀者沿著感情的發展線索，順藤摸瓜，就能深深感觸到時代脈搏的跳動。《離騷》這種不合生活「常理」的反覆詠嘆，貌似重沓囉唆，實際正體現了詩人心靈的抗爭與呼喊，強化了感情色彩，加深了主題思想，從而達到了使人情不自禁地「不知手之舞之、足之蹈之」（《毛詩序》）的藝術境界。

其次，貌似「語無倫次」的縱情抒發，又自有中心所在。《離騷》的篇章結構明顯體現了這一特點。作品愈長，愈要在「章法」脈絡上下功夫，清理層次，自然大綱細領，羅羅清疏。它猶如一首結構複雜、內容深厚的交響樂。全詩可分三大自然段：第一大段自頭至「豈余心之可懲」，先述身世、志行和理想，而後描繪奸佞蔽賢、壯志難酬的險惡處境，繼而表示堅持鬥爭，永不屈服，以保持清白節操和報國理想。這是開門見山的主題展現段。第二大段至「余焉能忍與此終古」，寫自己不容於世，不被理解，進一步以大量的歷史興亡事實來證明自己主張的正確，並藉神話幻境，升天入地，上下求索，表達了對理想的熱烈追求和追求失敗後的心靈創傷。這是主題再現段。第三大段則藉靈氛、

巫咸勸行留，抨擊「羣小」顛倒是非，揭露楚國貴族的腐敗，挽
危圖强，終成泡影。人或勸他離開故國以求生存和發展，詩人在
行與留的矛盾中猶豫徬徨，心情複雜，充分體現了詩人熱愛祖
國、以身殉難的崇高品質。這是主題延伸與深化的自然段。各段
之間，波瀾起伏，峯迴路轉，在山窮水盡之際，又現柳暗花明境
界，把鬥爭的複雜及詩人感情的發展，從各個角度加以展現。而
這一切又都圍繞著愛國主題這一中心來開展。如王邦采《離騷匯
訂》所言，在第一大段收束時，「全文已包舉」，主題已呈現。
「後兩大段雖另闢境界，實即第一段之意；而反覆申言之，所謂
言之不足，又嗟嘆之也」。這一分析基本合理。抒發愛國激情的
中心主題，經過第二、三段的反覆延伸與深化，感情渲染愈加强
烈，主題愈加深刻豐滿。所以蔣驥《山帶閣楚辭》說：「皦皦之
節，可使頑夫廉；拳拳之忠，可使薄夫敦。」《離騷》藝術，完美
體現其光輝思想。

　　再次，是它的浪漫主義藝術特色。屈原的堅貞愛國理想，是
通過不同於現實主義的浪漫主義創作方法反映出來的。《離騷》是
一首政治抒情詩。在藝術庸人筆下，政治詩容易流於空洞口號，
產生乾巴枯燥弊病。但《離騷》則不然。詩人是通過具體的生活感
受，捕捉微妙而複雜的情緒變化，借助美麗的神話幻想境界，跨
龍乘鳳，遊天浮海，以極其誇張的藝術筆觸，塑造了栩栩如生的
藝術形象，並通過藝術形象的活動，構成了一幅光輝燦爛的生活
彩圖，從而反映出激動人心的政治鬥爭。在屈原筆下，《離騷》所
體現的政治內容不僅毫不枯燥，而且生動而深刻。它以浪漫主義
的特殊音調，譜成了慷慨激越、蒼涼悲壯的時代頌歌。如寫上下
求索時，那熱烈奔放的感情，豐富新奇的幻想，優美動人的神
話，宏偉壯麗的場面，人神難分的形象，使作品閃爍著浪漫主義
藝術光彩。這一絢麗奇特的畫面，在人間是看不到的，因而千萬

不可拘泥於現實主義「寫實」的原則。按一般的生活邏輯來思
考,那就會迷離彷彿,不得其解。但尤為可貴的是,與消極的浪
漫主義不同,屈原的積極浪漫主義精神是植根於深厚的生活土壤
之中的。如最後一段寫詩人接受靈氛勸告,升天遠遊,與混濁黑
暗的人間社會相比,美麗動人的神話世界是令人神往的:「屯余
車其千乘兮,齊玉軑(車輪)而並馳。駕八龍之婉婉兮,載雲旗
之委蛇(逶迤)。⋯⋯奏高歌而舞韶兮,聊假日以婾樂。」但天
上之樂,敵不過強烈的故國之思,所以當詩人按下雲頭,看到故
鄉時,就突然發生了戲劇性的根本轉變:「陟陞皇之赫戲兮,忽
臨睨夫舊鄉。僕夫悲余馬懷兮,蜷局顧而不行。」老馬尚且戀
鄉,何況是愛國詩人!這又從天上回到了實實在在的人間。雖浪
漫而「不失其真」,確是《離騷》的又一重大藝術貢獻。

　　最後,《離騷》繼承了《詩經》的藝術,創造性地發展為「香草
美人」的比興藝術,效果極佳,影響深遠,因而後世許多詩詞創
作,就廣泛加以運用,形成了新的優秀傳統。王逸《離騷經序》就
此發表了精闢的評論:「《離騷》之文,依詩取興,引類譬喻。故
善鳥香草,以配忠貞;惡禽臭物,以比讒佞;靈修美人,以媲於
君;宓妃佚女,以譬賢臣;虯龍鸞鳳,以託君子;飄風雲霓,以
為小人。其詞溫而雅,其義皎而潔。凡百君子,莫不慕其清高,
嘉其文采,哀其不遇,而愍其志焉。」於此可見,《離騷》的藝術
光輝千秋照耀,可與日月爭光!

　　　　　　　　　　　　　(原載《文科月刊》1984年第4期)

鄭莊公與共叔段

　　《左傳》隱公元年（前722年）記載鄭莊公及陰謀驅殺乃弟共
叔段的故事，後來的古文家稱之爲《鄭伯克段于鄢》，是公認的名
篇佳作，歷代傳誦不已。從史傳文學角度看，文筆簡潔凝鍊，敍
事繁複變化，波瀾起伏跌宕，層次清晰明白，情節生動有趣，可
說處處有「戲」，已達到很高的藝術水平。特別是人物形象的塑
造，無不栩栩如生，如反面主人公鄭莊公那假仁假義的矯飾，欲
擒故縱的手段，僞善其表，狠毒其心，聲口畢肖，入木三分，可
稱史上奸雄之魁，令人嘆爲觀止。

　　但細味此文，也有疑焉。古往今來，人們一方面公認鄭莊公
是個反面人物而予以揭露譴責；一方面又同聲指責共叔段「反
叛」國家。這似乎有矛盾，但後代史家及文學家均信之不疑。
《史記・鄭世家》及小說《東周列國志》等，寫得明明白白；直到現
代的評論家，仍然承襲這一傳統說法，如《歷代文選》（中國靑年
出版社1979年版）稱「鄭莊公擊敗他弟弟共叔段的反叛」。所稱
「反叛」，並非僅是針對個人的行爲，而是對抗整個國家與民
族。如果共叔段及武姜確是「反叛」性質，則屬歷史罪人，鄭莊
公施點手段予以鎭壓，須知兵不厭詐，其行動具有正義性質，爲
什麼要稱之爲陰謀家而予以批判譴責呢？反之，如果公認鄭莊公
是史上有名的陰謀家，那麼他口稱共叔段反叛國家，便不足爲
信。陰謀家什麼事都幹得出！證據如下：

一、鄭莊公消滅乃弟，蓄謀已久，早形成於共叔段「反叛」
之前。先秦時代，君主權位繼承，並不一定傳給嫡長子。如春秋
時魯國十二公，惟魯莊公子同是嫡夫人之長子。因此，兄弟爭
位，相互殘殺，史上屢見不鮮。取則不遠，即以鄭莊公諸子爭位
之事為例，其大子忽與弟突爭位，相互驅殺。後忽為昭公，而突
為厲公。昭公為大子時，曾率兵助齊敗北戎，齊侯請妻之，昭公
辭婚，其臣祭仲諫曰：「必取（娶）之。子無大援，將不立。三
公子皆君也。」（《左傳》桓公十一年）可見諸兄弟皆有資格為
君。莊公兄弟也是如此。鄭莊公雖然作為長子立為國君，但共叔
段是他的親弟弟，如果他得民心，取而代之，成為鄭國之君的可
能性是存在的，因而兄弟的存在並且賢明能幹，本身就是對其權
位的一大威脅，因而為鄭莊公所忌諱。但是，作為國君親弟，母
親寵兒，又不能無緣故地施加誅戮，師出無名，必遭國人共責，
地位同樣不穩。莊公之奸，正在善於引誘對方犯「錯誤」。當他
封乃弟為京城大叔後，《左傳》云：

> 既而大叔命西鄙北鄙貳於己。公子呂（按：名子封）曰：
> 「國不堪貳，君將若之何？欲與大叔，臣請事之；若弗
> 與，則請除之，無生民心。」公曰：「無庸，將自及。」
> ……大叔完聚，繕甲兵，具卒乘，將襲鄭，夫人將啟之。
> 公聞其期，曰：「可矣！」命子封帥車二百乘以伐京，
> ……大叔出奔共。

作者明言，伐段之前，有關大叔之事，均為臣下向莊公報告並且
諫諍；莊公稱「無庸，將自及」，老謀深算，誘使乃弟野心膨
脹，勢力擴張，肆無忌憚，然後師出有名，一舉剪除腹心之患。
但是，像共叔段與國母姜氏合謀襲鄭這樣極其重大的軍事行動，

爲什麼一反常態，下人毫無報告，而高高在上的莊公卻瞭若指掌
呢？「公聞其期」，明言莊公一人之「聞」，而國人是否有
「聞」，則付之闕如，並無確定說法。《左傳》藝術之含蓄委婉，
啓人深思於文字之外。以下「將襲」、「將啓」二字「將」字，
也用得妙，含糊其辭，啓人疑竇，意在說明此事或有或無，並非
確定眞有其事。當時其弟在京邑「繕甲兵，具卒乘」，確有其
事，但爲的是狩獵之事。春秋之時，封國林立，彼此征戰，蠶食
併吞。因此，作爲鄭國邊邑重鎮的京邑，狩獵之事兼有練兵以防
敵入侵的作用，「繕甲兵，具卒乘」也是自然之事，這與偷襲新
鄭、反叛國家是性質不同的兩碼事。

　　二、《詩經・鄭風》有《叔于田》和《大叔于田》二詩：

> 叔于田，巷無居人。豈無居人？
> 不如叔也，洵美且仁。
> 叔于狩，巷無飲酒。豈無飲酒？
> 不如叔也，洵美且好。
> 叔于野，巷無服馬。豈無服馬？
> 不如叔也，洵美且武。（《叔于田》）
>
> 叔于田，乘乘馬，執轡如組，兩驂如舞。
> 叔在藪，火烈具舉。袒裼暴虎，獻于公所。
> 「將叔無狃，戒其傷汝！」……（《大叔于田》）

叔，指共叔段。田，指田獵之事。《毛詩小序》稱：「《叔于田》，
刺（鄭）莊公也。叔處於京，繕甲兵以出於田，國人說（悅）而
歸之。」詩稱共叔段「洵美且仁」、「洵美且好」、「洵美且
武」，率口而出，眞情流露。說明他治理京邑，政績頗著，故獲

民心而衆望歸之。共叔段作爲鄭國的封疆大員，田獵習武，有備無患，以防其他諸侯國的侵犯，這是正常的武備。共叔段親自搏虎的勇敢行爲，人民發出了「將叔無狃，戒其傷汝」的內心呼喊，關懷熱愛之心，溢於言表。另外，他又將狩獵所得獵物首先派乘卒「獻於公所」，說明他對國家的忠心。幾乘獻送獵物祭品的兵車，怎麼可能構成「將襲鄭」的「反叛」大罪呢？欲加之罪，何患無辭！民歌不自覺地暴露了鄭莊公先發害人的陰謀。

三、再看鄭國後人的評價。《左傳》莊公十六年（前678年）載：「鄭伯（厲公）治與於雍糾之亂者。九月，殺公子閼，刖强鉏。公父定叔出奔衞。三年而復之，曰：『不可使共叔無後於鄭。』使以十月入，曰：『良月也，就盈數焉。』」原來，鄭厲公突是鄭莊公的兒子，而公父定叔是共叔段的孫子。魯桓公十五年，鄭國卿祭仲殺厲公親信雍糾，驅逐厲公，迎昭公回國。當時公父定叔參與此事，得罪厲公，故厲公復位，公父定叔出奔衞國。但是，作爲莊公之子，卻說：「不可使共叔無後於鄭！」並且讓他在最吉利的十月回國。於此可見他對共叔段的認識。爲人立後，常是寄寓了對於前人美德和功績的思念。如楚國令尹（丞相）子文有德政，死後楚人懷之。其侄樾椒（子良之子）繼爲令尹，率兵反叛楚莊王，罪被滅族。照律子文之後也在誅戮之列。但楚莊王卻赦免了子文之孫尹克黃而復其官職，《左傳》宣公四年載：「王思子文之治楚國也，曰：『子文無後，何以勸善！』」此例可作旁證，說明厲公作爲兒子，不好公然與莊公唱對台戲；但他對乃父謀害共叔段，並不一定以爲然，甚至可能認爲是個冤案，因此藉立其後而予以「平反」。他爲共叔段立後於鄭，說明對共叔段評價甚好，與《詩・鄭風・叔于田》詩相合如符契然。各種迹象表明，共叔段「反叛」之事，乃是莊公一手炮製的陰謀。

（原載《古典文學知識》1994年第1期）

中國古代詩壇的兩叢奇葩

——左思《嬌女詩》與李商隱《嬌兒詩》藝術比較

嬌女詩〔晉〕左思

　　吾家有嬌女，皎皎頗白晳。小字為紈素，口齒自清歷。鬢髮覆廣額，雙耳似連璧。明朝弄梳臺，黛眉類掃迹。濃朱衍丹唇，黃吻瀾漫赤。嬌語若連瑣，忿速乃明懂。握筆利彤管，篆刻未期益。執書受綈素，誦習矜所獲。

　　其姊字惠芳，面目嫮如畫。輕妝喜樓邊，臨鏡忘紡績。舉觚（原作『鱓』，據《玉臺新詠》吳注校改）擬京兆，立的成復易。玩弄眉頰間，劇兼機杼役。從容好趙舞，延袖像飛翮。上下弦柱際，文史輒卷襞。顧眄屏風畫，如見已指摘。丹青日塵暗，明義為隱賾。

　　馳騖翔園林，果下皆生摘。紅葩綴紫蒂，萍實驟抵擲。貪華風雨中，眮（一作「倏」）忽數百適。務躡霜雪戲，重綦常累積。並心注肴饌，端坐理盤槅。翰墨戢函案，相與數離逖。動為壚鉦屈，屣履任之適。止為茶荈據，吹噓對鼎䥇。脂膩漫白袖，煙熏染阿錫。衣被皆重地（一作「池」），難與沈水碧。任其孺子意，羞受長者責。瞥聞當與杖，掩淚俱向壁。

驕兒詩〔唐〕李商隱

　　袞師我驕兒，美秀乃無匹。文葆未周晬，固已知六七。四歲知姓名，眼不視梨栗。交朋頗窺觀，謂是丹穴物。前朝尚器貌，流品方第一。不然神仙姿，不爾燕鶴骨。安得此相謂，欲慰衰朽質。

　　青春妍和月，朋戲渾甥姪。繞堂復穿林，沸若金鼎溢。門有長者來，造次請先出。客前問所須，含意不吐實。歸來學客面，閨敗秉爺笏。或謔張飛胡，或笑鄧艾吃。豪鷹毛崒崒，猛馬氣佶傈。截得青篔簹，騎走恣唐突。忽復學參軍，按聲喚蒼鶻。又復紗燈旁，稽首禮夜佛。仰鞭罥蛛網，俯首飲花蜜。欲爭蛺蝶輕，未謝柳絮疾。階前逢阿姊，六甲頗輸失。凝走弄香奩，拔脫金屈戌。抱持多反側，威怒不可律。曲躬牽窗網，䏶唾拭琴漆。有時看臨書，挺立不動膝。古錦請裁衣，玉軸亦欲乞。請爺書春勝，春勝宜春日。芭蕉斜卷箋，辛夷低過筆。

　　爺昔好讀書，懇苦自著述。顦顇欲四十，無肉畏蚤蝨。兒慎勿學爺，讀書求甲乙。穰苴司馬法，張良黃石術，便為帝王師，不假更纖悉。況今西與北，羌戎正狂悖。誅赦兩未成，將養如痼疾，兒當速成大，探雛入虎穴。當為萬戶侯，勿守一經帙。

　　我國古典詩歌的百花園中，晉・左思《嬌女詩》與唐・李商隱《驕兒詩》，是兩叢絢麗的奇葩，非常引人注目。它們都以長篇敍事詩的形式，深入了常被人們遺忘的兒童天地，形象地刻畫了小兒女的純眞童心及其嬌憨活潑神態，生趣盎然，令人神馳。詩中同樣含蓄地透露出文學家對於現實生活的嚴肅思考和審美評價。二詩相比較，如後人所說，李詩「全仿左太沖《嬌女詩》，而後綴

以感慨」（馮浩《玉谿生詩集箋注》），繼承與發展的痕迹宛然可見。二詩聯璧生輝，成爲我國古代兒童文學的驕傲。

首先，從題材選擇、構思立意及其思想意義看。二詩同樣選取兒童之「嬌」作題材，著力於一片純眞童心的描繪。爲什麼？因爲童心是一片尚未遭受世俗社會汚染的天地，人性未曾扭曲、變異。在這新穎的藝術構思之中，寄寓了詩人們憤世嫉俗的深沈感慨。左思（250～305年），字太沖，出身寒門，一生仕宦失意，因而家居著述，以詩文爲事。其《三都賦》成，人們競相傳寫，洛陽爲之紙貴。他有才能，有抱負，但在門閥社會中，卻絕無出路。他寫《嬌女詩》，第一次詳細描繪女兒的嬌態，不僅是對於封建統治階級歧視婦女的批判，而且是對於扭曲人性的爾虞我詐的社會黑暗的無聲抨擊，從而揭示了詩人那嚮往自由、熱愛生活的心聲。李商隱的《驕兒詩》也一樣。李商隱（約813～858年），字義山，號玉谿生。開成進士。長期沈淪幕僚，理想終成泡影，因此轉把希望寄託於未來——兒子身上。在描繪純眞童心之時，詩人發現了自己那消逝的過去，看到了人類的生命活力的展現。但自己那悲劇的現在，又預示了驕兒的將來。這怎麼能不叫人憂心如焚呢？他勸告兒子不要走讀書做官的老路，勿守一經，而要立功邊庭，報效祖國。這不是讀書無用論，而是借題發揮的牢騷與慨嘆，憤世嫉俗之心躍然紙上。

其次，從兒童形象的藝術塑造方面看。細膩的兒童心態刻畫，維妙維肖；生動的嬌兒描繪，栩栩如生，是其共同的藝術特點。但可貴的是，詩人善於隨物賦形，根據具體情況，如不同年齡、不同性別的特殊心態，而各有巧妙的神來之筆，絕無雷同之感。兒童形象各有鮮明的個性特徵，又顯露出詩人們各自不同的生活感受和藝術造詣。

左思《嬌女詩》，宛如一幅古代兒童的生活風俗畫。嬌女天眞

爛漫的神態，頑皮耍賴的行為，就像一個個活動的電影鏡頭，生機蓬勃，活蹦亂跳，歷歷如在眼前。全詩共五十六句二百八十字，分為三個自然段。第一段寫小女紈素，第二段寫其姊惠芳，第三段合寫二女嬌態。循序漸進，層次清楚。「馳騖翔園林」以下所敘，是二女的共性刻畫。春夏之際，花果紛繁，她們不管風雨，丟下書本和活計，每天園裡跑進跑出，攀枝摘花，擲果為戲。對成年人說，這是搗亂與破壞；但出現在孩子身上，卻依稀可見無拘無束童心的純真和任性的可愛。在這裡，詩人並不正面抨擊現實，而是掉轉筆鋒，以喜劇的詼諧筆調，著意於兒童惡作劇的描繪，滿紙捧腹之笑，並無一字議論，但一經咀嚼，言外之意清晰可見，其中潛隱著詩人對於世俗社會扭曲人性的無限感慨。這種含蓄的藝術手法，確有「不著一字，盡得風流」之妙。但二女不僅有共性，而且又各有不同的個性。如寫女孩子的好妝飾喜打扮，這本是少女愛美天性的自然流露。但因年齡不同，心態各異，特點不同。小女紈素特寵生嬌，摹仿母親梳妝打扮，拿起畫筆和胭脂，亂塗亂畫，結果是眉毛像兩把粗黑的掃帚，嘴巴一帶鮮紅透亮。這副扮相，如是青年婦女，非妖即怪；而塗抹在孩子的小臉蛋上，卻是稚氣活潑，惹人憐愛。而其姊惠芳年齡稍大，她也同樣喜歡妝飾打扮。但特點與妹妹不同，她是「輕妝喜樓邊，臨鏡忘紡績」。為什麼？因為古時樓邊向陽，光線很好，為了不致像妹妹那樣「黛眉類掃迹」，她找到這一明亮之處，仔細照鏡，精心修飾，從而敞開了少女愛美的心扉。不同年齡的不同生理動作，心理特徵，宛然如畫。所以蕭滌非先生讚美說：「紈素自紈素，惠芳自惠芳，既有其共同性，又各有其特殊性。」明·鍾惺更在《古詩歸》中對《嬌女詩》作出藝術評價：「通篇描寫嬌癡遊戲處不必言，如握筆、執書、紡績、機杼、文史、丹青、盤槅等事，都是成人正經事務，錯綜穿插，卻妙在不安

詳、不老成、不的確、不閒整，字字是嬌女，不是成人。而女兒一段聰明，父母一段矜惜，筆端言外，可見可思。」所論極其中肯。

自左思首創《嬌女詩》後，影響很大，學習者日漸增多。其中，李商隱《驕兒詩》尤其著名。詩人在另一作品中說：「左家嬌女豈能忘！」清楚說明了《驕兒詩》對於《嬌女詩》的繼承關係，是左思的啓發，促使李商隱對兒童詩歌題材發生興趣並加以拓展。左思筆下的嬌女，到李詩中化爲驕兒，性別雖變，但寫孩子的純眞童心未變。李商隱同樣以質樸自然、明白流暢的語言，詼諧風趣的喜劇筆調，刻畫了孩子嬌憨活潑神態，形象塑造有異曲同工之妙，驕兒袞師的男孩特殊心態，無不鮮明如畫。如明·胡震亨所言，「俚而能雅，曲盡兒態」，是左、李二詩的共同藝術表現。《驕兒詩》凡七十二句三百六十字，分爲三個自然段。第一段寫兒子的聰秀美質及親朋稱讚；第二段鋪寫孩子生活中的趣事和風貌；第三段，詩人觸景生情，借題發揮，抒發感慨。這一藝術結構，與左思純粹描繪二女嬌態已有變化。聰明的詩人，既善於繼承前人成就，但又不亦步亦趨，而是把前人成就作爲自己繼續攀登藝術高峯的新起點。李商隱就是這樣。他學習並讚美左詩，但並不拜倒腳下，更不是僅作口吻模仿；而是自具機杼，神明變化，另闢蹊徑，各領風騷。《驕兒詩》所寫是男孩，另有不同於嬌女的特點。「門有長者來，造次請先出。客前問所須，含意不吐實」。在賓主的寵愛下，孩子略顯聰明心計，所謂「含意不吐實」，正寫出孩子欲語又止的撒嬌作態。但客人一走，又是一副臉孔：「歸來學客面，閙敗秉爺笏。或謔張飛胡，或笑鄧艾吃。……豪鷹毛崱屴，猛馬氣佶傈。……忽復學參軍，按聲喚蒼鶻。」摹仿是兒童的天性。但袞師所摹仿的，已不是母親的梳妝打扮，而是捧起父親的手版摹仿客人的神氣，摹仿說書人形容三

國大鬍子張飛的勇猛和鄧艾的口吃神態，摹仿參軍戲中的生動表演……。這當然不是嬌女的事，而是活脫地畫出了俏皮男孩的活潑神情和特殊心態，從而使「驕兒」形象具有不同於「嬌女」的鮮明個性特徵。於此可見李商隱不僅是學習，而且是在創造和發展。至於最後一段的議論作結，胡震亨有「結處迂纏不已」的譏評；但人們多數不贊成他的意見。敘事長篇不是抒情短詩，不能一味以言簡含蓄為佳。清·紀昀比較義山詩之勝義說：「太沖詩以竟住為高。若按譜填腔，即歸窠臼，故末以寓慨為出路，方有變化。且古人言簡，可以言外見意；既已拓為長篇，而言無歸宿，隨住可住則非矣。凡長篇須知此意。」所說很有道理。李詩末段的議論，正是長篇的波瀾變化，這議論感慨不是枯燥乏味的「理語」，而是充滿感情色彩的生動「理趣」。這種藝術的不同，正是作者生活體驗不同的自然反響。在嬌驕兒女的背後，都有慈愛父母的眼睛在跟蹤，隱約可以聽見詩人心靈的跳動。左思純寫嬌女作態，有藝術首創之功；李因飽經仕途風波和人生憂患而轉移視角，結合自身，把「美秀乃無匹」的驕兒與「憔悴欲四十」的父親作鮮明的藝術對比，因而形象愈加鮮明感人，意義更為豐富而深刻。由此可見，文學家有了創新精神，藝術創作就能鑽出死胡同，另闢新洞天。

（原載《海上新韻》，上海詩詞學會1995年版）

爲劉柳白詩辨誣一則

宋人蔡居厚《蔡寬夫詩話》（郭紹虞《宋詩話輯佚》收錄），新意獨出，迥異流俗；但其中也有以訛傳訛，厚誣古人者，如其《劉柳白詩同意》一則云：

> 劉禹錫、柳子厚與武元衡素不叶，二人之貶，元衡爲相時也。禹錫爲《靖安（安原訛爲共）佳人怨》以悼元衡之死，其實蓋快之也。子厚《古東門行》云：「赤丸夜語飛電光，徼巡司隸眠如羊。當街一叱百吏走，馮敬胸中函匕首。」雖不著所以，當亦與禹錫同意。《古東門行》用袁盎事也。樂天江州之貶，王涯實爲之。故「甘露之禍」，樂天亦有「當君白首同歸日，是我青山獨往時」之句。

蔡氏所稱「其實蓋快之也」之論，由來已久，影響頗鉅，有損詩人品格；但味之於詩，核之以史，實是危言聳聽的無根之談，故不得不辨。

一、劉柳與武元衡，白與王涯，確有個人恩怨橫梗其間。永貞元年（805年）正月，順宗即位，王叔文集團當政，劉柳爲該集團骨幹，位據要津，登門求者，車馬闐門。而他倆的老上司御史中丞武元衡，則因拒絕與出身寒微的王叔文合作，被貶爲太子右庶子，職權全削，怨隙由此而生。但《詩話》以爲劉柳等八司馬

之貶，是因「元衡爲相」利用職權的報復，則誤。永貞元年八月，太子李純登基，史稱憲宗。王叔文曾反對立太子，故憲宗視爲大敵，他上台後，王叔文集團即貶死相繼，時間均在當年的秋冬之間。時宰相爲鄭絪、杜黃裳等，而武元衡仍在右庶子任上，是個無權的閒官。元衡入相在元和二年（807年），已在劉柳貶後二年。故武元衡與劉柳，宗派與觀點容有差異；但劉柳被貶事，實非出自元衡之手，則可斷言。

　　二、劉柳貶後，與武元衡仍有許多詩文唱和之作，交往不斷，說明雙方都在努力爭取改善關係。雖然武元衡對於王叔文集團耿耿於懷，並非眞是「宰相肚裡能撑船」，時有氣量狹隘之處；但劉柳則不然，他們從大局著眼，以國家爲重，襟懷坦蕩，示之以誠。元和初年，劉禹錫貶朗州司馬後，有《上門下武相公啓》，時元衡以宰相銜赴成都任四川節度使，收拾蜀中亂局。劉啓云：「去年本州吏人自蜀還後，伏奉示問，兼衣報繒彩等。雲水路遙，緘縢既厚。恭承惠下之旨，重以念舊之懷。熙如陽和，列在緗簡，苦心多簡，危涕自零。」又有《江陵嚴司空見示與成都武相公唱和因命同作》等唱和詩。而柳宗元貶永州司馬後，也於元和六年寫《上西川武元衡相公謝撫問啓》云：「相公以含弘光大之德，廣博淵泉之量，不遺垢污，先賜榮示。奉讀流涕，以懼以悲，屛營舞躍，不敢寧處！是將收孟明於三敗，責曹沫於一舉，……以期效命於鞭策之下。此誠大君子並容廣覽棄瑕錄用之道也。……祗受大賜，豈任負載？精誠之至，炯然如日。」元衡所深惡的是整個王叔文集團的政治勢力，一旦該集團勢力被摧毀，他對於劉柳等具體的個人，於其貶後，仍然賞識其才華，因而舊情不忘，先示存問。而劉柳也同樣報以熱切的期望。劉柳之於怨隙，早被時光流駛沖淡，因而舊日情誼逐漸恢復。至於白居

易，他與劉柳一樣，也是個正義多情之士，於名利進退，晚年尤
爲恬淡。其《感興》二首（之一）云：「名爲公器無多取，利是災
身合少求。雖異匏瓜難不食，大都食足早宜休。」故對早年江州
司馬之謫，日漸淡泊。當然不會於幾十年後，仍對王涯恨恨不
已。劉柳與白，精誠之言猶在耳畔，怎會對故人被共同敵人所害
而忘乎所以地發出得意的狂笑呢？可說絕無此理。如蔡氏「蓋快
之也」之言，嚴重歪曲並醜化了三大文學家的品格與形象，實出
妄斷。

三、中唐之後，藩鎮割據與宦官擅政是當時社會的兩大痼
疾。因此，對於叛鎮及宦官的態度，成爲考驗人的政治試金石。
元和十年（815年）六月，宰相武元衡因爲力主鎮壓淮西叛鎮，
被淄青叛酋李師道派刺客殺害於所居靖安坊東門。叛鎮宣稱：
「天子所以銳意誅蔡者，元衡贊之也。……元衡死，則他相不敢
主其謀，爭勸天子罷兵矣。」（《資治通鑑》卷二三九）武相遇
刺，朝野震驚，當時任左贊善大夫的白居易越職抗疏，慷慨陳
辭，力主討賊，被忌恨者（宦官集團）及當政者所劾，外貶州刺
史，又因王涯附和疏劾，追貶江州司馬。此事錯在王涯。後來王
涯在文宗朝任相。太和九年（835年）發生「甘露之變」，千百
朝官被宦官所殺，株連衆多百姓，長安血流成河，王涯諸相，也
被宦官滅族。史實說明，武元衡被叛鎮所刺，王涯爲宦官所殺，
死亡時間雖有先後，但性質卻有相通之處：即均爲反動的黑暗勢
力所害，其死已越出個人恩怨性質，而涉及國家安危與民族前
途。而劉柳白三大文豪，對於宦官叛鎮，旗幟鮮明，立場堅定，
抨擊不遺餘力。元和十二年，淮西平定以後，劉禹錫作《平蔡州》
詩三首；柳宗元寫《平淮夷雅》二篇；歌頌了維護國家統一的平叛
戰爭的勝利。這是繼承與發揚了武元衡的未竟之志。因此，他們

對於武相之死，無不義憤塡膺，怎麼可能反而「快」敵之所快呢？還有，認眞閱讀三人的原作，如非深文曲說，那麼自能體味到悲自中來的刻骨之痛，哪有什麼幸災樂禍的「快之」痕迹呢？劉禹錫《代靖安佳人怨》二首序云：「靖安，丞相武公居里名也。元和十一年（**按**：應爲「十年」）六月，公將朝，夜漏未盡三刻，騎出里門，遇盜薨於牆下。初公爲郎，余爲御史，緣是有舊故。今守於遠服，賤不可以誄，又不得爲歌詩聲於楚挽。故代作《佳人怨》以俾於樂府云。」詩云：

> 寶馬鳴呵蹋曉塵，魚文匕首犯車茵。
> 適來行哭里門外，昨夜華堂歌舞人。

> 秉燭朝天遂不回，路人彈指望高台。
> 牆東便是傷心地，夜夜秋螢飛去來。

第一首先寫武相被刺，後寫佳人悲哭。「昨夜華堂歌舞人」非諷刺武相荒淫，而是一來點明「行哭里門外」的佳人身分，二是以昨夜華堂歌舞之歡樂，與凌晨遇刺悲劇之突然形成強烈的藝術對比，來渲染佳人行哭的悲不自勝。第二首進一步寫武相薨後人們的傷心與哀悼。「路人彈指望高台」，並非意在諷刺。「彈指」，憤怒、悲惜的表示。句謂人們爭相嘆惜，悲悼不已。「牆東便是傷心地，夜夜秋螢飛去來」，意境淒婉，情眞語摯，流自肺腑，國人共悲，何「快」之有？再看柳宗元《古東門行》：

> 漢家三十六將軍，東方雷動橫陣雲。
> 雞鳴函谷客如霧，貌同心異不可數。
> 赤丸夜語飛電光，徼巡司隸眠如羊。

當街一叱百吏走，馮敬胸中函匕首。
凶徒側耳潛愜心，悍臣破膽皆吐口。
魏王臥內藏兵符，子西掩袂真無辜。
羌胡轂下一朝起，敵國舟中非所擬。
安陵誰辨削礪功？韓國詎明深井裡。
絕臕斷骨那下補，萬金寵贈不如土。

開篇正寫平淮西形勢，朝廷積極備戰。「雞鳴」以下六句，則從
反面極寫叛鎮猖狂，刺客無賴，刺殺武相。「悍臣」，非以驕悍
譏武相。《漢書·賈誼傳》顏師古注：「悍，勇也。」指像漢文帝
時如馮敬之類力主削藩的勇略之人，後馮敬被諸侯刺客殺害。故
當時賈誼憤而上疏：「陛下之臣雖有悍如馮敬者，適啓其口，匕
首已陷其胸矣。陛下雖賢，誰與領此？」柳宗元借用漢事，指責
朝廷不肯作主，敵人猖獗，「悍臣破膽」，以此嘆惜武相之死。
「魏王」以下六句，進一步指出盜殺武相，朝堂不認眞追查後台
的嚴重性，爲之悲嘆扼腕。末謂死後贈金如糞土，意在言外，謂
當防患於未然，從根本消滅叛鎮入手。與劉《代靖安佳人怨》相
比，悲悼之外，又深入一層評論朝廷時政。雖然當時柳爲謫臣，
因涉及朝廷，只能閃爍其事，隱約其辭，但是無論怎樣深挖其
「微言大義」，詩中也不見任何「快」意的蛛絲馬迹。最後再看
白居易《九年十一月二十一日感事而作》，詩云：

禍福茫茫不可期，大都早退似先知。
當君白首同歸日，是我青山獨往時。
顧索素琴應不暇，憶牽黃犬定難追。
麒麟作脯龍爲醢，何似泥中曳尾龜！

明白寫文宗太和九年（835年）的「甘露之變」。「君」並非專指王涯，而是泛指死於非命的衆多朝官。頷聯「白首同歸」，用晉・潘岳、石崇臨刑故事。潘贈石詩有「白首同所歸」句，「及遭刑，俱赴東市。崇顧謂岳曰：『可謂白首同所歸矣！』」（瞿佑《歸田詩話》）而下句「青山獨往」，則樂天當時閒居洛陽，適遊香山寺，所寫乃當時實事，並無「微言大義」。詩在表面上慶幸自己脫離朝廷而獨存，實際上是悲痛世道昏暗：誰想「用之則行」，企望在朝中幹一番事業，誰就有「麒麟作脯龍爲醢」的悲劇；無奈只有「捨之則藏」，成爲一隻曳尾龜，尚可苟活殘喘於泥淖之中。第三聯「顧索素琴應不暇，憶牽黃犬定難追」，並非幸災樂禍之語，而是設身處地，想像事變突發之際，四個宰相及千百無辜被宦官爪牙押赴刑場之時，甚至不能像晉人嵇康臨刑前索琴彈奏《廣陵散》，也沒有時間像秦相李斯臨刑前回憶昔日牽黃犬出遊的生活，當時宰相王涯好琴，舒元輿好獵，故及之，詩人悲痛之深，無以爲加。所以蘇軾稱引「顧索」、「憶牽」一聯，明白評說：「不知者以樂天爲幸之。樂天豈幸人之禍哉，蓋悲之也！」（見《東坡題跋》卷二《書白樂天香山詩》）言之鑿鑿，啓人深省。後來汪立名《白香山年譜》發揮說：「太和九年甘露事，李訓、鄭注、舒元輿、王涯、賈餗皆被害。味詩中『同歸』句，本就事而言，不專指王涯也。公自蘇州召還，秩位漸崇，見機引退，宦官之禍，固早計及者，何致追憶王涯！況公之遷謫，本由宦官惡之，附宦者成之，豈反以中人（按：即宦官）誅夷士大夫爲快？幸禍之說，蓋出於章子厚，診所謂以小人心度君子腹耳。」聯繫白氏其他作品，很能說明問題。其《雜感》詩云：「是非不由己，禍患安可防？」哪有「快之」的心思？白居易批判宦官集團，立場一貫，怎會因朝中諸故人爲閹黨所殺而興高采烈呢？如元和四年（809年），唐憲宗任命宦官頭目吐突承璀爲三軍統

帥，討伐河北成德軍叛酋王承宗，當時白居易任翰林學士，立即
上疏反對，言辭激烈：「國家征伐，當責成將帥，近歲始以中使
爲監軍。自古及今未有徵天下之兵，專令中使統領者也。……臣
恐四方聞之，必窺朝廷；四夷聞之，必笑中國！」朝堂之上，公
然嗤議宦官頭目。又《與元九書》云：「聞《宿紫閣村》詩，則握軍
要者切齒矣。」《宿紫閣村》詩之末句曰「主人愼勿言，中尉正承
恩！」當時吐突承璀任神策軍中尉，憲宗寵眷正濃。但詩人的矛
頭指向，了無顧忌。又《輕肥》詩云：「意氣驕滿路，鞍馬光照
塵。借問何爲者，人稱是內臣。朱紱皆大夫，紫綬悉將軍。誇赴
軍中宴，走馬去如雲。樽罍溢九醞，水陸羅八珍。果擘洞庭橘，
鱠切天池鱗。食飽心自若，酒酣氣益振。是歲江南旱，衢州人食
人！」對於驕橫跋扈的宦官集團，無情鞭撻，諷刺入微。一個素
與反動宦官集團爲敵的正義之士，怎會被個人恩怨蒙蔽眼睛而
「快」諸友之喪，甚至爲敵人的血腥屠殺唱頌歌呢？這是不可想
像的！

　　總之，《詩話》稱「劉柳白詩同意」，其所「同」應是共同站
在時代的先進行列，堅持原則，站穩立場，大義凜然；而非幸災
樂禍，「快」友之喪。泄私憤、報私仇的「復仇文學」，乃無恥
小人之所行，爲正直之士所不齒。劉柳白三人歌詩，正反映其高
風亮節，無愧於一代文學大師的稱號。

（原載《文學遺產》1994年第2期）

李商隱詩歌的藝術貢獻與心理分析

　　心理結構是濃縮了的人類歷史文明，藝術作品則是打開時代靈魂的特殊心理學。因此，探索人類的心理結構，有助於揭開藝術永恆魅力的奧祕①。細緻的心理透視與深刻的精神分析，是通往藝術殿堂的成功之路。因為詩中的心理活動，正是生活之光的折射。文學要反映生活，就必須寫人；而要寫人，就須形神兼備，以形傳神，重在把握人物思想、感情和性格的心理特徵。李商隱在這方面獨具擅場，堪稱心理分析的高手。

一

　　詩歌創作難以一蹴而就，創作之前，要有一定的心理準備。晚唐社會，宦官專權，藩鎮叛亂，朝中傾軋加劇，邊邑民族戰火蔓延。這一特定時代知識分子的心理不僅缺乏盛唐詩人那種「乘風破浪會有時，直掛雲帆濟滄海」的宏偉氣魄，而且失掉了杜甫在安史亂中產生的「皇綱未宜絕」的自信心。面對黑暗社會的沈重壓迫，理想已被碾得粉碎，因而從痛苦的掙扎中發出了「夕陽無限好，只是近黃昏」的哀嘆，為李唐王朝唱起了挽歌。但在一片衰颯的悲音之中，人們又隱約聽到靈魂的呼喊和對人生的新的精神追求。人們常說「憤怒出詩人」。的確，黑暗社會的壓迫激起了詩人強烈心理反抗。其《上崔華州書》充分說明了他創作之前的心理準備：

愚生二十五年矣。五年誦經書，七年弄筆硯。始聞長老
言：「學道必求古，爲文必有師法」，常悒悒不快，退自
思曰：夫所謂道，豈古所謂周公、孔子者獨能邪？蓋愚與
周、孔俱身之耳。是以有行道不繫今古，直揮筆爲文，不
愛攘取經史、諱忌時世。百經萬書，異品殊流，又豈能意
分出其下哉！

封建社會樹立孔孟之道爲思想正宗，作爲人們道德文章必須遵循
的圭臬。強制推行某種思想規範，容易造成兩種不同的社會心
理：一是順從心理，一是逆反心理。前者爲了獲得安全感，多是
不問是非，逆來順受，採用順從心理來對待壓迫；後者則類似
「叛逆」，經常提出了「正宗」是否眞「正」等問題。李商隱明
顯屬於後者。他在創作前，早已提出了一連串的「爲什麼」，從
而向黑暗社會提出了挑戰。但可貴的是，詩人並非不問事實的故
作翻案，也不是盲目的心理「逆反」，而是在事實與實踐的基礎
上爲自己的「逆反心理」提出了相應的理論根據。他在《上河南
盧給事狀》中說：「賦成誰薦，食絕唯歌！……屬人生之坎坷，
逢世俗之推遷。」是現實的壓迫，促使他的創作「行與時違，言
將背俗」（《上李尚書狀》）。比如宦官問題，自唐文宗大和九年
（835年）發生「甘露之變」後，宦官集團血洗長安，連皇帝也
有「受制家奴」的悲嘆。在宦官氣焰囂張之時，批評宦官，無疑
是危險的；生活中的弱者，面對危險，就必然產生恐怖心理；而
在恐怖心理的支配下，人們常喪失意志，惶恐戰慄，明哲保身，
朝官畏之如虎，士人鉗口結舌。但在這樣恐怖氣氛中，李商隱卻
面對危險，正義凜然，勇敢地寫下了《有感》、《重有感》等三首
詩，直斥當權宦官爲「凶徒」，揭露其篡權亂政的罪惡，表現了
對國家與民族的高度責任感。「誰瞑含冤目，寧吞欲絕聲？」

「敢云堪慟哭，未免怨洪爐」（《有感》），即使是躺在血泊之中
的冤魂，也不會只是飲泣吞聲。鬥爭失敗的嚴酷現實與發表正義
的心靈吶喊，構成了矛盾對立，形成了詩人的「逆反」心理特
徵。「豈有蛟龍愁失水，更無鷹隼與高秋！」詩人並不屈服於現
實的重壓，他透過現象看本質，於現實中見未來，以詩歌爲武器
奮起反抗。這對正義的人們是一種激越的精神頌歌，而對腐朽力
量則構成了無形的心理壓力。面對世間不平，詩人在創作前具有
非鳴難已、不吐不快的心理準備，所以才能寫出堪稱《北征》流亞
的優秀長篇敍事詩《行次西郊作一百韻》，該詩最後說：

> 又聞理與亂，在人不在天。我願爲此事，君前剖心肝。
> 叩頭出鮮血，滂沱污紫宸。九重黯已隔，涕泗空沾唇。
> 使典作尚書，廝養爲將軍。慎勿道此言，此言未忍聞。

在這裡，詩人把自己的創作動機及其心理基礎，和盤托出。詩人
不僅要「言人人之所欲言」、「言人人之不能言」，更重要的是
敢於「言人人之所不敢言」②。這是詩人創作前的心理準備。他
斷言天災雖重，但要害在人禍，或「理」或「亂」，在人不在
天。爲此他敢於揭露朝廷腐敗，譏及帝王將相，這對於一個年剛
二十五歲的青年來說，是難能可貴的。詩人於是年（837年）剛
剛進士及第，尚未釋褐入仕，他要眞正涉足仕途，還須經吏部博
學弘辭諸科之試，按唐時慣例，這正是他溫卷干謁、求人提攜的
微妙時刻。但詩人卻公然宣稱以詩歌爲特殊武器來實行直言極
諫。這怎能不得罪當權貴要？因此，後來李商隱的一生蹭蹬仕
途，並非如人所說僅是牛黨要人令狐綯的排軋，更重要的原因還
在他自身的「逆反」心理素質及其詩歌創作。這樣拋開個人得
失，全然無視利害的堅強創作心理準備，保證其詩歌創作在構思

立意、命題謀篇諸方面，能夠高瞻遠矚、別開生面，從而爲永恆
藝術魅力的出現作了艮好的鋪墊。正是這種心理領域的自覺意
識，充分調動了詩人的主觀能動性，並通過想像等手段，把衆多
零亂的生活表象，化爲嶄新的藝術境界。人們常說寫詩要有靈
感，藝術靈感是「天機駿利，紛而不理」，「來不可遏，去不可
止」③，似乎是一種下意識的創作衝動。但這種衝動，卻與詩人
那日積月累的生活激情有關；激情不是憑空而降的，而是和創作
前那「不平則鳴」的自覺心理意識有關。一旦具有這種心理自
覺，藝術就能「化無爲有」，聽任感情自由馳騁。於此可見，詩
人在創作前的心理狀態是至關重要的，一定要在平時加以自覺的
引導和準備。

二

　　李商隱的政治詩、詠史詩，心理描寫細膩動人。如《行次西
郊》一詩描繪殘破的京郊農村：「存者皆面啼，無衣可迎賓。始
若畏人問，及門還具陳。」詩人從興元到京師，途經幾多村莊，
遇見了不少農民，說過了許許多多的話。但藝術形象並不是生活
表象的翻版，而是運用自覺藝術的創造想像，對原有大量的生活
表象進行細密的分析、綜合、變異與概括，以塑造藝術形象和開
拓藝術意境。上述的主客問答，源自生活，但又比生活原型更概
括，更具本質特徵。「面啼」，《唐音戊籤》作「背啼」，意思是
一樣的，即背面而啼哭。這就把當時農民的細膩心理活動如實地
展現了出來。爲什麼不當著人們面前失聲痛哭，而是背轉身去
「面啼」呢？原來是窮到衣不蔽體，沒有臉顏見人。但客已「及
門」，又是勢在必迎。傷心之極，未免情動於中而失聲「面
啼」。「面啼」二字，正寫出百姓羞辱、怨憤交織在一起的複雜

心理過程：平日，由於官吏的殘酷壓榨，致使百姓畏官如虎。當時詩人是出入藩鎮幕府的進士，當然也是官樣服飾，就是這身「虎皮」，居然引起農民的驚恐，所以有「畏人問」的動作。一個「畏」字，形象地表現了對於社會黑暗的深刻批判之意。但當農民了解到詩人的同情心後，於是一變「畏人問」的態度，把鬱積胸中的苦水，爲之「具陳」傾吐。開篇短短幾句，已震撼了人們的心弦，即從心理上征服了讀者，是很成功的一筆。但如果將這一筆與作者首創的無題詩相比較，後者則更勝一籌。從作出超越前人貢獻的創新角度言，李商隱的無題詩在心理刻畫和精神分析方面，以它富於藝術個性的獨創，而彪炳於詩史。如：

身無彩鳳雙飛翼，心有靈犀一點通。

春蠶到死絲方盡，蠟炬成灰淚始乾。

金蟾齧鎖燒香入，玉虎牽絲汲井回。

春心莫共花爭發，一寸相思一寸灰。

幾時心緒渾無定，得及游絲百丈長。

風波不信菱枝弱，月露誰教桂葉香？

這些膾炙人口的名篇警句，就是出自主要以七言律絕寫成的無題詩，爲我國詩歌的心理分析，進行了成功的新探索。但既然詩人所走的是時人尚不熟悉的新路，人們又會因此對它產生種種疑問，這也是自然的。如千古藝術之謎的《錦瑟》篇：

> 錦瑟無端五十弦，一弦一柱思華年。
> 莊生曉夢迷蝴蝶，望帝春心託杜鵑。
> 滄海月明珠有淚，藍田日暖玉生煙。
> 此情可待成追憶，只是當時已惘然！

人們在欣賞回味的同時，又感到它像神話中的蓬萊仙島一樣，可望而不可即，它意境朦朧，難以理解，卻自有美的價值，引導人們作無窮的聯想與探索。正是這種朦朧美，突出了無題詩的心理特徵，體現出李詩藝術的本色。

李商隱的無題詩，並非一時一地之作。隨著時、空的推移變化，詩人的感觸紛至沓來，因而取材廣泛，內容多樣。如《瑤池》之類，屬於詠史範圍，借古諷今的寄託非常明白。但比較而言，它更多是通過詩人所熟悉的愛情方式來形象地展現古代社會的生活畫面，藉以抒發詩人那難言之意、隱忍之情。實際上，無題詩是一種特殊形式的抒情珍品，它猶如無標題音樂，往往是作者某種潛在情緒的觸發及展現。這種感情細膩、複雜微妙的情緒很難具體地加以解說，亦難以題盡之，因此託之「無題」以出之。這裡所說的寄託，不能機械理解為僅僅是指事關國家的政治大事，更不能以為一定是具體影射或實指某人某事。清·屈復《玉谿生詩意·凡例》說得好：

> 凡詩有所寄託，有可知者，有不可知者。如「月中霜裡鬥嬋娟」、「終遣君王怒偃師」諸篇，寄託明白，且屬泛論，此可知者。若《錦瑟》、《無題》、《玉山》諸篇，皆男女慕悅之詞，知其有寄託而已。若必求其何事何人以實之，則鑿矣。今但就詩泛論，不敢附會牽強。

這樣泛論「寄託」，包括範圍很廣，比較合乎實際。過分牽合，就會求深得淺，反而忽視了無題詩的藝術成就。現在，讓我們從「泛論」角度出發，撇開無謂的牽合「事實」，專從其愛情描繪的心理特徵入手，來具體分析無題詩的思想昇華。

詩人有關愛情與婚姻的思想觀點，在當時是一種石破天驚之論。其《別令狐拾遺書》曰：

> 今人娶婦入門，母姑必祝之曰：「宜相善。」前祝曰：「蕃息。」後日生女子，貯之幽蘭密寢，四鄰不得知，兄弟以時見。欲其好，不顧性命。即一日可嫁去，是宜擇何如男子屬之邪？今山東大姓家，非能違摘天性而不如此。至其羔鴈在門，有不問賢不肖健病，而但論財貨，恣求取是爲事。當其爲女子時，誰不恨？及爲母姑，則亦然。彼父子男女，天性豈有大於此者邪？

在這裡，作者抓住同一貴族婦女在未出嫁的年輕時與作母親後的年老時決然相反的心理活動進行對比，使人一眼洞穿了封建禮教的僞善本質，有力地批判了封建買賣婚姻的罪惡。更可貴的是，他又進一步闡明了產生這一時代特殊心理的客觀基礎是「時」與「勢」：「今日赤肝腦相憐，明日眾相戕辱，皆自其時與勢耳。」所謂「時勢」，就是指那處在運動變化之中而不以人們主觀意志爲轉移的客觀形勢。是封建禮法制度決定了當時貴族婦女的獨特心理結構，以致人們「違摘天性」，扼殺「母愛」，甘作「財貨」的奴隸，把女兒婚姻當商品，於是產生了這種特殊的變態心理，墮落爲情感的罪人。在這裡，作者「攻心爲上」，通過正常心理與變態心理的發展變化，來揭露產生罪惡心理的社會根源。正是這一自覺意識，有力地指導了他的無題詩的創作，有關

愛情的心理描繪，就成了它的一個重要藝術特點。但有人因此指
責無題詩描寫的是輕佻僞薄的艷情。這種說法似是而非。隨著唐
代都市經濟的繁榮，士女遊宴是很平常的，文人墨客與歌舞伎女
的交往甚多。唐代大詩人李杜元白均不免於此，李商隱也難免從
俗。如其《鏡檻》詩，正是昔日士女遊宴燈紅酒綠生活的寫照。但
這在義山詩集中是個別的。從無題詩的總體傾向看，詩人所表現
的情感基本是健康美好的。以詩人自己的愛情生活爲例，其婚前
的戀愛心理活動，在《柳枝·序》中表現得淋漓盡致：

> 柳枝，洛中里娘也。父饒好賈，風波死湖上。其母不念他
> 兒子，獨念柳枝。生十七年，塗妝綰髻，未嘗竟，已復起
> 去。吹葉嚼蕊，調絲擫管，作天海風濤之曲，幽憶怨斷之
> 音。……余從昆讓山，比柳枝居爲近。他日春曾陰，讓山
> 下馬柳枝南柳下，詠余《燕台》詩，柳枝驚問：「誰人有
> 此，誰人爲是？」讓山謂曰：「此吾里中少年叔耳。」柳
> 枝手斷長帶，結讓山爲贈叔乞詩。明日，余比馬出其巷，
> 柳枝丫鬟畢妝，抱立扇下，風鄣一袖，指曰：「若叔是？
> 後三日，鄰當去濺裙水上，以博山香待，與郎俱過。」余
> 諾之。會所友有偕當詣京師者，戲盜余臥裝以先，不果
> 留。雪中讓山至，且曰：「東諸侯取去矣。」明年，讓山
> 復東，相背於戲上，因寓詩以墨其故處云。

對於少女柳枝的活潑嬌憨及勇敢熱戀心理，描繪入微，神情畢
肖，充分展現了青春的美麗與生命的活力。詩人然諾之許，爲其
癡情所動。但或因生活，或因偏見，種種原因致使兩情離散，現
實粉碎了愛情美夢，終於在心靈深處劃下了一道明顯的傷痕。所
以《柳枝》詩中有「錦鱗與繡羽，水陸有傷殘」之句，連畫屏上成

雙的鴛鴦，也引起詩人的無限慨嘆與悲吟！在序言中，對於破壞
美滿愛情的「東諸侯」的痛恨，蘊含了美的追求與愛情失敗的苦
痛。這種感情基礎是基本健康的，為無題詩的創作作了良好的情
感鋪墊。至於詩人婚後，夫妻伉儷，感情很好。而在夫人去世，
不幸守鰥的日子裡，眞情思念，令人感動④。府主柳仲郢曾有贈
以美妓之舉，但詩人堅決謝絕，其《上河東公啓》曰：

> 某悼傷已來，光陰未幾，梧桐半死，才有述哀。……自安
> 衰薄，微得端倪。至於南國妖姬，叢台妙妓，雖有涉於篇
> 什，實不接於風流。……伏惟克從至願，賜寢前言。

由此可見，詩人的生活態度基本是嚴肅的，其愛情是眞摯深沈
的。著名如元稹《會眞詩》，有「轉面流花雪，登牀抱綺叢」一類
低級趣味的詩句。而李商隱的無題詩則從不作這種刺激性感的下
流描寫，而多是體現純潔的愛情，微妙的心理，頑強的追求，高
尚的精神境界，這與那「拈花惹草」、「偷香竊玉」根本是兩碼
事！至如《錦瑟》、「相見時難別亦難」、「颯颯東風細雨來」諸
篇，情致委婉纏綿，景象迷離彷彿，含義綿邈深遠，辭藻瑰麗精
當，閃耀著迷人的藝術光彩。但這一切都是通過愛情的形式來加
以傳達的。古希臘的德謨克利特說：「追求美而不褻瀆美，這種
愛是正當的。」⑤李商隱的無題詩，正是這樣一支用純潔的愛來
感染讀者的心靈頌歌，它追求美而不褻瀆美，因而愈加富有魅
力。為什麼會這樣？恩格斯說：「痛苦中最高尚的、最強烈的和
最個人的──乃是愛情的痛苦。」⑥無題詩的愛情心理描繪，的
確最富於「個人的」藝術光彩，在這方面，別人是難與爭鋒的。
大概由於詩人在痛苦最深的愛情海洋中喝盡苦水、體會最深的緣
故，在日積月累的歲月逝波中，「愛情」已深深埋入詩人的心

底，經歷無盡的翻騰變幻，終於發展成一股潛藏的感情洪流，一旦閘門打開，就會四處橫溢，隨地迸發。大概這股潛意識的感情洪流已經強烈到不可遏止的地步，所以詩人在自覺或不自覺之中，或說古道今，或抒情議論，無不受它的衝擊與影響，並成功地藉它來加以表現，從而創造了無題詩。以熟悉的生活，抒寫不可壓抑的感情，當然體會深切，描繪細膩動人。如：

　　鳳尾香羅薄幾重，碧文圓頂夜深縫。
　　扇裁月魄羞難掩，車走雷聲語未通。
　　曾是寂寥金燼暗，斷無消息石榴紅。
　　斑騅只繫垂楊岸，何處西南待好風！

這首無題詩，寫一個青年女子渴望與所愛者相會而不可得的複雜心情。特別是第二聯，寫少女見意中人驅車而過，欲說還休，急用團扇遮住羞紅的顏臉。其中「難掩」二字，透露出少女青春煥發、欲罷不能的特殊心理矛盾。在大庭廣眾之中，在封建禮教的防範之下，她不得不用理智控制自己，以免衝動「越軌」；但潛藏心底的感情洪流，又不知不覺地衝破了理智「防堤」，不時偷覷幾眼。這「掩」與「難掩」的矛盾，活脫脫地寫出了少女熱戀中的興奮與追求，充分顯現了青春的活力。又如：

　　來是空言去絕蹤，月斜樓上五更鐘。
　　夢為遠別啼難喚，書被催成墨未濃。
　　蠟照半籠金翡翠，麝熏微度繡芙蓉。
　　劉郎已恨蓬山遠，更隔蓬山一萬重！

描寫所愛遠隔天涯，難以團圓。特別是前兩聯，細膩地刻畫了日

夜思念、夢中相見的動人情景。然而可恨晨鐘驚破美夢，醒後不
免飲泣啼喚。於是急起修書，以寄遠方。墨未磨濃，即迫不及待
地奮筆疾書，難言苦衷，盡託筆墨中。這把夢醒後的現實壓抑及
其真摯追求，描繪得維妙維肖。詩人不愧是刻畫愛情的天才。但
更難能可貴的是，詩人並非愛情至上，而是透過生動的愛情心理
的形象揭示，另具有深刻的意義和價值。

詩人富有理想與抱負。但由於時代的壓迫，他是蹭蹬仕途，
潦倒一生，美好的理想終成幻影。為了生存與發展，他理智地意
識到，奴顏婢膝、干謁權貴可以是一條出路；但在潛意識的感情
方面，卻又本性難移，蔑視王侯貴要，願為理想獻身。其友人崔
玨說他是「虛負凌雲萬丈才，一生襟抱未曾開」（《哭李商隱》之
二）。詩人自己也說：「如何匡國分，不與夙心期。」（《幽居
冬暮》）這就說明了理想與現實的嚴重衝突。他的政治生涯，盡
是驚濤駭浪，充滿了失意與苦痛，於是就把無題詩的中心，轉向
了愛情的追求：「錦長書鄭重，眉長恨分明。莫近彈棋局，中心
最不平。」開成三年（838年），當他赴吏部博學弘辭試時，因
被權貴排陷而名落孫山之外，其憤懣可想而知。這時，妻子書信
勸慰，才使他那激動的靈魂稍得安息。他希望借用愛情這塊柔軟
的輕紗，來擦拭受傷靈魂的血迹。但愛情只能起一時的作用，無
法根本排除人生的災難。而且，即使在個人愛情生活中，詩人同
樣經歷了深深的磨難。年輕時相愛的柳枝，被「東諸侯取去」，
心靈已受創傷。在與涇原節度使王茂元女兒結婚以後，王氏才貌
雙全，妙善錦瑟，生活甚為美滿。但這只是暫時的，夫妻的恩
愛，更鮮明地反襯出詩人後來所受的生活折磨。加以他出身低
微，被世族大姓所忌恨，所以縱有才華與理想，也難免抱恨終
身。這又在早已受傷的靈魂上再猛戳了一刀。為了生活，詩人不
得不拋離家室，萍迹四方，寄人籬下，沈淪幕僚。恩愛夫妻歡聚

恨少,離別苦多,唯有夢中相見。「搖落傷年日,羈留念遠心。水亭吟斷續,月幌夢飛沈。……結愛曾傷晚,端憂復至今。未諳滄海路,何處玉山岑?」(《搖落》)那久被壓抑的熾熱愛情,終於通過無題詩那如夢似幻的境界,如泣如訴地傾瀉了出來。現代作家談到創作心理矛盾二重性時曾說:「殘酷的現實粉碎著活生生的願望,唯獨夢還沒有破滅,還在另一種領域殘喘延續,於是我懷著游絲般的夢想,懷著不能實現的美好追求,創造了郝萍這個人物。」⑦在現實中,愛情的輕紗已被邪惡撕得粉碎;但詩人不甘失敗,而是另闢蹊徑,轉為精神上的愛情追求,這是對於現實壓迫的一種特殊反抗形式。無題詩中的愛情,猶如水晶碧玉純潔無瑕,幾乎達到了透明的程度。純真的愛情,在人生無盡的感情追求中得到了昇華。弗洛伊德在《精神分析引論》中說:「所謂『昇華』者,意即性力捨卻性的目標,而轉向他種較高尚的社會的目標。」⑧如果排除了弗洛伊德把生活的動力歸之於純是「性的渴望」的錯誤之後,那麼從心理學角度言,他的「昇華」說是有一定科學根據的。後來日本的廚川白村,正是在這一意義上來加以發揮的,他在《苦悶的象徵》中稱頌這種已經獲得「昇華」的愛情,是「最廣的意義上的生命力的突進跳躍」,它外化在文藝作品中,就是「朝著真善美的理想,追趕向上的一路的生命的進行曲」⑨。李商隱的無題詩,正是一支以愛情形式體現出來的「生命進行曲」,它經歷了理智與感情、意識與潛意識之間的無數反覆,終於在獨特的愛情心理描繪中,積澱了共同的社會理性內容。它從個別到一般,既形象又概括,終於同時擔負著把那久被壓抑的靈魂,解放出來的使命。在這方面,無題詩堪稱典範。如:「八歲偷照鏡,長眉已能畫。十歲去踏青,芙蓉作裙衩。十二學彈箏,銀甲不曾卸。十四藏六親,懸知猶未嫁。十五泣春風,背面秋千下。」這是詩人早年作品。良辰美景,姹紫嫣紅,

和風蕩漾，但妙齡少女卻無心遊賞。「十五泣春風」一聯，活脫脫地畫出了少女傷春情懷，心理活動眞實而微妙。在這點上，說它是一首愛情詩，當然是合理的，但又不盡如此。在詩中，少女那略帶感傷的慨嘆中，包含了情竇初露的熱切追求，體現活力的生命展望，和對美好未來的憧憬幻想。在這一點上，又和年輕詩人的遠大理想抱負是一致的。所以馮浩注曰：「《上崔華州書》『五年讀經書，七年弄筆硯』，《甲集序》『十六著《才論》《聖論》，以古文出諸公間』。此章寓意相類，初應舉時作也。」分析有一定道理。在這裡，天才詩人又隱然以傷春少女自況，才華橫溢，待價而沽，這與少女熱烈追求愛情的焦急心情是和諧統一的，曲折地表達了青年人熱心從政和擔憂前途的複雜而微妙的心理。在這一意義上說它是一首展示精神追求的寄託詩，當然也可以。無題詩中這種多層意蘊的創造，是對於我國詩詞創作寄意深遠優良傳統的一種具體發展。而隨著年事的增長，詩人在愛情與事業中歷盡坎坷，因而無題詩的感情色彩起了變化。如：

> 重幃深下莫愁堂，臥後清宵細細長。
> 神女生涯原是夢，小姑居處本無郎。
> 風波不信菱枝弱，月露誰教桂葉香。
> 直道相思了無益，未妨惆悵是清狂。

從心靈深處描繪幽居女子在愛情風波中的無限痛苦與執著追求，心理描寫極其成功。現實壓迫是無情的；但在夢中，人們仍然奮鬥，作無盡的精神追求。這與詩人的身世也有相通之處。政治理想備受打擊與美滿愛情旋即破滅，這一切都在似夢非夢的境界中展開，從而創造了朦朧的意象、綿邈的情景。它是愛情詩，還是揭示精神追求的寄託詩？應該說是合二而一，是雙主題的交叉迭

現。近代名家郁達夫深受無題詩的影響，他以切身的體會和具體
的文學實踐，說明了此中的藝術三昧：「茫茫來日，大難正多，
我老了，但我還不願意就此而死。要活，要活著奮鬥，我且把我
的愛情放大，變作了對世界、對人類的愛情吧！」⑩因此，許多
無題詩既可理解爲愛情詩，但又不僅僅是愛情詩，因爲堅貞的純
潔愛情與高尚的精神寄託，在同一詩歌境界中得到了完美的和諧
統一。無題詩中的愛情心理刻畫，既可說是一種特定情緒的反
映，同時又是一種靈魂的淨化。總之，它是誠摯的精神追求，而
不是具體的性刺激。在嚴酷的現實生活中，人類的進步理想受到
了壓抑；但通過無題詩的愛情頌歌，又使人類的生命活力得以無
限延伸，並激勵人們與現實中的醜惡與黑暗作鬥爭，以鍥而不捨
的精神，去發現人生的價值，追求美好的未來。因此，無題詩可
以有一個主題，也不妨有兩個、甚至是兩個以上的主題交叉迭
現。它篇幅短而容量大，感情複雜細膩，如果不仔細推敲，就會
各執一端，莫衷一是。如果採用「泛論」說，就自然避免了這一
缺點，見仁見智，無往不達。「滄海月明珠有淚，藍田日暖玉生
煙」，意境是多麼純淨，情緒是何等淒婉，在堅貞不渝的深切悼
念氣氛中，人們又隱約聽到了詩人心聲的哭訴與執著的追求。
「身無彩鳳雙飛翼，心有靈犀一點通」，在陰森沈重的封建社會
中，那久被禁錮的愛情，那被現實擊得粉碎的理想，那哀感頑艷
的悲劇形象，只有在那既具體生動、又夢幻朦朧的藝術境界中，
才重新獲得舒展的自由！詩人熟悉創作與欣賞中的心理活動規
律，並把心理分析方法引進了藝術思維領域，因而無題詩中類似
的名篇警句，並非一般地運用修辭手段，而是更深一層地巧於運
用「詩無達詁」的朦朧象徵藝術，看似明白流暢，一旦細加咀
嚼，就會體味出無窮的豐富內涵。詩人在創作時，不僅從心理機
能上充分調動了自己的主觀能動性，並且爲讀者留下了廣闊聯

想、豐富想像的餘地，以便最大程度地發揮那無數的欣賞者的聰明才智來進行藝術的再創造。掌握創作與欣賞的文藝心理學，確是無題詩藝術獲得成功的祕訣之一。這是不是打開無題詩迷宮之門的一把鑰匙？讀者不妨一試，並用實踐來檢驗。總之，筆者認為，李商隱的無題詩以其擅長心理分析與精神昇華的獨特藝術個性，豐富和發展了中華民族的文藝心理學，從而為人類文明作出了新貢獻。

---

①參見李澤厚《美的歷程》，文物出版社1981年版，第212～213頁。

②參見清葉燮《原詩》。

③見陸機《文賦》。

④參見李商隱《悼傷後赴東蜀辟至散關遇雪》、《王十二兄與畏之員外相訪見招小飲，時予以悼亡日近不去因寄》諸詩。

⑤德謨克利特《著作殘篇》，見伍蠡甫主編《西方文論選》上冊，第4頁。

⑥見於《馬克思恩格斯全集》俄文版第二卷，92頁。

⑦潘文偉《美的呼喚》，見《作品與爭鳴》1983年第9期。

⑧高覺敷譯，商務1930年版，第9、10頁。

⑨魯迅譯，見《魯迅全集》1973年版第十三卷，第42～43頁。

⑩王觀泉《達夫書簡跋》引郁達夫語，見《達夫書簡》天津人民出版社1982年版，第135頁。

（原載《文學評論》1989年第2期）

《唐宋八大家書系・王安石卷》前言

　　王安石生活在積貧積弱、內憂外患的北宋中晚期。爲了拯衰救弊，富國強兵，他立志變革，雖九死其無悔，並爲此獻出了自己的一生。這一充實而光輝的人生經歷，爲其散文創作和文學道路奠定了堅實的基礎。

　　王安石（1021～1086年），字介甫，號半山，臨川（今屬江西）人。青少年時代，家境寒素，「內外數十口，無田園以託一日之命，而取食不腆之祿」，因此隨歷任地方官的父親王益宦遊四方，增加了廣泛接觸社會、了解民生疾苦的機會。仁宗慶曆二年（1042年）登進士第，授揚州簽判，從此步入仕途。在此後漫長的十六七年間，雖曾有機會三次短暫入京擔任羣牧判官之類的微職，又有諸多顯宦勝流交薦於朝，但他不爲所動，自願長期任職地方，如知鄞縣、通判舒州、知常州、提點江東刑獄諸職，並將其變法的初步設想在地方上試驗推行，積累了豐富的經驗。仁宗嘉祐三年入朝，以極大的政治熱情，撰《上皇帝萬言書》，提綱挈領，倡言變法，卻不被採納。但他並不灰心，繼續以其思想理論及文學創作，爲變法大聲疾呼，作了必要的輿論動員和思想準備，終於水到渠成。

　　神宗登基，決心勵精圖治。他信任王安石，擢升其爲知制誥、翰林學士侍講。熙寧二年（1069年）二月參知政事（副宰相），公開變革，厲行新法。熙寧三年十二月，同中書門下平章事（宰相），於是青苗、保甲、募役、均輸、市易、農田水利、

方田均稅諸法，次第推廣，頗見成效。如其詩《歌元豐》（五首之三）所詠：「湖海元豐歲又登，稊生猶足暗溝塍。家家露積如山隴，黃髮咨嗟見未曾。」但因變法觸犯了大官僚地主及富紳豪右的種種特權和既得利益，加以變法的條件尚未完全成熟，因此遭到了保守勢力及不理解者的強烈反對，人們「羣起而攻之」。其中，突出的反對者是司馬光和蘇軾，他們的反對意見中也有部分的事實根據和合理的成分。迫於壓力，王安石熙寧七年四月罷相，但八年二月復相，至熙寧九年（1076年）十月再次罷相，退居金陵（今江蘇南京），封荊國公，世稱王荊公。從此永別京國，在閒放養疾的同時，著述講學不輟。直至哲宗元祐元年（1086年），政敵司馬光任相執政，全面推翻新法，變法流產。王安石聞訊，憂憤不能自已，卒於金陵，爲自己悲壯的人生之路畫上了句號。朝廷諡號文，人稱王文公。但是，薪盡火傳，其進步思想早已煥發爲文學之光，永遠激勵後人。王安石生平著述宏富，諸子百家及佛老之書無不涉足，其學識之淵博，是古代文學家之佼佼者。今存《臨川集》（或稱《王文公文集》）一百卷，《周禮新義》十六卷，《唐宋百家詩鈔》二十卷。其散文及詩詞作品，見諸文集中。《宋史》卷三二七有傳，但多有歪曲；可參閱清‧蔡上翔《王荊公年譜考略》及梁啟超《王安石評傳》。

在倡導唐宋古文運動的八大家中，王安石的創作道路閃爍著文學革新的光彩，詩、詞、散文，全面發展，均有極高的造詣。其詞「一洗五代舊習」，盡棄前朝綺靡之鉛華，其《桂枝香》（金陵懷古）被人譽稱「最爲絕唱」；其詩或直面慘澹之人生，或率性閒吟之抒懷，剛柔並用，無不有致，世稱「王荊公體」；但比較而言，其散文創作的藝術造詣尤勝一籌。元‧吳澄《臨川王文公集序》云：「荊國文公，才優學博而識高。其爲文也，度越輩流。其行卓，其志堅，超越富貴之外，無一毫利欲之泊，少壯至

老死如一。其爲人如此，其文之不易及也固宜。」所論文如其
人，甚是。

討論「道」與「文」的關係，是唐宋古文運動的重要課題。
在這一方面，王安石繼承韓、柳、歐陽而有所發展。他把討論的
重心，逐漸從抽象道德方面，轉移到具體而複雜的政治變法生活
方面，並進一步落實到創作實踐中。他嚴厲抨擊了當時的不良文
風，其《上邵學士書》云：「某嘗患近世之文，辭弗顧於理，理弗
顧於事，以襞積故實爲有學，以雕繪語句爲精新。譬之擷奇花之
英，積而玩之，雖光華馨香，鮮縟可愛，求其根柢濟用，則蔑如
也。」他對於那些拘限聲病、苟尚文辭的形式主義作品，當然不
屑一顧，甚至像韓愈所稱「唯陳言之務去，戛戛乎其難哉」的提
法，他也表示不滿，其《韓子》詩云：「紛紛易盡百年身，舉世何
人識道眞？力去陳言誇末俗，可憐無補費精神。」認爲韓愈雖然
抽象論「道」，但是重點在「文」而有片面追求形式的缺陷。其
《上人書》比較集中地論述了他崇實尚用的文學思想，云：

> 嘗謂文者，禮教治政云爾。其書諸策而傳之人，大體歸然
> 而已。而曰：「言之不文行之不遠」云者，徒謂「辭之
> 可以已也」，非聖人作文之本意也。自孔子之死久，韓子
> 作，望聖人於百千年中，卓然也。獨子厚名與韓并，子厚
> 非韓比也，然其文卒配韓以傳，亦豪傑可畏者也。韓子嘗
> 語人以文矣，曰云云，子厚亦曰云云。疑二子者，徒語人
> 以其辭耳，作文之本意，不如是其已也。孟子曰：「君子
> 欲其自得之也。自得之，則居之安；居之安，則資之深；
> 資之深，則取諸左右逢其原。」獨謂孟子之云爾，非直施
> 於文而已，然亦可托以爲作文之本意。且所謂文者，務爲
> 有補於世而已矣。所謂辭者，猶器之有刻鏤繪畫也。誠使

巧且華，不必適用；誠使適用，亦不必巧且華。要之以適
用為本，以刻鏤繪畫為之容而已。不適用，非所以為器
也。不為之容，其亦若是乎？否也。然容亦未可已也，勿
先之，其可也。

在這裡，他把文和辭分開，文指作文本意，辭則指篇章之
美。作文本意在於明道之「自得」，也就是在為政治服務的原則
下，要有真正屬於自己的心得體會，不人云亦云，故其所
「道」，是可施諸實用的經時濟世之學。文以「有補世用」的實
用為目的，就必須落實到藝術地宣揚變法的基點上，這是王安石
文學思想的主題歌。既然如此，在文學的內容與形式關係上，他
必先重視內容。文之有辭，「猶器之有刻鏤繪畫」。製器本意在
於用，其形式之美雖也能吸引人，但應分清其主次關係。

不過可貴的是，王安石創作思想並未因此而走向極端。他稱
「容亦未可已也，勿先之其可也」。一方面不滿於韓、柳之心得
在文不在道，「徒語人以其辭」，其理解有片面之嫌；另一方面
卻又能糾正當時理學家重道輕文道德說教之弊端，只要有益於
用，文章「巧且華」又何妨！另外，他在《性情》一文中還提到
「性情」是統一的，強調創作要情理和諧。他嘲諷理學家的滅情
無欲之說，云：「如其廢情，則性雖善，何以自明哉？誠如今論
者之說，無情者善，則是若木石者尚矣！」文喜自得情貴真，這
一創作指導思想將其散文藝術推向了一個新的境界。

人稱荊公文章根柢於經術，梁啓超則擴大至廣泛之學識，斷
言在唐宋八大家中，「荊公則學人之文」，而其餘七家「皆文人
之文」。的確，散發出濃郁的書卷氣是王文的特點。但是，安石
之所謂「道」，已超越一般經學家的理解，而是自道其所道，故
其《策問十道》云：「聖人之為道也，人情而已矣。考之以事而不

合，隱之以義而不通，非道也。《洪範》之陳五事，合於事而通於義者也，如其休咎之效，則予疑焉。人君承天以從事，天不得其所當然，則戒吾所以承之之事可也，必如傳云人君行然，天則順之以然，其固然邪？……使狂且僭，則天如何其順之也？」也就是說，「道」應合人情，順自然，以合乎實際爲驗，而不以盲目迷信爲宗。故王文所植之學，早已脫出繁瑣經學窠臼，而以經世致用爲鵠的，故其文具「自得」獨特之色。據《宋史》本傳，時人譏其「但知經術，不曉世務」，安石反駁說：「經術正所以經世務。」其《答曾子固書》云：「世之不見全經久矣，讀經而已，則不足以知經。知某自百家諸子之書，及於《難經》、《素問》、《本草》、諸小說，無所不讀，農夫女工，無所不問。」可見其「文」之學，已植根於深厚的現實土壤之中，故能鑄偉詞樹卓識，自成一家之文。如茅坤《唐宋八大家文鈔》所稱：「王荊公湛深之識，幽渺之思，大較並本之古六藝之旨，而於其中別自爲調，鑱刻萬物，鼓鑄羣情，以成一家之言。」又云：「匠心所注，意在言外，神在象先，如入幽林邃谷而杳然洞天，恐亦古來之所罕者。」又蔡上翔《王荊公年譜考略》卷三於慶曆七年載曾鞏《與王介甫第一書》，謂：「歐公悉見足下之文，愛嘆誦寫，不勝其勤。……歐公更欲足下少開廓其文，勿用造語及模擬前人，……孟韓文雖高，不必似之也，取其自然耳。」安石遵從歐陽修的教導並加以發揮，故蔡氏評云：「介甫英分絕人，自命又最高。故其後來爲文，不惟不似孟韓，而亦無有擬似周秦兩漢者，此其所以亦成爲荊國之文而獨有千古也。」

總的說來，王安石文風似人，峭刻峻厲，瘦硬通神，具文家所稱「江西本色」，不僅影響後世散文藝術的發展，甚至深刻影響了黃庭堅及其江西詩風的出現。王安石的議論說理之文，掃蕩舊陋，自呈新貌，說理精深入微，邏輯謹嚴而又章法多變。他喜

作出奇制勝的翻案文章，如《讀孟嘗君傳》，文不滿百，而四層起
落，吞吐抑揚，讀之不覺爲之神越氣長，其議論之宏大，實千古
不刊之至理。文章雖簡而拗折有致，語言雄健，而又簡約有味，
令人思之彌深。此等議論文字，非一般文家所企盼。其記敍之
文，超脫傳統記事體例，出之精審議論以創新，如《遊褒禪山記》
之類，逸興滿眼而述事有序，但又自出機杼，變創其貌，重點常
落在篇末點題的精彩議論，因事生議，借題發揮，觸類旁通，哲
理高妙，不同凡響而餘音不絕，同樣啓人至深。至其抒情文字，
其文多簡潔，但眞情勃發，溢於字裡行間，堪稱震鑠古今。劉熙
載《藝概》卷一《文概》於此有畫龍點睛之評述：「介甫每言及骨肉
之情，酸惻嗚咽，語語自肺腑中流出。」集中如《祭范穎州（仲
淹）文》、《祭歐陽文忠公文》之類的大手筆，堪稱文中「第
一」，人所稔熟，此可不論。又如《祭王回深甫文》，寫受母命而
交摯友，哭友兼哭母，處處有入骨之悲。故茅坤評曰：「交深而
言戚，可裂肺腑。」信然。總之，王文於八家之中，自樹一幟，
堪稱典範，值得後人學習和借鑑。

　　選文盡量擷其精華，取其在各方面有一定代表性的作品，標
準是時代精神和藝術光彩相結合。其中既有反映當時政治鬥爭需
要的洪鐘大呂，也有抒發個人情誼的娓娓私語。人的生活是豐富
的，思想是複雜的，感情是細膩的。因此，我們力爭從各個不同
的角度加以多層次的開發，以便比較全面地反映出王安石散文的
藝術成就。選文體例，以文章寫作的時代先後爲序，而不按體裁
分類編排，以便展現其散文藝術的發展輪廓；暫時無法考證其寫
作時間者，即附後排印。

　　《臨川集》原爲北宋薛昂所編，南宋多有刻本，以龍舒本《王
文公文集》一百卷爲最古。今上海人民出版社1974年排印本即據
此排印，並參校了明代應雲鷟等幾個本子。今之選文，即據此爲

底本。原校多有解惑之功，不敢掠美，附後參考。我們又參校《四部叢刊》、《四庫全書》諸本，以糾正個別訛誤。如《答司馬諫議書》「難任人」，即據他本校改爲「難壬人」。校文不另注明，祈諒。所選篇章，有若干不見於《王文公文集》者，則取自他本。不當之處，請批評指正。

（原載《唐宋八大家書系・王安石卷》中國工人出版社1997年版）

桐城派與文學語言的發展

　　桐城派作爲散文正宗，曾經主執清代文壇牛耳達二百多年之久。他們的文學主張的核心是「義法」。但一般的討論與研究都偏在「義」——即思想內容方面。其實，從文學的發展觀點上看，桐城派的主要貢獻卻在「法」——即藝術表現方面。在「法」上，桐城文人尤爲自負的還在文學語言方面。散文語言，更是桐城文人所潛心研究的。自古以來，很多人對於散文語言的創造有誤解，以爲它和詩賦駢文不同，只要拉雜寫來，自是一篇文章。一些政治家、學問家，以作文爲餘事，如宋代的道學領袖程頤明言：「今爲文者，專務章句，悅人耳目；既務悅人，非俳優而何？」（見《二程語錄》卷十一）反對文學語言的錘鍊。正因爲這樣，他們的文章，大都乾枯乏味，毫無生趣，與藝術毫無機緣。桐城文人則不同，劉大櫆指出：「近人論文，不知有所謂音節者，至語以字句，則必笑以爲末事。此論似高實謬。作文若字句安頓不妙，豈復有文字乎？」並宣稱：「論文而至於字句，則文之能事盡矣。」（見《論文偶記》，下同，不另注明。）姚鼐說得更爲概括，他說：「文字者，猶人之言語也。有氣以充之，則觀其文也，雖百世而後，如立其人而與言於此。」（《復翁學士書》）很明顯，他們知道，只有通過文學語言的「黏合」，各種事實和生活現象，以及作家的構思布置和審美情趣，才能統一爲有機的藝術整體。輕視文學語言的運用與研究，就成不了眞正的文學家。桐城派一反道學祖師，對於「學行繼程朱之後」的封建

文人來說，似乎有點「叛逆」的味道，但在創作中，卻爲文學語言爭得了合法的「席位」。這應該說是個不小的貢獻吧！

一

關於散文語言的規範化問題，這首先應從桐城文人精於評點說起。對於桐城派的評點，後人以爲是受當時八股文的影響，專講些起承轉合、開闔首尾的濫調。其實，這種意見並不全面。文章的起承轉合關鍵不在於該不該講，而在於如何講。方苞在《書五代史安重誨傳後》中說：「記事之文，惟《左傳》《史記》各有義法。一篇之中，脈相灌輸而不可增損，然其前後相應，或隱或顯，或偏或全，變化隨宜，不主一道」。「夫法之變，蓋其義有不得不然者。」劉大櫆說：「古人文章可告人者惟法耳。然不得其神而徒守其法，則死法而已。」姚鼐也說：「古人有一定之法，有無定之法。有定者，所以爲嚴整也；無定者，所以爲縱橫變化也。二者相濟，而不相妨。……非思之深功之至者，不能見古人縱橫變化中所以爲嚴整之理。」（《與張阮林》）桐城派的三祖，都提倡不主一道、隨義而變的「活法」，反對亦步亦趨、不知變化的「死法」。從文學語言的角度言，起承轉合、斷續順逆、虛實詳略之法，在作家靈巧的筆下，卻是千姿百態，窮神盡變的，但變中有同，自有它「所以爲嚴整」的規律在。通過評點，探索散文語言的規律，就可看到它是否合乎修辭邏輯和語法文法。就文學語言的規範化而言，這無疑是一種進步。因爲成功的文學語言，首先必須合乎語法、文法和修辭邏輯。否則，就不成其爲文學！斯大林在《馬克思主義和語言學問題》一文中指出：「當語言的詞彙接受了語言文法的支配的時候，就會有極大的意義。」「正是由於有了文法，就使語言有可能賦與人的思想以物

質的語言的外殼。」可見，作家要表情達意、反映生活，就必須
使自己的文學語言合乎語法修辭的規範。桐城派的評點之學，恰
恰注意到了這一點。評點，正是桐城文人以中國獨具的民族方
式，從事語法文法研究的一種嘗試。

從表面上看，中國古代似乎沒有語法學。事實上，漢語在它
發展的歷史進程中，也自有其「法」。只是有關這種「法」的研
究，方式與洋人不同，如王若虛的《滹南文話》之類，雖然零碎瑣
屑，不成體系，但卻具體可行。明代的歸有光——公認的桐城派
遠祖，把古文家這套辦法具體運用到圈點上面去。而後來方苞及
其他桐城文人的評點之學，直接繼承了歸有光。張裕釗在光緒二
年編印的《方望溪評點史記》之前，首列《震川大全集載評點史記
例意》，正說明了這種關係。姑舉幾段為例：

> △《史記》起頭處來得勇猛者，圈；緩些者，點。然須見得
> 不得不圈、不得不點處乃得。
> △墨擲處是背理處，青擲是不好要緊處，硃擲是好要緊
> 處，黃擲是一篇要緊處。
> △《史記》只實實說去，要緊處多跌蕩，跌蕩處多要緊。
> ……跌蕩處都是「焉」「矣」字。
> △太史公若鬧熱處就露出精神來了。如今人說平話者然，
> 一拍手又說起，只管任意說去。如說平話者，有興頭處
> 就歌唱起來。

後來方苞仿歸有光評點《史記》，就著眼於文章的「脈絡」、「虛
實詳略」之類的「義法」。在評點唐宋八大家古文時，更以正反
兩方面具體的文學語言事例來加以說明。姚鼐「悟」出了此中三
昧，在《答季雅札》中說：「圈點啟發人意，有愈於解說者矣。」

清季的桐城後學林紓也說：「章實齋著《文史通義》，……譏歸震
川其用五色筆評《史記》也。……愚則謂震川之評《史記》，用聯圈
處，其妙尙易見（原本丹朱筆）；若每句用三角形加於其旁者
（原本黃筆），始爲震川之用心處，亦爲《史記》文法之宜研究
處；且其連用三角形者，或提醒文之命脈，或點淸文之筋節；至
於單句之上用單三角者，尤震川獨得之祕訣。」後來姚鼐編刻了
《古文辭類纂》，他的學生吳德旋讚頌道：「其啓發後人，全在圈
點。」可見桐城派對於圈點之學的重視。他們從語法修辭的角
度，特別注意「文之命脈」和「文之筋節」，也即語言的脈絡、
轉折、跌蕩、氣勢等。比較而言，還是劉大櫆的理論更爲概括：
「文貴變。……文者，變之謂也。一集之中篇篇變，一篇之中段
段變，一段之中句句變，神變，氣變，境變，音節變，字句變，
惟昌黎能之。文法有平有奇，須是兼備，乃盡文人之能事。上古
文字初開，實字多，虛字少。典謨訓誥，何等簡奧，然文法要是
未備。至孔子之時，虛字詳備，作者神態畢出。……文必虛字備
而後神態出，何可節損？」「節損」虛字云云，是針對明代前後
七子秦漢派一類的文字而發。這些極端的復古派，以爲上古之文
實詞多虛字少，所以神氣自出，於是就餖飣古語，廢棄（或少
用）虛詞，弄得文氣不暢，辭不達意，難以卒讀。這樣不重虛詞
的復古，距離當時口語愈遠，在漢語規範化與文學語言的發展中
實是一個倒退。劉氏針對當日文壇某些語言復古的錯誤傾向，加
以匡正，實爲有識之士。總之，桐城派師承歸有光的評點之學，
從文學語言的角度說，有幾點特別值得注意：

一是硃圈點處，不僅側重實詞運用，點出「敍事好處」的警
句，而且從語法角度，指出了「總是意句」的地方。在古代文字
沒有標點符號的情況下，可因此而「借徑」，導人閱覽，疏通語
氣，貫串文意，從而幫助學習與理解。

一是黃圈點處，總是「人難曉」的文字。它更重虛詞的運用，不僅指出了語言的「氣脈」、「轉折」，點明了虛詞在語法上的語氣脈絡作用，更突出了虛詞有助於「神態畢出」的修辭作用。一個虛詞運用是否得當，語氣一變，就可能導致語意全然相反。如《史記・殷本紀》載紂王的話：「我生不有命在天乎？」用一個句末助詞「乎」字，構成反詰語氣，就是肯定自己合乎天命，不該遭此覆滅命運。這一個「乎」字，就把他至死不悟的愚蠢與頑固，從感情上寫得淋漓盡致。至於虛詞「神態畢現」的修辭作用，可以姚鼐的《袁隨園君墓志銘》為例。文中敘寫少年得志的袁枚任溧水縣令時，他父親怕他年輕不能勝任，就親自到縣私訪，當地百姓都對他說：「吾邑有年少袁知縣，乃大好官也！」如果不用句末助詞「也」字，語法也通，而加了一個「也」字，感情色彩就出來了。「是一個很好的官吏啊！」不僅把當地百姓的頌揚讚美，而且把作者的主觀感情，繪聲繪色地刻畫出來。這樣的「神態畢現」，要求很高，可以說，在文學語言的發展中，虛詞的運用比實詞更難，也就更須錘鍊。

一是強調語氣發展、語言脈絡的「斷而不斷」，特別注意文學語言的跌蕩躍起之處。文章與說話一樣，有它具體的環境，有的話可以不寫不說而意思自明。這就必須引導讀者在不用實詞處去理解實詞的作用，在不用虛詞處去理解虛詞的語氣脈絡作用。如《莊子・馬蹄篇》：「馬，蹄可以踐霜雪，毛可以禦風寒。」在「馬」字後面，顯然省略了「之」字。如果連續為「馬蹄可以踐霜雪」，語法上並沒錯誤，但與下面「毛可以禦風寒」句音節不對稱，破壞了語言的音樂美。而省去「之」後，在讀「馬」字時略作停頓，則「馬」為總綱，分別領起下面的「蹄」與「毛」二句，意義正確，音節勻稱，語言自然神氣活現。吳德旋《初月樓古文緒論》稱「《莊子》文章最靈脫，而最妙於宕，讀之最有音

節」，指的也包括了這些方面。劉大櫆從文學語言角度加以總
結：「或句上有句，或句下有句，或句外有句，說出者少，不說
出者多，乃可謂之遠。」「讀古人文，於起滅轉接之間，覺有不
可察識處，便是奇氣。」所謂「不可察識處」，多是語言文字省
略而文意更爲深遠的地方。劉氏所強調的，不僅要在有文字處理
解語意文意，而且更要在無文字處窺出語氣神態，以便更好地完
成創作使命。桐城文人注意並研究了這些問題，推進了漢語語法
與修辭相結合。換言之，他們強調散文語言的錘鍊，首先必須在
語法修辭方面下功夫，桐城文人的這種認識，對散文語言的規範
化起了良好的促進作用。

其次，桐城派提倡言簡意賅，「雅潔」「洗鍊」的文風，同
樣有助於提高散文語言的純潔性，有利於促進統一書面語的規範
化。何謂「雅潔」？方苞的意見最有代表性：

△又其辭號雅潔，仍有近俚而傷於繁者。（《書歸震川文
　集後》）
△凡爲學佛者傳記，用佛氏語則不雅。……豈惟佛說，即
　宋五子講學口語，亦不宜入散體文。司馬氏所謂言不雅
　馴也。（《答程夔州書》）
△南宋元明以來，古文義法不講久矣，吳越間遺老尤放
　恣，或雜小說，或沿翰林舊體，無雅潔者。古文中不可
　入語錄中語，魏晉六朝人藻麗俳語，漢賦中板重語，詩
　歌中雋語，南北史佻語。（沈廷芳《望溪先生傳書後》
　引）
△古文氣體貴清澄無滓。……《易》《詩》《書》《春秋》及四
　書，一字不可增減，文之極則也。降而《左傳》《史記》韓
　文，雖長篇，字句可薙芟者甚少。其餘諸家，雖舉世傳

誦之文，義枝辭冗者，或不免矣。(《古文約選序》附
《凡例》)

在這裡，方苞從正反兩面說明了「雅潔」的意義。「雅」是從語
言的品格著眼，它與俚俗相對，所以劉大櫆謂「好文字與俗下文
字相反」。「潔」則是就文字的乾淨洗鍊而言，它的反面就是繁
瑣蕪雜而不知所云，對此，方苞曾有比喻：「夫文未有繁而能工
者。如煎金錫，粗礦去，然後黑濁之氣竭而光潤生」。

關於桐城派的「雅潔」，爭論很多。我個人認為，以郭紹虞
先生主編的《中國歷代文論選》中《古文約選序》的說明，比較公允
全面：

和篇章結構緊密聯繫著，是語言文字問題。文中指出《易》
《詩》《書》《春秋》及四書，一字不可增減，是「文之極
則」。「《左傳》《史記》韓文，雖長篇，字句可薙芟者甚
少」，其餘諸家，就不免「義枝辭冗」。這裡值得注意
的，是「辭冗」由於「義枝」，可見辭的問題，枝蔓和繁
冗，是不合乎義法的。他在《左傳義法舉要》以及評點的
《史記》和唐、宋八大家文中，更多地用生動具體正反兩面
的例子，從文字語言的角度來談義法。要其旨歸，是以刪
繁就簡、言簡意賅為謀篇修辭的第一要義。由此而進，於
是他提出了古文語言純潔化的問題。在他看來，古文既然
不同於詩賦和其他文體，那就必須具有不同於詩賦和其他
文體的語言。……古文氣體的澄清無滓，和語言的純潔是
分不開的，但也正因這樣，也就不能吸收生動活潑的口頭
語言，而只能以「雅潔」自封了。

這一段話,對於桐城派散文語言的功過是非,作了簡明扼要的概括。我不再重覆,只略作補充:

一、關於「簡」「潔」的論爭。方苞說「文未有繁而能工者」,這是偏激片面之語,很快就受到錢大昕的攻擊:「文有繁有簡,繁者不可減之使少,猶之簡者不可增之使多。……謂文未有繁而能工者,非通論也。」(《與友人書》)散文語言要求言簡意賅,但也並非一味求簡。意不賅明,則言雖簡也是廢話。不指出這點,對散文語言的規範化是不利的。後來由姚鼐出來補苴罅漏,他在《與陳碩士》中說:「文章之事,欲其言之多寡當然,不可增減。意如駢枝,辭如贅疣,則失為文之義。」他的論述重點已從言之「多寡」轉移到言之「當然」,也就是說,該繁則繁,該簡則簡,繁簡適當,以求意義之明。他在《答魯賓之書》中的解釋就更有趣了:「《易》曰:吉人之詞寡。夫內充而後發者,其言理得而情當。理得而情當,千萬言不可厭,猶之其寡矣。」千言萬語,滔滔不絕,只要是「理得而情當」,就無不深受歡迎,而唯恐其短。這樣便賦予言簡之「簡」以新的含義。所謂「簡潔」,就是刪去一切可有可無的字句,使之更加凝鍊集中。「理得而情當」,寫得再多也是勢在必然,仍屬於「簡潔」的範圍。這樣論述「簡潔」,自然就無往而不當了。在這兒,姚鼐明為方苞求「簡」辯護,暗中實是接受了正確的批評,從理論上進行了補充與發揮,使桐城派的「言簡」之論發展得更為完滿,桐城文家雖然人多勢眾,但在一些重要的理論問題上卻彼此糾偏、相互補充、不斷發展。

二、關於「古雅」的論爭。許多人稱道桐城散文語言之「雅」,這與「古」字密不可分。「古雅」連稱,就是脫離當代

口語的復古。這種意見可說是正誤參半。桐城文人都是封建士大夫，他們受時代與世界觀的局限，不能也不願深入生活，對於民間活生生的語言所知無幾，於是自己的書面語便脫離了口語。他們「古雅」的語言，確有士大夫的酸腐之味，稱之為「復古」也未嘗不可。隨著時代的進步，應該逐步強調言文一致，使書面語與口語漸趨統一。嚴守言文的界限，是桐城派在文學語言上的一大缺陷。

但從另一角度言，桐城派鼎盛於乾隆朝，當時不可能也不允許散文真正做到言文一致。當時雖然產生了如《紅樓夢》這樣偉大的白話語體小說，但小說是小說，散文則自有特點（請參閱吳孟復《試論「桐城派」的藝術特點》一文中「為散文語言的純潔而努力」一節）。當時的戲曲、小說作品，也確實有許多庸俗猥瑣的文字，迎合了有閒階級的低級趣味。不雅不文，雖今猶不如古。桐城派對這種「屠沽氣」文字的批判，對維護散文語言的純潔性所做的努力是不能否定的。而且，桐城派在語言上的學古，不是遠離時代的生吞活剝，而是強調熔古於今的「自鑄偉詞」。劉大櫆說得明白：「今人行文，翻以用古人成語，自謂有出處，自矜其典雅，不知其為襲也，剿賊也。……大約文字是日新之物，若陳陳相因，安得不目為臭腐？原本古人意義，到行文時卻須重加鑄造；一樣言語，不可便直用古人，此謂去陳言。未嘗不換字，卻不是換字法。……若散體古文，則六經皆陳言也。」這裡，一是指出以模仿古人字句為「典雅」的錯誤；二是就散體古文的語體特點立論，謂「六經皆陳言」，這種石破天驚的離經叛道之語，在封建時代沒有一定的膽識和真知灼見，是說不出來的；三是指出文學語言係「日新之物」，反對陳陳相因，主張因時因地的「重加鑄造」。劉大櫆還進一步說：「然氣味有厚薄，力量有大小，時代使然，不可強也。」「文氣」是通過語言來體現的，

「文氣」不同是「時代使然」，這樣論述，散文語言不是離時代
遠了，而是強調要有時代的氣息。這樣解釋「古雅」，不是也有
點以復古爲革新的味道嗎？再則，桐城派的「古雅」，把古人文
章中得到公認、仍然活著的語言加以靈活運用，這也促進了漢語
的規範化。

二

　　散文語言不僅應該合「法」（合乎語法文法），而且更應該
合「情」（即具有藝術的審美特點）。散文作爲一種文學樣式，
也有其獨特的藝術要求。對於散文的藝術特點，姚鼐《與陳碩士》
中說：「歸震川能於不要緊之題，說不要緊之語，卻自有風韻疏
淡，此乃是於太史公深有會處。此境又非碩士所易到耳。文家有
意佳處，可以著力；無意佳處，不可著力。功深聽其自至可
也。」這裡把散文語言的「散」這一重要特徵說得很形象。但
是，形散而神不散，形「散」之中，卻自有它的「風韻疏淡」。
貌似拉雜隨便的「無意佳處」，實際上卻是最爲動人的傳神之
筆。而散文，無論是境界、氣骨、風格、形象，還是結構謀篇、
抒情寫意，常是通過「不要緊」的語言來加以藝術地表現。桐城
派強調，必須從不同的角度來錘鍊自己的散文語言，使它勝任這
副藝術重擔。姚鼐所說的「不可著力」，並非不要精心錘鍊，恰
恰相反，它是建築在「功深」的基礎上的。優秀的散文語言，不
是一蹴而舉的，它是作家長期慘澹經營的產物。正因爲這樣，所
以散文語言那拉家常似的「散」與「淡」，卻如食橄欖，頗耐咀
嚼。所以劉大櫆說：「文貴遠，遠必含蓄，……遠則味永。文至
味永，則無以加。昔人謂子長文字，微情妙旨，寄之筆墨蹊徑之
外；又謂如郭忠恕畫天外數峯，略有筆墨，而無筆墨之迹。故太

史公文,並非孟堅所知。意盡而言止者,天下之至言也;然言止而意不盡者尤佳。」散文語言中的有言之文還比較好寫,而無言之文就難盡巧妙,因爲它的藝術要求更高。劉氏從散文的藝術特點出發,要求語言的含蓄,力求達到「意到處言不到,言盡處意不盡」的藝術境界。可見,散文語言的「散」,正是大吃緊的關鍵處。所以方苞聲明:「凡吾爲文,必待情與境之自生,而後能措意焉。」(《與吳東岩書》)桐城文人力求語言有境有情,「爲情造文」,而不是「爲文造情」。這裡,桐城派闡明了散文語言的藝術特質,並提出了很高的審美標準,對文學語言的發展起了很好的促進作用。

但是,對於「言盡處意不盡」的美學原則,是否渲染得過分玄虛了呢?並不。散文這類因小見大的「小文章」,在桐城文人眼中,非常具體:它好像是一幅「立體」的畫圖,又好像是一首有聲的詩歌。散文的語言,就應該描聲繪色,著力刻畫藝術形象,縱筆抒情寫意。如方苞的《左忠毅公逸事》,寫左光斗被閹黨構陷下獄,慘受炮烙之刑,「面額焦爛不可辨」,學生史可法冒險探監:

> 史前跪,抱公膝而嗚咽。公辨其聲而目不可開,乃奮臂以指撥眥,目光如炬,怒曰:「庸奴,此何地也?而汝來前!國家之事,糜爛至此。老夫已矣,汝復身輕而昧大義,天下事誰可支拄者!不速去,無俟奸人構陷,吾今即撲殺汝!」因摸地上刑械,作投擊勢。史噤不敢發聲,趨而出。

「以指撥眥,目光如炬」,文字形象,動人心弦。「庸奴」云云,更是吸收口語的活生生的個性化的語言。讀了以後,如見其

人，如聞其聲，堪稱傳神之筆。又如姚鼐的《登泰山記》更是以簡
潔、形象的語言，把泰山日出的壯麗圖景描繪得生氣勃勃，使人
如親臨其境。

至於以語言音節來抒寫情懷、塑造形象，更是桐城派的拿手
好戲。其中，劉大櫆的理論較爲深刻，具有素樸的辯證思想和一
定的實踐價值：

> △學者求神氣而得之於音節，求音節而得之於字句，則思
> 過半矣。
> △音節高則神氣必高，音節下則神氣必下，故音節爲神氣
> 之迹。一句之中，或多一字，或少一字；一字之中，或
> 用平聲，或用仄聲；同一平字仄字，或用陰平、陽平、
> 上聲、去聲、入聲，則音節迥異。故字句爲音節之矩，
> 積字成句，積句成章，積章成篇。合而讀之，音節見
> 矣；歌而詠之，神氣出矣。
> △文章最要節奏：譬之管弦繁奏中，必有希聲窈渺處。

這些意見非常中肯：一是於音節中求神氣，闡明了語言音節的重
要性。一是強調散文語言要有輕重緩急、抑揚頓挫的藝術節奏。
不僅注意到有音節處的節奏，更注意到無聲音處的節奏。「文以
氣爲主」。希聲窈渺的抑揚變化和藝術停頓，同樣反映了文氣、
語氣的連貫性。一是繼承並發揚了古代的文氣說，通過文字、音
節和語氣，把古人玄虛的「文氣」闡述得非常具體，因而在創作
時就顯得實實在在，有徑可尋。一是指出了散文語言的音樂性及
其美學價值，要求它成爲活生生的有聲語言，而不是僵臥紙上的
無聲文字。總之，桐城派探索並總結了以聲音來塑造「神態畢
出」的藝術形象的規律。

　　文氣與語氣關係密切：說話總有聲氣，在內運行爲氣，離喉出口爲聲，順筆而書爲文。於是書面文字就必然寓有語言聲氣的痕迹。而能夠通暢地把整篇文章朗朗誦讀，語氣自然，文章也就有一定的氣勢，聲調的抑揚頓挫，體現了具體的感情變化，並描摹了具體的藝術形象。這就是「文氣」。「文氣」離不開文學語言的音節，這意見不就非常具體了麼！語言的聲音，是構成散文形象的重要因素之一。劉大櫆謂以音節見神氣，甚至說一聲的變化，「音節迥異，則神氣不同」。這就把散文語言的音樂性與神氣、形象的描繪，巧妙而具體地結合了起來。如歐陽修的《相州晝錦堂記》的起首二句：「仕宦而至將相，富貴而歸故鄉」，如果删去「而」字，改爲「仕宦至將相，富貴歸故鄉」，從語法角度考慮完全合「法」，並無語病，而且還更「簡」了。但一貫力求文「簡」的歐陽修卻寧用其長而不用其「簡」。他爲什麼一定要加上「而」字？此中自有奧妙。因爲不加「而」字，音節就急促一些，體現了主人翁熱中功名利祿的急不可耐的心情；相反，加「而」以後，則語氣舒緩從容，音節一變，就把主人翁不以富貴功名爲懷的高貴品格刻畫了出來。類似的例子，在唐宋古文名家中俯拾皆是。他們往往以四言句式爲主而加以變化，錯綜押韻，讀來朗朗上口，體現了語言的音樂美。

　　以音節刻繪形象的道理，古人是早就有所悟的。例如韓愈的《答李翊書》：「氣盛則言之長短，聲之高下皆宜。」但「氣」決定了「聲」，這也只是說出了一半的道理。「氣」應該怎樣來加以培養和體現呢？一個道德和學問修養很好的人，卻不一定能夠寫出具有氣勢的文章。有其「氣」而無其「聲」，這在歷史上是有很多例子的。後來，桐城派就發展爲「因聲求氣」之論，把道理補充得更完整了。林紓《春覺齋論文・聲調》：「……古文中亦不能無聲調。蓋天下之最足動人者，聲也。試問易水之送荊軻，

聞變徵之聲,士何爲泣?及爲羽聲,士又何爲怒?本知荆軻之必
死,一觸徵聲,自然生感;本惡暴無道,一觸羽聲,自然生怒
耳。」把聲音與感情的內在聯繫寫得清清楚楚。古文的語言自有
它不同於詩歌韻文的音樂美,捨音節難以傳神達意。這是桐城派
再三強調的重點。姚鼐在《與陳碩士》中說:「大抵學古文者,必
要放聲疾讀,又緩讀,只久之自悟。若但能默看,即終身作外行
也」。「詩、古文各要從聲音證入,不知聲音,終爲門外漢
耳。」這意見是正確的。桐城文人也正是按照這種認識來身體力
行的。張裕釗《答吳至甫書》:「往在江寧,聞方存之云:長老所
傳劉海峯絕豐偉,日取古人之文縱聲讀之;姚惜抱則患氣羸,然
亦不廢哦誦,但抑其聲使之下耳。」據傳姚鼐在誦讀韓愈《送董
邵南序》時,第一句「燕趙古稱多感慨悲歌之士」,因它「凝矜
鍊重,獨創奇格」,如異峯突起,須高調誦之,才有感情,而姚
鼐人瘦「氣羸」,因而讀這句時,「必數易氣而始成聲」(見於
吳闓生《古文範》)。他努力把散文中的感情形象,通過聲調的抑
揚頓挫來加以刻畫。由此可見,桐城文人確是把握了古文中聲音
形象的訣竅。今天的一些先生,往往以爲散文語句不拘長短,怎
樣寫都行,不去追求語言的音樂美。其實,散文的藝術語言,一
旦捨棄音節之美,讀來詰屈聱牙,意思尚說不清,還談什麼神
氣!

還有,在風格、人格與藝術語言的關係問題上,桐城派也有
創見。特別是姚鼐《復魯絜非書》那段關於「陰陽剛柔」的著名論
述,更含有樸素的辯證因素,許多文章都加以引用,這裡就不再
重複。「風格即人格」,藝術風格是複雜多變的,可分爲陽剛之
美與陰柔之美兩大類。但實際上,藝術世界中經常是陰陽對轉,
剛柔相濟,組成了一幅變化萬千的絢麗畫圖。陰陽剛柔這對矛
盾,借助於藝術舞台,演出了多少可歌可泣可喜可愛的動人故

事！所以姚鼐明白指出：「（陰陽剛柔）糅而偏勝可也，偏勝之
極，一有一絕無，與夫剛不足爲剛，柔不足爲柔者，皆不可以言
文。」複雜的人格，決定了藝術風格的變化，進一步又決定了文
氣語氣的不同，從而形成了散文語言的多樣化。反過來說：「觀
其文，諷其音，則爲文之性情形狀，舉以殊焉。」千姿百態、豐
富多樣的文學語言，又準確、生動地刻畫了風格和人格。強調文
學語言的豐富性多樣性，再進一步，必然強調散文語言各肖其
人，文中有「我」。這種意見，對於今天的散文語言的創造，也
有一定的借鑑價值。

（原載《江淮論壇》1982年第1期）

奇境獨闢開生面 叛逆呼喊時代音

——龔自珍的詩歌藝術

中國近代文學史的序幕一揭開，龔自珍的名字就赫然在天幕上閃閃發光。他不僅是當時進步的啓蒙思想家，而且是一個傑出的文學家。他以自己的進步詩歌創作，爲近代詩壇樹起了一面鮮明的旗幟。

龔自珍（1791～1841年），名易簡，字伯定；更名鞏祚，字璱人，號定庵；晚年又號羽琌山民。浙江仁和（今杭州市）人。生於世代仕宦的書香門第，他有詩誇耀說：「吾祖平生好孟堅，丹黃鄭重萬珠園。不材竊比劉公是，請肄班香再十年。」（《己亥雜詩》六九）家庭的文化薰陶，爲他後來的文學活動創造了良好條件。二十七歲（1818年）中舉，三十八歲（1829年）中進士，曾在北京任禮部主事等官職。四十八歲（1839年）時，因平日「狂言不羈」，抨擊時弊而「動觸時忌」，憤然辭官，南歸講學。最後暴卒於丹陽雲陽書院講席任上。龔自珍的生活年代，是中國從封建社會進入半封建半殖民地社會的轉折時期，民族矛盾、階級矛盾和統治階級的內部矛盾，尖銳激烈，交織互進，愈演愈烈，終於在他去世的前一年（1840年）爆發了鴉片戰爭。列寧指出：「剝削的存在，永遠會在剝削者本身和個別知識分子代表中間，產生一些與這一制度相反的思想。」（《民粹主義的經濟內容》）龔自珍正是當時具有叛逆精神的知識分子代表。他的詩歌藝術，成了動盪年代的歷史見證，喊出了改革國家、振興中

兩首詩，尖銳地揭示了當時殘酷的階級壓迫與剝削。前一首，寫夜聞縴夫痛苦的勞動呼喊聲後，發自內心的感受。「我也曾糜太倉粟，夜聞邪許淚滂沱！」在批判社會黑暗的同時，一個憂國憂民的詩人形象，躍然紙上。後一首則在批判封建統治者只顧驕奢淫逸、不理民生疾苦的同時，發出了「屠牛那不勝栽禾」的嚴重警告，結語含義深刻蘊藉，耐人尋味。耕牛是當時農民的重要生產工具，由於統治階級橫征暴斂的過度剝削，人民紛紛屠殺耕牛，棄地拋荒，長此以往，以農為本的封建國家怎樣維持和生存？這不是社會矛盾激化的前奏曲又是什麼？富甲天下的江南尚是如此，遑論其他地區！這樣，詩人以飽蘸激情的彩筆，喊出了叛逆者的時代強音，從而形象地畫出了一幅幅封建「衰世」的歷史畫圖。還有《己亥雜詩》（八十七）：「故人橫海拜將軍，側立東南未蔵勳，我有陰符三百字，蠟丸難寄惜雄文。」以漢時愛國將領韓說的功業來比喻林則徐的禁煙運動，這是一支激越的愛國主義頌歌，矛頭直指外國侵略者。《己亥雜詩》（四十四）：「霜豪擲罷倚天寒，任作淋漓淡墨看。何敢自矜醫國手，藥方只販古時丹。」抒發個人感慨，積極要求改革，企望挽危圖強（另一面又在為封建社會吟唱挽歌），真實地描繪了他的暮年壯志，表現了一代知識分子的特殊心理。因此在藝術上也有一定的借鑑價值。總之，詩歌內容雖然不同，但無不閃爍著要求改革的「真情」的光輝。

　　其次，**構思奇特，想像豐富，奇境獨闢，別開生面，富於積極浪漫主義色彩。**在詩歌創作中，龔自珍深受屈原、李白等浪漫主義詩人的影響。他有詩云：「名理孕異夢，秀句鎪春心。莊騷兩靈鬼，盤踞肝腸深。古來不可兼，方寸我何任？所以志為道，淡宕生微吟。一簫與一笛，化作太古琴。」（《自春徂秋偶有所觸拉雜書之漫不詮次得十五首》）又云：「莊屈實二，不可以

併，併之以爲心，自（李）白始。」（《最錄李白集》）於此可見
我國積極浪漫主義優良傳統對他的影響。因此，龔詩常是上天入
地，飛馳想像，以香草美人的比興手法，來抒寫理想，反映現
實。但與古人不同的是，他以浪漫主義的絢爛筆致，構畫出一幅
近代社會改革的藍圖。如《能令公少年行》：

> 拂衣行矣如奔虹，太湖西去青青峯。
> 一樓初上一閣逢，玉簫金琯東山東。
> 美人十五如花穠，湖波如鏡能照容，
> 山痕宛宛長眉豐；一索鈿盒知心同，
> 再索班管知才工，珠明玉暖春朦朧。
> 吳歈楚辭兼國風，深吟淺吟態不同，
> 千篇背盡燈玲瓏。有時言尋緲緲之孤蹤，
> 春山不妒春裙紅，笛聲叫起春波龍。
> 湖波湖雨來空濛，桃花亂打蘭舟篷，
> 煙新月舊長相從。

這是化用屈原《離騷》香草美人的比興手法，通過年輕美貌、才華
橫溢的「美人」形象，寄託自己對於清明政治理想的熾熱追求。
這裡所刻畫的雖然是「桃花源」式的虛幻理想，但與現實的骯髒
齷齪相比較，美醜對立，意義自見。這無疑是對黑暗現實的一種
批判和否定。又如《夢中作四截句》：「黃金華髮兩飄簫，六九童
心尚未消。叱起海紅帘底月，四廂花影怒於潮。」在這裡，詩人
以超現實的藝術筆觸，賦予自然景物以生命，月光花影，都是人
化的自然。詩人叱喝帘底之月出來普照天下，把身邊美麗的花影
化爲驚心動魄的怒潮，用美的浪潮，去蕩滌現實的醜惡。構思新
穎，出人意表；境界奇特，別開生面。那豐富的想像，構成了栩

栩如生的浪漫主義藝術形象。而這一切，又無不植根於生活，面
向現實，反映出詩人「童心」不泯，壯志未酬的慨嘆，因而具有
深刻的社會意義。

　　第三，移步換形，隨物賦彩，文辭瑰麗清奇，形式靈活多
變，音節時而拗怒跌宕，時而自然流暢，恰當地表達了詩人的情
感，成功地塑造了藝術形象。如《西郊落花歌》寫落花：

> 如錢塘潮夜澎湃，如昆陽戰晨披靡，
> 如八萬四千天女洗臉罷，齊向此地傾胭脂，
> 奇龍怪鳳愛飄泊，琴高之鯉何反欲上天爲？
> 玉皇宮中空若洗，三十六界無一青蛾眉。

語言綺麗，色彩繽紛，盪氣迴腸，聲勢非凡，把衰敗的落花，寫
得活靈活現，十分令人神往，有化腐朽爲神奇之妙。又如《三別
好詩》：「狼藉丹黃竊自哀，高吟肺腑走風雷。不容明月沈天
去，卻有江濤動地來。」作者自注：「右題方百川遺文。」詩中
對方百川的「憤世嫉俗」表示同情，並給以熱烈的讚美。他熱切
盼望時代改革的「風雷」，能似江濤驚天動地，滾滾而來，在浪
漫的筆調中，寄託了詩人的豪情壯志，把生活牢籠中的吟呻，化
爲讚美未來與理想的頌歌。另外，他還繼承傳統詩歌的藝術形
式，但又不爲形式所拘束。爲了符合內容，其詩歌形式常是有所
突破和創造，章法靈活多變，以切題旨需要。如《己亥雜詩》三百
一十五首，構成大型組詩的形式，在詩歌史上是一種創造。每一
首詩，都具有自己的相對獨立性，以一時一事、一歌一吟來描繪
社會人生的某個側面；而它們彼此之間又是有機聯繫，層層疊
進，在錯綜紛複的總體中，構成了當時歷史的一個橫斷面。這樣
來抒情述志，反映現實，意義就更大。

　　總之，關於龔自珍詩歌的藝術風格，前人早有中肯的批評。
愛國詩人林昌彝說，龔自珍「詩亦奇境獨闢，如千金駿馬，不受
絆紲。美人香草之詞，傳遍萬口。善倚聲，道州何子貞師謂其詩
爲近代別開生面，則又賞識於弦外弦味外味者矣」（《射鷹樓詩
話》卷十）。當然，龔詩在藝術上也並非盡善盡美。他自己說
過：「欲爲平易近人詩，下筆情深不自恃。」（《雜詩，己卯自
春徂夏，在京師作，得十有四首》）因而其藝術形式的改革是不
徹底的。反映在詩中，就是時有艱澀深奧之詞，影響了藝術旋律
的流暢，不利於讀者的閱讀與欣賞。另外，他的「眞情」，歸根
結蒂無法擺脫封建桎梏的束縛，有時消極出世，有時又說是「平
生默感玉皇恩」（《己亥雜詩》三），表現出對於封建皇帝的幻
想。這又必然影響「眞情」的自由抒發。但總的來說，是瑕不掩
瑜。龔詩的藝術成就，不管是在當時或後世，都享有盛譽。後來
「詩界革命」領袖黃遵憲，資產階級改良派領袖康有爲、梁啓
超，南社詩人柳亞子等，詩歌創作都深受龔自珍的影響。因此，
說龔自珍是近代詩壇開風氣的人物，並不過分。

（原載《文科月刊》1985年第6期）

精華糟粕兩分明

——漫談《封神演義》

　　明代長篇章回小說《封神演義》百回本，又稱《封神傳》或《封神榜》。它的作者是誰？是怎樣的一部書？意義及影響如何？生活在今天的人們，又該從怎樣的視角來閱讀和認識？這一連串問題，撲朔迷離，令人關注。本文無意對古往今來的紛爭加以評判和總結，只是補充幾點體會，聊作引玉之磚而已。

　　要理解《封神演義》，必先「知人論世」，顧及作者及作品賴以產生的社會歷史背景。關於作者問題，歷來有不同看法：

　　一、「作者是誰，已難詳考」（中國社科院文研所編《中國文學史》）。

　　二、陸長庚。如《曲海總目提要》卷三十九「順天時」條云：「《封神傳》傳係元時道士陸長庚所作，不知的否？」按：明代道士陸西星，字長庚，號方壺外史。《曲海總目》稱他是「元時」人，誤。陸西星不是一般傳播宗教迷信的道士，其著述宏富，是明代中期道教界的知名學者。他以羽流文人身分，演化神仙故事為小說，並非不可能。

　　三、許仲琳。如日本內閣文庫現藏該書最早的明萬曆間蘇州舒載陽刊本卷二題稱「鍾山逸叟許仲琳編輯」。許仲琳為南京人。「編輯」云者，說明曾廣泛採集前人之說（包括《武王伐紂平話》之類的民間小說）以成書。據萬曆刊本，又知道成書時間約在明代十六世紀後葉的隆慶萬曆年間。經研究，這一說法已為

一般學者所承認。所以民國後出版的《封神演義》，多直接署稱許
仲琳撰。但遺憾的是，有關許仲琳的生平事迹，史上失載。清・
筆記大家梁章鉅曾對《封神演義》頗感興趣，其《浪迹續談》卷六
「《封神傳》」條云：「憶吾鄉林樾亭先生嘗與談《封神傳》一書，
是前明一名宿所撰，意欲與《西遊記》《水滸傳》鼎立而三。因偶讀
《尚書・武成篇》『惟爾有神，尚克相予』語，演成此傳。其封神
事，……則隱據《六韜》《陰謀》《史記・封禪書》《唐書・禮儀志》各
書，鋪張淑詭，非盡無本也。」其《歸田瑣記》卷七所記略同，但
改「名宿」爲「士人」，又增加了一段遺聞軼事：「昔有士人罄
家所有嫁其長女者，次女有怨色。士人慰之，曰：『無憂貧也。』
乃因《尚書・武成篇》『惟爾有神，尚克相予』語，演爲《封神傳》，
以稿授女。後其婿梓行之，竟大獲利云云。」據上述資料，知道
作者不是道士，而是「士人」——即一般的知識分子；或爲「名
宿」——即著名的前輩學者。其家境並不富裕，才會「罄家所
有」以嫁長女。但他也並不憂貧，並沒有因爲環境的困窘而停止
其創作。他的思想大概受當時新興市民意識的影響，善於跟上時
代潮流，頗有經濟眼光。古人著作多以淡泊名利爲高，但從他對
次女所言，則他明顯知道自己所作小說一旦投入了市場，是可以
帶來巨大的經濟效益的。後來，女兒女婿果然因此書的出版發行
而發一筆小財。在十六世紀後葉的明代，這種可能性是存在的。
當時手工業蓬勃發展，都市經濟繁榮，市民意識活躍。一般市民
在工作之餘，也需要文化娛樂。當時《封神演義》一類的神魔小
說，猶如今天的武打小說一樣，應運而生，廣泛流傳，是一種新
興的通俗流行文學。作者創作流行小說，當然也有寓教於世的一
面，但又增添了「獲利」救貧的目的。這是許仲琳不同於一般儒
士的地方。反映在小說中，思想與藝術都呈現複雜化。

從思想上看，作爲封建士人，宣揚儒學，調和三教，不足爲

奇。但《封神演義》中又不時透露了某些異端思想的光彩。如第十
四回，寫陳塘關總兵李靖強迫兒子哪吒自殺，哪吒被仙人救活
後，怒火中燒，追殺生父。這在「父要子死，子不得不死」的封
建時代，簡直是觸犯了「忤逆不孝」的天條。但作者藉哪吒之
口，駁斥了「天下無有不是的父母」之謬論，公然挑戰：「剖
腹、剜腸，已將骨肉還他了，我與他無干，還有什麼父母之
情！」童心透亮，不曾污染，快人快語，石破天驚。還有，作者
從積極方面吸取了儒家民本思想之精華，揭露了以殷紂王為代表
的統治階級的昏暗與殘暴，敲骨剖婦，炮烙忠良，蛇噬宮女，大
興高台，喪盡人性，把人當畜生來驅趕屠宰，罪惡累累，罄竹難
書，在一定程度上反映了人民的憤怒呼聲。結合明代中晚期的特
殊歷史背景，如嘉靖一朝，好道教長生之術，拒群臣朝廷之外，
忠良罷官，奸佞擅政，杖殺大臣，邊患頻仍，民不聊生，形勢岌
岌可危，這與殷紂王，有那麼幾分相似。作者以古為鏡鑑，又具
有一定的現代意識。

　　魯迅《中國小說史略》稱之為「假商周之爭，自寫幻想」，並
非全是缺陷，其中寓現實於幻想，也自有一定的現實意義。另
外，作者受《西遊記》影響，浮想聯翩，神仙故事，絢麗多姿，寶
貝迭現，千奇百怪，想像力極其豐富，的確炫耀眼目，動人心
魄。神話似的想像，是人類力圖征服自然的一首生命之歌。幻想
與想像，在文盲世界，可能滑向迷信荒誕；但在文化發達之後，
卻掉頭轉向了發明創造。《封神演義》中，雷震子煽動風雷二翅，
翱翔太空；現代的飛機，終於實現了人類飛往天上的宿願。土行
孫短小精悍，遁地而走，日行千里；現代的坑道地鐵，化幻想為
現實。高明、高覺的千里眼、順風耳；現代的電視衛星和無線電
收音機比之更勝一籌。楊任眼眶裡長出兩隻手，手心裡有兩隻
眼，上觀天庭，下察地底，中看人間千里；類似功能齊全的電子

雷達系統。金光聖母布下金光陣,高桿上懸掛二十一面寶鏡,金
光閃射,奪人性命;類似現代正在研製中的激光槍炮。總之,
《封神演義》形象地描繪了一場地面、空中和地下的全面戰爭,似
為現代立體戰爭意識之濫觴。神話般的幻想與想像,已暗中搭起
了一座通往科學殿堂的橋梁。但是,數千年的正統保守思想,一
貫歧視「方伎」。視而不見,惜哉!

　　當然,作為封建士人的作品,《封神演義》明顯有歷史局限。
作者力圖與《西遊記》及《水滸傳》三足鼎立,看來並沒有實現。因
為無論從思想或藝術,均非上乘傑作,與《西遊》、《水滸》尚有距
離。魯迅先生批評說:「較《水滸》因失之架空,方《西遊》又遜其
雄肆,故迄今未有以鼎足視之者。」所論極是,說明一度流行的
作品不一定就稱得上藝術傑作。從思想上看,宣揚宿命論,說什
麼「天數已定,自莫能解」,「成湯氣數已盡,周室天命當
興」,喋喋不休,令人生厭,無視人類改造自然的能動力量。前
人言之已詳,此不贅述。而宣揚傳統觀念中的「女人禍水」思
想,更應予以批判。這種思想傾向,就是唐代詩聖杜甫也在所難
免。如其《北征》詩寫安史之亂時說:「不聞夏殷衰,中自誅褒
姒。」意謂唐玄宗雖然寵愛楊貴妃,但叛亂起後,當機立斷,賜
死於馬嵬坡,故唐以中興,與殷紂王寵幸妲己招致亡國之禍不
同。但是有識之士批判了這種說法。李商隱《馬嵬》詩云:「此日
六軍同駐馬,當時七夕笑牽牛。如何四紀為天子,不及盧家有莫
愁。」改變矛頭指向,亡國之禍,責在玄宗。《封神演義》卻沒有
接受李商隱的影響,而堅持大力發揮「女人禍水」的落後思想。
第八回的定場詩充分說明了這一思想傾向:「美人禍國萬民災,
驅逐忠良若草萊。擅寵誅妻夫道絕,聽讒殺子國儲灰。英雄棄主
多亡去,俊彥懷才盡隱埋。可笑紂王孤注立,紛紛兵甲起塵
埃。」

現在播放的電視連續劇《封神榜》，大寫姐己荒淫禍國，仍然承襲小說「女人禍水」的傳統重擔，爲了迎合觀衆，出此下策，實在令人費解！在藝術上，雖然創造了衆多神仙人物羣像，但是人物缺乏鮮明個性，不注意細緻的內在心理刻畫，因此缺乏像《西遊記》中的孫悟空那樣的典型形象。如第九十二回寫白猿精袁洪，通玄機，善變化，最後跳不出女媧娘娘的「山河社稷圖」。一味模仿《西遊記》，實是敗筆。另外，三十六路攻伐，陣陣征戰，除了人名改變、法寶更換以外，缺少變化，情節相似，讀來乏味，也是一大缺陷。

（原載上海《文匯報》1992年2月11日第6版）

林則徐與梁章鉅詩文交遊小考

　　西元1840年，外國侵略者的炮艦，轟開了閉關鎖國的天朝大門，鴉片戰爭的隆隆炮聲，震撼了神州大地，「乾嘉盛世」的歷史帷幕早已降落。在這國家存亡、民族生死關口，林則徐（1785～1850年）曾以欽差身分，開府廣州，總督兩廣，厲行禁煙，政績斐然；又曾厲兵秣馬，整頓水師，痛擊入侵英軍，奏響了高昂激越的愛國主義交響樂的強勁序曲。林則徐的這類故事，在廣東幾乎家喻戶曉。因此略而不表。俗云：紅花雖美，也需綠葉扶襯。在林則徐、龔自珍、魏源等啓蒙領袖的身邊，又團結了一大批思想相近、感情共鳴的志同道合者，終於形成了一股聲勢浩大的近代啓蒙思潮。梁章鉅就是其中質量較高、閃爍異彩而引人注目的一位。這裡，只從林、梁二人的詩文交往來描繪他們的長久交誼與感情共鳴，及其理想事業目標之一致。

　　梁章鉅（1775～1845年），字閎中，又字茞林（或作芷林），晚年自號退庵。嘉慶七年（1802年）進士，以翰林庶吉士用教習，散館授禮部主事，歷官軍機章京，禮部員外郎，湖北荊州知府，江南淮海河務兵備道，管理鹽運漕糧總局，江蘇、山西諸省按察使，山東、江蘇布政使，廣西、江蘇巡撫，數次署理兩江總督。後因疾引退歸田。他的年輩稍長於林則徐。梁章鉅著述宏富，僅撰寫詩話著作就有十餘部，居詩話作者之冠。主要學術著作有《論語集注旁證》、《三國志旁證》、《文選旁證》、《楹聯叢話》、《制義叢話》、《試律叢話》、《退庵隨筆》、《浪迹叢談》、《歸

田瑣記》等七十餘種。詩文集爲《退庵文存》二十四卷，《退庵詩存》二十四卷。至今仍有較大影響，關於梁氏籍貫，許多著作稱他是福建長樂縣人，其實他的祖先早於清初遷居福州，所以實與林則徐同鄉。林氏《題梁茝林方伯藤花書屋圖詩》云：「與君舊住屛山麓，對宇三椽打頭屋。夾道坊南君徙居，寒藤夭矯學草書。」（見《林則徐詩集》，海峽文藝出版社版。**按**：下引林詩不另注出處）詳詩意，林、梁二家原是比屋鄰居，有人稱林家住左營司，梁家住賽月亭，兩處都在福州屛山之麓，故云。梁章鉅有《送林少穆庶常則徐攜眷入都》五律四首，其三云：「年來憶蹤迹，吾道有窮通。屛麓苔痕潤，鈐齋燭影紅。暫離猶耿耿，運送忽匆匆。從此勞延佇，靑冥盼滯鴻。」「屛麓」句下作者自注云：「余舊居在屛山之麓，與君爲比鄰。」（**按**：梁詩見其《退庵詩存》，下同）林、梁二詩相互印證，契合無間。他們二人是故鄉鄰居，早年朋友，相知至深，感情很好，在人生漫長的歲月中，一貫相互理解，彼此提攜，生死之交不渝。嘉慶十三年（1808年），梁入福建巡撫張師誠幕，代撰文字，校勘遺書，各加按語。後二年離開張幕，舉薦年輕的林則徐以自代，張氏《籌海文移》諸作，悉出林氏手筆，開始嶄露頭角，顯示才華。後來一段時間，林則徐仕途順利，原因很多，但是同鄉摯友的舉薦提攜，的確令他終生難忘。從此，林則徐與梁章鉅，常是宦迹相繼。道光四年（1824年），林則徐任江蘇布政使，不久，淮海道梁章鉅即升任江蘇按察使。道光十二年（1832年）梁章鉅以江蘇布政使護理江蘇巡撫，四月，因病告假，但是他堅持到六月林則徐接任，方才交卸撫篆回原籍調理。這種現象，並非偶然，而是相互信任、彼此舉薦的結果。而林則徐任江蘇布政使時，曾因洪水成災，「奉綜辦三江水利之命，後以艱去未果行」。後來梁氏接任，即繼續林氏事業，協助當時的江蘇巡撫陶澍，復勘江湖水

道,「籌經費」以成之,於是「吳之水利大治矣」(梁章鉅《江南水利全書序》)。可見二人事業相繼,思理一致。道光四年梁章鉅五十壽誕,林則徐親筆畫了一幅《梧桐報閏圖》附詩以賀,詩題《梁芷林觀察章鉅五十初度寫報閏圖寄祝並繫以詩》,詩云:「玉館昭華已奏功,鶴飛一曲趁清風。仙會合擬淮南子,壽骨遙推河上公。秋是八千還遇閏,詩成五十未稱翁。看君直節長承露,驗取高岡百尺桐。」林則徐法書知名於世,但是兼善繪畫,則鮮為人知,其《報閏圖》諸畫亦散佚不傳,惜哉!道光十一年,梁章鉅護理江蘇巡撫,時江淮洪水氾濫,飢民蔽江而至,梁氏「率屬捐廉,出示募捐」,又「自捐棉衣萬襲,以為飢民禦寒之具」。由於他帶頭救災,終於救活數十萬人,事載《退庵自訂年譜》。當時何士祁作《目送歸鴻》畫卷以頌。林則徐於次年接任江蘇巡撫後,繼作《題梁芷林方伯目送歸鴻圖》五古詩一首以頌之,其中有:「惻悱救時心,卓犖經世務。不辭一身瘁,殘黎活無數」之句。詩寫得情真意切,言之有據,並非詩人溢美之辭。從這裡也可看出林、梁二人一樣富有憂國憂民之心。道光二十九年(1849年)梁章鉅謝世後,林則徐為作長篇《墓志銘》以寄哀思。次年,林公繼之作古。

再看梁章鉅的詩文。中英鴉片戰爭爆發後,梁在廣西巡撫任上,即與總督兩廣的林則徐相互呼應,堅決抗戰,親自率師赴梧州準備防堵侵略軍,並作廣州後援。他調任江蘇巡撫署理兩江總督之時,即由廣西直趨上海前線,與提督陳化成同心協力,練兵練炮,搜捕內奸,刁斗森然,嚴陣以待。表現了與林則徐同仇敵愾的高昂愛國激情。梁氏《退庵詩存》中多有贈林之作,難以盡述。如《錄別五百字送林少穆服闋入京》諸作,寫於林氏仕宦未達之時,可見交誼之深。鴉片戰爭後,作為對於抗戰派的懲罰,林被流放新疆伊犁,京師雖也曾發生大學士王鼎尸諫之事,但道光

皇帝及穆彰阿等投降派倒行逆施，斥之唯恐不遠。在如此嚴重的
形勢下，梁章鉅作爲封疆大吏，卻無視朝廷嚴責，譽美林則徐是
「歡頌載途」、「遠邇同欽」，甚至在睡夢中，都在思念摯友，
熱切盼其赦還。其《半東園日記詩》之一云：「出塞不辭三萬里，
著書須計一千年。可憐粵麓非屏麓，望斷蒼茫敕勒天。」敍寫林
氏流放新疆事。自注云：「昨有傳林少穆已賜還入關者，爲之喜
而不寐，實謠言也。余福州老屋在屏山之麓，與少穆爲比鄰者數
年。」年輕時的交誼和感情，久經考驗，老而彌篤，並不因宦海
風波、世態炎涼而一改初衷。二人的高風亮節，實在令人敬佩！

　　比較而言，林則徐爲人強直端方，性急氣盛，是知其不可爲
而爲之者。他在江蘇巡撫任內，曾手書「制一怒字」匾額於廳
事。梁章鉅則廉潔自愛，沈靜穩健，爲人處事，外圓內方，並且
酷嗜學術，勤於著述。二人性格及行事多有不同。但從上述事實
看出，二人在思想品格、理想事業及爲人大節，也有本質一致之
處，故其友情長盛而不少衰。梁氏受傳統文化薰陶更深，政治上
不如林之奮進，所以歷史地位也不及林。但作爲一個正直的愛國
士人，在國家存亡、民族危難的關鍵時刻，與林則徐一樣經受了
時代戰火的洗禮，凜然正氣，直貫斗牛。梁氏某些著作雖然保留
了一些傳統印記，但透過現象看本質，總體傾向並非保守，而是
時常有要求改革的思想火花閃亮。林則徐對於洋人洋商，區別對
待：歡迎正常的互惠通商，但是堅決反對販賣鴉片毒害人民；一
方面反抗侵略，一方面又主張學習西方知識以改造中國。他到廣
東後，曾派人翻譯外文書刊報紙，編成《四洲志》，以了解洋人經
驗。梁章鉅思想也有相似的一面。其《浪迹叢談》中有《英夷》、
《鴉片》諸則，維護中華，抨擊侵略，憤慨之情，溢於言表；但是
另一方面並不排斥洋人的先進科學技術和知識，主張加以學習，
爲我所用，以便富國強兵，抵抗外侮，如《水雷》一則所載。

（原載《廣州日報》1992年5月14日第10版）

自由詩、格律詩與民歌

　　最近，有人在報刊中談到自由詩、格律詩以及向民歌學習的問題，對我啓發很大，現在僅就這方面的問題來談談我的一點粗淺學習體會。

　　古今詩歌的外形體制，它像生活一樣豐富多采，變化萬千，簡直令人眼花撩亂，無從說起。其實，如果我們細加分析，自會發現不外就是自由體與格律體兩種。格律詩有廣義、狹義兩種不同的理解。狹義的是指齊梁以後萌芽，到了唐代發展成熟的近體詩，再推廣一些，還可包括後來的詞、曲。廣義的則如王力先生所說：「只要是依照一定的規律寫出來的詩，不管是什麼詩體，都是格律詩。」我們贊成這種廣義的看法，因爲這更符合詩歌歷史發展的實際。詩歌中的自由體與格律體，是歷史的現象，本身處在不斷的運動變化之中。不同時代、不同民族都有不同的自由與格律的概念。由於漢語言文字單音孤立的特點，所以可組成律、絕這樣特別嚴格的格律詩。但我們不能以此作爲衡量格律詩的唯一標準。且不說外國的，就是我們的祖先，也認爲近體詩出現以前早有「詩律」的存在。《新唐書・宋之問傳》：「魏建安後迄江左，詩律屢變。」所謂「詩律屢變」，正說明詩歌格律化的傾向在齊梁以前早已存在，不過是有所發展變化而已。詩律出於自然，合於漢語的音樂性，後人經過不斷實踐和總結，從不自覺到自覺地運用，於是就產生了新的格律詩。因此，當我們研究自由與格律這對矛盾時，應注意它是處於動態的不斷變化運動之

中，注意它的時代特點與民族特點。執一不二，刻板地下定義，是違反辯證法的。

在詩歌發展史中，自由與格律之間是辯證統一的關係。沒有自由，也就無所謂格律；反過來說，沒有格律，當然也不必談什麼自由了。詩歌是特別精煉的語言藝術，它要符合吟唱誦讀的需要，因此它特別強調語言的音樂美。我們認為，不管是自由體或格律體，只要是真正的好詩，都自會符合音樂美的要求。詩的流傳，不僅靠文字記載，而且靠傳誦，這就與詩歌語言的音樂性有關。《漢書·藝文志》說：「詩三百篇遭秦火而全者，以其諷誦，不獨在竹帛也。」這話有一定道理。北宋詩人郭功甫，他朗誦詩歌時整個身心都沈浸進去，旁若無人，聲振左右。有一次和當時著名詩人梅堯臣在一起，相對無言，只是一遍又一遍地吟誦歐陽修的《廬山高贈同年劉凝之歸南康》詩，梅氏大為感動。《廬山高贈同年劉凝之歸南康》是一首帶有騷體味道的樂府歌行，與近體詩相比，可說是自由詩了吧，它的韻律與眾不同，但卻又是那麼和諧流暢。梅堯臣在第二天就寫詩答謝郭功甫的吟誦：「一誦《廬山高》，萬景不能藏……設令古畫師，極意未能詳。」（《苕溪漁隱叢話》前集卷二十九《六一居士》上）可見它的音樂形象是極為鮮明動人的。自由詩貌似無規律可尋，可實際上自有它的音樂美，不過人們一下子不容易說清楚而已，後來經過人們千百次地反覆實踐與總結，就會發現其「美」之所在，這樣日積月累，不斷實踐，就會發現規律，共同遵守，從不自覺提高到自覺的階段，所以詩歌也就必然會逐漸趨於格律化。可是，詩又必須言之有物。在長期的封建社會中，士大夫壟斷了文權，特別喜歡把聲律變成文字遊戲。近體詩也曾變成封建文人踏進官場的敲門磚。這樣的「格律」就成了思想的桎梏。一旦格律阻礙了真情實感的自由抒發，這時又必然會出現衝破格律限制的自由化傾向。

　　詩歌的自由化與格律化傾向，從什麼時候開始？在集體勞動中，原始人「情動於中而形於言」，於是產生了如魯迅所說的「杭育杭育」派的原始詩歌。這本是感情與節奏的自由迸發，並不曾先有什麼「格律」存於胸中，然後再去寫詩。這當然是標準的自由詩了。但我們也不妨這樣說，詩歌的格律化傾向也同時出現。《禮記・曲禮》鄭玄注：「古人勞役必謳歌，舉大木者呼邪許。」詩歌源於人類社會的集體勞動。抬木頭時，第一個呼「邪許」的是自由詩的創始人，但一人呼而衆人應，就自然產生了共同的節奏，共同的韻律。既然有了大家共同遵守的規則，不也可說就是格律化因素的萌芽嗎？

　　如果說關於原始勞動詩歌的說法是個臆測與推斷的話，那麼奴隸社會中的甲骨卜辭是有文字實物爲證的：

　　　癸卯卜，今日雨：其自西來雨？其自東來雨？其自南來
　　雨？其自北來雨？（見郭沫若《卜辭通纂》）

　　這是殷商時代巫師占卜時所記載的歌詩。後面四句，句式整齊、節奏均勻，利用變換個別的方位詞來反覆詠嘆，不是也很有點「格律」的味道嗎？這種形式，後代還是沿用不衰的。舉個明顯的例，如漢樂府相和歌《江南》曲：「江南可採蓮，蓮葉何田田，魚戲蓮葉間：魚戲蓮葉東，魚戲蓮葉西，魚戲蓮葉南，魚戲蓮葉北。」後四句的句式韻律就與上舉的甲骨卜辭後四句非常相似。漢代人是否能看到殷商時代的甲骨卜辭？我們不知道。所以我們並不說漢樂府《江南》是受甲骨卜辭中的詩歌的影響而產生的。但由此可見民歌中也有這樣一體，「有一定的規律」可尋，不也很合理嗎？再如《詩經・邶風》中的《式微》：「式微式微，胡不歸？微君之故，胡爲乎中露。」四句詩中有三、四、五的不同

句式，又自由換韻，當然是自由詩了。但如周南中的《芣苢》，則
又不同。

> 采采芣苢，薄言采之；采采芣苢，薄言有之。
> 采采芣苢，薄言掇之；采采芣苢，薄言捋之。
> 采采芣苢，薄言袺之；采采芣苢，薄言襭之。

這是一首婦女集體勞動時唱的詩歌。清代方玉潤《詩經原始》
解釋說：「讀者試平心靜氣涵詠此詩，恍聽田家婦三三五五於平
原繡野、風和日麗中，羣歌互答，餘音裊裊，若遠若近，忽斷忽
續，不知其情之何以移而神之何以曠，則此詩不必細繹而自得其
妙焉。」像這類音樂形象感人、很有規律可尋的四言詩，不是已
有格律化的傾向了嗎？然而當因感情強烈而需要突破時，詩人又
會毫不猶豫地衝破「格律」的限制。如鄘風中的《柏舟》：

> 泛彼柏舟，在彼中河。髧彼兩髦，實維我儀，之死矢靡
> 它！母也天只，不諒人只！

「之死矢靡它」，感情純真而強烈。當四言句式已不能容納
情感的傾瀉時，就自會衝破四言的框框。自由化與格律化這兩種
傾向正是這樣同時存在，相互鬥爭又彼此促進的。

發展到漢魏的五言詩時代，當時詩歌的自由化與格律化也更
明顯一些。如漢樂府民歌《東門行》古辭：

> 出東門，不顧歸；來入門，悵欲悲。盎中無斗米儲，還視
> 架上無懸衣。拔劍東門去，舍中兒母牽衣啼：「他家但願
> 富貴，賤妾與君共餔糜。上用倉浪天故，下當用此黃口

兒。今非！」「咄，行！吾去爲遲，白髮時下難久居。」

這首民歌，從一至七言，句式齊備，節奏隨感情與故事情節的發展而自由變換。這是一首音樂形象十分鮮明的自由詩。但如《十五從軍征》這首五言民歌中有這麼幾句：「兔從狗竇入，雉從梁上飛。中庭生旅穀，井上生旅葵。春穀持作飯，採葵持作羹。」如果用齊梁後的近體詩的標準來衡量，雖然平仄上還有毛病，但句式、音節、對仗方面都已有所考慮了。與《詩經》時代相比，這不是向格律化又推進一步了嗎？封建文人受此影響，進一步加工，於是產生了曹植《情詩》這類詩歌：

> 始出嚴霜結，今來白露晞。遊子吟《黍離》，處者歌《式微》。慷慨對嘉賓，淒愴內傷悲。

這幾句詩的句式、節奏都非常勻整，對仗也更嚴格。「始出（仄）——嚴霜（平）——結（仄），今來（平）——白露（仄）——晞（平）」，不但詞類相對，而且平仄並舉，不僅講究一句中的音調變化，而且推敲兩句中的聲律和諧，暗合於後代的平仄律。與唐代的律詩相比較，這首情詩還應該是自由詩；但在三國這特定的歷史時期中，說它有明顯的格律化傾向不也很合理嗎？

齊梁以前的詩歌，不管是自由體或格律體，基本上是天籟之鳴，重在自然之趣，以自然音節爲主。這時的格律化還處於不自覺運用的階段；齊梁以後，則逐步過渡到自覺研究聲律的階段，從理論到實踐，都有質的飛躍。這時的聲律則是重在巧奪天工的人爲之美。齊梁時代如沈約等人認眞研究詩歌聲律，他在《宋書・謝靈運傳記》中說：「靈均以來，此祕未睹。」從運用方面

說，這話過於自負；但從理論上說，自覺地爲詩歌的格律化開闢
道路，這貢獻是不小的。沈約的《詠芙蓉》詩：

> 微風（平）──搖紫（仄）──葉（仄），
> 輕露（仄）──拂朱（平）──房（平），
> 中池（平）──所以（仄）──綠（仄），
> 待我（仄）──泛紅（平）──光（平）。

　　平仄相對，聲調抑揚。沈約就是一個自覺運用四聲平仄的詩
人。到了唐代，詩人們在此基礎上又進行再創造，把南朝人有關
消極聲病的音律加以刪繁就易，而從積極方面把四聲變化歸納爲
平仄律，旣切實可行，又符合詩歌音樂美的要求，於是出現了近
體詩這樣旣嚴又美的成熟的格律詩。但即使是唐代，也不是格律
詩一統天下。唐代是格律詩達到相當完美的時代，產生了杜甫、
李商隱的律體；但同時自由體的創作也達到了高潮，如李白、李
賀衝破格律限制，以樂府歌行和古體詩爲主，唱出了許多動人的
詩章。唐詩的音樂美，在自由與格律兩方面都有了很高的成就，
但後人並沒有因此而停步不前。宋人就在「詞」上翻出了新花
樣。

　　詞是詩的一種，但面貌與唐詩異，另有一種音樂美。它的字
句長短不拘，音節疏密相間，與近體詩相比，可說是衝破了格
律，向自由化的傾向推進了一步；但第一個寫詞的是「自由」詩
人，後人遵照一定詞牌來塡詞，有一定規則可尋，則又翻成「格
律」詩了，它在押韻、平仄等方面又更嚴格。因此，也可說格律
化的傾向又比近體詩推進了一步。後人又有不滿詞律限制的，爲
了抒情達志而突破詞律。如蘇東坡、辛棄疾等豪放派詞人就經常
這樣做。只要翻開萬樹的《詞律》，就會發現一個詞牌經常有幾

體、甚至是十幾體。為什麼？就是因為創作時的具體情況變化了，後人在遵守大原則的條件下，對前人規定的詞律的束縛不能不有所突破。詞牌中的所謂攤破、增、減等名堂（如《減字木蘭花》、《攤破浣溪沙》等），也是對前人詞律限制的突破，自由化的傾向又推進了一步。

詞以後有曲。元明的曲與宋詞相比，在唱時可較自由地根據需要而加上襯詞襯字，從句式與音節上講，自由化又比詞推進了一步。但曲不但要講平仄，有時還要講四聲，甚至是分陰陽。曲中又有套數，相當於現在的組詩，按照規定的許多相互配合的曲牌來寫詩。這樣看來，曲的格律化傾向同時也比詞更推進了一步。

總之，從我國古代詩歌聲律體制的發展看來，自由化與格律化是相輔相成，相互鬥爭，相互促進，相互轉化的。這樣實踐——認識，認識——實踐，不斷地循環往復，每次都得到新的提高，終於使我國古代詩歌的音樂美達到相當完美動人的境界。為什麼古詩能做到這一點？我們認為原因很多，但不斷地向民歌學習是重要原因之一。古代詩歌，不管是自由體或格律體，都在民歌中汲取了無窮無盡的豐富營養。魯迅先生說：「舊文學衰頹時，因為攝取民間文學或外國文學而起一個新的轉變，這例子是常見於文學史上的。」詩歌聲律體制也是如此。楚辭原是從民間來的。屈原學習當時楚國的民歌而作《九歌》，這是有案可查的事實。漢·王逸《楚辭章句》說：「昔楚國南郢之邑，沅湘之間，其俗信鬼而好祠，其祠必作歌樂鼓舞以樂諸神。屈原放逐，竄伏其域……出見俗人祭祀之禮，歌舞之樂，其詞鄙陋，因為作《九歌》之曲……」宋代朱熹則進一步認為屈原的《九歌》是在民歌的基礎上「更定其詞，去其泰甚」。《九歌》確是屈原學習民歌的產物，它基本上保存了民歌的音樂美，對後代詩歌聲律的發展起了良好

的作用。從漢魏到南北朝，我們也可以說，如果沒有漢魏南北朝樂府民歌，就沒有文人的五言古詩，即使是唐代李白杜甫白居易李賀等人，他們的樂府歌行也無不受樂府及其他民歌的影響。其實，民歌也具有自由與格律兩種傾向。如前所述，《詩經》中自由詩很多，但也不乏具有格律傾向的詩句。如小雅中的《采薇》，這是一首戍卒的詩，中間有這麼幾句：

> 昔我往矣，楊柳依依；今我來思，雨雪霏霏。行道遲遲，載渴載飢。我心傷悲，莫知我哀！

這詩聲情並茂，繪聲繪色，戍卒的悲痛之情和盤托出。我們來分析一下前四句的聲律：「昔我（仄）——往（仄）矣，楊柳（仄）——依依（平）；今我（仄）——來（平）思，雨雪（仄）——霏霏（平）」。除第一句稍微出格外，其他的平仄對仗都很講究。當然，那時的民間詩人並沒有悟出平仄抑揚的道理，這純是語言現象中的自然音節之美。但如果沒有這類自然音節千百次、上萬次地反覆出現，封建文人能憑空「頓悟」出平仄律來嗎？又如詞牌中的《竹枝詞》，原是來自四川湖北一帶的民歌。唐詩人劉禹錫在學習民歌的基礎上加以改寫，「作《竹枝》九篇，俾善歌者颺之」，於是逐自成體格。詞、曲本是從民間產生，明顯受到樂府民歌、敦煌曲子詞及當時其他民歌的影響。這些事實，都可看出民歌不僅影響了詩歌自由體的發展，而且同時推動了詩歌格律體的進步。成功的詩人，無不善於向民歌學習，從中汲引豐富營養，從而形成獨具一格的新詩篇。

「歷史的經驗值得注意。」毛澤東說：「用白話寫詩，幾十年來，迄無成功」。我們認為，除思想內容、立場感情等原因外，少講聲律，缺乏詩歌的音樂美也是重要原因之一。其實，詩

歌的音樂美是配合語言的特點產生的，即使是用白話寫自由詩，也應該是「口吻調利，清濁通流」，具有鮮明的詩歌音樂形象。如果詩和散文相似，和說話差不多，幹麼要寫詩？分行的「口號」是不會有藝術感染力的。既然是寫新詩，就應該合乎現代漢語音樂性的特點。現代社會的文藝園地繁花似錦，借鑑古典，舊體詩詞當然也可以寫一些，既然要寫，就要寫得像，如毛澤東所說，寫「律詩要講平仄」。但古詩是古代語言的結晶，是過去生活的反映。我們要反映現實生活，應該主要地是用現代的語言來「作今詩」，歌唱今天的新時代。

關於新詩的自由化、格律化的問題，五十年代後討論更爲熱烈。借鑑我國古代詩歌發展的歷史，我們認爲：

一、新詩中自由與格律同時發展，這完全符合現代社會文藝多樣化的要求；

二、自由詩也要推敲聲律，講究音樂美，並經過長期實踐，從理論上發現它的「美」之所在，從而逐步爲現代格律詩的形成創造條件。新詩中格律化傾向的出現是歷史的必然；

三、即使在現代格律詩形成之後，也允許衝破格律，任何時候，自由化的傾向就是建立更新更美的格律的必要前提；

四、眞正的詩人就必須善於向古典學習，特別是善於向民歌學習，如毛澤東所說：「從民歌中吸收養料和形式，發展成爲一套吸引廣大讀者的新體詩歌。」

在詩歌的音樂形象方面，我們時代的詩人有條件唱出最新最美的詩篇！

（《語文學習》1978 年第 5 期）

古典詩詞與黃河風光文化巡禮

一、黃河之水天上來

「朋友！你到過黃河嗎？你渡過黃河嗎？你還記得河上的船夫，拚著性命，和驚濤駭浪搏戰的情景嗎？」每當我們引吭高歌《黃河大合唱》，禁不住熱血沸騰，眼睛濕潤。縱橫千萬里，上下五千年，中華兒女的聲聲吶喊，場場搏戰，驚天動地，震撼心弦，無一不歷歷如在眼前。伴隨著黃河船夫那慷慨激越、英勇悲壯的「划喲、划喲」號子聲的漸行漸遠，我們的思緒，早已越過萬里關山，飛到了天之涯、海之角，來到了遙遠的黃河邊，重溫祖先那創造的歡樂，苦難的辛酸。黃河，你是中華民族的搖籃，五千年的文明古國，就從這兒發源。我們的祖先，勤勞勇敢，用自己的智慧和雙手，創造了偉大的中華文明，巍然屹立在世界的東方。詩人光未然曾驕傲地說：「黃河以它英雄的氣魄，出現在亞洲的原野，它象徵著我們民族的精神，偉大而崇高。」

早在一千二百多年前，唐朝的浪漫詩人李白，曾在《將進酒》詩中，面對黃河，唱著頌歌：「君不見黃河之水天上來，奔流到海不復回！」這是何等寬廣胸襟和偉大氣勢！這就是千秋萬代每一個炎黃子孫心中的黃河。黃河從青藏高原發源，由西向東，幾經曲折，流經青海、四川、甘肅、寧夏、內蒙、陝西、山西、河南、山東九個省區，全長一萬餘里，流域面積達七十五萬二千四

百四十三平方公里。黃河從發源地開始,直到齊魯渤海邊上入海
口,無數的涓涓細流,終於匯聚成奔騰萬里的大河,其中有豐美
的水草,廣袤的平原,千岩壁立,萬壑爭流,山川壯麗,人文薈
萃,令人神往。《詩經・小雅・車舝》篇有「高山仰止,景行行
止」的話,用來說明人們的敬仰。其實,用來形容黃河,改為
「高河仰止,景行行止」也未必不可。因為黃河的發源地青藏高
原,海拔四千多公尺。今天人們仰望美國紐約的摩天大樓,常有
落掉帽子之嘆。但比起我們的黃河,竟然是從四千多公尺的高高
天上,傾瀉而下,不是小巫見大巫了嗎?詩人李白,雖然未必真
到過河源地區目睹一切,而是出於文學家的誇張想像,但這想
像,卻又是如此真實貼切,把黃河概括得栩栩如生,維妙維肖。
詩篇的發端,如挾天風海雨,撲面而來,令人震動,令人驚嘆。
人們登高望遠,黃河源遠流長,奔騰咆哮,落差極大,如從天
降,直瀉大海。「黃河之水天上來」,上句形容黃河之水,來勢
不可遏;「奔流到海不復回」,下句描繪黃河東注,去勢不可
擋。詩人不用「奔騰咆哮」、「千軍萬馬」之類的具體字眼,因
為從宏觀的角度來縱覽偉大的黃河,非肉眼可以窮盡,因此詩人
想落天外,以黃河之水的一來一去,一消一漲,形成了舒捲自如
的詠嘆調,在描繪山川壯麗之時,寄寓了中華兒女對於祖國的無
限深情,和一片赤子之心。

　　如果說李白詩《將進酒》是以河水高低落差的雄偉聲勢來描繪
黃河的氣魄與全貌,那麼稍晚於李白的中唐詩人劉禹錫,他的
《浪淘沙》詞則變換視角,是對萬里黃河無限風光的一次巡禮與概
括:「九曲黃河萬里沙,浪淘風簸自天涯。如今直上銀河去,同
到牽牛織女家。」這首詩的前面二句,從黃河奔流的完整歷程及
其特異風光,來形象地描繪萬里黃河的雄渾厚動及其曲折多變。
「九曲」與「萬里沙」,準確而生動地捕捉了黃河風光的兩大特

點。中國的地形構造，西邊高，東面低，由高原逐步向沿海傾斜。因此，江河一般呈東向奔流的總趨勢，黃河也不例外。但與眾不同的是，黃河「九曲」馳名中外。所謂「九曲」，並非實指。從實際情況看，黃河千回百折，何止「九曲」！在中國古代，常用「九」字來形容數目之多。劉禹錫正是用「九曲」來泛稱「S」形的拐彎河道之多。而黃河的「九曲」之首，就在今天的青海、四川和甘肅交界的地方。黃河一旦離開了發源地青藏高原，越過了阿尼瑪卿山，在峽谷和草地中穿行，來到了巴山蜀水範圍的松潘草原。在這兒，滔滔河水受到東岷山的阻攔，蜿蜒出沒於草地之間，突然拐了一百八十度的大彎，西向而行，從四川又回到了青海的東部，然後掉頭北上，再重新拐了一個一百八十度的大彎，東注龍羊峽，出青海直奔甘肅。在這一千多公里的流程裡，黃河大體上完成了第一個「S」形的大轉折，人們因此稱為「黃河第一曲」。黃河「九曲」，其中包含了無數的大「曲」與小「曲」。每一「曲」都蘊藏了豐富的水利與動力資源，無論是航運、灌溉和水電，森林、草地和平原，千姿百態，一一獨具風貌，因而引出了詩人那「黃河九曲」的由衷讚美。至於「萬里沙」的形象描繪，則著重於黃河的宏偉、雄渾和力量。人們常說，巨川大河，狂風濁浪，魚龍混雜，泥沙俱下。沒有一往無前的氣勢，和驚天動地的力量，黃河怎能從晉陝峽谷十一萬平方公里的流域面積中，每年沖刷挾帶而去十億噸泥沙，幾乎是中國人口人均一噸之多。這是怎樣的力量？詩人無法用具體數字來表達，只能借助形象，運用文學手段來加以刻畫。「九曲黃河萬里沙，浪淘風簸自天涯」，詩人筆下的黃河，就像富有生命一樣地波翻浪湧，滾滾向前，它宏偉壯麗，渾厚有力，黃河兒女的許多優秀品質，就在它的胸懷中成長。黃河下游的大片沖積平原，正是黃河的又一貢獻。當然，所謂「萬里沙」，同時又意味著災

難。大量的水土流失，自然環境生態平衡的破壞，森林植被的濫砍濫伐，這一切都是人幹出來的，怎能怪罪於偉大的黃河呢？要知道，在幾千年前，廣大的黃河流域，到處是森林和水草，沃土和陽光。今天秦嶺以北的陝西省和甘肅境內的黃土高原地區，據《尚書・禹貢》記載，其「田上上」。原來，古人把當時天下土地劃分爲九個等級，上上等就是最佳良田。就是在《漢書・地理志》所記載的二千多年前，甘肅隴西一帶，「山多林木」，「民以板爲屋」。不是森林覆蓋，老百姓怎能建造木板房屋？由此可見，幾千年前，如果黃河流域不是具備了良好的氣候、土壤、雨水、資源等條件，怎會成爲古老中華文明的發源地呢？黃河怎能與古埃及的尼羅河、古巴比倫的幼發拉底河並列，成爲古代人類文明曙光升起的舞台呢？但是曾幾何時，面目全非。同一條黃河，突然改變脾氣，驕橫暴戾，氾濫成災，這是爲什麼？恩格斯告誡人們：「不要過於得意我們對自然界的勝利。我們的每一次勝利，自然界都報復了我們。」人們從黃河身上無節制地砍光了森林，剝光了草原，造成了大漠遍地、風沙滾滾的悲劇，黃河怎能不發怒、怎能不報復？以黃河那千鈞雷霆的氣勢和力量，一旦報復起來，人們就很難招架。醒醒吧，中華兒女們！「九曲黃河萬里沙，浪淘風簸自天涯」，這既是詩人的由衷讚美，同時又蘊含了哲人那深邃的感傷慨嘆和憤怒批判。

但是，詩人終究是詩人。在現實面前，他們常用美麗的神話傳說來編織絢麗的生活畫圖，以此寄託自己對於祖國山河以及中華文明的良好祝願。「如今直上銀河去，同到牽牛織女家」。牽牛、織女，既是天上的星宿，同時又是神話人物，他們男耕女織，眞摯相愛，雖被天河隔阻，只能一年一度七夕相會。但如北宋詞人秦觀所說：「兩情若是久長時，又豈在朝朝暮暮！」熾熱忠貞的愛情，純潔無瑕的人性之美，成爲中華兒女歌唱的永恆主

題之一。在這裡，詩人運用了張華《博物志》記載的神話故事，說是大河通海，與天上的銀河相連。據說漢代有人由大河乘木筏漂流到了銀河，見到了天上美麗的牛郎織女。牛郎織女，天上人間，男耕女織，繁榮昌盛，正體現了古代中華兒女的不懈追求與美好理想。

明代的宗泐和尚到西域取經時，曾途經青藏高原，以其耳聞目睹的切身體驗和親切感受，寫下了《望河源》詩：「積雪覆崇岡，冬夏常一色。羣峯讓獨雄，神君所棲宅。傳聞嶰谷篁，造律諧金石。草木尚不生，竹產疑非實。漢使窮河源，要領殊未得。逐令西戎子，千古笑中國。老客此經過，望之長嘆息。立馬北風寒，回首孤雲白。」這是一首吟詠河源景色的五言古詩。詩題《望河源》，一個「望」字，說明只是在河源附近遠遠望去，因此只能從宏觀視角來捕捉河源地區的高原風光。「積雪覆崇岡，冬夏常一色。羣峯讓獨雄，神君所棲宅」，這開篇四句著力於河源雪山的描繪：雪山皚皚，巍然挺立，終年不化，羣山低首膜拜。這銀妝素裹的壯麗山川，是傳說中天上「神君」居住的地方。神君，指的是傳說中的神仙，這前四句，雪山是實，神君為虛，一是從自然環境入手，一是從精神文化著眼，虛實相生，妙合無垠。一開篇就點題入詩，把人們引入了一個神祕而崇高的氛圍中。尋幽探勝，這本是騷人墨客的愛好，以便在消閒生活中獲得美的享受。但是，探尋黃河源頭則是兩碼事。這已超越了消閒探勝的範圍，而成為一種十足的探險事業。為了查明黃河源頭，古往今來，花費了多少代人的智慧和心血。歷朝所編的《河道提綱》和《河源記》之類，就是明證。但真正查明河源、痛飲源頭之水的有幾人？為了親眼目睹河水初發源，歷史上有多少人犧牲在黃河故道上！因此，探究河源是犧牲，同時也是奉獻。宗泐和尚在交通不發達的古代，能夠身臨其境，遙望河源，回顧自己的足迹，

寫下了宏麗的詩篇，不愧是詩人中的勇敢探險家。接下來四句：
「傳聞嶰谷篁，造律諧金石。草木尚不生，竹產疑非實。」運用
神話傳說，表現了詩人的探索精神。嶰谷，傳說中崑崙山的一個
山谷名，據傳其地出產美竹，中華始祖軒轅黃帝，令樂官伶倫取
嶰谷之竹來製作簫笛等樂器，伶倫用簫管造樂律，成了傳說的中
華音樂文化的創始人。詩人雖好想像，但也並不妄信妄傳，在詩
中，他以其親眼目睹，用懷疑的口吻，表現了一種探險家的求實
精神。「草木尚不生，竹產疑非實」，雪山地區，高原酷寒，喜
歡溫暖濕潤的氣候土壤的美竹，怎能在河源地區生長？從第九至
第十二句，運用歷史故事，藉以抒發詩人的感慨，表現了高昂的
愛國精神。據《漢書・張騫傳》記載，漢武帝時，「漢使窮河源，
其山多玉石，采來，天子案古圖書，名河所出山曰崑崙云」。顯
然，這是對河源一種錯誤的勘察。「遂令西戎子，千古笑中
國」，這對於熱愛祖國河山的詩人來說，是無法接受的。其《望
河源》詩，正是試圖洗刷舊傷痕的一種新探索。最後四句，寓情
於景，寄託了詩人的深沈人生慨嘆。「立馬北風寒，回首孤雲
白」。高原瞬息變幻的氣候，對人是個考驗。北風凜冽，令人膽
寒，駐馬屹立，志氣愈堅；浮雲白絮，回首影單。一個「孤」
字，透露了詩人的獨行特立及其淡淡的哀傷：後繼是否有人？實
在令人擔心。其實，詩人的擔心已經成為多餘，今天我們已經盡
了一切努力和現代化手段，揭開了黃河源頭詭祕的面紗。中國的
第二條大河——黃河，就在青海省巴顏喀拉山北麓的約古宗列盆
地發源，具體地說，就是「瑪曲曲果日」，藏語是黃河源頭山的
意思。在很古的時代，約古宗列盆地曾是一個大湖泊，由於氣候
變遷，地質變化，湖水退縮，成為盆地，因而殘留了百多個小湖
泊，正是天上的雨水，地下的積水，地上的湖水，和冰川的雪
水，交匯融合，泉水汩汩，珍珠串串，清流淙淙，構成了黃河生

命的源頭。沿萬里黃河，又居住了多少兄弟民族？各民族和睦生活，親如兄弟，論其文化淵源，莫不同飲一河之水。古老的中華文明大河，正是由各兄弟民族的涓涓細流匯合而成。

唐代詩人王之渙《涼州詞》，正是黃河上游邊塞風光的生動寫照：「黃河遠上白雲間，一片孤城萬仞山。羌笛何須怨楊柳？春風不度玉門關」。《涼州詞》詩題中的「涼州」，並非實指具體地名，而是唐時一種流行曲調名，詩人們常用來描繪邊塞生活。起句由下游迴溯上游，視線由近及遠，極目而望，黃河如線，從天外白雲之間飛來，在流動中來渲染黃河的源遠流長，象徵中華文明的悠久歷史。與李白的「黃河之水天上來」相比，雖然聲勢不及；但黃、白相間，色彩鮮明，儀態高雅端莊，其意境似更勝一籌。「一片孤城萬仞山」，則著重於靜態之美的創造。黃河上游，峽谷林立，邊城孤立於崇山峻嶺之中，懸崖峭壁之上。一線天外飛來的黃河，繞城迴流，以動托靜，愈見城孤，卓然獨立，倚為邊防重鎮。開篇二句，猶如神來之筆，神思飛動，氣象萬千，黃河邊塞那廣漠壯闊的奇特風光，繪聲繪色，神氣活現。如果說前二句重在寫景，後二句則重在抒情。「羌笛何須怨楊柳，春風不度玉門關」，寫的是邊防戰士思鄉之情。這裡的「楊柳」，指的是羌笛所吹奏的曲調。古人常在餞別送行時演奏此調，以抒發離愁別恨。玉門關外，長年苦寒，楊柳難青，彷彿春風不度。邊防戰士不但見了楊柳會引起離愁，連聽到《折楊柳》的曲調也會傷心落淚。但詩人不是說「聞楊柳」，卻說「怨楊柳」，更能引發聯想，詩情也更加委婉含蓄。「何須怨」，不是說不要怨，而是說怨了也無用。從中我們可以看到，當時邊防戰士在鄉愁難禁之時，同時也意識到保衛祖國邊疆的責任重大，才能如此自我寬解。詩句所表達的雖然是邊疆將士思鄉的怨情，但寫得悲中有壯，沒有絲毫頹唐的情調。和氣象萬千的前二句聯繫

起來，令人感到一種保家衛國、雖苦不辭的氣魄和力量。黃河兒女在艱難困苦的狀況下所唱的歌，依然是那樣慷慨悲壯，那麼感人至深，這不正是中華民族堅韌不拔性格的形象體現嗎？

（原載《貴州政協報》1994年4月14日

，全文三篇曾在上海電台多次播送）

二、浪劈秦晉峽谷行

　　黃河原來稱「河」，後來因其水多泥沙，渾濁色黃，人稱「黃河」，一直沿用至今。但是，黃河從源頭的雪山泉眼裡汨汨冒出的串串珍珠，經上游數千里河道，碧水長流，清澈可愛，猶如綠色的玉帶，引起了人們的遐想和讚美。作者曾到過黃河上游甘肅省的劉家峽一帶，站在黃河邊上，撫摸著河灘上那晶瑩潔潤的鵝卵石，抬頭仰望，只見麗日中天，大河橫貫，橋架飛虹，碧波鼓浪。黃河姓「黃」，從何說起？原來，黃河離甘肅省蘭州市之後，東北流經桑園峽、紅山峽和黑山峽，經寧夏到內蒙，來到了塞北的騰格里沙漠的南緣。「騰格里沙漠」，在蒙語中是「天沙」的意思。在這裡，北風呼嘯，風沙漫天，吞噬著綠色大地，掩埋了高原的長城，接著又狂暴地撲向了黃河。黃河開始顫動，大聲呼喚著即將離去的生命常綠。可是歷史無情，催人淚下，黃河大地，一路上染上了赭黃之色，濃墨重筆，有增無減。黃河水中巨大的含沙量，在世界河流中也是少見的。從上游進入中游以後，澄清的大河改變了面目，換上了一副黃面孔，於是民間有了「跳進黃河洗不清」的俗語。黃河之名，主要來自中下游的巨量泥沙。特別是黃河中游，尤為關鍵，它浪劈黃土高原，中分秦晉大地，每年從黃土高原席捲而去十億噸泥沙沃土，在千里秦晉峽谷中衝突運行，然後從龍門一氣噴射到下游的中原大地。黃河

水，黃土地，黃皮膚，就在這兒誕生了中華始祖軒轅黃帝，形成了古老的中華文明。浪劈秦晉穿峽谷，中華文化源流長，這就是黃河中游的主要特色。

黃河的河套地區，北靠陰山山脈，南臨黃河之濱，有一個美麗富饒的地方，就是內蒙古的土默川草原。春雷一聲，冰雪融化，牧草青青，生機勃勃，放眼四望，到處是綠色的海洋。那一度被騰格里沙漠的風沙所奪去的綠色生命，又奇蹟地重新呈現在人間。土默川，南北朝時期稱「敕勒川」。北齊時有個將領叫斛律金，他曾面對生他養他的莽莽草原，放聲高歌敕勒族的民歌——「敕勒川」，這首千古流傳、常唱常新的民歌，後來又被郭茂倩收入《樂府詩集》的雜歌謠辭中，成為古典詩歌中的又一不朽名篇。由此可見，古老的中華文明，是我國各兄弟民族的共同心血結晶。歌詞是這樣的：「敕勒川，陰山下。天似穹廬，籠蓋四野。天蒼蒼，野茫茫，風吹草低見牛羊。」我國北方少數民族的民間詩人，熱愛生活，熱愛故鄉，緬懷繁榮昌盛、沒有戰爭的和平年代，唱起了生命的牧歌。詩人歌頌了草原的遼闊無邊和牛羊的繁盛蕃衍，形象地勾勒出北方邊塞大草原的特異風光。全詩僅二十七字，但卻點燃了古今多少人愛國激情的火焰。詩篇開頭二句點明了典型的環境。「敕勒川」的「川」字有兩種解釋，一是平川，一是河川，這裡是二者兼備。在乾旱苦雨的西北邊塞，河水就是生命的象徵，黃河兒女，無論是什麼民族，都一樣依靠黃河母親乳汁的哺養。陰山下，黃河邊，一馬平川，水草豐美，這不是塞外江南又是什麼？中間的「天似穹廬，籠蓋四野」，與江南的秀麗河山不同，詩人以其如椽巨筆，橫抹點染了一派北國風光。「穹廬」，就是北方草原常見的蒙古包。遼闊無垠的草原，就像被一個碩大無比的蒙古包所籠罩一樣，天地雄渾，氣勢恢宏，洋溢著北方游牧民族獨有的濃烈生活氣息。這四句是宏觀的

鳥瞰，視野開闊，詩人重在眼前之所見；而接下來的「天蒼蒼，野茫茫，風吹草低見牛羊」三句，舒捲轉折，極其自然，猶如電影鏡頭，由大遠景逐漸推入近景和特寫。詩人重在所感。流動不息的和風，是揭開草原生命面紗的魔術師：水草爭茂，綠色如油，猶如波浪起伏的大海。借風之助，終於吹出了滾動著的羣羣牛羊。在這兒，靜態的天地，與動態的牛羊，動靜相襯，氣象萬千。誰能不熱愛這樣美麗的山川？詩歌的藝術風格粗獷豪邁，雄放中充滿了追求與自信，正是古代黃河兒女性格的凸現。

在離黃河不遠的呼和浩特以南十公里的土默川草原上，有一座令人神往的墳墓，墳上青草叢生，野花盛開，人稱「青冢」。一個爲兄弟民族和睦友好的事業作出了無私奉獻的美麗的漢家女子，就在這邊安眠，成了永久的歷史紀念，這就是「昭君和親」的故事。據《後漢書‧南匈奴傳》記載漢元帝時，確有王昭君其人，「字嬙，南郡人」，「以良家子入選掖庭」。當時南匈奴的呼韓邪單于來朝求和親，昭君主動請命，嫁給了呼韓邪單于。自此以後，漢帝國與匈奴，邊境相安，數十百年。鐵騎百萬，安然不動，民族和睦，友好安定。歷代以昭君事迹爲題材的詩詞，有七百多篇，可見昭君的故事在歷史上影響之深遠。可惜，在歷代歌詠王昭君的詩詞中，許多詩人受封建時代傳統偏見的影響，往往感嘆昭君的「紅顏薄命」，抒寫昭君的悲怨哀愁，這顯然是對「昭君和親」的誤解。清朝有一位女詩人郭潤玉卻不同凡響，力排衆議，以其女性的敏感和細膩筆觸，寫了一首《明妃詩》，從積極方面盛讚王昭君的歷史功績，很少有悲切淒婉的情調。詩是這樣寫的：

漫道黃金誤此身，朔風吹散馬頭塵。
琵琶一曲干戈靖，論到邊功是美人。

　　詩一開頭，女詩人斬釘截鐵地否定了有關畫工毛延壽醜化昭君的傳說。晉朝人葛洪在《西京雜記》中記載了這一傳說，說是漢元帝命畫工毛延壽為後宮美人畫像，以便按圖召幸。於是宮人紛紛以黃金賄賂畫工，以求把自己的像畫得美些。唯獨昭君不肯賄賂，因此毛延壽故意把王昭君畫醜一些，故使昭君多年不得召幸。女詩人堅決否定了這個傳說，「漫道」，就是說什麼的意思。不要說昭君因為不賄賂畫工而誤了青春，流傳這種「小道新聞」，有什麼意義呢？「朔風吹散馬頭塵」，塞外的北風不僅吹散了馬前飛揚的塵土，而且掃清了昭君心頭的憂鬱情緒，因為昭君是主動請求遠嫁匈奴的，她是懷著欣喜的心情，離開了沒有自由和歡樂的幽宮禁地的。第三、四兩句：「琵琶一曲干戈靖，論到邊功是美人。」則是詩人高度評價昭君出塞的歷史功績。昭君出塞和親，南北戰事平定下來，如果論到邊功和貢獻，巾幗勝似鬚眉，還要數美人王昭君。詩人所讚頌的正是對王昭君在民族團結與融洽上起到了卓越的作用。今天，時代變了，塞北黃河邊上的青塚，已成了中華文明大家庭中兄弟民族和睦友好的紀念碑。

　　黃河穿過了內蒙古河套平原，……在托克托縣河口鎮，受到呂梁山脈的阻撓，掉頭向南，猶如一把利劍，把黃土高原一劈兩半，開出了一條深邃的峽谷。從河口鎮到禹門口，黃河在峽谷中飛流直下七百二十五公里，河面由海拔九百多公尺，降落到三百多公尺。大山中分，峙立如屏，大河滾滾，洶湧澎湃。陝西省古稱秦，山西省古稱晉，二省帶水相鄰，晉陝峽谷就因此得名。正是在這片黃土高原上，誕生了黃河兒女的悲壯頌歌──古老而燦爛的中華文明。提起燦爛古老的中華文明，我們不由得想起中華民族的始祖──黃帝。據《史記・五帝本紀》記載，黃帝，姓公孫，名軒轅，因有「土瑞之德」，所以稱號黃帝。所謂「土瑞之德」，《史記索隱》解釋說：「土色黃，故稱黃帝。」也就是說，

黃帝是黃河邊上黃土高原的兒子，他死後葬在今陝西省中部沮水邊上黃陵縣的橋山黃帝陵，也稱橋陵。明代詩人張豐三有《橋陵》詩歌詠其事：「披雲履水謁橋陵，翠柏含煙玉露輕。袞冕霞飛天地老，文章星煥海山青。巍巍鳳闕迎仙島，渺渺龍車駐帝城。寂寞瑤台遺武帝，一輪皓月古今明。」橋陵東去黃河龍門不過百餘公里。詩的首聯，點明創作的時間和地點，是在金秋玉露時節，並著意渲染了橋陵雲水橫流，翠柏含煙的高潔境界。橋山之上，山峯競秀，松柏參天，環山共植松柏六萬一千餘株，遠遠望去，青翠玲瓏，煙霏迷濛，令人嘆爲觀止。山下有黃帝廟，廟內幽靜地肅立著兩株參天古柏，一稱「軒轅柏」，一叫「將軍柏」。相傳「軒轅柏」是黃帝親手所植，距今已有四、五千年，風雨不動，實在少見，被國際人士譽爲「世界柏樹之父」，象徵中華文明植根於此。「袞冕霞飛天地老，文章星煥海山青」，讚頌黃帝的服飾如五色彩霞與天地齊飛，中華文明山海清明，星光燦爛。詩句風采飛動，歌頌了黃帝對於中華文明的偉大貢獻。黃帝造指南車，戰勝蚩尤的故事，舉世聞名，暫且不提。《史記》又說，黃帝「順天地之紀，……時播百穀草木，淳化鳥獸蟲蛾，……勞勤心力耳目，節用水火材物」，因而天下歸順，萬方和洽。作爲黃河的偉大兒子，黃帝是中國人民勤勞勇敢、聰明智慧的象徵。今天，不僅是國內人民，就是僑居世界各地華裔，也紛紛回國尋根，特地到黃帝陵墓參加盛大的民族祭典活動，表現了炎黃子孫對於偉大祖先的無限崇敬的心情。最後二聯，「巍巍鳳闕迎仙島，渺渺龍車駐帝城，寂寞瑤台遺武帝，一輪明月古今明」，則以企求長生不老與神仙故事的漢武帝作爲對比。當年漢武帝爲了求得個人的長生成仙，幻想在宮殿裡迎接神仙降臨，然而瑤台寂寞，神仙不僅從沒光顧的影子，而且促進了漢武帝的死亡，成爲千古的笑柄。「寂寞瑤台」，諷刺之意非常明白，如果只是想到

個人，而不是像黃帝那樣爲中華民族的文明昌盛作出犧牲和貢獻，怎能永垂不朽，萬世紀念？黃帝的名字，作爲中華民族的精神象徵，對於海內外的所有赤子，具有一股無法抗拒的內在凝聚力。於此可見中華文明的巨大精神力量，千秋萬代，無論世界上颳起了什麼狂風惡浪，都無法把這股凜然正氣吹散。

黃河流域的黃土高原，地處八百里秦川的故都西安，故事多得說不完，現在還是讓我們返回黃河，欣賞峽谷激流的壯觀場面。黃河船夫曾說：「上有天橋子，下有磧流子。」這是黃河在晉陝峽谷中最爲險峻的河道。「磧流子」，就是馳名中外的壺口瀑布。壺口東瀕山西吉縣，西臨陝西宜川。兩岸高山對峙，河中處處險灘。在龍王辿以上，峽谷河寬二、三百公尺；但一個龍王辿，河谷底部被大河沖刷，出現了一道僅有三、五十公尺寬的深槽。寬廣的河水驟然受到狹窄深槽的收束，壓力猛增，突然下跌到幾十公尺深的深槽中，奔放傾瀉，水花四濺，羣山轟鳴，形成了巨大的瀑布，奔騰的黃河水，就像從茶壺口傾倒而下一樣，壺口瀑布因此而得名。清朝詩人崔光笏有一首歌詠壺口瀑布的七律，當時是春末，他在詩題中說：「黃河解凍，白浪翻空，遠望如煙噴吐，洵巨觀也。」詩是這樣寫的：

> 禹功疏鑿最先經，一線奔流若建瓴。
> 石巘橫分薄煙霧，天瓢倒瀉吼雷霆。
> 崑崙水激千尋白，秦晉山分兩岸青。
> 過此扁舟容破浪，掛帆我欲濟滄溟。

這首七律，將壺口瀑布的景色作了繪聲繪色的渲染：只見煙霧彌漫，天瓢倒瀉，水激雷霆，山分秦晉，黃河之水，如高屋建瓴，奔流四射。這是何等的聲勢與力量！人在瀑布之旁，只感到

自然力的無比偉大，千軍萬馬，在壺口瀑布之下，頃刻間將被沖刷得無影無蹤。但是，此時此刻的人們，不僅沒有退卻，而且自然回憶起古代大禹治水時的故事。據說上古堯舜時期，洪水滔天，人民深受其害，於是派禹治理洪水。大禹治水，兢兢業業，公而忘私，三過家門而不入，史上傳爲美談。在黃河的晉陝峽谷千里河道上，大禹先壺口，次孟門，後龍門，依次鑿山引流疏通河道，把不可收拾的洪水猛獸，順利地排放到寬闊的下游河道。「禹功疏鑿最先經」，大禹對於治理黃河的偉大貢獻，永遠活在人民的心中，成了世代中華兒女學習的優秀榜樣。愚公移山，精衛塡海，黃河兒女的自信與勇氣，給混濁的黃河帶來了新生和希望。

晉陝峽谷的最後一道關口是龍門，傳說是大禹所鑿，所以又稱禹門。黃河越過龍門不遠，到老潼關、風陵渡處，又拐了個九十度的大彎，東向奔入下游中原河道。龍門素以險峻著稱，左龍門山，右梁山，二峯夾峙，形如蟹螯，狀似門闕，峭壁千仞，泥水滾滾。其間有二石島雄踞江心，河水分三股流，古稱「上三門」，以便與下游的三門峽相區別。「黃河西來決崑崙，咆哮萬里觸龍門」，李白詩《公無渡河》形象地揭開了龍門壯觀的序幕，驚心動魄，震撼心弦。清·康有爲也寫有《遊龍門》詩：

> 洪濤萬里絕雲根，對峙層巒載斧痕。
> 石角開天通九曲，浪花湧地闢三門。
> 秦川射氣風雷合，晉麓光吞日月昏。
> 誰道澄清人力少？乘槎空自問星源。

詩一開篇就破題。龍門之水，鼓浪滔天，高絕雲根。雲根，深山雲起之處。峽谷兩岸，懸崖峭壁，如經刀劈斧削，同時隱含

大禹開鑿龍門的典故。頷聯與頸聯，對偶工整，氣勢磅礴，生動地描繪了大河山川的萬千氣象，語言雄奇豪邁，極盡誇張之能事。面對如此壯麗的河山美景，誰不欽羨？實在令人神往，結束一聯，抒發胸襟，表達了詩人澄清黃河、治理天下的遠大理想與志向。

關於龍門，還有許多美麗的神話故事。如《太平廣記》所載，傳說因其形勢險要，水流湍急，只有神龍，才能飛騰而過，一般魚蝦，無法溯游而上，因此人稱龍門。暮春三月，羣魚畢至，有許多黃河鯉魚，從百川諸海齊匯龍門之下，奔騰跳躍，雖然大多數被洪流沖掉，飲恨失敗，但畢竟有少數跳上龍門，一時雲隨雨興，天火燒掉了魚尾巴，突然變化成龍而升天。明知其不可爲而爲之，通過頑強奮鬥，最後終於到達成功的彼岸。鯉魚躍龍門的神話故事，不正體現了黃河兒女的奮鬥、犧牲與奪取最後勝利的民族精神嗎？漢代司馬遷高揚「發憤著書」的精神，寫出了被魯迅譽爲史家之絕唱，無韻之《離騷》的《史記》。司馬遷就誕生在這樣一個充滿了神話色彩的地方。陝西韓城芝川鎮，就在龍門不遠的地方。《史記》不僅屬於中國，而且可以說是當時的第一部世界文化通史，屹立在高峯之巔，爲世界文明作出了不朽的貢獻。正是黃土地的培養，黃河水的澆灌，《史記》這棵參天大樹，終於巍然挺立在世界文明之巔。司馬遷與《史記》，正是黃河的光榮和驕傲，是黃河哺育和澆灌中華文明的明證。

黃河越過秦晉峽谷就向東一瀉千里，「奔流到海不復回」，最後，讓我們高唱唐代詩人王之渙《登鸛雀樓》詩：「白日依山盡，黃河入海流，欲窮千里目，更上一層樓」。這首詩描寫黃河的景色，景象壯闊，氣勢雄渾，胸襟爲之一開，面對如此的黃河美景，朋友，怎能不到黃河一遊？

（原載《貴州改協報》1994年5月5日）

三、「懸河」走海浮郡邑

一看題目，人們憑藉豐富想像與聯想，就能捕捉黃河下游的山川形勢及其特點。所稱「懸河」，意思是懸在空中的河流，這裡用來形容河牀高出大地的黃河。原來，黃河水道，在跨越了豫西峽谷之後，就進入了廣大的下游平原地區，由於河面寬闊，地勢平坦，水流相對平緩，於是大量泥沙不斷淤積，造成了河牀逐年上升的現象。現在黃河的河牀，一般比中原大地高出三、五公尺，有時竟然高出十幾公尺以上，滔滔滾滾的渾濁洪流，高懸在沿岸億萬人民的頭上，一旦潰穴決堤，洪水氾濫，後果不堪設想，怎能不令人日夜心驚膽戰！爲了兩岸億萬生靈的安全，黃河兒女，幾千年來，戰天鬥地，築起了高高的黃河大堤，北岸起於河南孟津東曹坡，南岸起於鄭州保合寨，夾堤束水，「護送」黃河滾滾入海，全長一千三百多公里，終於形成了世界少見的「懸河」，呈現了黃河下游的特有壯觀場面。因此，題目中「浮郡邑」的「浮」字，有褒與貶兩種不同的意思：一是由於黃河是世界上含沙量最大的一條河流，每立方公尺平均含泥沙三十七・六公斤，大量泥沙，淤積下游，形成了廣大的沖積平原。中原大地的城市繁榮農村富饒，以及燦爛的中華文化，無一不是在黃河乳汁的滋潤下誕生成長，一一浮現，黃河之功不可沒；另一意思決然相反，由於黃河是世界有名的一條「害河」，在有史記載的二千多年來，洪水氾濫成災一千五百餘次，下游大改道二十幾次，左衝右突，流毒中原，不論是城市還是農村，與魚鱉一樣在滔天洪波中浮沈，給人民的生命財產，帶來了巨大的威脅和破壞，黃河之害不必諱。今天的我們，只有用現實的眼光，把古代詩人那烏托邦的想像化爲實際行動，那麼在不遠的未來，將有看到黃河

澄清、身披綠裝、春滿人間的希望。

泥沙俱下的黃河，一出秦晉峽谷後，在潼關一帶受到華山的阻擋，拐了一個九十度大彎，通過下游的最後一個峽谷——豫西峽谷，掉頭東去，直通大海，再不回頭。而三門峽就是豫西峽谷中最爲險峻的河道。三門峽在河南陝縣以東二十公里處，浩蕩的濁流，在這裡遇到了兩座石島的阻攔，河水一分爲三，沖出石島，然後匯合東流。河道之中，怪石嶙峋，巨流濁浪，在這兒一分一合，衝擊碰撞，煙霧四漫，亂石穿雲，濁浪排空，漩渦翻捲。河心之中，有一座石峯，人稱「中流砥柱」，拔河而起，高出水面二十幾公尺，任憑風狂雨暴，惡浪撲面，絕不後退，巍然不動，儼然成爲中華民族精神的象徵，黃河兒女心中的驕傲。唐代大書法家柳公權有一首《砥柱》詩加以歌頌云：

> 禹鑿鋒鋩後，巍峨直至今。孤峯浮水面，一柱釘波心。
> 頂壓三門險，根隨九曲深。柱天形突兀，逐浪素浮沈。
> 岸向秋濤射，祠班夜漲侵。噴香龍上下，刷羽鳥登臨。
> 只有尖迎日，曾無柱影陰。舊碑文字在，遺事可追尋。

詩的開篇「禹鑿鋒鋩後，巍峨直至今」，是說大禹治水，鑿開三門峽的痕跡依然存在，巍峨險峻的中流砥柱便是歷史的見證，成爲古今流傳的文化勝迹。接下來「孤峯浮水面」至「逐浪素浮沈」等六句，具體描繪險峻的中流砥柱的風光，說它像一座山峯浮在黃河水面上，又像一根擎天柱釘在波濤中心，絕不隨波逐流，動搖自己的立場。它頭頂三門奇險，根扎九曲黃河的深處，俯視著大河的千古浮沈，經歷了人間的滄海桑田。其中一「浮」一「釘」，頂壓根深，既是寫石，又是寫人，刻畫了黃河兒女堅強的性格。後面「岸向秋濤射」至「曾無柱影陰」六句，

又從各個側面補充描畫，使詩歌神完氣足，愈增風采。由於砥柱
兀立中流，從三門峽沖瀉而來的黃河水愈加洶湧澎湃，河水和石
柱相激，怒濤像箭一樣射向兩岸。黃河就像一條噴射香霧的飛
龍，在中流砥柱周遭翻滾舞動。砥柱安如磐石地屹立水中，即使
飛鳥登臨，也會害怕刷斷自己的羽毛。它的峯尖天天迎著朝陽，
沐浴著金色的光輝，絕不將陰影投射在河中。詩的最後二句：
「舊碑文字在，遺事可追尋」，指的是唐太宗曾親臨其境，並寫
下了《砥柱山銘》：「仰臨砥柱，北望龍門。禹迹茫茫，浩浩常
春。」唐太宗是史上著名的一代英主，面對中流砥柱下的三門急
浪，也不能不發出「禹迹茫茫」的慨嘆，漢唐時期，國都長安，
從山東和江淮流域調運而來的財賦及大批糧食，是維持漢唐帝國
的生命線，都要從三門峽經過運去。但因這裡岩島梗阻，怪石險
灘，稍一閃失，立即粉身碎骨。宋代司馬光在《謁三門禹祠》詩中
不無感慨地抒發道：「客舟浮木葉，生理脫鴻毛。」說的是來往
三門峽的船隻如一片落葉在激流中上下飄蕩，極其危險。但是為
了生計，只好將生命視若鴻毛，這是何等悲慘的命運！這就引來
了清末改良派領袖康有為的動地歌吟：「禹功萬古闢龍門，頗嘆
黃流砥柱尊。吾欲鏟平諸巨嶂，揚帆碧海達河源。開蘇伊士通歐
亞，絕巴拿馬溝西東。蕞爾三門三里石，誓將疏鑿補天工。」康
有為在詩中，緬懷古代治水的大禹，寄託自己澄清黃河的追求與
理想，把疏鑿三門峽，治理黃河，與中東的蘇伊士運河，美洲的
巴拿馬運河，媲美並稱，頗有世界意識的閃光。但化夢想為現
實，還必須等待時間。今天，三門峽水利樞紐工程歷經風險，終
於譜就了一首氣魄恢宏的暢想曲，橫亙峽谷的三門峽大壩的建
立，三門峽市的興起，使防洪、防凌、灌溉、發電的綜合利用迅
速發展，工農業生產騰飛直上，使以天然景觀著稱的黃河山川，
愈加氣勢磅礡，雄偉壯麗，譜寫了黃河開始新生的輝煌樂章。

　　黃河過三門峽到達孟津後，一出豫西峽谷，終於長長地喘了
一口氣，開始平緩了下來，流向了中州大地平原。在洪水不興的
平日，兩岸的文明與富饒，令人歆羨不已。唐朝詩人王維有《渡
河到清河作》一詩，就是黃河下游中州文明的生動縮影：「泛舟
大河裡，積水窮天涯。天波物開坼，郡邑浮萬家。行復見城市，
宛然有桑麻。回瞻舊鄉國，淼漫連雲霞。」這是一幅多麼美麗的
生活圖畫！首句「泛舟大河裡」，點明歌詠的是「大河」。「積
水窮天涯」，以簡約的五字，渲染了黃河的水波浩淼的聲勢。第
二聯「天波物開坼，郡邑浮萬家」，上承首聯，形容黃河之水如
同天上銀河，把中原大地一分爲二，天波浩蕩，兩岸城鄉聚萬落
千，如粒粒珍珠點綴在中原大地之上。中原的風光文化，歷歷如
在眼前。第三聯「行復見城市，宛然有桑麻」，上承「郡邑浮萬
家」，具體描繪農村的富庶和城市的繁華。最後一聯「回瞻舊鄉
國，淼漫連雲霞」，借景抒懷，收束全詩，黃河水波浩淼，雲霞
滿天，煙水相映成趣，把中原大地的文明，點染得如詩如畫。中
原地區是古代中華文明最昌盛的代表，無一不在黃河的波光雲霞
中浮現。

　　明代詩人楊愼也以明快流暢的筆調，寫下了《渡黃河》詩：
「河上人家杏子春，河邊人唱浪淘沙。草薰風暖春將半，若個行
人不憶家！」黃河的春天，又迎來了生機蓬勃的一年，風和日
麗，草薰人醉，杏花滿樹，黃河兒女爭唱《浪淘沙》，情意綿綿地
迎接豐收的未來，笑在臉上，喜留心田。太平時節，災禍不興，
黃河唱出了多麼美妙動聽的詩篇！

　　但遺憾的是，歷史表明，黃河常有變臉的時候，因此，古往
今來，不同詩人眼中的下游黃河，也是姿態各異，有時也並不可
愛。明代詩人袁中道《渡黃河》詩寫道：

> 如雪寒沙千里平，猛風雖盡浪猶驚。
> 草經青女全無色，雁過黃河別有聲。
> 騎馬久無浮宅夢，倚篷忽動蕩舟情。
> 可憐廣武山常在，寂寞誰知豎子名！

　　這首七律，寫的是深秋中原黃河。首聯「如雪寒沙」云云，描繪黃河流域屢受水土流失之害，寒沙如雪，紛紛揚揚，迎面撲來，西北高原吹來的狂風暫時停歇，但黃河水卻依然波翻浪湧，令人膽戰心驚。頷聯「草經青女全無色，雁過黃河別有聲」，承上啓下。「青女」指霜。草經霜打，枯黃憔悴；大雁南飛，聲聲哀鳴。面對蕭瑟淒涼景色，黃河邊上的游子，怎能不動思鄉的感慨？頸聯「騎馬久無浮宅夢，倚篷忽動蕩舟情」，正是這種思鄉情愫的自然轉折。詩人雖然很久沒有坐船渡黃河，但這次卻因思鄉而牽動了「蕩舟」之情。末聯「可憐廣武山常在，寂寞誰知豎子名」，觸景生情，抒發慨嘆。廣武是地名，在今河南滎陽縣東北，距黃河渡口桃花峪很近。汴水自三室山廣武澗中東南絕流，隔澗各有城壟，名叫東、西廣武城。這就是著名逐鹿中原的古戰場。秦朝亡後，楚漢相爭，兩軍隔廣武澗布陣，西楚霸王項羽和漢王劉邦都親臨廣武對陣答話。因此東廣武稱「楚王城」，西廣武稱「漢王城」。據《史記‧項羽本紀》記載，當時項羽對劉邦說：「天下匈匈數歲者，徒以吾兩人耳，願與漢王挑戰決雌雄，毋徒從苦天下之民父子為也」。漢王嘲諷地回答：「吾寧鬥智，不能鬥力。」二軍相持不下，於是簽定和約，「中分天下」，以鴻溝為界，西面為漢，東面為楚。今天象棋盤上有「楚河漢界」之稱，來源於此。於是項羽「引兵解而東歸」。但是漢軍不撤，劉邦用張良和陳平的計策，偷襲楚軍，幾經大戰，楚霸王終於兵敗垓下，鬧了個霸王別姬、自刎烏江的可悲下場。天下為漢朝所

統一，收拾殘局，重整河山，開創了封建皇朝歷史的新篇章。後來魏晉詩人阮籍重經廣武古戰場，發出了「時無英雄，遂使豎子成名」的慨嘆。豎子，就是孩子。視劉邦等「豎子」，展示了詩人心比天高的宏偉理想與開闊胸襟。但歷史證明劉邦畢竟是開創漢唐文化的一代英雄，如今廣武寂寞，怎能不讓詩人倍增淒愴，緬懷歌唱。幾千年的中原文明，永遠激勵著黃河兒女！誰不想國家統一，繁榮富強？黃河兒女回顧歷史的過去，就是放眼光明的未來！

黃河一旦變臉，雖有千里大堤，洪水滔滔，潰決大堤，「懸河」自天而降，橫衝直撞，災難空前，郡邑浮沈，人化魚鱉。愛國詩人，憂國憂民，面對洪峯濁浪，常常發出了撕心裂肺的歌吟悲唱。宋代詩人邵雍《黃河》詩概括得好：「誰言爲利多於害？我謂長渾未始清。西至崑崙東到海，其間多少不平聲！」對於人民的疾苦，國家的災難，詩人憂心如焚，但又束手無策，只能發出痛苦的呻吟和浩嘆。由此可見，今天的中華文明，歷經磨難，千萬年而不息，實在來之不易，應該好好地加以珍惜和積極發展。

黃河越過河南，在大堤的「護送」下，河堤由寬而窄，終於來到了山東省的渤海邊。山東古稱齊魯文明之邦。三千多年前的周朝開國之初，姜太公呂尙治齊，漁鹽工商，富庶繁榮；周公旦封魯，就是泰山以南曲阜附近一帶地區。他們制禮作樂，周邦「維新」，爲中華文明作出了貢獻。周公愛賢如渴，他當政時那一飯三吐哺、一沐三握髮的故事，歷史傳爲佳話。春秋末年，魯國又出了個孔子，成爲儒家文化的創始人，世代受到人們的敬仰和崇拜。不僅是中國人，就連十九世紀俄羅斯的大文豪列夫·托爾斯泰也對孔子頂禮膜拜，對於《論語》子在川上曰：「逝者如斯夫，不捨晝夜」一句，甚至直接取爲小說《逝川》的主題，積極發揚孔子的「偉大學說」。由此可見，古代中華文明的輝煌燦爛，

就與周公、孔子有關。洙泗弦歌之地，曲阜文明之邦，巍巍泰
山，滾滾河水，這就是孔子的故鄉，今天已成為世界友人仰慕觀
光的聖地。

提到黃河下游的風光，還有必要提一下山東省東阿縣境內的
東平湖——也就是著名古典小說《水滸傳》中起義英雄聚義的八百
里水泊梁山。《水滸傳》寫到豹子頭林沖被逼上梁山之時，來到金
沙灘邊，眼望那梁山水泊，有這樣一支曲詞：「山排巨浪，水接
遙天。亂蘆攢萬隊刀槍，怪樹列千層劍戟。……阻擋官軍，有無
限斷頭港陌；遮攔盜賊，是許多絕徑林巒。鵝卵石疊疊如山，苦
竹槍森森似雨。斷金亭上愁雲起，聚義廳前殺氣生。」東平湖是
黃河下游僅有的一個天然湖泊。它北臨黃河，南依梁山，大汶河
自湖東注入，古老的京杭大運河自湖西側進入黃河。地據要衝，
形勢險要。梁山主峯雖然只有二百來公尺高，但在平原湖泊之
區，拔地而起。非常顯眼壯觀。蓼兒窪、黑風口、聚義廳、曬糧
台、寨門城磚，遺迹宛然。與民間傳說的水滸梁山農民起義故事
相呼應，這是歷史的真迹，還是好心後人的虛設安排？這問題有
待進一步考察。但是熱愛祖國與民族的精神基因，早在黃河邊生
根發芽，世代相傳。祖國對於黃河兒女為追求自由解放作出犧牲
奉獻的戰鬥精神，表示了深切的懷念，並通過詩詞文章和戲曲小
說，譜寫了一曲又一曲的頌歌，千古傳唱。一個敢於前仆後繼、
戰天鬥地的民族，一定有智慧有能力馴服黃河，澄清天下。

幾千年前，孔子曾望河興嘆：「逝者如斯夫！」黃河入海
流，一去不復返，時間、機會和事業，也是一樣。今天，我們中
華民族，要抓牢有利時機，跟上時代步伐，勇於改變經濟的落後
面貌。請看，昔日荒蕪一片的黃河入海口三角洲地區，如今不僅
是對蝦的故鄉，而且開發了勝利油田，公路縱橫交錯，綠色樹林
參天，農田平整成片。黃河澄清，變害為利，為中華民族的繁榮

昌盛再作偉大的貢獻，等待的只是努力和時間。騰飛吧，黃河！
頑強奮鬥的中華兒女，將為您的新生縱情歌唱。

（原載《貴州政協報》1994年5月26日）

第四部分

韓愈柳宗元研究

韓愈柳宗元與唐代古文運動的再評價

　　唐代是我國封建社會的黃金時代，經濟與文化都有燦爛的成就，文學運動也蓬勃展開，如詩歌方面的新樂府運動，散文領域則有以韓愈、柳宗元爲代表的古文運動。古文與「今文」（即駢文）是一對矛盾。古文運動具體表現在以下兩方面：一是變南朝駢文無病呻吟、空虛無聊的作風爲有思想有內容的作品；一是反對南朝堆砌詞藻、專事塗澤、講究駢偶、推敲聲律爲不拘一格的直言散體。從本質上說，這不僅是文體的改革，而且是唐代中小地主出身的封建知識分子，企圖打破貴族大地主思想文化壟斷的一種努力，是當時統治階級內部反對舊思想、建設新文化的革新運動的一個重要方面。

　　唐代古文運動的興起有它的歷史原因。魏晉以後，以士族大姓爲代表的門閥制度根深蒂固，士族權貴不僅殘酷壓榨百姓，而且連庶族地主也在排斥之列，士庶之別，猶如天淵之隔。這些士族權貴壟斷了一切，當然就要嚴防學術下移。於是就有人專在當時新發展起來的駢儷文學方面下功夫。所謂「駢文」，本是在漢代辭賦的基礎上，利用漢語漢字單音孤立的特點，經過精心雕琢，加以發展而成的。所謂「駢」「儷」，本身就包含有排比、對偶、美麗等意思。在辭句方面，它基本上採取對偶的形式；在

詞藻方面，它又講究華麗與鋪排；而爲了加強文章音節的抑揚頓
挫，它還講究用典與聲律；六朝駢文產生了許多優秀之作。這不
僅指思想內容方面，而且在藝術形式方面也有許多創造，即在章
法結構、語法修辭方面也有新的貢獻。正因它應時而生，所以在
漢魏六朝的三、四百年間迅速發生、發展，促進了文學的發展。
但是，駢體文學的發展也有波折，並非長盛而不衰。特別是齊、
梁以後的文壇，駢文占絕對優勢，同時也就出現了駢文的危機。
當時有許多作家，不管形式與內容是否搭配得當，幾乎是無文不
駢。過濫的駢化，就會走向形式主義。至其末流，又受梁、陳宮
體文學的影響與同化，把駢文加以畸形的發展，妄圖使駢文演變
爲貴族大地主需要的「專利品」。爲了掩蓋自己的思想空虛，他
們就片面地追求外形之「美」，專在駢儷對偶、聲律用典等形式
技巧方面下功夫。在這方面，對於擁有教育特權的士族子弟並無
多大困難；但對要求自由表達思想的庶族地主及其知識分子來
說，則無疑是一種具有抑制作用的鎮壓措施。駢文末流的這種不
良傾向，對唐代的文壇也有嚴重的影響。《新唐書・文藝傳序》
說：「高祖太宗，大難始夷，沿江左餘風，絺句繪章，揣合低
卬。」楊炯《王勃集序》也說：「嘗以龍朔初載，文體屢變，爭構
纖微，競爲雕刻。糅之金玉龍鳳，亂之朱紫青黃，影帶以徇其
功，假對以稱其美。骨氣都盡，剛健不聞。」當時如王勃一類的
有志之士，對六朝六風攻擊甚烈，他們明白駢文已不能很好地適
應唐王朝大一統後新形勢的歷史要求，因而「思革其弊」，想要
有所樹立。但時風衆勢，影響太大，實在非少數人所能左右，即
使是初唐四傑的文章，也同樣跳不出駢文的窠臼。杜甫《戲爲六
絕句》中所謂「王楊盧駱當時體」，指的也就是這種將變未變的
駢體文。實際上，六朝綺靡駢儷的文風，一直到中晚唐時代，仍
然有相當的影響。當時的封建統治者，甚至通過科舉等行政措施

來強制推行。據《登科記考》記載，唐代的科舉考試早就用排律和
駢賦。這種制度，保持到中晚唐時代。如《雲溪友議・古製興》
載：「文宗元年（836年）秋，詔禮部高侍郎鍇復司貢籍，曰：
『……宗正寺解放人，恐有浮薄，以忝科名。在卿精揀藝能，勿
妨賢路。其所試賦則準常規，詩則依齊、梁體格。』乃試《琴瑟合
奏賦》、《霓裳羽衣曲詩》。」在科場中，齊、梁體格的詩歌及駢
文賦體，成為封建知識分子踏進官場的敲門磚，利祿所在，當然
趨者若鶩，因而文風也不能不受影響。而這種駢儷綺靡的文風，
對唐代進步的封建知識分子來說，不可能自由抒發情懷，表達理
想，反映改革要求，當然更難於揭示生活的眞實面貌。因此，隨
著唐代中小地主及其知識分子政治、經濟地位的上升，以「古
文」取代駢文，是歷史的必然趨勢。唐代的古文運動在當時的社
會鬥爭中起了積極的作用，具有歷史的進步意義。

二

　　中唐時代的韓愈、柳宗元，把當時古文運動推向了高潮。但
是，一個文學運動的成功，絕非一朝一夕之功，而是經歷了漫長
的發展過程。韓、柳的成功，正在於他們總結古文運動先驅們成
功經驗的同時，也吸取了他們失敗的教訓，因而從理論批評到創
作實踐，都有了新的發展。從創作方面來說，就在駢文鼎盛的年
代，散文創作也並沒有消亡。如晉末宋初陶淵明的《五柳先生傳》
《桃花源記》，就是藝術上非常成功的散文。又如《世說新語》，雖
說近乎小說，但也可說是精彩的散文作品。文字清麗雋永，筆調
活潑婉轉，以精鍊的散體語文，表達出極為豐富的思想內容。這
就不是當時的駢文家所能達到的。在名義上，這部書是宋臨川王
劉義慶撰，實際上是他召集了許多文學之士撰寫的。由此可見，

當時以散文創作見長的也大有人在。至於理論方面，早就有同志指出：「古文運動不始於韓柳，不但不始於韓柳，說得早一些，也可說不始於唐代。南朝之劉勰，北朝之蘇綽，都可說已經開了這個風氣。」「劉勰尤其重要，因為他是批評家。批評家總有理論，這理論便是古文運動的根據。」①後來隋代的李諤與王通，唐代的王勃、楊炯、盧藏用、陳子昂以及蕭穎士、李華、獨孤及、梁肅、柳冕諸人，都在理論上對六朝駢文展開了猛烈的攻擊，進一步大力提倡「古文」。關於這一方面，已有許多專著專論詳加敘述，這裡不再重複。在這裡，我們著重指出的是，如果韓、柳不是善於總結、借鑑前人的經驗教訓，那麼所謂「文起八代之衰」（蘇軾語）云云，恐怕就要改為文搗八代之亂（王闓運語）而將一無所成了。從這一意義上說，韓柳的成功，並非偶然。

三

列寧在《評經濟浪漫主義》一文中指出：「判斷歷史的功績，不是根據歷史活動家沒有提供現代所要求的東西，而是根據他們比他們的前輩提供了新的東西。」②現在讓我們作一比較，看看韓、柳比其前輩提供了一些什麼「新的東西」，這就是他們對於古文運動的主要貢獻。

㈠在百家爭鳴中發動「羣眾」，組織隊伍，領導運動。

一場文學運動的開展，必須要有一支戰鬥的隊伍，這支隊伍當然要有人加以組織和領導，否則無法獲得勝利。但如何「發動」，如何組織，如何領導？僅僅依靠行政命令自上而下地強制推行，是否可以成功？在這方面，古文運動的先驅們有深刻的教訓。如西魏大統十年（544年），當時的實權人物宇文泰（後為

北周的開國皇帝）與蘇綽，不滿駢文的綺麗文風，思革其弊。據
《周書》卷二十二《柳慶傳》載：

> 時北雍州獻白鹿，羣臣欲草表陳賀。尚書蘇綽謂慶曰：
> 「近代以來，文章華靡，逮於江左，彌復輕薄。洛陽後
> 進，祖述不已。相公柄民軌物，君職典文房，宜製此表，
> 以革前弊。」慶操筆立成，辭兼文質。綽讀而笑曰：「枳
> 橘猶自可移，況才子也。」

柳慶就這樣奉命作文，用古文寫了一篇賀表，蘇綽等也頗爲讚
賞，但事後卻絕無嗣響。宇文泰和蘇綽大概認爲這一措施還不夠
有力，因而在第二年（大統十一年）就親自出馬，仿《尙書》作
《大誥》，直接用「古文」發布命令。《周書》卷二十三《蘇綽傳》
載：

> 自有晉之季，文章競爲浮華，遂成風俗。太祖欲革其弊，
> 因魏帝祭廟，羣臣畢至，乃命綽爲大誥，奏行之。其詞曰
> （略）。自是之後，文筆皆依此體。

宇文泰和蘇綽的意見，大方向還是對的；這樣的行政措施，也不
可不謂堅決。他們運用手中掌握的政權，把個人意志變成了行政
命令，強制規定「文筆皆依此體」，但效果呢？仍然是嗣響無
聞，終於失敗。面對這一歷史敎訓，人們該淸醒了吧？不然。後
來隋文帝楊堅又重蹈覆轍。據《隋書》卷六十六《李諤傳》載，文帝
爲了「屛黜輕浮，遏止華僞」，就在開皇四年（584年），「普
詔天下，公私文翰，並宜實錄」。同年九月，「泗州刺史司馬幼
之文表華豔，付所司治罪」。因爲文章「華豔」而送交法庭審判

定罪，在歷史上是罕見的。當時的治書侍御史李諤，迎合帝意，寫了《革文華書》，建議用行政法律手段強行禁絕六朝文風。這打擊是相當狠的，但卻只能取得一時的效果，很快又歸失敗。由此可見，光憑帝王之尊，將相之權，僅僅依靠行政命令，而不去做深入細緻的組織發動工作，即使大方向正確，也無法擊中「敵人」的要害，文學運動當然就不可能健康地發展。

韓、柳則認真吸取了這一歷史教訓。他們沒有依靠行政命令，或是以勢壓人，而是在唐代文化學術領域的百家爭鳴中勇於爭，善於鳴，擺事實，講道理，做深入細緻的工作，發動「群眾」，組織隊伍，從而有效地領導了古文運動。

所謂「百家爭鳴」，有廣、狹二義。狹義的僅指春秋戰國這個特定歷史階段諸子百家的爭鳴；廣義的則可泛指不同時代、不同學派的不同意見的自由發表，兄弟、朋友、同事、師生、甚至是上下級之間彼此展開論爭，促進了文化學術的發展。現在我們所論，正指廣義而言。唐代是個思想比較解放的時代，當時中外文化交流頻繁，國內各民族的思想交相影響，促進了文化學術領域百家爭鳴局面的出現。在文學運動中，韓、柳很快地適應了新形勢，駕馭了新局面。與古文運動的先驅們相比較，不僅是他們的鬥爭勇氣不可及，而且善於鬥爭的才能也不可及。如貞元十八年（ 802年 ），韓愈對貴族大地主堵塞賢路、禁錮思想極為不滿，憤作《師說》，公開樹立旗幟，招收門生，以師授古文、傳道解惑為己任，組織隊伍，展開攻勢。《師說》實際上是組織古文運動隊伍的宣言。此文一出，貴族社會對它的攻擊幾無完膚。這一情況，當時柳宗元有形象的描繪：「世果群怪聚罵，指目牽引，而增與為言辭。愈以是得狂名。」③雖然被人罵為「狂人」，但韓愈並沒因此而箝口結舌，而是繼續大講大寫，直到鬥爭的勝利。他這樣做，是否沒有風險？不是的。當時他三十幾歲，官卑

職微，是個從七品的國子監四門學博士，觸犯權貴，對「前途」很不利，因而他有「事修而謗興，德高而毀來」④的慨嘆。但為了推動古文運動的發展，他敢於觸犯權貴，這就是柳宗元《憂箴》中所說的：「所憂在道，不在乎禍。……告子如斯，守之勿墮。」這種頑強的鬥爭精神是很可貴的。在這裡，柳宗元堅決支持韓愈的正義鬥爭。他被貶南方後，仍作《答韋中立論師道書》，痛斥貴族社會對《師說》的圍攻，目之為「邑犬羣吠」，並大聲疾呼：「愈不可過矣！」高度評價了韓愈的鬥爭精神。

再舉個例。韓愈曾學習司馬遷《史記・滑稽列傳》及先秦寓言、民間故事，寫了《毛穎傳》，藉為毛筆立傳，諷刺封建統治者的刻薄「少恩」，同時又斥責昏憒無能、堵塞賢路的官僚。這是一篇傑出的「古文」，是出色的政治小品。以「古文」而寫「小說」，這在古文運動中是一個很有意義的創舉。此文一出，又引起軒然大波。善意的批評與惡意的攻擊都有。上如老朋友裴度（後曾幾度任宰相），下如得意門生張籍，都曾批評韓愈是「以文為戲」⑤。在這場上下級和師生間的爭鳴中，韓愈既沒有因為是來自學生的批評而大動肝火，擺出師道尊嚴的架式，把學生革出教門；更沒有因為是來自上面的批評就感到誠惶誠恐，唯唯諾諾。他平心靜氣地回了張籍兩封信（《答張籍書》《重答張籍書》），擺事實，講道理，反覆論難，明辨是非。他說：「若商論不能下氣，或似有之，當更思而悔之耳。」學生的批評是正確的，不管怎樣有失「體面」，都應改正。但他接受批評又不是無原則的：「若好勝者然，雖誠有之，抑非好己勝也，好己之道勝也。」在爭鳴中，絕不動搖自己追求眞理的決心。特別是所謂「以駁雜無實之說為戲」，這是原則問題，不可不辯。韓愈明確宣稱，以小說筆調寫古文，「惡害於道哉」？在這場鬥爭中，柳宗元的立場也是堅定不移的。柳在貶所看到《毛穎傳》後，就很快

寫了《讀韓愈所著毛穎傳後題》《與楊誨之書》等文，與韓氏相呼應，以「有益於世」爲由，一反潮流，加以大力提倡。

正因韓、柳能在當時的百家爭鳴中勇於爭，善於鳴，擺事實，講道理，所以既富有說服力又具有號召力，既批判了對手，又團結了「羣衆」，在自己的周圍自然形成了一支聲勢浩大的文學隊伍，有力地推動了古文運動的發展。《新唐書·文苑傳序》談到中唐文壇時說：「韓愈倡之，柳宗元、李翶、皇甫湜等和之，……唐之文完然爲一王法，此其極也。」這段話除了對柳宗元的歷史功績估計不足外，大致符合實際。同書的《柳宗元傳》也指出：「南方爲進士者，走數千里從宗元游，經指授者，爲文辭皆有法。」柳宗元自己也說：「若言道講古窮文辭，有來問我者，吾豈嘗瞋目閉口邪？」⑥韓、柳的諄諄教誨，確是培養和造就了一大批靑年作家。韓、柳文壇領袖的稱號並非自封，也沒有依靠任何行政命令，而是在百家爭鳴中自然形成的。韓愈和柳宗元，作爲古文運動的堅強組織者和領導者，是有歷史功績的。

㈡辭令褒貶、有爲而發，不平則鳴、言之有物。

韓、柳是在內容與形式高度統一的基礎上來完成古文創作的。但一談到思想內容，就必然涉及到當時古文運動的理論核心──「道」的問題。韓愈說：「讀書以爲學，纘言以爲文，非以誇多而鬥靡也，蓋學所以爲道，文所以爲理耳。」⑦柳宗元也說：「始吾幼且少，爲文章以辭爲工，及長，乃知文者以明道，是固不苟爲炳炳烺烺，務采色，誇聲音而以爲能也。」⑧這樣提倡「文以明道」，是不是宣揚儒家的「孔孟之道」？其實很不簡單，應該具體問題具體分析，而不能一概而論。韓、柳雖自稱「儒家」，但他們的「道」也是在發展變化之中的。如柳宗元《報崔黯秀才書》說：「道假辭而明，辭假書而傳，要之之道而已耳。道之及，及乎物而已耳。」這就是反映客觀社會生活的「及

物之道」。他又堅決批判了「藻繢文字」「無益於世」的唯心之
道⑨。像柳宗元這樣向傳統提出挑戰的「及物之道」，有什麼不
好呢？在這「道」的統帥下，於是他又提出「文之用，辭令褒
貶，導揚諷諭而已」的進步文學主張⑩。所謂「辭令褒貶」，就
是提倡文章有為而作，為現實鬥爭服務。他對於文學的任務，歌
頌什麼，反對什麼，都有明確的意見。文學運動與政治改革，通
過古文的褒貶作用與社會結合起來，並進一步推動文學投入現實
鬥爭的激流之中，從而走上反映現實的軌道。

　　至於韓愈之所謂「道」則更複雜些。如前所述，唐代是個思
想較為解放的時代，在當時的百家爭鳴中，不僅儒、道、佛三家
並立，而且唯心、唯物同存，諸子百家各有自己的影響。韓愈複
雜的世界觀正是當時百家爭鳴的歷史產物。他一面在《原道》等文
中為儒家爭正統，排拂、老不遺餘力；但一面又讚和向「外形骸
以理自勝，不為事物侵亂」⑪，晚年或疑崇道教餌藥石而喪命，
可見同樣受到佛、老的影響。他一面闢楊、墨之學，認為「楊墨
行，正道廢」⑫，一面又說「孔子必用墨子，墨子必用孔子」
⑬，對墨學也沒完全否定。他既吹捧儒家之教，又曾讚揚管仲商
鞅的法家之道。由此可見諸子百家思想對他也有一定的影響。這
就決定了韓愈之「道」的複雜性：既有落後一面，又有進步一
面，應該具體情況具體分析。當他以恢復儒家道統為己任時，就
有可能把古文運動變成復興儒學的運動。反之，則又可能衝破儒
家傳統的束縛，使文學富有真實性，成為向貴族地主頑固派進行
鬥爭的有效武器。他曾鼓勵人們「無惑於舊說」，要對儒家之道
有所批判與發展。他明言：「所貴乎道者，不以其便於人而得於
己乎？」⑭這又使他的「道」立腳於當時的社會現實之中。如
《原毀》：

> 古之君子，其責己也重以周，其待人也輕以約。重以周，
> 故不怠；輕以約，故人樂爲善。……今之君子則不然。其
> 責人也詳，其待己也廉。詳，故人難於爲善；廉，故自取
> 也少。

他猛烈抨擊「今之君子」，用來比喻當時腐朽的達官貴族；而與
之對立的正面形象則是如舜與周公這樣的「古之君子」。其實，
這責己「重以周」、待人「輕以約」的「古之君子」，又何嘗眞
是歷史上的舜與周公！這是韓愈按照當時鬥爭需要而塑造的「新
聖人」，是他借用來攻擊「今之君子」的「尙方寶劍」。韓愈經
常堯舜文武周公孔子一連串，當然同樣可以按照具體的鬥爭需
要，隨時創造出孔子的「新形象」。這類文章的「聖人之道」，
不僅有違傳統之敎，而且是有爲而發，鬥爭性現實性都很強。形
而上學、望文生義會讓人上當的，公開標榜的不一定就是眞實
的、本質的東西。從韓愈突破傳統偏見這一角度來考察，他的
「文以明道」在古文理論中就具體表現爲「不平則鳴」，言之有
物。試看他的《送孟東野序》一文：

> 大凡物不得其平則鳴，……人之於言亦然。有不得已
> 者而後言，其歌也有思，其哭也有懷。凡出乎口而爲聲
> 者，其皆有弗平者乎！
> 樂也者，鬱於中而泄於外者也，擇其善鳴者而假之
> 鳴。……其於人也亦然。人聲之精者爲言，文辭之於言，
> 又其精也，尤擇其善鳴者而假之鳴。……三子者（按：指
> 孟郊、李翺、張籍）之鳴信善矣，抑不知天將和其聲而使
> 鳴國家之盛邪？抑將窮餓其身，思愁其心腸，而使自鳴其
> 不幸邪？……

在這裡，韓愈繼承並發展了司馬遷的發憤著書說，巧妙地用來闡述自己的文學主張。首先，他認為文學的出現是「物」使之鳴的結果。這個「物」不僅指一般的自然變化，更重要的是包括了國家盛衰興亡在內的客觀社會生活，因此文學創作必須言之有「物」──即強調文學的真實社會內容。這就把文學創作向現實主義的道路推進了一步。其次，他認為文學所描寫的並非一般之「物」，並不是任何生活瑣事都可成為文學創作的對象和題材，恰恰相反，他所強調的是「不平則鳴」的「物」。這裡的「不平」，就是指社會生活中客觀存在的矛盾與鬥爭，壓迫與反抗。這就進一步把文學與社會鬥爭的發展聯繫起來了。第三，客觀之「物」又必須通過作家的主觀情志來反映，因此必須「擇其善鳴者而假之鳴」。也就是說，作家自己有「不平」的境況，有鳴其「不平」的勇氣和「善鳴」的本領，富有真情實感，有為而發，就能更好地表現出「物」的精神實質。他用這種理論來指導自己的古文創作，當然現實性是很強烈的。

　　㈢創造了適時通用的文學語言。

　　韓、柳的「古文」巧於運用不拘一格的直言散體，形象地反映現實鬥爭，這是眾所皆知的，但他們之前的許多古文家也一樣用直言散體，為什麼卻顯得呆板而毫無生氣？這裡有個關鍵：食古不化、語言距離時代太遠也是重要原因之一。韓、柳則不同，他們吸取了前人的經驗教訓，創造了比較接近口語、適時通用的文學語言，為古文形象地反映生活創造了良好的藝術手段。

　　韓、柳古文之所謂「古」，是否真要恢復先秦兩漢的古文體制？回答是否定的。他們以前的一些古文家，也很想擺脫駢儷氣息，但是不純不淨。如陳子昂的表、序之作也還有俳儷之習，改革者尚且這樣，其他人更可想而知了。更早一些，北魏蘇綽仿《尚書》作《大誥》，隋代王通效《論語》作《中說》，古人譏為「雖屬

詞有師古之美，矯枉非適時之用」⑮。這些古代文學家不是明而未融，就是食古不化。韓柳則反之。他們也談「六經」，但卻常作招牌使用。他們清楚「六經」的語言距離時代太遠，無論文體或語言都無法適應當時古文運動的需要。而要反對南朝的綺靡文風，又必須有所借鑑，因此他們實際上是從兩漢文章入手，廣泛學習，推陳出新。韓愈《進學解》說：「下逮莊騷，太史所錄，子雲相如，同工異曲。」《上兵部李侍郎書》又說自己是「究窮於經傳史記百家之說……而奮發乎文章」。可見對於楚騷漢賦、《莊子》《史記》的文風，都加以認眞學習。柳宗元也說得很明白：「穀梁子太史公甚峻潔，可以出入。」⑯「參之太史以著其潔」，可見他是如何得力於《史記》的。他明確表示，像吳武陵這樣的好青年，「才氣健壯，可以興西漢之文章」⑰。韓、柳與柳冕之流泥於「六經」，死於句下者大不相同，他們要求像司馬遷寫《史記》那樣，經過廣泛的社會調查，改古言爲今語，創造出比較接近當時口語、適時通用的文學語言，爲古文形象地反映生活創造條件。他們學古而化，目的還是爲了當時革新文體的需要。柳宗元曾痛斥「可以言古，不可以言今」的復古主義者⑱，他說：「……榮古虐今者比肩迭迹，……而爲文之士，亦多漁獵前作，戕賊文史，抉其意，抽其華，置齒牙間，遇事蜂起，金聲玉耀，誑聾瞽之人，徼一時之聲，雖終淪棄，而其奪朱亂雅，爲害已甚。」⑲表示堅決反對剿襲古人而力主獨創。他說自己的古文創作，「立言狀物未嘗求過人」，「引筆行墨，快意累累，意盡便止」。而爲了達到「意盡便止」的藝術境界。文學語言就必須符合當時的語法規範。所以他批評杜溫夫「用助字不當律令」⑳，強調作家鍛鍊文學語言的重要。韓愈也一樣。他一方面主張「惟陳言之務去」，強調學習古人「詞必己出」的精神，反對機械模仿和剽竊㉑；一方面認爲作家必須「能自樹立不因循。」㉒

總之，學古是爲了創新，在這種精神指導下，他指出「文從字
順」的主張㉓，有力地反對了南朝專事塗澤，雕琢性情的惡劣文
風。韓、柳雖從兩漢文章入手，但在借鑑的同時，能加以神明變
化，因而能創造出比較接近口語、易爲人所接受的文學語言。古
代進步的文學家用它來論述當世時事，自會生動活潑，形象性
強，結合現實而有適時之用了。

　　㈣在批判六朝駢文時採取「拿來主義」，吸取養料，壯大了
「古文」。

　　古文運動的主要批判對象是六朝的駢儷文學。但怎樣批判？
則由於態度不同，方法各異，因而效果大不相同。韓、柳以前的
先驅們對六朝文學的認識有很大的片面性，因而採取了一棍子打
死的全盤否定的簡單做法。如李諤《上隋高祖革文華書》：「降及
後代，風教漸落。魏之三祖，更尚文詞，忽君人之大道，好雕蟲
之小藝。下之從上，有同影響，競騁文華，遂成風俗。江左齊
梁，其弊彌甚……遂復遺理存異，尋虛逐微，競一韻之奇，爭一
字之巧。連篇累牘，不出月露之形；積案盈箱，唯是風雲之
狀。」對魏晉以後的文章，幾乎一筆罵倒。再如柳冕《謝杜相公
論房杜二相書》則更爲偏激：

　　　且今之文章與古之文章立意異矣。何則？古之作者因治亂
　　而感哀樂，……至於屈宋哀而以思，流而不返，皆亡國之
　　音也。至於西漢，揚、馬以降，置其盛明之代，而司亡國
　　之音，所失豈不大哉！……於是風雅之文變爲形似，……
　　屈宋唱之，兩漢扇之，魏晉江左隨波而不返矣。

這篇文章不僅全面地否定了六朝文學，而且連屈原、宋玉及兩漢
文章，也一概被斥爲「亡國之音」。罵得可謂痛快，但卻因不合

實際，罵不倒「敵人」。這是先驅們的悲劇。

　　如前所述，六朝文學也不是鐵板一塊。六朝駢文的出現，本是我國文學進步的一種表現：首先，它推動並加速了文學擺脫儒學束縛而獨立出來的進步趨勢，有一定的歷史意義。其次，文學是語言的藝術。特別是中國的所謂「文」，不管是駢是散，原都符合漢語的某些特徵的。完全脫離漢語的特殊規律而能寫好駢文，是不可想像的。宋代羅大經《鶴林玉露》引周益公的話說：「『四六』（**按**：指四六駢文）特拘對耳，其立意措辭貴渾融有味與『散文』同。」由此可見，古代的有識之士也並沒有把駢文與「古文」完全對立起來。漢語不像印歐語那樣全然以動詞為中心，而是實體詞（以名詞為最實）占據了極為重要的位置，因此可以堆垛詞和詞組以成句，既在順序中顯出了靈活變化，同時又增加了漢語的音樂美。駢文的對偶與聲律，並沒有違背漢語的順序性與音樂性等特徵。中國古代散文傑作，有許多駢散結合的範例，如先秦諸子散文，宋代歐陽修的《秋聲賦》、蘇軾的《前赤壁賦》等。在充分發揮漢語的某些特徵以後，六朝駢文的創作獲得了新的發展，產生了許多優秀作品。特別是抒情小賦，如鮑照《蕪城賦》、謝莊《月賦》、江淹《恨賦》《別賦》、庾信《枯樹賦》等，更是文情並茂，膾炙人口。怎麼可以因其末流而否定一切呢？儘管先驅們調子很高，罵得痛快，但六朝文風卻仍然禁而不止，批而不臭。這就是歷史的嘲弄。

　　韓、柳對這個歷史教訓是有所認識的。他們對六朝駢文的鬥爭同樣是很堅決的。韓愈在《薦士》詩中批判了六朝文學：「逶迤抵晉宋，氣象日雕耗。……齊梁及陳隋，眾作等蟬噪。」柳宗元更是極盡嘲諷挖苦之能事：「世之模擬竄竊，取青媲白，肥皮厚肉，柔筋脆骨，而以為辭……」㉔，「炫耀為文，瑣碎排偶。抽黃對白，啍啍飛走。駢四儷六，錦心繡口。宮沈羽振，笙簧觸

手。觀者舞悅，誇談雷吼。」㉕這些具體的描繪，實際上就是他在《柳宗直西漢文類序》中所說「魏晉以降，（其文）則蕩而靡」的注腳。不過應該注意的是，韓、柳對六朝文學的認識是較全面的，因而他們的批判就不是像先驅者那樣簡單的一刀兩斷，而是有所抗爭，同時也有所承傳。魯迅先生說過，新文化「並非突然從天而降，大抵是發達於對舊支配者及其文化的反抗中，亦即發達於和舊者的對立中，所以新文化仍然有所承傳，於舊文化也仍然有所擇取」（《〈浮士德與城〉後記》，見於《集外集拾遺》）。這個「承傳」和「擇取」，也就是對於一切有益的東西，不管來自何處，一律採取「拿來主義」，加以改造和利用。韓、柳大概也悟到了這點道理，所以他們的鬥爭，並不是建立在對六朝駢文無知的基礎上，恰恰相反，他們不僅對它非常熟悉，而且曾經廣泛地學習和吸取了其中一切有益的東西。正因為他們知己知彼，所以才能戰而勝之，取而代之。韓愈雖然宣稱「非三代兩漢之書不敢觀」㉖，實際上這不過是一句自我標榜的空話，他在《答侯繼書》中不是明白說過：「僕少好學問，自五經之外百氏之書，未有聞而不求，得而不觀者。」他實際上是無書不讀的，這當然也包括六朝文學在內。他的《薦士》詩在批判六朝文學的同時，又肯定了鮑照、謝靈運的文學成就：「中間數鮑謝，比近最清奧。」如果真是「非三代兩漢之書不敢觀」的話，就不可能有這樣肯定的評價。在這問題上，他的態度近乎李白。他在《新修滕王閣記》中說：「及得三王所為序賦記等，壯其文辭，益欲往一觀而讀之，以忘吾憂。」可見他的神往。他並以自己的文章能「詞列三王之次」為榮耀。王勃的《滕王閣序》是一篇藝術感人的駢文，韓不也是稱頌不已、甘拜下風嗎？可見他對優秀駢文並無偏見，更沒一概否定，統統打倒。不僅在理論上，韓愈的創作實踐也充分地證明了這一點。他在批判駢文的同時，確是採取了「拿來主

義」,化腐朽為神奇,從中吸取營養,豐富了「古文」。如《原毀》這樣的「古文」傑作,在駢儷方面,不僅有許多排比句,而且連段落之間也自然成對。這是吸收並融化了駢文的優點,不僅文章富於音樂性,讀來朗朗上口;而且經過鋪排對比,「古之君子」與「今之君子」兩兩相對,形象就更生動,產生了良好的藝術效果。

至於柳宗元,他所受六朝駢文的影響更大,並明顯從中吸收了許多有益的東西。他說:「僕早好觀古書。家所蓄晉魏時尺牘甚具,又二十年來,徧觀長安貴人好事者所蓄,殆無遺焉。」㉗雖然這裡主要是講書法,但涉及到「晉魏尺牘」,就有許多是用駢文寫的。正因他熟讀駢文並精通之,所以他用駢文寫的《乞巧文》中對駢文的描繪才會那樣動人、那樣深刻。他在《披沙揀金賦》中,就接過陸機的話題並加以發揮:「陸文可俟,而昭明是選。若然者,可以議披沙之所託,明揀金之所裁。……客有希採掇於求寶之際,庶斯文之在哉!」他確曾在六朝駢文中披沙揀金,對於其中一切有價值的「寶貝」,他是不捨得放棄的。現存《柳河東集》也有許多駢文,如《南府君睢陽廟碑》就是一篇優秀的駢文,可與韓愈的《張中丞傳後敍》這篇「古文」交相輝映。有人以為柳宗元年輕時才寫駢文,其實這是誤解。據何義門考證,《睢陽廟碑》當作於韓《張中丞傳後敍》之後,《後敍》作於元和二年,則此文最早作於元和三年,當時柳宗元被貶永州,年三十六。三十六歲,對於只活了四十幾歲的柳宗元來說,已過盛壯之年,正是他創作的成熟期。可見他對駢文絕無偏見,而是從中吸取了一切有益的東西。韓、柳「古文」所以能戰勝駢文,這也是訣竅之一。近人章士釗指出:「凡為古文者,殊惡以駢文入集。吾意柳州不存此膠執之見。」「何況子厚並不如王楊盧駱,專以駢文著稱,除駢文外,別無所能也。如子厚者,上綜三古,下籠

百家，筆之所投，無往不利，騷賦功深，正以助古文之淵懿。不謂適觸無能者之憤疾，而恣喧囂。蓋若輩之攻駢文者，非謂駢文為足攻，而實己所不能，即不許人有也。」㉘這話非常中肯。先驅們的「古文」之所以失敗，韓柳「古文」之所以成功，這也是一個關鍵。歷史事實說明：如果心胸狹窄，不去研究「敵人」，學習「敵人」，則欲速而不達，反而難於戰勝它；有膽量去研究「敵人」，並學習其優點，吸收人家有用的東西，用以壯大自己，就能更快地克敵制勝。生活是這樣，文學運動也是這樣。

㈤**堅持理論批評與創作實踐的結合。**

晉代陸機《文賦》談到作文的甘苦時說：「恆患意不稱物，文不逮意。蓋非知之難，能之難也。」在這方面，先驅者如柳冕，就曾老實承認：「老夫雖知之不能文之，縱文之不能至之。況已衰矣，安能鼓作者之氣，盡先王之敎！」㉙有時人們在理論上似乎清楚，但創作實踐少了，作品也很難有感人的成功。在文學運動中，如果理論批評不去與創作實踐相結合，那麼儘管理論再「高明」，實際上所起的作用也是很有限的。這些古文運動的先驅們就有這個缺點，理論上雖然慷慨激昂，但在創作方面卻少有成功的經驗。沒有實踐證明的理論是盲目的理論，不可能有什麼說服力和號召力。在文學的思想與藝術的關係問題上，他們片面地宣揚儒家之「道」的封建敎化作用，沒有在文學藝術的特徵方面下苦功夫，因而「言之不文，行而不遠」。正因為他們太不重視「古文」的藝術性，因此反而不能起到應有的宣傳效果。兩軍相爭，就要依靠實力去占領陣地。在「古文」與駢文的鬥爭中，如果「古文」之美大大不如駢文，那麼這種說敎是否算文學作品也成問題，因為它連自己也感動不了，何況是別人！所以讓駢文仍然在陣地上炫耀光彩，那就毫不足怪了。

韓、柳則不僅有理論，而且有成功的創作經驗。他們的古文

創作很好地實踐了自己的理論主張，同時又為「古文」理論的進一步發展提供了堅實的基礎。如韓愈的《張中丞傳後敘》以夾敘夾議的筆法，熱情歌頌張巡、許遠、南霽雲等堅持抗戰、死守睢陽、英勇犧牲的動人事迹，文章風格慷慨悲壯，人物形象栩栩如生。現舉南霽雲斷指斥奸一段為例，當南霽雲突圍求救於賀蘭進明時，賀蘭嫉功，拒不出兵，又愛南氏之勇，「彊留之，具食與樂」：

> 雲慷慨語曰：「雲來時，睢陽之人不食月餘日矣！雲雖欲獨食，義不忍；雖食，且不下嚥。」因拔所佩刀斷一指，血淋漓以示賀蘭，一座大驚，皆感激為雲泣下。雲知賀蘭終無為雲出師意，即馳去。將出城，抽矢射佛寺浮圖，矢著其上磚半箭，曰：「吾歸破賊，必滅賀蘭，此矢所以志也！」

接近口語、近乎白描的文學語言，淋漓酣暢，擲地有聲，適於散體行文的需要，有利於形象的刻畫。筆墨不多，感人至深。作者愛憎分明，理想所在，矛頭所指，一清二楚。又如柳宗元的《捕蛇者說》，通過捕毒蛇納獻以抵賦稅的蔣氏祖孫三代的悲慘遭遇，揭露封建統治階級「苛政猛於虎」的實質，形象地反映了現實的慘酷。文意婉轉，悲憤欲絕：

> 蔣氏大戚，汪然出涕曰：「君將哀而生之乎？則吾斯役之不幸，未若復吾賦不幸之甚也。向吾不為斯役，則久已病矣。自吾氏三世居是鄉，積於今六十歲矣，而鄉鄰之生日蹙，殫其地之出，竭其廬之入，號呼而轉徙，餓渴而頓踣，觸風雨，犯寒暑，呼噓毒癘，往往而死者相藉也。曩

與吾祖居者，今其室十無一焉；與吾父居者，今其室十無
二三焉；與吾居十二年者，今其室十無四五焉。非死而徙
爾，而吾以捕蛇獨存。悍吏之來吾鄉，叫囂乎東西，隳突
乎南北，譁然而駭者，雖雞狗不得寧焉。吾恂恂而起，視
其缶，而吾蛇尚存，則弛然而臥。……蓋一歲之犯死者二
焉，其餘則熙熙而樂，豈若吾鄉鄰之旦旦有是哉！今雖死
乎此，比吾鄉鄰之死則已後矣，又安敢毒耶？」

這段血淚控訴，生活氣息濃烈，語言質樸自然，毫不雕飾，但一
片純真之情，令人痛徹肺腑。文中對官吏的巧取豪奪，魚肉鄉里
揭露無遺，對捕蛇者的心理描繪細緻入微，具有典型意義。韓、
柳這類古文，源於現實生活中的鬥爭，取材重大，正是「不平則
鳴」的範例。這哪有一丁一點「聖人之道」的迂腐味道？又哪有
「六經」古語詰屈聱牙的痕迹？其他如韓愈的《原毀》《師說》《雜
說》（「伯樂相馬」）《毛穎傳》《送李愿歸盤谷序》《祭十二郎文》
《柳子厚墓志銘》等，柳宗元的《三戒》《黔之驢》《蝜蝂傳》《永州八
記》《段太尉逸事狀》《童區寄傳》《種樹郭橐駝傳》《愚溪詩序》等，
也都是實踐自己理論主張、千古傳誦的優秀之作，這裡不再一一
例舉了。這類優秀的「古文」傑作，本身就是藝術珍品，不僅思
想性強，而且藝術性也很高，思想傾向與強烈的感情通過藝術自
然地流露出來。因此感人至深，易於引起共鳴，產生了強烈的藝
術效果。優秀的藝術典範最迷人，它像磁石吸鐵一樣，把人們自
然地吸引到自己的周圍。「古文」有這類優秀之作，體現了新的
時代精神，當然就會勝利地占領陣地，駢文也就難與之爭鋒了。

四

最後，我們也必須指出，由於時代與階級的局限，韓、柳不可能真正跳出傳統的窠臼，他們世界觀中落後保守的一面，對古文運動也產生了不良的影響。因此，在他們把古文運動推向高潮的同時，也帶來了難以克服的危機。韓、柳之後，有些韓門子弟，片面發揮韓愈之道的保守性，爭儒家的道統文統，就逐漸把運動引到復古主義的老路上去。這就引起晚唐人的不滿。如李商隱《上崔華州書》批評說：「始聞長老言，學道必求古，為文必有師法，常悒悒不快，退自思曰：夫所謂道，豈古所謂周公、孔子者獨能邪？蓋愚與周、孔俱身之耳。以是有行道不繫今古，直揮筆為文，不愛攘取經史，諱忌時世，百經萬書，異品殊流，又豈能意分出其下哉！」現在有人因此要李商隱對「晚唐五代的唯美主義和形式主義繼續發展」負責，而不管歷史的具體變化，更不問這批評是否有道理。這種指責是片面的，我們認為，針對唐代古文運動末流的復古傾向，這篇文章確是一劑有效的苦口良藥。另外，後人還有專在韓、柳文章的「文字之規矩繩墨……所謂抑揚開闔起伏呼照之法」⑳方面下功夫，以之為模式，而不去注意具體的變化，這又會引向新形式主義的邪路上去。韓、柳雖無法預測後世古文之弊，但追求「始作俑者」，也不能說他們是毫無責任的。

由於唐代古文運動本身存在的缺陷，因而它無法完全戰勝駢文。晚唐五代至宋初，出現了「古文」暫時衰歇的現象也不是偶然的。這個文學改革的完成，只好留待後人了。

最後，我們想說幾句題外話。「歷史的經驗值得注意」。韓愈、柳宗元能夠借鑑前人的經驗教訓，因而取得了事業的成功。

我們在這一點上受到了啓發。不同時代不同社會的文學運動，有相異的一面，也有相通的一面。如果我們認眞地總結唐代古文運動的歷史經驗，那麼就不難發現，其中有許多東西值得借鑑、參考與學習。這樣的借鑑，對今天文學理論及文學運動的發展也是有益的。

_____

①郭紹虞《中國文學批評史》，中華書局1961年版，第105頁。

②《列寧全集》第二卷第150頁。

③柳宗元《答韋中立論師道書》。

④韓愈《原毀》。

⑤參見裴度《寄李翺書》，張籍《上韓昌黎書》《上韓昌黎第二書》。

⑥柳宗元《答嚴厚輿秀才論爲師道書》。

⑦韓愈《送陳秀才彤序》。

⑧柳宗元《答韋中立論師道書》。

⑨柳宗元《與楊誨之第二書》。

⑩柳宗元《楊評事文集後序》。

⑪韓愈《與孟尚書書》。

⑫同上。

⑬韓愈《讀墨子》。

⑭韓愈《進士策問》。

⑮令狐德棻《周書·王褒庾信傳論》。

⑯柳宗元《報袁君陳秀才避師名書》。

⑰柳宗元《與楊京兆憑書》。

⑱同上。

⑲柳宗元《與友人論文書》。

⑳柳宗元《復杜溫夫書》。

㉑韓愈《南陽樊紹述墓志銘》。

㉒韓愈《答劉正夫書》。

㉓韓愈《南陽樊紹述墓志銘》。

㉔柳宗元《讀韓愈所著毛穎傳後題》。

㉕柳宗元《乞巧文》。

㉖韓愈《答李翊書》。

㉗柳宗元《與呂恭論墓中石書》。

㉘章士釗《柳文旨要》卷五《南府君睢陽廟碑》條。

㉙柳冕《與滑州盧大夫論文書》。

㉚羅萬藻《代人作韓臨之制藝序》（見《此觀原集》卷一）。

（原載《古代文學理論研究叢刊》第一輯
，上海古籍出版社1979年版）

論韓愈柳宗元的思想論爭及其實質

　　百家爭鳴是一股發展思想、繁榮學術的重要推動力。唐代是我國古代又一個思想學術相對自由開放的時代。韓愈柳宗元是唐代古文運動中精光閃爍的雙子星座，在當時的百家爭鳴中，既勇於爭，又善於鳴。他們雖然是生死不渝的摯友，但在思想和文學運動中，一旦有不同意見，彼此爭論，互不退縮，表現了對真理的誠摯態度和熱切追求。

　　在倡導唐代古文運動中，韓柳曾經相互支持，理論觀念一致之處頗多，此不贅述，這裡僅就其思想論爭方面加以論述。韓柳二人的生活道路不同，性格迥異，對於某些共同關心的問題，因為視角不同，所見有異，時常發生論爭，這在學術發展中，是很正常的現象。但是，無論爭論的激烈程度如何，他們始終是同志式地切磋討論，態度極其認真。他們的爭論，有些問題可以分清是非，有些問題卻又各有是非。總之，分歧與論爭有利於韓柳之間溝通思想，交流學術，相互糾正和彼此補充。通過爭論，大家都受到了啓發，促進了唐代百家爭鳴的健康發展。劉禹錫在《祭韓吏部文》中形象地描繪了這一有益的論爭：「昔遇夫子（按：指韓愈），聰明奮勇。常操利刃，開我渾沌。子長在筆，予長在論，持予擧盾，卒不能困。時惟子厚，竊言其是。贊詞愉愉，固非顏顏，磅礴上下，羲農以還，會於有極，服之無言。」現把韓柳的思想論爭概括如下。

一、關於史官史論之爭

元和八年（813年）春，韓愈任比部郎中兼史館修撰，從事《順宗實錄》的編撰工作。外貶永州司馬的柳宗元，對史官韓愈期望甚高，積極支持其工作，如寫《段太尉逸事狀》寄供參考，又寫《與史官韓愈致段秀實太尉逸事書》加以說明。但是，官僚社會中干擾、破壞修史工作的人更多，這使史官韓愈極其反感，於是藉《答劉秀才論史書》抒發之：「愚以爲凡史氏褒貶大法，《春秋》已備之矣。後之作者，但據事迹實錄，則善惡自見。然此尚非淺陋偷惰者所能就，況褒貶邪？孔子聖人，作《春秋》，辱於魯衛陳宋齊楚，卒不遇而死；齊太史兄弟幾盡；左丘明紀春秋時事以失明；司馬遷作《史記》，刑誅，班固瘐死。……夫爲史者，不有人禍，則有天刑，豈可不畏懼而輕爲之哉？」柳宗元後來看到這封信後，很有意見，於是在元和九年春特地寫《與韓愈論史書》加以批評：「獲書言史事，云具《與劉秀才書》，及今乃見書稿，私心甚不喜，與退之往年言史事甚大謬。……退之豈宜虛受宰相榮己而冒居館下，近密地，食奉養，役使掌固，利紙筆爲私書，取以供子弟費！古之志於道者不若是。且退之以爲記錄者有刑禍，避不肯就，尤非也。……凡居其位思直其道，道苟直，雖死不可回也。……是退之宜守中道不忘其直，無以他事自恐。退之之恐，惟在不直不得中道，刑禍非所恐也。……又凡鬼神事眇茫荒惑無可準，明者所不道。退之之智而猶懼於此，今學如退之，辭如退之，好議論如退之，慷慨自謂正直行行焉如退之，猶所云若是，則唐之史述其卒無可託乎？……甚可痛哉！退之宜更思。」

這是一篇精彩的史論文章，對後人頗多啓迪。首先，他從唯物自然觀出發，指出了不存在所謂鬼神。既然如此，那麼韓愈所

謂作史官遭鬼神「天刑」之說，就難以立足。其次，他不否認有
「人禍」，但要求積極發揚史德以相對抗，希望史官要有不避
「刑禍」、不畏犧牲的奉獻精神。柳因此對摯友說：「退之宜守
中道不忘其直，……刑禍非所恐也。」再次，又要求史官必須具
有强烈的社會責任心，「孜孜不敢怠，則（史書）庶幾不墜，使
卒有明也」。此文與其說是對韓的思想批判，不如說是對摯友的
嚴格要求與殷切期望。其實，就韓文作實事求是的分析，其失誤
並非嚴重。韓的世界觀雖有唯心的一面，但其《答劉秀才論史
書》，則主要針對現實而發牢騷，正話反說，而非眞是肆意宣揚
唯心的「天命」論。後來他在《論佛骨表》中曾說：「佛如有靈，
能作禍祟，凡有殃咎，宜加臣身，上天鑑臨，臣不怨悔。」痛斥
佛教的鬼神迷信，就是明證。封建統治者對史官秉筆直書的「實
錄」頗多忌憚，因此常藉權勢，橫加干涉，「鑿空構立善惡事
迹」，以致是非混淆。韓愈身爲史官，對此陋習深惡痛絕，但卻
回天乏力，難以改變。因此他在文章中慨嘆史官堅持眞理、秉筆
直書之難，暗中抨擊了權貴的作梗搗亂。只是他那「人禍天刑」
的憤激之言，矯枉過正，易引發理論上的糊塗觀念。柳宗元作爲
一個志同道合的摯友，希望韓愈作個剛正不阿的史官，因而抓住
他的某些糊塗觀念狠加批評，在理論上是正確的。因此，對柳的
正確批評，好辯的韓愈並沒有反駁，實際上，他是心悅誠服，接
受批評，並以實際行動來加以改正。他後來撰寫《順宗實錄》時，
堅持「實錄」精神，豈有「人禍天刑」之懼？元和十年，其《進
順宗皇帝實錄表狀》公開宣稱：「其係於政者，……忠良奸佞，
莫不備書，苟關於時，無所不錄。」這與柳文精神如出一轍。韓
愈《順宗實錄》曾因「實錄」了當時宦官集團、藩鎮勢力的罪惡，
甚至對德宗皇帝也多有指責，因此從穆宗到文宗幾朝，腐朽勢力
屢次掀起了刊改浪潮，但是終因正直士大夫的羣起反對，只是刪

削了不利於宦官集團的某些宮闈祕事，如挾制或廢立皇帝諸事（參見《舊唐書・路隨傳》），即使如此，經刊削後的今本《順宗實錄》，仍然依稀可見宦官驕橫跋扈、擅權專政的罪惡。在宦官集團權勢熏天的中晚唐，開罪宦官，無異於自取「人禍天刑」，但是史官韓愈沒有因此而畏縮避讓，於此可見，柳宗元的批評是語重心長，而史官韓愈也沒有辜負好友的期望，他勇敢地迎接歷史的挑戰，履行了史官的天職！唐代實錄唯一保存至今的《順宗實錄》，成爲我國正史光輝的一頁，當與韓柳有關史官史論的有益的思想爭鳴有關。

二、關於「天」的論爭

中國人早有談「天」的習慣。戰國鄒衍曾獲「談天衍」的美名。大詩人屈原也在《天問》中，提出了一連串有關天道自然的問題，引發人們的深刻思考。柳宗元則在唐代科學技術獲得發展的基礎上，根據自己認識，寫《天對》一文作答，從而表達了唯物主義元氣一元論的理論主張。至於韓愈，他專門談「天」的文章，不見於今本韓集，而幸賴柳宗元《天說》的大段稱引以保留梗概。現抄錄如下：「韓愈謂柳子曰：若知天之說乎？吾爲子言天之說。今夫人有疾痛倦辱飢寒甚者，因仰而呼天，曰：『殘民者昌，佑民者殃。』又仰而呼天，曰：『何爲使至此極戾也！』若是者，舉不能知天。夫果瓜飲食既壞，蟲生之；人之血氣敗逆壅底爲癰瘍疣贅瘻痔，蟲生之。……物壞，蟲由之生。元氣陰陽之壞，人由之生，蟲之生而物益壞，食齧之，攻穴之，蟲之禍物滋甚；其有能去之者，有功於物者也，繁而息之者，物之仇也。人之壞元氣陰陽也亦滋甚，墾原田，伐山林……築爲牆垣城郭台榭觀游，疏爲川瀆溝洫陂池，燧木以燔，革金以熔，陶甄琢磨，悴

然使天地萬物不得其情,悻悻衝衝,攻殘敗撓而未嘗息,其爲禍元氣陰陽也,不甚於蟲之所爲乎?吾意有能殘斯人使日薄歲削,禍元氣陰陽者滋少,是則有功於天地者也。繁而息之者,天地之讎也。今夫人舉不能知天,故爲是呼且怨也。吾意天聞其呼且怨,則有功者受賞必大矣,其禍焉者受罰亦大矣。子以吾言爲何如?」

　　對於韓愈談「天」宏論,柳宗元不敢恭維。他指出:「子誠有激而爲是耶?」他知道是俗世的刺激,使韓藉「天」來大發牢騷。但作爲一個嚴謹的思想家,柳在理論上無法容忍韓的偏激之辭,他反駁說:「彼上而玄者,世謂之天;下而黃者,世謂之地;渾然而中處者,世謂之元氣,寒而暑者,世謂之陰陽。」天地陰陽元氣,是不依人的意志爲轉移的客觀自然存在,它和瓜果草木無異,無知無覺,而不像人具有主體意識,天地萬物遵循客觀自然規律:「功者自功,禍者自禍」,它怎會有意志有目的地去實行「賞功而罰禍」呢?「天」既然是無意識的客觀存在,當然就不存在什麼主宰人類命運的天神了。柳宗元明確天、人之分,有力地反對了「天人感應」的儒家「天命」觀。當時韓柳的共同朋友劉禹錫讀了他們的文章後,也興致勃勃地捲進了這場談「天」之爭。劉著《天論》三篇,進一步提出了「天與人交相勝」的著名論斷,認爲「天之道在生植,其用在強弱;人之道在法制,其用在是非」,「人能勝乎天者法也」。柳宗元讀了劉文之後,續作《答劉禹錫天論書》云:「凡子之論,乃吾《天說》傳疏耳,無異道焉。」可見在這場「天」說論爭中,以韓愈爲一方,而以柳劉爲另一方。柳劉發展了荀況「制天命而用之」(《荀子‧天論》)的思想,提出了人定勝天的論題,有利人類對於自然的鬥爭、改造和利用。在理論上,當然是柳劉比韓愈高明。毫無疑問,在唐代的科學水平上,柳劉是站在時代思想先進的前

列。他們的批評，對韓是有益的理論啓發。其實，韓對於「天命」也曾有所懷疑，其《孟東野失子》詩云：「天曰天地人，由來不相關。」與柳宗元那天、人相分之論相似。不過韓主要是一介文人，而非思想深邃理論系統的哲學家，故其「天」說，更多的是以文學家的筆觸來抒發感慨。貌似偏激，實是筆端充滿激情，目光敏銳地提出了人與自然環境保持生態平衡的問題。在這方面，可說是有超前意識，甚至超越了柳宗元劉禹錫。韓之「天」說並非謬論。「人定勝天」，當然是人類文明進步的表現。但是人類濫用文明，無限制地掠奪自然資源，不僅將造成後世的能源危機，也直接破壞了人與自然的和諧關係。但是現實恰恰相反，人與自然的關係日益惡化，人類濫用文明，主動破壞了人與自然的和諧，最終必將受到「天」（即自然）的報復和懲罰。唐代的中國，情況當然遠遠沒像今天這樣嚴重。但是韓愈卻獨具隻眼，發現了不良苗頭，故其「天」說一反常態，警告人類對於自然的破壞，積極啓發人們進行環境保護，的確是獨具遠識，偉哉斯論！總之，韓與柳劉關於「天」說的論爭，可說各有是非，相互補充，使中國傳統「天」論的發展更趨嚴密和完整。韓與柳劉從不同角度，共同爲人類作出了重大的思想貢獻。

三、關於維護封建「君權」與提倡「生人（民）」利益的論爭

這是有關政治思想的大問題。在這方面，韓柳並無正面論爭，而是在各自著述中顯現了認識與分歧。但是，有的學者片面誇大這一分歧，並推向極端，斷言韓柳的政治思想是根本敵對的。韓愈《原道》云：「是故君者，出令者也；臣者，行君之令而致之民者也；民者，出粟米麻絲，作器皿、通貨財以事其上者

也。君不出令，則失所以爲君；臣不行君之令而致之民，民不出粟米麻絲、作器皿、通貨財以事其上，則誅。」在這裡，韓愈明確強調封建中央集權，要求加強「君權」。據此，有人斷言韓愈奉行的是「直與民賊無異」的封建法西斯主義（參章士釗《柳文指要》）。反之，他們頌揚柳宗元，說他針鋒相對批判了韓的「君權」謬論，提倡維護人民利益的「生人之意」。柳《貞符序》云：「唐家正德受命於生人之意。」「人」字避太宗名諱，「生人」即「生民」。又《送寧國范明府詩序》云：「夫爲吏者人役也，役於人而食其力，可無報耶？」其《送薛存義之任序》云：「凡吏於土者，若知其職乎？蓋民之役，非以役民而已也。凡民之食於土者，出其十一傭乎吏，使司平於我也。今我受其直怠其事者，天下皆然；豈惟怠之，又從而盜之！」從這些文章可以看出，柳宗元的政治思想的確較韓先進，他更多考慮到人民的疾苦和利益，認爲官吏應是人民的僕役。但是現實正好相反，官吏是騎在人民頭上爲非作歹的老爺。作者因此而義憤填膺，斷言這是「從而盜之」的罪行，封建官吏成了貨眞價實的強盜！如果不是機械地搬用西方資產階級的「民主概念」，而是根據傳統文化與中華國情來作解釋，那麼應該承認，柳宗元站在時代的前列，具有一定的古代樸素民主思想。不過，因柳的思想先進而全面抹殺韓愈的政治思想，則也是不切實際的不公之論。

首先，在中唐宦官專權，藩鎮割據，國家面臨分裂的危急之秋，韓愈要求加強封建中央集權，主張維護「君權」，從而保證國家統一，在特定的歷史環境中，具有進步的意義。而且，韓《原道》所誅之「民」，有其特指對象，主要是指當時享受政治經濟特權的僧侶地主階層，他們不向國家交納賦稅，與國爭民，與國爭利，甚至與國爭權，這就嚴重削弱了封建國家的力量，不利於維護國家統一的努力。而對於遵守法令，向國家交納賦稅的勞

動人民，韓愈則無「誅」之的意思。其《感春》詩云：「我恨不如
江頭人，長網橫江遮紫麟。獨宿荒陂射鳧雁，賣納租賦官不嗔。
歸來歡笑對妻子，衣食自給寧羞貧？」對於向國家交納賦稅的守
法之民，韓愈不僅沒有生「嗔」呵斥，而且自愧不如，其《謝自
然詩》說得更明白：「人生有常理，男女各有倫，寒衣及飢食，
在紡織耕耘。下以保子孫，上以奉君親。」表現了儒家的「民
本」及「農本」思想。如果沒有勞動人民的紡織耕耘，又由誰來
「奉君親」呢？封建統治者一樣要吃飯穿衣。爲了維護封建國家
利益，韓愈同樣地頗重「生人之意」。如其《歸彭城》詩云：「天
下兵又動，太平竟何時？……前年關中旱，閭里多死飢。去歲東
郡水，生民爲流屍……我欲進短策，無由至形墀。刳肝以爲紙，
瀝血以書辭。」韓愈何嘗不關心民生疾苦？貞元十九年（803
年），他任監察御史，就因關中旱飢，人民死者委填溝壑，而官
吏卻仍如狼似虎，照樣橫征暴斂。他氣憤地寫了《上天旱人飢
狀》，爲民請命，直諫朝廷，結果得罪權貴，被貶到遠離京師千
萬里的陽山任縣令，可見，他在維護「君權」的同時，並沒有忘
記「生民利益」。這怎麼能說是「直與民賊無異」，甚至是封建
法西斯呢？

至於柳宗元，他的思想大概更多受到當時市民意識的影響，
認爲官吏是人民雇用的公僕，染有明顯的古代「民主」色彩。但
是也應注意，他的「民主」意識，並非純然以民爲主，而是立足
於儒家「民本」思想的基礎上，根本目的還是爲了維護「君
道」，爲封建國家的鞏固服務。其《送班孝廉擢第歸東川覲省序》
有「功在社稷，德在生人」之語，維護「生民」利益，同樣可以
「功在社稷」，有利於封建中央集權。他寫《平淮夷雅表》，歌頌
唐憲宗的「中興之德」、「萬方畢臣」，運用詩文來「報國
恩」，用以「佐唐之光明」。這與韓愈《平淮西碑》的精神如出一

轍。事實說明，柳與韓一樣要求維護「君權」，因爲國家的統一是當時歷史的進步要求。而且，如柳《梓人傳》云：「吾聞勞心者役人，勞力者役於人。彼其勞心者歟？能者用智者謀，彼其智者歟？是足爲佐天子相天下法矣。」他繼承並發展了孟子那「勞心者治人，勞力者治於人」的思想，其根本立足點，當然還是在於「勞心者」──即封建統治階級方面。這與其官吏應爲民役之說，相互補充，更可窺其思想之全貌。柳宗元是統治階級中的一員，他無法超越時代限制，所以不可能眞正提出人民當家作主的民主思想。其「生人之意」，基礎仍是儒家「民本」思想，根本目的是維護「勞心者」的利益，以促進封建「君權」的鞏固與發展。在這方面，韓柳思想是異中有同，又在儒家「民本」的統治思想基礎上統一了起來。

總之，如果說韓柳的政治思想有分歧和爭論的話，那也是同中見異。大概由於韓柳生活道路的不同，韓常在朝，柳多在野，因此觀察社會人生的視角與著重點頗不相同。在仕途中，韓柳一樣屢遭貶謫，但是，韓屢貶屢起，比較接近上層社會，因此主要以在朝者的眼光，認爲加強「君權」，維護國家統一是當務之急。而柳雖少年得志於科場，但是永貞元年（805年）被貶之後一蹶不振，因此主要以在野者的眼光來觀察社會，比較接近下層人民，從而提倡「生人之意」。不過應注意的是，韓柳時代，維護「君權」並非意味著鼓吹專制與獨裁。韓愈在《順宗實錄》中就曾批評唐德宗「不假宰相權」，剛愎自用，任用奸佞，「務刻剝聚斂以自爲功，天下皆怨怒」。由此可見，在韓愈心目中，君主雖是「出令者」，但是這個「令」應該是朝廷的公議與是非，而不是帝王一己之私欲。而且再勘進一層，即使爲了維護「君權」，也必須提倡「生人之意」。這是韓柳思想本質的一致之處。思路之同，又源於共同的傳統儒家「民本」思想的薰陶，以

及唐時進步知識分子所共同推尊的唐太宗「貞觀之治」。《貞觀政要‧君道》開篇即為唐太宗的宏論：「為君之道，必須先存百姓。若損百姓以奉其身，猶割股以啖腹，腹飽而身斃。」因此，「撫養生民」成了開明君主的治國之本；反之，帝王如果專制獨裁，隨心「出令」，信口胡言，那就如唐太宗所說：「非理之言」一出，「萬姓為之解體，怨讟既作，離叛亦興」（《君道》），這樣就會天下大亂，國家動搖。據此，要求遵循唐太宗所稱「君道」的思維方向，正是韓柳思想能有所同的又一根據。

四、有關佛教佛學的論爭

柳宗元《送僧浩初序》云：「儒者韓退之與余善，嘗病余嗜浮圖言，訾余與浮圖游。近隴西李生礎自東都來，退之又寓書罪余（**按**：此信已佚，不見於今本韓集），且曰：『見《送元生序》（**按**：指柳文《送元十八山人南遊序》），不斥浮圖。』浮圖誠有不可斥者，往往與《易》《論語》合，誠樂之，其於性情奭然，不與孔子異道。……雖聖人復生，不可得而斥也。退之所罪者其迹也，曰髡而緇，無夫婦父子，不為耕農蠶桑而活乎人。若是，雖吾亦不樂也。退之忿其外而遺其中，是知石而不知韞玉也。吾之所以嗜浮圖之言以此。與其人游者，未必能通其言也。且凡為其道者，不愛官，不爭能，樂山水而嗜閒安者為多，吾病世之逐逐然唯印組為務以相軋也，則捨是其焉從？吾之好與浮圖游以此。」終韓一生，攘斥佛老不遺餘力。所以他對柳宗元崇佛很有意見，一再加以批評。而柳《送僧浩初序》，則是對於韓愈批評的辯解和反駁，他以為自己信奉的是與儒家《易》《論語》道理相通的佛學理論，而非佛教崇祀迷信。而且佛教僧侶「不愛官，不爭能，樂山水而嗜閒安」的生活態度，又與柳在野的貶謫生活合

拍。他反批評韓的排佛是「忿其外而遺其中」，沒有看到問題本質。有關韓柳的這一論爭，古今著述頗多，此不贅述。這裡僅作補充說明如下：韓愈排斥佛老，在中晚唐時代曾起了一代的歷史進步作用，在迷信之風彌漫的現實生活中，韓的鬥爭精神令人欽佩，其實際作用高於柳。不過，韓並沒從理論角度來批判佛學，而是主張對佛老採取「逐其人，火其書，廬其居」的嚴厲行政措施，這種簡單粗暴的辦法，雖然僅是想法而並未實行，但是明顯不利於理論鬥爭和思想爭鳴。這主要是因為韓對佛學的思想理論缺乏研究與認識所致。柳則不同。他奉佛並非如世俗的宗教迷信，而是一方面藉以排遣貶斥後的心理苦悶，一方面又重在揭示佛學思想理論精義奧旨。他熟悉釋典，對佛學特別是天台宗的理論有精湛的研究。因此，柳的哲學思想，頗受佛學啓發，能從宏觀的本體論角度，來作深刻的理論思辨。而從認識論與方法論的角度，柳又曾受佛學中因明學影響，思想頗富辯證色彩。據此，對韓柳的佛學論爭，要有實事求是的態度，對韓愈攘斥佛老，不能一味盲目地歌頌。相反，對柳所受的佛學影響，除了指出其某些唯心的消極影響外，同時也應指出其思想發展與理論建樹，而不可簡單地一概斥之「佞佛」。

最後，借助戰國鄒衍之言，來為韓柳論爭及唐代的百家爭鳴作一總結：「辯者，……勝者不失其所守，不勝者得其所求。」（《史記·平原君列傳》注引劉向《別錄》）韓柳的思想論爭，在相互否定中相互補充，相互啓發，相互促進，從而在百家爭鳴中獲得了思想理論的新生，這一歷史經驗，至今仍有一定的借鑑意義。

（原載《韓愈研究》第一輯，中州古籍出版社1996年版）

韓愈、柳宗元的古文「小說」觀

一

　　中唐時期是踵武盛唐的又一文學高峯。詩歌方面，如元白、韓孟、劉柳，或二李張王①，無不另闢蹊徑，各有開拓；散文方面，韓柳倡導唐代的古文運動，自樹偉幟，雄視百代；小說領域，不僅唐人傳奇蔚為大觀，而且古文體小說也在開創之中，當時韓愈柳宗元揮灑如椽巨筆，成為轉變小說觀念的開風氣人物。韓柳之於古文小說，開拓之功不可沒。

　　討論韓柳的古文「小說」觀，就不能不涉及唐代古文運動與傳奇小說的關係問題。明清的古文家，有人視小說為古文之大敵，他們忽視了古文大師韓柳提倡古文小說以促進文學改革的良苦用心，已成為歷史的教訓。但是，今人對於古文運動與唐人傳奇關係的學術論爭，則啓人思維，值得注意。如鄭振鐸先生說「傳奇文是古文運動的一支附庸」②，所論實深受陳寅恪先生影響③。陳氏斷言「古文之興，乃其時古文家以古文試作小說而能成功之所致，而古文乃最宜於作小說者也」④，以為先有韓柳的古文小說，後有唐代古文運動的興起。而王運熙、黃雲眉諸先生則針鋒相對地否定陳鄭之說⑤。王氏認為：「傳奇重故事情節，文辭細膩、濃艷，它與古文的風格是對立的」，又說：「中唐時代古文運動的興起，並不成為促進傳奇發展的一種動力，傳奇不

是古文運動的支流。古文運動也不可能依靠試作傳奇成功而興
起。」依我之見，上述對立二說，均寓精光灼見，但又各有其片
面性，若能調和折衷，則可直達通途。視唐代文學精華之一的唐
人傳奇爲「古文運動的一支附庸」，誇大古文運動的性質與作
用，明顯言過其實；王黃諸人的批評論之有理，言之鑿鑿，但若
強調過甚，也有機械割裂古文與傳奇關係之虞。試想，中唐時
代，古文與傳奇同步攀登文學高峯，均爲同一時代美學思潮之產
物，在同一文化環境中，怎麼可能彼此全然不生關涉？而且許多
作家既寫古文，又作傳奇，合於一身，怎麼可能斷然分割？韓柳
試以古文作小說，正是在古文與傳奇之間，架起了一座相互溝通
交流的橋梁。傳奇是小說，而韓柳的古文小說，雖然文體不同，
風格要求自有差異，但其核心仍是「小說」，這是二者之間的共
同藝術本質；而且，即就文體言，傳奇與古文，也非勢同水火，
關鍵還在於作家自己的認識和融會貫通的本領，這就因人而異，
而不可一概而論了。由此推論，古文與傳奇也可有相互影響、彼
此促進的一面。從這方面看，陳鄭之說又富啓迪意義。

二

　　唐人小說在繼承六朝志怪、志人小說的基礎上，獲得了新發
展，出現了新貌。這與中唐時期都市經濟的繁榮發展及新興市民
階層的特殊審美要求有關。閱讀深奧的經史子集，是士大夫的
事；而廣大市民階層，則因缺乏弘深的文化修養，對於佛教經變
故事、民歌俗曲及傳奇小說尤感興趣。他們在緊張的經濟角逐之
餘，需要有放鬆身心、平衡心理的審美娛樂，因而生動的小說故
事比抽象的義理說教，更具誘人魅力。此風一開，由下及上，販
夫走卒，士人公卿，無不喜言小說。如元稹《酬翰林白學士代書

一百韻》於「光陰聽話移」句下自注:「嘗於新昌宅說《一枝花話》,自寅至巳,猶未畢詞也。」無論說「話」人是民間藝人,或是白居易,一個故事,洋洋灑灑,說了八小時還沒講完,其情節故事之動人,心理描繪的細膩,人物形象的鮮明,環境氣氛的渲染,無不使人愛不忍捨。白居易堂弟白行簡《李娃傳》,即據《一枝花話》精簡而成。韓愈柳宗元雖然主要從事古代散文的創作,但時風衆勢,强大的美學潮流也把他們捲入新的藝術漩渦。於是他們開始了運用自己熟悉的文體——古文,來進行小說創作的嘗試和努力,並力圖建立新的小說觀念和理論原則,來指導具體的創作。韓柳古文小說的誕生,遠因可上溯《左傳》、《史記》、《莊子》、《列子》等諸子及史傳文學的啓發;而近因則是受當時新興市民意識的影響,及與傳奇小說交流的結果。故陳寅恪指出:「又中國文學史中別有一可注意之點,即今日所謂唐代小說者,亦起於貞元元和之世,與古文運動實同一時,而其時最佳小說之作者,實亦即古文運動中之中堅人物是也。」⑥他所稱的「中堅人物」,即指韓愈和柳宗元等。

韓愈作爲一個沒落仕宦人家的子孫,明顯受到當時新興市民意識的影響。如其《圬者王承福傳》,爲一個「賤且勞」的普通泥瓦工立傳,同情、歌頌的態度,溢於言表。一個自食其力的勞動人民,「手鏝衣食,餘三十年,捨於市之主人,而歸其屋食之當焉,視時屋食之貴賤,而上下其圬之傭以償之;有餘,則以與道路之廢疾餓者焉」。他是「雖勞無愧」,心安理得;這與士大夫中「多行可愧」之徒,「食焉而怠其事」的無恥行徑,形成了强烈的藝術反差。這種强調勞而後食,與傭值相當的思想,正是一種廣大市民常有的意識,而爲正統士人所不屑。又其《子產不毀鄉校頌》云:「我思古人,伊鄭之僑。以禮相國,人未安其教,游於鄉之校,衆口囂囂。或謂子產:『毀鄉校則止。』曰:『何患

焉，可以成美。夫豈多言？亦各其志。善也吾行，不善吾避。維善維否，我於此視。川不可防，言不可弭，下塞上聾，邦其傾矣！』既鄉校不毀，而鄭國以理。」他嚴厲地批判了統治者那「監謗」而禁錮人言的思想獨裁，要求給予下民以發言的機會和權利。這種古代樸素的儒家民本思想，在中唐的新形勢下加以發揚，也與當時新興市民階層要求有一定的政治發言權的民主意識相通。在這方面，柳宗元所表現出來的市民階層的樸素民主意識更強烈。其《箏郭師墓志》，爲天才樂工立傳。《童區寄傳》，歌頌一個少數民族少年區寄的反抗強暴的勝利鬥爭。《宋清傳》謳歌賣藥商人宋清救死扶傷的義行，云：「吾觀今之交乎人者，炎而附，寒而棄，鮮有能類清之爲者。世之言，徒曰市道交。嗚呼！清，市人也。今之交有能望報如清之遠者乎？……清居市不爲市之道，然而居朝廷居官府居庠塾鄉黨以士大夫自名者，反爭爲之不已，悲夫！」以市人的慷慨磊落之行，批判了統治者趨炎附勢的腐敗黑暗。而《種樹郭橐駝傳》稱頌順其自然的園林工人；《梓人傳》致力於建築工程師的精神描繪：「吾指使而羣工役焉，捨我衆莫能就一字。故食於官府，吾受祿三倍。作於私家，吾收其直（值）太半焉。」其高工資及生活享受，來之於他的才幹與價值。以上諸文傳主均爲市井之人，其觀念之新，驚人耳目。又《送寧國范明府詩序》云：「夫爲吏者人役也，役於人而食其力，可無報耶？」《送薛存義之任序》云：「凡吏於土者，若知其職乎？蓋民之役，非以役民而已也。凡民之食於土者，出其什一傭乎吏，使司平於我也。今我受其直，怠其事者，天下皆然。豈惟怠之，又從而盜之。……得不恐而畏乎？」儒家樸素的民本思想，一旦與當時新興的市民意識相結合，斷言官吏也是人民所雇傭的僕役，其古代民主思想，光輝閃耀，垂照千古。

再從古文與傳奇的藝術交流看，韓柳散文，曾得力於史傳諸

子，但其形象性具體性的藝術優勢，則顯然受到傳奇小說描寫的
影響。季鎮淮先生點明了這層關係：「《國子助敎河東薛君墓志
銘》是一個例子，它表現了一個能文能武的平凡幕僚而有非凡涵
養的人物。更著名的是《試大理評事王君墓志銘》，文中旣敍述了
『天下奇男子王適』的生平事迹，末了還敍述了另一『奇士』侯高嫁
女給王適的滑稽故事。這個故事寫在墓志上，好像有傷碑志文的
嚴正，但卻使天下奇男子王適的形象更突出了。這其實是用傳奇
文筆法來寫碑志的，……從而與六朝以來那種『鋪排郡望，藻飾
官階』公式化概念化的碑志文相區別。這種碑志文，無異於人物
傳記，是史漢傳記文的影響，也是當時傳奇文的影響。」季先生
又說：「《進學解》和《送窮文》雖似各有所本，實則都是在傳奇文
的影響下，一種故事化的、自嘲自誇的描寫。」⑦所論甚是，衡
之柳文亦然。如其《愚溪對》，以新穎的浪漫想像，虛構人神對答
之事，楚聲滿紙，維妙維肖，又語帶雙關，那久被壓抑的一腔悲
憤之情噴薄而出，感情形象極爲鮮明：

> 柳子曰：「汝欲窮我之愚說耶？雖極汝之所往，不足以申
> 吾喙；涸汝之所流，不足以濡吾翰。姑示子其略。吾茫洋
> 乎無知，冰雪之交，衆裘我絺；溽暑之鑠，衆從之風，而
> 我從之火。吾蕩而趨，不知太行之異乎九衢，以敗吾車；
> 吾放而游，不知呂梁之異乎安流，以没吾舟。吾足蹈坎
> 井，頭抵木石，衝冒榛棘，僵仆虺蜴，而不知怵惕。何喪
> 何得，進不爲盈，退不爲抑，荒涼昏默，卒不自克。此其
> 大凡者也。願以是污汝可乎？」於是溪神深思而嘆曰：
> 「嘻！有余矣，是及我也。」因俯而羞，仰而吁，涕泣交
> 流，舉手而辭，一晦一明，覺而莫知所之。遂書其對。

如王運熙先生言，傳奇文因受當時變文、俗曲等民間文學影響，
「駢儷文句增多」，「正是它的通俗性的一個標誌」。現在用此
藝術體式來衡量韓愈《進學解》、柳宗元《愚溪對》，不也可以發現
「駢儷文句增多」的現象嗎？古文與駢文相對而立，為什麼韓柳
散文有此駢化傾向呢？從藝術的外形體制看，韓柳善於運駢入
散，並非走向六朝駢文的貴族化，相反，是向通俗明白的語言藝
術跨進了一大步。現實中的活語言，雖是以散為主，但卻常有大
量駢語存在，以增加語言的表現力。傳奇與韓柳古文，同時受其
影響，語言藝術具同源趨勢。通俗而駢化，更易接近口語，正可
見傳奇文與古文雙向藝術交流的成功。

三

在介紹韓柳古文小說觀時，必先追蹤唐初以來小說觀念的演
進軌迹。有比較和參照方知進步。與漢魏六朝小說相比，唐人小
說在藝術上有了質的飛躍，小說觀念也因此產生了相應的變化和
進步。魯迅說：「小說亦如詩，至唐代而一變。雖尚不離於搜奇
記逸，然敍述宛轉，文詞華艷，與六朝之粗陳梗概者較，演進之
迹甚明，而尤顯者乃在是時始有意為小說。」⑧所謂「有意為小
說」，是指創作小說的自覺意識大大增強了。但具體言之，史官
與文人的看法又大不一致，前者承襲前代觀念而多求「實」，觀
念偏於保守傳統；後者搜奇徵異，著眼於「文」，重在藝術的演
進與創造。當然，這裡所稱史官與文人之別，只是一般泛論，並
非無視特殊現象。這裡只能視其總體傾向而加以「模糊」化的區
分。

初唐史官，多數仍然繼承《漢書・藝文志》舊例，如魏徵等撰
《隋書・經籍志》載錄了《燕丹子》等小說二十五種附於子部，其小

序云：「小說者，街談巷語之說也。《傳》載輿人之誦，《詩》美詢
於芻蕘。古者聖人在上，史爲書，瞽爲詩，工誦箴諫，大夫規
誨，士傳言而庶人謗。孟春，徇木鐸以求歌謠，巡省觀人詩，以
知風俗。過則正之，失則改之，道聽塗說，靡不畢記。……孔子
曰：『雖小道，必有可觀者焉，致遠恐泥。』」所論雖泥於《漢志》
舊說，但從所收小說書目看，也有微妙變化。《隋志》所列小說多
已亡佚，從現在僅存的《燕丹子》及《世說新語》而言，前者雖不乏
神奇色彩，但基本上是歷史人物傳記的推衍；後者則重在描繪漢
魏兩晉高人名士的言行風采。二書的視角，已開始從六朝志怪小
說的神怪靈異，逐漸實現向「人」及其生活的方面轉移。而史論
家劉知幾《史通·採撰》篇云：「但中世作者，其流日煩，……苟
出異端，虛益新事，如禹生啓石，伊產空桑，海客乘槎以登漢，
嫦娥竊藥以奔月，如斯踳駮，不可殫論。固難以汙南董之片簡，
沾班曄之寸札。而嵇康《高士傳》，好聚七國寓言；玄晏《帝王
紀》，多採六經圖讖。……晉世雜書，諒非一族。若《語林》、《世
說》、《幽明錄》、《搜神記》之徒，其所載或詼諧小辯，或鬼神怪
物：其事非聖，揚雄所不觀；其言亂神，宣尼所不語。」劉氏站
在正統史家立場，嚴厲批判作家妄恃小說，以補史傳，眞僞混
淆，罪莫大焉。從「史」的角度看，取的是求眞實的態度；但從
「文」的立場言，用歷史眞實來取代藝術眞實，歧視神話傳說與
小說藝術並力加排斥，這種根深蒂固的傳統文學觀念，是對小說
想像虛構藝術本質的無知，於此又可見正統儒學的思想局限。

　　比較而言，唐代文人的小說觀則另有自己的新面目，可以韓
愈柳宗元爲代表。他們曾以古文試作小說，進行了新的嘗試，既
改造了舊散文，爲古文開拓新途，以增加其生命活力，同時又促
進了唐代小說的發展。韓愈早有文名，李翱、張籍、皇甫湜等著
名文人，都是韓門弟子，先後成爲唐代古文運動的中堅人物。貞

元十三年，韓愈在汴州（今河南開封）董晉幕府，張籍因孟郊之
薦，自和州至汴從韓學文，頗有心得。但是，對於老師這種新的
創作傾向，張籍就曾提出了嚴厲的批評：「比見執事多尚駁雜無
實之說，使人陳之於前以爲歡，此有以累於令德。」查今韓集，
並無傳奇作品。因此，張籍所譏的令人開心歡笑的「駁雜無實之
說」，可能即指用小說筆法寫的古文，或是用古文寫的小說作
品。對此，韓愈據理爭辯，作《答張籍書》云：「吾子又譏吾與人
人爲無實駁雜之說，此吾所以爲戲耳，比之酒色，不有間乎？吾
子譏之，似同浴而裸裎也。」學生不服，再次寫信批評老師云：
「未嘗聞以駁雜無實之說爲戲也，執事每見其說，亦拊呼笑，是
撓氣害性不得其正矣。……苟悅於衆，是戲人也，是玩人也，非
示人以義之道也。」他認爲創作古文是恢復儒家道統文統的嚴肅
正事，怎麼可以混雜「駁雜無實之說」以爲「戲」呢？張籍暗示
了古文與小說勢不兩立的態度。韓愈再次耐心說理，作《重答張
籍》云：「駁雜之譏，前書盡之，吾子其復之。昔者夫子猶有所
戲。《詩》不云乎：『善戲謔兮，不爲虐兮』（按：《詩·衞風·淇
奧》），《記》曰：『張而不弛，文武不能也』（按：《禮記·雜記
下》），惡害於道哉？吾子其未之思乎？」⑨在這裡，韓愈一反
傳統思維，認爲「駁雜無實之說」，並不妨害文以明道的嚴正目
的，實際上暗示了用小說筆法寫古文，或用古文形式寫小說，貌
似爲「戲」，實是益於世道人生的新創作。這就改變了史家的傳
統視角，從「文」也即藝術眞實的角度來重新認識小說。其所謂
「戲」，指的是讓人「以爲歡」的文學的娛樂性和審美藝術作
用，或是亦莊亦諧的寓言諷諭作用。寓理於自然，此其所以爲
「戲」，古文小說愈加生動，更富魅力，有何不可？但是，韓愈
的新論一出，立即受到了傳統思想的反對，如知友裴度《寄李翺
書》云：「昌黎韓愈，僕識之舊矣。……恃其絕足，往往奔放，

不以文爲制，而以文爲戲，可矣乎，可矣乎？」儘管裴度的官位高於韓，後來又成爲一代名相，但在這場有關「以文爲戲」的文學論爭中，韓愈卻頑强地堅持了自己的正確立場，曾創作了一批「小說」味頗濃的文章，如《石鼎聯句詩序》、《毛穎傳》等，藉遊戲之筆，描繪人生，抨擊時弊，以抒憤懣。韓的「以文爲戲」說，在當時文壇掀起了波瀾，其理論影響是很大的。

至於柳宗元，繼韓愈「以文爲戲」說之後，提出了「有益於世」的「奇味」說來加以補充發揮，又啓發並促進了小說觀念的進步。韓說產生於貞元中期，而柳說則出現在元和初年長貶永州之後，人到中年，理論趨於成熟並日臻完善。其《與楊誨之書》云：「足下所持韓生《毛穎傳》來，僕甚奇其書，恐世人非之，今作數百言，知前聖不必罪俳也。」所稱「數百言」之文，即其《讀韓愈所著毛穎傳後題》：

> 自吾居夷，不與中州人通書。有來南者，時言韓愈爲《毛穎傳》，不能舉其辭，而獨大笑以爲怪。而吾久不克見。楊子誨之來，始持其書，索而讀之，若捕龍蛇、搏虎豹，急與之角而力不敢暇，信韓子之怪於文也。世之模擬竄竊，取青媲白，肥皮厚肉，柔筋脆骨，而以爲辭者之讀之也，其大笑固宜。且世人笑之也，不以其俳乎？而俳又非聖人之所棄者。《詩》曰：『善戲謔兮，不爲虐兮。』太史公書有《滑稽列傳》，皆取乎有益於世者也。故學者終日討說答問，……則罷憊而廢亂，故有息焉游焉之說。……有所拘者，有所縱也。大羹玄酒，體節之薦，味之至者，而又設以奇異小蟲、水草、楂梨、橘柚，苦鹹酸辛，雖蜇吻裂鼻，縮舌澀齒，而咸有篤好之者。文王之昌蒲菹，屈到之芰，曾哲之羊棗，然後盡天下之味以足於口，獨文異乎？

> 韓子之爲也，亦將弛焉而不爲虐歟！息焉游焉而有縱歟！
> 盡六藝之奇味足其口歟！……凡古今是非六藝百家，大細
> 穿穴用而不遺者，毛穎之功也。韓窮古書，好斯文，嘉穎
> 之能盡其意，故奮而爲之傳，以發其鬱積，而學者得之
> 勵，其有益於世歟！

韓愈的《毛穎傳》，與其稱爲古文，還不如說是用古文戲作小說更
合適。這在當日文壇屬於新生事物，柳宗元對此堅決予以支持。
他把《毛穎傳》與時俗文學作了强烈的對比，嚴厲批判了世俗的種
種不良創作傾向，而推許「以文爲戲」的《毛穎傳》，給予極高的
文學評價，認爲它代表了一種「發其鬱積」以高揚作家主體意
識，而重在「有益於世」的新的創作方向。他與韓愈一樣，强調
了文學教育作用與審美娛樂功能的辯證統一。在此理論基礎上，
他又提出了「奇味說」，從而拓寬了小說理論視野。所謂
「奇」，已經不是指漢魏六朝志怪小說的神怪靈異、荒誕不經，
而是創作藝術的重大改變，突破了傳統「眞實」框架的質的飛
躍。藝術上的「奇」與「正」是一對辯證統一的矛盾：「正」重
在現實人生，政教功用；「奇」則著眼於想像虛構、奇想幻采。
柳宗元認爲，在現實生活中，六藝之「正」，如大羹玄酒，雖然
醇正，卻是淡而無味；而如《毛穎傳》之類的新古文小說，貌似
「以文爲戲」，實則如楂梨羊棗之屬，雖然酸辛裂鼻，但卻頗有
藝術刺激，一新人之耳目，是「天下之奇味」，從人類審美的多
樣性出發，同樣備受歡迎。生活中的讀者形形式式，其審美要求
各異旨趣，因而對藝術的要求就不能單調畫一。總之，韓之
「戲」和柳之「奇」，開始把歷史眞實與藝術眞實加以區分，肯
定了小說想像虛構的奇想幻采，對小說的藝術本質進行挖掘。這
就在嚴正的詩文體制之外，爲文人的小說創作（包括傳奇與古文

小說）的合理存在與發展，找到了一定的理論根據，從而展現了
新的生機。

四

　　理論是創作的經驗結晶，同時又指導新的藝術創作。韓愈年
輕時就有以古文作小說的嘗試。貞元十三年在汴州幕府，三十歲
的韓愈，就寫了一定數量並引人注目的「駁雜無實之說」，不然
就不會引發學生張籍的批評。但是有關作品，今本韓集已不可
見，顯然已經亡佚。年輕時這些「以文爲戲」的作品，到底是受
傳奇影響而運用了小說筆法的古文呢，還是直接用古文作小說
呢？已無從考察。但從張籍的尖銳批評中，我們明白這類作品與
傳統體制相對立，代表了一種新的創作傾向，它們曾經存在，是
文學的史實。韓愈運小說筆法於古文創作之中，如季鎮淮先生所
言，《送窮文》、《進學解》諸文皆是，今以《試大理評事王君墓志
銘》中騙婚嫁女一段爲例：

> 初，處士將嫁其女，懲曰：「吾以齟齬窮，一女，憐之，
> 必嫁官人，不以與凡子。」君曰：「吾求婦氏久矣，惟此
> 翁可人意，且聞其女賢，不可以失。」即謾謂媒嫗：「吾
> 明經及第，且選，即官人。侯翁女幸嫁，若能令翁許我，
> 請進百金爲嫗謝。」諾，許白翁。翁曰：「誠官人耶？取
> 書來！」君計窮吐實，嫗曰：「無苦。翁大人，不疑人欺
> 我，得一卷書粗若告身者，我袖以往，翁見，未必取眎，
> 幸而我聽。」行其謀。翁望見文書銜袖，果信不疑，曰：
> 「足矣！」以女與王氏。

求婚、騙婚及嫁女，故事情節曲折動人，波瀾起伏，引人入勝。
人物形象的刻畫，無論是處士侯翁或女婿王適，甚至是媒婆的狡
詐機智，寫來聲口畢肖，心理描繪細緻入微，可作小說來讀。但
它是墓志銘中的一段，並非獨立成篇，所以是小說化的古文，而
並非純然的古文小說。又如《張中丞傳後敘》寫張巡的英雄本色：

> 初守睢陽時，士卒僅萬人。城中居人戶亦且數萬，巡因一
> 見問姓名，其後無不識者。巡怒，鬚髯輒張。及城陷，賊
> 縛巡等數十人坐，且將戮。巡起旋，其眾見巡起，或起或
> 泣。巡曰：「汝勿怖，死，命也。」眾泣不能仰視。巡就
> 戮時，顏色不亂，陽陽如平常。

寫英雄抗戰失敗就義，慷慨激烈，義薄雲天。無論是人物性格刻
畫，或典型環境的氣氛渲染，或故事情節的感人，均可與小說媲
美。但它是古文，而非小說，因為這不過是其中的一段，服從於
全文夾敘夾議的總體藝術要求，是散文的有機組成部分。不過，
從中我們可以看到視覺、聽覺及心理分析等小說創作筆法的嫻熟
運用，打破了傳統歷史傳記創作的臉譜化、年譜化、程式化傾
向，促進了歷史傳記的藝術化，從而在歷史真實的基礎上，為傳
統的古文創作增添了豐富多采的內容，為古文運動注進了新血液
和新活力。

　　韓文中真正可作古文小說讀的，有《毛穎傳》及《石鼎聯句詩
序》等。如《毛穎傳》云：

> 穎為人強記而便敏，自結繩之代以及秦事，無不纂錄。
> ……又通於當代之務，官府薄書，市井貨錢注記，惟上所
> 使。自秦皇帝及太子扶蘇、胡亥、丞相斯、中車府令高、

下及國人，無不愛重。又善隨人意，正、直、邪、曲、
巧、拙，一隨其人。雖見廢棄，終默不泄，惟不喜武士，
然見請也時往。累拜中書令，與上益狎，上嘗呼爲中書
君。上親決事，以衡石自程，雖宮人不得立左右，獨穎與
執燭者常侍，上休方罷。……後因進見，上將有任使，拂
拭之，因免冠謝。上見其髮禿，又所摹畫不能稱上意。上
嘻笑曰：「中書君老而禿，不任吾用。吾嘗謂君中書，君
今不中書邪？」對曰：「臣所謂盡心者。」因不復召，歸
封邑，終於管城。

《毛穎傳》引起當日文壇的風波，其「奇」和「怪」在於虛構想像
而設幻爲文，而非如《張中丞傳後敍》爲紀實之作。其所描繪，並
非實有其事，但又在自然情理之中，令人如身臨其境而耳聞目
睹，足見其藝術眞實，已高於生活眞實，更富概括意義。毛筆的
功勞是極大的，但是，「秦之滅諸侯，穎與有功，賞不酬老，以
老見疏」，這不是封建社會普遍存在的知識分子的悲劇嗎？其人
物塑造的典型意義，比生活眞實更富於普遍意義，超越時空，震
撼千秋萬代。故李肇《唐國史補》卷下云：「沈旣濟撰《枕中記》，
莊生寓言之類；韓愈撰《毛穎傳》，其文尤高，不下史遷。二篇眞
良史才也。」李肇時代稍後於韓柳，所論雖然未脫史家習氣，但
卻把傳奇小說和韓愈的古文小說，與《莊子》、《史記》鴻文巨製等
量齊觀，並給予崇高的地位。可見時人對古文小說的認識與評
論。

　　繼韓愈之後，柳宗元的古文小說創作更爲豐富和精彩。用古
文體寫的筆記小說集《龍城錄》，舊題柳宗元撰，作於柳州刺史期
間。而宋人疑其僞託，以爲出自王銍或劉燾之手⑩。但據今人程
毅中先生考證，劉燾爲蘇軾門生，王銍主要活動於南宋初年，而

韓愈、蘇軾的詩文，早已運用《龍城錄》的典故。因此王、劉所作
之說，絕無可能，可置勿論。程先生以爲：「唐代文人寫小說的
很多，即使《龍城錄》記事不實，也不能說明它是僞書」，「在找
不出充分證據之前，柳宗元的著作權還不能輕易否定。」⑪所論
允當。《龍城錄》作爲記「異」小說，雖然與後代小說相比，故事
情節比較簡單，但文氣高潔，筆墨清雅，又見古文家的本色。這
正是古文家試作小說時尚未臻化境階段的產物。但其創作，對於
後代的詩文、小說、甚至是戲曲，仍然產生了影響。

　　清初著名古文家汪琬，曾評柳宗元的古文小說云：「小說家
與史家異。古文辭之有傳也，記事也，此即史家之體也。前代之
文，有近於小說者，蓋自柳子厚始，如《河間》、《李赤》二傳，
《謫龍說》之屬亦然。然子厚文氣高潔，故猶未覺其流宕也。至於
今日，則遂以小說爲古文辭矣。」⑫純屬虛構想像的《李赤傳》
《謫龍說》等，當然是典型的初期古文小說。李冗《獨異志》也有
《李赤》一則故事，《獨異志》在《新唐書‧藝文志》中列入子部小說
類。比較而言，柳之《李赤傳》更爲詳盡曲折，聲口畢肖，語言文
字的表述也更有推敲之美，因而與今天的小說更接近些。其實，
柳宗元的小說創作遠不止這些。其《段太尉逸事狀》等所寫雖是歷
史眞實，屬變體傳記之類，但其選材、刻畫人物性格及心理特
徵，以及典型人物所處環境氣氛的渲染，無不栩栩如生。用今天
話說，稱之爲報告文學或紀實小說，均無不可。而《童區寄傳》、
《宋清傳》、《鞭賈》諸文，寓理於事，鮮明生動，心理刻畫入木三
分，是現實生活的形象反映。這類作品，雖然「寓言」的味道較
濃，與現代意義的小說尚有距離，但這正是初期古文小說的特
色。以古文大師的身分而創作小說，作品處嘗試階段，藝術上有
成功也有敎訓，不可一概而論。但其開拓性的影響，則長遠沾漑
後世的小說家。

　　總之，在宋話本等白話小說興起之前，與唐人傳奇一樣，韓柳古文小說的創作嘗試，同樣具有承前啓後的橋梁作用。韓柳的古文「小說」觀，不僅具有歷史意識，而且富有現實的理論內涵，包蘊了當時新興市民意識及古代樸素的民主思想因素，從而開拓了小說理論的新視野。韓柳的古文「小說」創作實踐，運用比較接近口語的單句散行或通俗明白運駢入散的文學語言來寫作，不僅便於小說敍事的形象化及人物的描繪，有利於促進當時小說創作的現代化；而且有助於古代散文打破傳統模式的革新活動，以符合人類審美多樣性的要求，從而爲古文運動的發展注進了新鮮血液和新的藝術活力。

---

①元白：元、白居易；韓孟：韓愈、孟郊；劉柳：劉禹錫、柳宗元；
　　二李：李賀、李紳；張王：張籍、王建。
②鄭振鐸《插圖本中國文學史》第二十九章《傳奇文的興起》。
③陳寅恪《韓愈與唐代小說》（《國文月刊》第五十七期）、《論韓愈》
　　（《歷史研究》1954年第二期）、《長恨歌箋證》、《新樂府箋證》、
　　《讀鶯鶯傳》（以上三文均見其《元白詩箋證稿》一書）。
④見《長恨歌箋證稿》。
⑤黃雲眉《讀陳寅恪先生論韓愈》，見其《韓愈柳宗元文學評價》一書；
　　王運熙《試論唐代傳奇與古文運動關係》，見其《漢魏六朝唐代文學
　　論叢》一書。
⑥見《元白詩箋證稿》。
⑦季鎮淮，《韓愈詩文評注前言》，中州古籍出版社1991年版。
⑧見《中國小說史略》。
⑨韓愈《答張籍書》、《重答張籍書》，均見馬其昶《韓昌黎集校注》，古
　　典文學出版社1957年版。張籍二書，均附於題注中。
⑩北宋末何薳：《春渚紀聞》卷五《古書託名》云：「而《龍域錄》乃王銍

　　性之所爲。」洪邁《容齋隨筆》卷十《梅花橫參》條則稱爲劉壽作。

⑪程毅中《唐代小說史話》，文化藝術出版社1990年版，第168頁。

⑫汪琬《跋王于一遺集》，見《鈍翁類稿》卷四十八。汪氏稱古文小說自
　　柳子厚始，只是近乎事實而不確切，如韓愈《毛穎傳》已見於前。

　　　　　　　　　　　　　　　　（原載《學術月刊》1993年第12期）

韓愈與宦官

——讀《送汴州監軍俱文珍序》札記

在韓愈文集中,《送汴州監軍俱文珍序》(以下簡稱《序》)並非優秀之作,為什麼值得特別一提?這就涉及到有關韓愈的一樁千古奇冤了。

唐代中葉以後,宦官與藩鎮兩大禍患,與李唐王朝的命運相始終。因此,對宦官擅權與藩鎮叛亂的態度,是當時考驗人們政治立場的試金石。對於叛鎮,韓愈態度明朗,立場堅定,堅決反對分裂割據,強調國家統一,維護封建中央集權。在元和年間平淮西軍閥吳元濟的戰爭中,韓愈的所作所為就是明證。關於這一方面,除個別人外,歷史早有定評。但在對待宦官問題上,事情就不那麼簡單了。一千多年來,尊韓抑韓的人都有。但即使是尊韓派,在韓與宦官的關係這一問題上,也是諱莫如深,避之唯恐不及,實際上暗中也不否認,這是韓的一個歷史污點;而抑韓派對此「劣迹」則大加討伐,認為《序》文就是鐵證,無可翻案。不管是古代或近代,解放前或解放後,甚至是文化大革命以後,這種觀點都有它的影響。現讓我們舉個具有代表性的例子。章士釗先生的《柳文指要》,是一部頗見功力、很有見解的大著作;但其中論及韓愈的地方,時有貶之太過、不符史實之處。如卷十三《王叔文母劉氏志文》條:

永貞之變,殺叔文者俱文珍也,而退之與文珍有舊,貞元

十二年，董晉爲宣武軍節度使，文珍爲監軍，退之爲觀察
推官，文珍將如京師，退之作詩並序送之。此文在韓正集
中不見（**凡按**：此《序》現收在外集卷上），樊汝霖謂是退
之子婿李漢，爲文珍故諱而不載。

章氏於此，首先抬出尊韓派李漢「諱而不載」，似乎是證據確鑿
了。繼而推論韓愈頌揚宦官的思想根源，如卷十二《先友記》中的
韓愈條所述：

永貞始政，韓柳顯然對立，其對立之所自起，了無迹象足
資印證，史家不得不究極兩家思致之異源。夫異源何也？
曰：柳認國之大事，絕不可謀及媟近，一開賊賢失政之
端，勢必釀成弒逆，而韓則謂中貴俯達人情，仰喻天意，
國家可得倚以張皇威，平危疑也（**凡按**：此指《序》文而
言），此誼事勢朗朗，無取贅敍。

而結論則見於卷四《晉文公問守原議》條，謂韓對宦官「諂諛疏
附，唯恐不及」：

試觀退之在董晉幕下，送「監軍俱公」返京，稱其
「材雄德茂，榮耀寵光，俯達人情，仰喻大義」，言下得
意之狀，躍躍紙上。……退之與俱文珍有連，且致序措
詞，形同諂子，士論羞之。

現把這些意見作一歸納：韓愈爲了自己的飛黃騰達，不惜勾結反
動的宦官頭目俱文珍，阿諛逢迎，溜鬚拍馬，無所不用其極。後
來俱文珍成了鎮壓王叔文集團「永貞革新」的凶手，似乎爲之作

《序》致頌的韓愈也逃脫不了應有的罪責。我們不禁要問,在歷史的法庭上,這樣的判決是否公正?這結論是鐵案,還是冤案?這裡大有文章。

㈠《序》作於貞元十三年(797年),純屬一般應酬的文字,與以後的「永貞事件」沒有什麼必然的聯繫。

《序》中明言:「(貞元)十三年春,(監軍)將如京師,相國隴西公(即董晉)飲餞於青門之外,謂功德皆可歌之也,命其屬咸作詩以鋪繹之。」當時韓愈不過三十歲,以文名被董晉所賞識,董赴汴州任節度副大使,韓應召入幕,為觀察推官。在歡送監軍俱文珍回京時,董晉「命其屬咸作詩以鋪繹」其功德。董是出將入相的大官僚,頗有政治經驗,要麼他認為俱氏在汴州的所作所為值得頌揚,要麼就是為謹慎計,希望俱氏回朝向皇帝彙報時不生意外,要麼這兩種意思都有。總之,寫詩作序,謳歌讚美,這主要是董晉的意思。韓愈寫詩作《序》,不過是和大家一樣,奉命作文而已,並非與俱氏另有什麼特殊關係,更談不上什麼「勾結」。這種一般的應酬文字,在古人集中是很多的,不足為奇。另外,「永貞事件」發生在永貞元年(即貞元二十一年,805年),比韓愈作《序》時的貞元十三年遲了八年。韓愈當時還很年輕,怎會有未卜先知的本領,預先算出俱文珍就是後來鎮壓「永貞革新」的凶手,而不屑為他作序呢?韓愈在貞元八年進士及第後,一直失意京師,久久不能釋褐入仕,因而鬱鬱寡歡,形於筆端,看他的《感二鳥賦》等文就可明白。現在好不容易被董晉賞識,應召入幕,一官來之不易。他與俱文珍素昧平生,地位懸殊,沒有什麼特別的情誼可敍,但對董晉卻有感恩之情。韓集中有《贈太傅董公行狀》的長文,詳敍董晉之生平功績,很有感情。再有《送陸暢歸江南》詩:「我實門下士,力薄蚋與蚊;受恩不即報,永負湘中墳。」陸暢是董晉第二子董溪的女婿。所謂「門下

士」及「受恩」云云,即指在汴州董晉幕下而言。董、韓關係如
此,董命部屬作文寫詩以致頌,韓愈當然唯命是從。這篇《序》
文,與其說是送俱,還不如說是爲董而作,以報其知遇提攜之
恩。從《序》文創作的時間與背景來看,當時韓愈與宦官的關係一
般,談不上什麼「勾結」。《序》文與八年後的「永貞事件」更沒
有任何的必然聯繫。

　　㈡宦官俱文珍在汴州軍亂中平叛有功,韓愈《序》中的頌詞基
本上接近事實,這與溜鬚拍馬的諛詞有本質的區別。

　　韓《序》中有這樣一段話:「故我監軍俱公,……遇變出奇,
先事獨運,偃息談笑,危疑以平。天子無東顧之憂,方伯有同和
之美。」詩中又有「奉使羌池靜,臨戎汴水安。沖天鵬翅闊,報
國劍鋩寒」之句。這些當然都是頌美之詞。但文學是現實生活的
反映,作品的價值主要在於它是否眞實地反映了生活,而不在於
它是揭露批判、還是頌美謳歌。歷史生活中的俱文珍是怎樣的一
個人呢?

　　德宗貞元年間,宣武軍變亂繼作。宣武軍是有十萬部隊的大
鎮,又當地處中原,它的動亂嚴重威脅了國家的安全與統一。但
在俱文珍任監軍時,卻能採取相應的措施,消除禍亂。韓愈《贈
太傅董公行狀》曾有記載:

> 劉玄佐益其師至十萬。玄佐死,子士寧代之,畋游無度,
> 其將李萬榮乘其畋也,逐之。萬榮爲節度……三年,萬榮
> 病風,昏不知事。其子迺復欲爲士寧之故,監軍使俱文珍
> 與其將鄧惟恭執之歸京師。

韓氏此《狀》作於貞元十五年,當時他在徐州張建封幕下,與俱文
珍沒有什麼聯繫,沒有必要去特別美化俱氏,這不過是據實而

書。但如果還有人懷疑韓《狀》的眞實性的話，那麼且看新、舊
《唐書》的記載：

> 初，（李）萬榮逐劉士寧，代爲節度使，委兵於
> （鄧）惟恭，以其同鄉里。及疾甚，（其子）李迺將爲
> 亂，惟恭乃與監軍（**按：即俱文珍**）同謀縛迺，送歸朝
> 廷。
>
> 《舊唐書》卷一四五《董晉傳》

> ……劉貞亮，本俱氏，名文珍，冒所養宦父，故改
> 焉。性忠彊，識義理。平涼之盟，在渾瑊軍中，會虜變，
> 被執且西，俄而得歸。出監宣武軍，自置親兵千人。……
> 高崇文討劉闢，復爲監軍。初，東川節度使李康爲闢所
> 破，囚之。崇文至，闢歸康求雪。貞亮劾以不拒賊，斬
> 之，故以專悍見訾。遷累右衞大將軍，知內侍省事。元和
> 八年卒，贈開府儀同三司。憲宗之立，貞亮爲有功，然終
> 身無所假寵。呂如全歷內侍省常侍、翰林使，坐擅取樟材
> 治第，送東都獄，至閿鄉自殺。又郭旻醉觸夜禁，杖殺
> 之。五坊朱超晏、王志忠縱鷹人入民家，榜二百，奪職，
> 繇是莫不悟畏。
>
> 《新唐書》卷二〇七《宦者‧劉貞亮傳》

關於俱氏在宣武軍中的情況，史書所載與韓《狀》相吻合。這些材
料雖不完整，但從中可作合理的推斷：

1. 在李迺煽動宣武軍叛亂時，俱文珍立場堅定，旗幟鮮明地
維護了封建中央的統一。他與鄧惟恭「同謀」捕捉叛將，囚送京
師，成功地消除了一次叛亂。

2.俱氏本人自有親兵千人。在節度使治所汴州，這是一支不可忽視的力量。鎮壓李洒之時，它可以協助鄧惟恭；但當鄧惟恭又萌異心之時（這從鄧知董晉赴任，不派人遠迎的事件可看出，參閱《舊唐書》卷一四五《董晉傳》），它又成了一支威懾力量。董晉敢於「不以兵衞」而輕車赴任，使鄧氏措手不及，無法與諸將共商叛亂之事，從而消除了又一次的無形叛亂，這可能與監軍俱文珍及其親兵部隊的潛在幫助有關①。由此可見，韓《序》中「遇變出奇，先事獨運，偃息談笑，危疑以平」云云，雖然不無溢美之詞，但並沒有憑空捏造，而是有一定的根據，基本上是反映了生活的眞實。

3.俱文珍是宦官頭目。當時宦官集團日漸跋扈，但這是指一般的發展趨勢，並不是說沒有特殊情況，更不能說所有的宦官都是壞蛋。據史書所載，俱氏除了鎮壓王叔文集團的「永貞改革」、擁立憲宗事外，他事無可責難（**按**：關於「永貞事件」，我認爲唐憲宗是重要角色，但史家爲尊者諱，不敢明言是憲宗逼迫父親順宗內禪，所以大寫俱氏等宦官與王叔文集團的鬥爭。參閱章士釗《柳文指要》卷四《晉文公問守原議》條之《永貞逆案》丙一戊）。俱氏監宣武軍前，貞元二年曾隨渾瑊赴平涼與吐蕃會盟被劫，「俄而得歸」，並無投敵的劣迹②；之後，元和元年（806年），他在四川平劉闢叛亂的戰爭中，力主討叛，又殺掉了「不拒賊」的封疆大員李康。可見他對叛鎮的鬥爭是堅決的。他在平叛鬥爭中立有功勞，絕非偶然，而是行爲一貫且終其一生。

4.順便談談《序》文之外的有關事迹。俱氏在德宗朝地位日漸上升，在憲宗朝又因擁立之功而大受重視。但他卻不同於一般的宦官，「性忠彊，識義理」，「終身無所假寵」。對於橫行不法、魚肉百姓的宦官（或宦者驅使之人），不管地位高低，能夠鐵面無情，嚴加懲處。這種精神是可貴的。如果俱氏是個陰謀

家，想在宦官中結黨營私、朋比爲奸的話，他就不可能這麼做
了。這說明當時的宦官並非鐵板一塊，俱文珍自是其中之佼佼
者。爲什麼因他是「刑餘之人」，就不可結識而要加以歧視？爲
什麼他一樣忠心朝廷，有功國家，韓愈就不可加以歌頌？這種歷
史偏見現在應予糾正。

　　㈢就總的趨勢來說，韓愈與宦官集團的關係是不融洽的，有
矛盾，也有鬥爭。所謂「疏附」宦官云云，查無實據，難以成
立。

　　根據現有史料，韓愈晚年的官運亨通，與元稹的情況不同，
根本看不出與俱文珍或其他宦官頭目有什麼關係。是否有什麼史
料可以說明韓《序》對俱文珍的影響，我讀書不多，還沒看到。相
反，在後來的仕途中，韓愈與宦官的關係並不融洽。韓愈《上鄭
尚書相公啓》一文中記載了這樣的事實：「分司郎官職事惟祠部
爲煩且重，愈獨判二年，日與宦者爲敵，相伺候罪過，惡言詈
辭，狼藉公牒，不敢爲恥，實慮陷禍，故前者懷狀乞與諸郎官更
判，……不蒙察允，遽以慚歸。」程俱《韓文公歷官記》所載略
同。所爭雖非政治上的原則問題，但連曾幾次入相的東都留守鄭
餘慶也不敢因此得罪宦官，而官卑職微的韓愈卻敢於「日與宦者
爲敵」。這絕不是靠「疏附」宦官而青雲直上者所敢幹的事③。

　　再有，據《新唐書》卷一四二《路隨傳》：

　　　　文宗嗣位，（路隨）以中書侍郎同中書門下平章事，監修
　　　國史。初，韓愈撰《順宗實錄》，書禁中事爲切直，宦豎不
　　　喜，訾其非實，帝詔隨刊正。隨建言：「衛尉卿周居巢、
　　　諫議大夫王彥威、給事中李固言、史官蘇景胤皆上言改修
　　　非是。夫史册者，襃勸所在，匹夫美惡尚不可誣，況人君
　　　乎？議者至引雋不疑、第五倫爲比，以蔽聰明。臣宗閔、

臣僧孺謂史官李漢、蔣係皆愈之婿，不可參撰，俾臣得下筆。臣謂不然。且愈所書已非自出，元和已來，相循逮今。雖漢等以嫌，無害公誼。請條示甚謬者，付史官刊定。」有詔摘貞元、永貞間數事爲失實，餘不復改，漢等亦不罷。

《舊唐書》卷一五九《路隨傳》所載略同，但其中全文引錄路隨關於修改《順宗實錄》的章疏，頗有價值，因文長不錄。《順宗實錄》原有韋處厚撰三卷，後經韓愈等的修改，增補爲五卷（按：《舊唐書》以韋書後出，誤）。後來唐文宗受制「家奴」，因「宦豎不喜」，故幾次指責韓史「失實」。如《新唐書》卷一六五《鄭珣瑜傳》附《鄭覃傳》：

> 帝（文宗）每言：「順宗事不詳實，史臣韓愈豈當時屈人邪？昔司馬遷《與任安書》，辭多怨懟，故《武帝本紀》多失實。」覃曰：「武帝中年大發兵事邊，生人耗瘁，府庫殫瘁，遷所述非過言。」

路隨、鄭覃等朝官爲什麼敢於頂住「聖旨」，婉轉否定了皇帝關於韓史「失實」的指責？這是有原因的。原來圍繞著關於修改韓《實錄》的問題，曾有一場激烈的爭論。事實上，當文宗下令修改時，朝廷譁然。先是朝官紛紛「各上章疏，具陳刊改非甚便宜」，「班行如此議論頗衆」；甚至連以避嫌爲由，不讓韓愈的女婿李漢、蔣係參加修改工作的上令也無法實行，因爲當時「庶僚競言，不知本起，表章交奏，似有他疑」（以上材料均見《舊唐書·路隨傳》）。爲什麼事情會發展到如此嚴重？原來中晚唐時，北司（宦官集團）與南司（朝官集團）的鬥爭日趨尖銳。當

時朝官利用這一機會，頂住壓力，向宦官集團發動攻擊。如果韓愈《順宗實錄》中沒有「宦豎不喜」的史料，就不會有「議者譁然不息」（《新唐書》卷一三二後論中語）的現象出現。韓愈在《進〈順宗實錄〉表狀》中明言：「削去常事，著其係於政者，……忠良奸佞，莫不備書，苟關於時，無所不錄。」所謂「奸佞」，其中顯然包括宦官集團，所以宦官反對尤烈，非要刊削淨盡不可。文宗迫於各方壓力，調和折衷，最後下詔：「其《實錄》中所書德宗、順宗朝禁中事，尋根訪柢，蓋起謬傳，諒非信史，宜令史官詳正刊去。其他不要更修。餘依所奏。」（見《舊唐書·路隨傳》引）現在流行的韓愈《順宗實錄》五卷，就是當時通過行政手段、強行刪去了某些「宦豎不喜」之類史實的修改本④。但即使這樣，韓《實錄》中仍保存了一些「宦豎不喜」的史料。如攻「宮市」：

> 貞元末，以宦者爲使，抑買人物，稍不如本估。末年不復行文書。置白望數百人於兩市並要鬧坊，閱人所賣物，但稱宮市，即斂手付與，真僞不復可辨，無敢問所從來。……名爲宮市，而實奪之。（卷二）

又直書「五坊小兒」罪惡：

> 貞元末，五坊小兒張捕鳥雀於閭里，皆爲暴橫以取錢物，至有張羅網於門，不許人出入者，或有張井上者，使不得汲水。近之，輒曰：「汝驚供奉鳥雀。」痛毆之。出錢物求謝，乃去。或相聚飲食於肆，醉飽而去。賣者或不知，就索其直，多被毆　；或時留蛇一囊爲質，曰：「此蛇所以致鳥雀而捕之者，今留付汝，幸善飼之，勿令飢

渴。」賣者愧謝求哀，乃攜而去。（卷二）

這些材料，或是直攻宦官，或是抨擊宦官手下的流氓無賴。當順宗接受王叔文集團的建議，革除弊政，韓愈又大書特書：「人情大悅。」（見《順宗實錄》卷二）這些記載，與其說是頌揚順宗，毋寧說是暗中同情王叔文集團的某些改革措施，矛頭直指宦官集團。再如對於順宗內禪前的記載：

> ……中官劉光奇、俱文珍、薛盈珍、尚解玉等皆先朝任使舊人，同心怨猜，屢以啓上（順宗）。上固已厭倦萬機，惡叔文等，至是遂召翰林學士鄭絪、衞次公、王涯等入至德殿，撰制詔而發命焉。……皇太子（即後之憲宗）見百寮於東朝，百寮拜賀。……皇太子見四方使於麟德殿西亭。（卷四）

所謂中官頭目「同心怨猜」，這是史家曲筆，話外有話，實是韓愈對於宦官陰謀的揭露。宦官對順宗施加了巨大的政治壓力，迫使下台，形同篡逆。在這裡，隱隱約約透露出韓氏對宦官集團廢立自專加以譴責的消息。由此可見，當時「宦豎不喜」，固是師出有因、查有實據的。

當然，我們也不會忘記韓愈《永貞行》詩中有這麼幾句：「北軍百萬虎與貔，天子自將非他師。」當時掌握了中央神策軍實權的恰恰是宦官。這話表面上似乎可理解爲反對王叔文集團奪取宦官兵權，以此作爲韓氏趨附之證。就詩而論，這話似有趨附之嫌。但如進一步問，趨附於誰？是公開投靠宦官，還是向新皇帝表忠心呢？我以爲，韓愈的意思是指後者，而與宦官集團無涉。中唐時代的北軍，指中央禁軍，即左、右神策軍，左、右羽林

軍，左、右龍武軍。唐代宗曾命宰相元載誅當時的左監門衞大將
軍兼神策軍使、內侍監魚朝恩時明確指出：「北軍將士，皆朕爪
牙，並宜仍舊。朕今親御禁旅，勿有憂懼。」（見《資治通鑑》卷
二二四，大曆五年）詳韓詩意，鼓勵憲宗師法祖宗「親御禁
旅」，從宦官集團手裡奪回兵權。對於節鎮之兵，韓愈也希望能
成爲眞正的朝廷統一指揮之軍。故其《贈張徐州莫辭酒》詩有「誰
爲君王之爪牙」之嘆；其《送侯參謀赴河中幕》又云：「洸洸司徒
公（**按**：指王鍔），天子爪與肱。提師十餘萬，四海欽風稜，河
北兵未進，蔡州帥新薨。曷不請掃除，活彼黎與蒸。」此雖後來
之詩，但思路一貫。而且，實際上「永貞事件」爆發之時，韓愈
被貶在外，並未直接介入。《永貞行》詩寫於事件結束、王叔文集
團徹底失敗之後，鑑於憲宗盛怒，對王叔文集團的極端仇恨，韓
愈爲政治上的需要，以此向皇帝表明態度。他個人與王叔文集團
中的某些人（其中包括好友柳宗元、劉禹錫），有誤會，有矛
盾，這一情況，只要讀他《赴江陵途中寄贈三學士》詩就可明白。
但這矛盾絕非如某些人所說，是誓不兩立的路線鬥爭；就韓愈來
說，很大程度上是政治上的宗派主義作祟。貞元末年以後，韓愈
要求改革時弊的政治觀點與王叔文集團的永貞改革措施大致相
符，並無根本矛盾（關於這一問題，將另文敍述，本文從略）。
而且，參照韓愈後來與宦官的鬥爭，那麼所謂「天子自將非他
師」云云，與其說是吹捧宦官，還不如說是歌頌憲宗，鼓勵「天
子自將」，要求新皇帝直接掌握兵權。如元和末年平淮西吳元濟
的戰爭中，裴度作爲統帥，要求免去宦官監軍之累，憲宗全力支
持，欣然同意。這不也是一種改革的信號嗎？當時韓愈是裴度特
薦的行軍司馬，作爲高級幕僚，參與出謀畫策，他的態度實際與
裴度一樣，完全贊成這樣的「天子自將」。這實際上不也是矛頭
直指宦官集團，以另一種方式奪取宦官的兵權嗎？

綜上所述，據現有的史料，韓愈與宦官有矛盾、有鬥爭，而無「疏附」之迹。當然，如果說在對宦官集團政治危害性的認識及鬥爭的堅決性方面，韓愈不如柳宗元，應該說這是事實；但如果爲了揚柳抑韓或其他需要，曲解作品，人云亦云，責難韓愈勾結宦官，這就勢必造成歷史的冤案。我們應該按照歷史的本來面貌去理解和研究古代的作家和作品。

---

①董晉卒，宣武軍兵亂，殺陸長源。俱文珍又與大將密召具有一定威望的將軍劉逸準（後改名劉全諒）赴汴州，令知留後，申報朝廷任節度使。再次消除禍亂（見《舊唐書》卷一四五《劉全諒傳》）。

②據馮承均《唐代華化蕃胡考》，俱文珍出身於我國的少數民族（見中華書局版《西域南海史地考證論著匯輯》），但乃忠於唐王朝。貞元十年冊異牟尋爲南詔王時任宣慰使，異牟尋表示「子子孫孫永爲唐臣」（見《新唐書‧南詔傳》）。

③韓集中還有《祭馬揔僕射文》：「佐戎滑台，斥由尹寺，適彼甌閩，鑠頷跋躓。」嚴厲譴責宦官頭目薛盈珍誣害忠良。

④《舊唐書》卷十四《順宗紀》後論：「史臣韓愈曰：順宗之爲太子也，……每於敷奏，未嘗以顏色假借宦官。」此語已不見於《實錄》。

（原載《學術月刊》1980年第1期）

韓愈與王叔文集團的「永貞改革」
——兼論韓愈政治思想的進步因素

　　韓愈是中國文學史上一個極其複雜的人物。他是人們公認的傑出的文學家；但對他的思想與為人，卻有不少人持否定的態度，主要的根據是：韓愈「仇視」「永貞改革」。早在五十年代，就有先生認為，韓愈「反對王叔文及其領導的政治集團」，「是一個維護大地主世族地主利益，而始終和舊勢力妥協者。」①七十年代初期出版的《柳文指要》，則更猛烈地抨擊韓愈勾結方鎮、疏附宦官，把韓與當時政治上最反動的勢力聯結了起來。

　　韓愈與「永貞改革」的關係究竟怎樣？如果我們尊重歷史事實，並對它進行具體的分析，那就會發現上述說法似是而非，是經不起推敲的。

一、韓愈沒有實際捲入「永貞事件」

　　「永貞事件」發生於貞元二十一年（後改元永貞元年，即805年）。正月，唐順宗即位，王叔文集團利用順宗的信任與支持，急遽地推行政治改革；八月，順宗被迫禪讓，憲宗即位，王叔文集團貶、死相繼。整個事件從發難到失敗，為時極短。而當時的韓愈貶官連州陽山，遠離京師，根本沒有機會參加這一事件。據韓愈的學生兼朋友皇甫湜所作的《神道碑》：「貞元十九年，關中旱飢，人死相枕藉，吏刻取怨。先生列言天下根本，民

急如是，請寬民徭役，而免田租之弊。專政者惡之，出爲連州陽山令。」而新、舊《唐書》則認爲是韓愈上疏極言宮市之弊，「德宗怒，貶陽山令」。但不管何種理由貶陽山，韓愈於貞元十九年冬已被遠貶爲陽山令是事實。順宗繼位後不久，於二月甲子頒布大赦令。如果王叔文集團早已認定韓愈是政治改革的「絆腳石」，那麼他們盡可利用掌權的機會，讓韓「不得量移」。但他們沒有這麼做，而是讓他升遷，「量移」爲江陵府法曹參軍。這說明當時的韓愈，在政界仍然是一個無足輕重的人物，不可能起到什麼「絆腳石」的作用。而且，韓愈在貞元末年的主要政治活動，不管是《御史台上論天旱人飢狀》，或論宮市之弊，和貶爲陽山令後的「有愛在民」（見《新唐書》本傳），與「永貞改革」的具體措施並無根本矛盾，王叔文集團有什麼理由要先發制人，把他當作改革運動的「絆腳石」來搬掉呢？因此，韓愈「予王叔文集團的政治改革以較大的阻礙」云云，純屬主觀臆測，以此來定古人之罪，怎能服人？

有先生還根據韓愈在貞元十三年（即「永貞事件」發生前八年）所作《送汴州監軍俱文珍序》，斷定韓愈吹捧鎮壓「永貞改革」的劊子手──宦官頭目俱文珍，與王叔文集團的改革運動相對立。其實，當時的王叔文集團尚未形成，怎麼談得上反對和仇視呢？

二、政治觀點雖有分歧，但對「永貞改革」並沒有全面對抗

在「永貞改革」失敗當年的冬天，韓愈在江陵遇到劉禹錫（王叔文集團要人，與柳宗元等同時被貶的「八司馬」之一），曾寫了一首《永貞行》詩，既猛烈攻擊王叔文集團的「永貞改

革」，又對劉表達了勸慰的心情：

> 君不見太皇亮陰未出令，小人乘時偷國柄。北軍百萬虎與
> 貔，天子自將非他師。一朝奪印付私黨，懍懍朝士何能
> 爲。狐鳴梟噪爭署置，睒睒跳踉相嫵媚。夜作詔書朝拜
> 官，超資越序曾無難……嗣皇卓犖信英主，文如太宗武高
> 祖。膺圖受禪登明堂，共流幽州鯀死羽。四門肅穆賢俊
> 登，數君匪親豈其朋。郎官清要爲世稱，荒郡迫野嗟可
> 矜……吾嘗同僚情可勝。具書目見非妄徵，嗟爾既往宜爲
> 懲。

憲宗與王叔文集團的矛盾由來已久，很可能是在爭儲位問題上積
下的仇恨。據《通鑑》卷二三六記載：「上（順宗）疾久不瘉……
中外危懼，思早立太子，而王叔文之黨欲專大權，惡聞之。」永
貞元年四月，順宗在宣政殿冊立太子（即後之憲宗），百官相
賀，「而王叔文獨有憂色，口不敢言，但吟杜甫《諸葛亮祠堂》詩
曰：『出師未捷身先死，長使英雄淚滿襟。』聞者哂之」。八月，
憲宗受禪即位，立即貶斥王叔文等，「明年，賜叔文死」（《資
治通鑑》卷二三六），「王叔文之黨既貶，有詔，雖遇赦無得量
移」（同上，卷二三七）。鑑於憲宗盛怒，韓愈在外貶的過程
中，認爲有必要通過各種形式，明確表明自己的態度和立場。所
以在《永貞行》詩中，一面謳歌新皇帝憲宗的英明，一面痛罵王叔
文等爲共工、爲侯景。韓愈出於封建士大夫的傳統偏見；同時又
錯誤地吸取了德宗朝的歷史教訓，所以對「超資越序」大發感
慨，認爲這是「小人乘時偷國柄」。這種認識當然是錯誤的。但
問題的關鍵在於：韓愈是否因此就全盤否定「永貞改革」的進步
措施，並反對王叔文集團中所有的人？

由於韓愈的誤會，曾一度以為自己的被貶陽山，是出於王叔文集團的告密。順宗發布大赦令後，他在《八月十五夜贈張功曹》詩中說，「遷者追迴流者還，滌瑕蕩垢清朝班。州家申名使家抑，坎軻祇得移荆蠻。判司卑官不堪說，未免捶楚塵埃間。同時輩流多上道，天路幽險難追攀⋯⋯」

他在郴州待命的時候，為什麼不能召回京師，而只能量移江陵，落難「塵埃」？他明言是「州家申名使家抑」。所謂「使家」，是唐時觀察使的簡稱，而當時任湖南觀察使的正是柳宗元的丈人楊憑。韓愈可能懷疑楊憑是個不出面的王叔文黨，所以壓制自己，不讓上調②，他經常要罵幾句，發洩自己的怨憤，這也是思想上產生對立情緒的原因之一。他也曾懷疑過劉禹錫和柳宗元，如《赴江陵途中寄贈三學士》詩：「同官盡才俊，偏善柳與劉，或慮言語洩，傳之落冤仇。」但當他明白事實真相以後，就否定了自己的懷疑：「二子不宜爾，將疑斷還不。」《永貞行》詩「數君匪親豈其朋」，認為劉、柳等與王叔文、王伾不同，所以反過來為朋友開脫。「郎官清要為世稱，荒郡迫野嗟可矜⋯⋯吾嘗同僚情可勝」，對劉、柳等的被貶又充滿了關心與同情。大概在當時的交談中，劉禹錫並無「悔改」的表示，韓愈怕他以後會吃更大的虧，所以又有「嗟爾既往宜為懲」之句。這既說明他對「永貞改革」的錯誤認識，同時又是諷勸朋友，希望他們不要為此而一蹶不振。後來的事實證明，韓愈與柳宗元、劉禹錫之間的友誼並沒有衰退。劉禹錫集中有《祭韓吏部文》說明了韓、柳、劉三人相互切磋、推心置腹的友誼。柳宗元臨死前託孤韓愈，並非偶然；柳逝世後，韓愈又連寫《祭柳子厚文》、《柳子厚墓志銘》、《柳州羅池廟碑》三篇文章，寄託了深切的哀思與悼念。再如韓集中有《舉韓泰自代狀》一文，雖是例行公事的官樣文章，但韓愈卻藉它為「八司馬」之一的韓泰說話，稱頌他的政績與才幹，實是

向朝廷推薦賢才。事實說明，韓愈只是在「永貞改革」的失敗既成事實以後，打打「死老虎」，表示反對王叔文、王伾、韋執誼等，並沒有不分青紅皂白地反對王叔文集團所有人，更未實際形成政治上的全面對抗。

三、韓愈的政治作為與「永貞改革」的措施

王叔文集團及其「永貞改革」在歷史上有它先天的不足：一是歷史條件尚未成熟，僅僅依靠病魔纏身的順宗皇帝個人，自上而下強制推行政治改革，它的失敗是必然的；二是改革所採取的步驟操之過急，如解除宦官兵權這樣的大事，王叔文也沒有做充分的準備，倉卒行事，打草驚蛇，結果反受致命之害；三是用人仍有不當之處，如起用韋執誼這樣的投機家兩面派做宰相，重用貪贓不法的王伾為翰林，地處要害，依違徇私，成事不足，敗事有餘，連後來積極為王叔文翻案的王鳴盛也指出：「王叔文為人輕躁，又暱王伾韋執誼，所親非其人」③；四是政治上狹隘的宗派主義，貌似嫉惡如仇，實是聽不得不同意見，因而打擊面過寬，促使了反對派的大聯合。這種種缺陷，造成了對手的可乘之機。

但總的說來，「永貞改革」的基本傾向是進步的。如罷「宮市」和「五坊小兒」，反對直接壓榨人民的暴政；蠲免百姓歷年所欠賦稅，相對減輕人民的負擔；懲辦「百姓皆欲殺」的貪刻殘暴的反動官僚李實，下令召回被迫害的正直敢言的賢者陸贄、陽城等；更主要的是謀奪宦官兵權，及「外制方鎮」、維護封建中央集權的施政綱領。對於「永貞改革」的進步措施，韓愈態度究竟怎麼樣呢？除了謀奪宦官兵權一條尚有異議外，其他並無偏見。這在他的五卷本《順宗實錄》中清晰可見④。

㈠揭露與鞭撻大官僚貴族李實的暴虐徵剝。「辛酉，貶京兆尹李實爲通州長史……實諂事李齊運……恃寵強愎，不顧文法。是時，春夏旱，京畿乏食，實一不以介意，方務聚歛徵求，以給進奉。每奏對，輒曰：『今年雖旱，而穀甚好。』由是租稅皆不免，人窮至壞屋賣瓦木貸麥苗以應官……至譴，市里讙呼，皆袖瓦礫，遮道伺之。」（卷一）

㈡頌賢臣陸贄與陽城，暗中諷刺德宗的昏庸。「裴延齡判度支，天下皆嫉怨，而獨幸於天子，朝廷無敢言其短者，贄獨身當之，日陳其不可用。延齡固欲去贄而代之……謗毀百端，……竟罷贄相……貶贄爲忠州別駕，……德宗怒未解，贄不可測，賴陽城等救之乃止。」陽城率拾遺王仲舒等上疏論延齡奸佞，陸贄無罪。德宗欲以延齡代贄，陽城曰：「脫以延齡爲相，當取白麻壞之，慟哭於庭。」出爲道州刺史（卷四）。順宗即位，王叔文集團藉順宗之名，召回陸贄、陽城，《實錄》大書「人情大悅」；當陸、陽去世，韓愈又謂「士君子惜之」（卷二），愛憎分明，感情色彩濃烈，在一般史書中是不多見的。

㈢《實錄》中不僅記載王叔文集團廢除了無情盤剝百姓的所謂「羨餘」「進奉」，而且形象地刻畫了「宮市」與「五坊小兒」的暴虐掠奪，憤怒地控訴了皇帝所慫恿的反動宦官集團的罪惡。「貞元末，以宦者爲使……置白望百人於兩市並要閙坊，閱人所賣物，但稱宮市，即歛手付與……名爲宮市，而實奪之……上（順宗）初登位，禁之，至大赦，又明禁。」「貞元末，五坊小兒張捕鳥雀於閭里，皆爲暴橫以取錢物，至有張羅網於門，不許人出入者，或有張井上者，使不得汲水……上（順宗）在春宮時則知其弊，常欲奏禁之，至即位，遂推而行之，人情大悅。」（卷二）

㈣解放宮女，裁減宮中的閒雜人員：「出後宮並教坊女妓六

百人，聽其親戚迎於九仙門，百姓相聚讙呼大喜。」（卷二）

以上史料，堪稱「實錄」。韓愈雖作史書，但仍愛憎分明，字面上是歌頌順宗，但人所共知的事實是，這些改革措施都是出於王叔文集團之手。在這裡，韓愈對永貞改革的進步措施並無偏見；「人情大悅」、「百姓相聚讙呼大喜」，正是韓愈內心深處對改革運動的讚許。

從韓愈集中的文章及其一貫的政治主張來看，他與王叔文集團確有許多一致的地方：

㈠**反對門閥意識，主張任用賢能。**如《進士策問》（之二），以為歷朝的發展變化，「皆非故立殊而求異也，各適於時，救其弊而已」，表現出用世濟時、矯俗救弊的決心；《師說》中提出「無貴無賤，無長無少，道之所存，師之所存」這一創造性的議題，力圖打破世族門閥在思想文化方面的壟斷；《唐故相權公墓碑》突出權德輿不屈勢要權貴，起用布衣能人的精神，反對門閥貴族任人唯親，為進步的封建知識分子開拓仕途⑤；《唐故河東節度觀察使滎陽鄭公神道碑文》：「部將有因貴人求要職者，公不用，用老而有功無勢而遠者」，這與柳宗元《六逆論》的精神完全一致⑥。

㈡**抗權貴、抑豪強，興利除害、解民飢困。**如《虢州司戶韓府君墓志銘》，記其叔父紳卿「破豪家水碾利民田」的鬥爭；《唐故江西觀察使韋公墓志銘》贊韋丹「為民去害興利若嗜忿」的精神；《唐故河南令張君墓志銘》頌揚為民請命、「守法爭議，棘棘不阿」的摯友張署；《曹成王碑》歌頌李皋開倉濟民的政績。在傳記文學中突出這一方面，與韓愈自己注重現實民生的政治主張有直接的關係。他在《進士策問》（之十）中問道：「人之仰而生者穀帛，穀帛豐，無飢寒之患，然後可行之於仁義之途，措之於安平之地……今天下穀愈多而帛愈賤人愈困者何也？……將以救

之，其說如何？」《送靈師》詩譴責了佛老享受特權，不交稅、不納糧，與國爭人，與民爭利，這實質上也是「攝天下之財賦……而盡歸之朝廷」。這些與王叔文的用意並無不同。由此可見，雖然韓愈表面痛斥「永貞改革」，但內心深處卻對它的進步措施充滿了同情與讚許。

㈢藩鎮割據與宦官專權是當時政治生活中的嚴重問題。「永貞改革」提出「外制方鎮」、「內抑宦官」的兩大措施，表現出很大的進步性。韓愈在這方面的態度怎樣呢？

元和元年，韓愈在江陵時曾仔細觀察了周圍的政治形勢，敏銳地預見到淮西軍閥的叛亂，因而寫了《守戒》一文，以諷執政。淮西是「介於屈強之間」的「通都大邑」，此鎮之叛，「其暴於猛獸穿窬也甚矣」。他猛烈抨擊朝廷中的王公大人「不爲之備」的愚蠢。在平淮西的大決戰前，他與裴度一樣，力排眾議，堅決主戰，爲此寫了《論淮西事宜狀》，力促憲宗下決斷，態度明朗，得罪了宰相李逢吉等權貴，因此從中書舍人任上左遷爲右庶子。柳宗元在《封建論》中寫下「有叛將而無叛州」的精闢論斷，韓愈把它化爲形象之筆。如《河南少尹李公墓志銘》一文，歌頌李素作爲中央派出的官吏，臨危不懼，勇往直前，與叛軍死戰，爲國家立功。這種討叛亂、求統一的思想，與柳宗元如出一轍。正因爲有這個堅實的思想基礎，所以在穆宗長慶二年，鎮州王庭湊發動兵變，圍神策軍將領牛元翼於深州時，韓愈自告奮勇，冒著生命的危險，前往「宣慰」，又爲國家的統一立下新的功勳。在這方面，能說他與王叔文集團「永貞改革」的政治目標有什麼本質的不同嗎？

在韓愈與宦官的關係問題上，攻訐最多。有一些先生認爲韓愈「諂諛疏附」宦官集團，破壞「永貞改革」，主要罪證有以下兩條：一是韓集中有《送汴州監軍俱文珍序》（以下簡稱《序》），

「吹捧」宦官頭目俱文珍,這是「勾結」之證;二是《永貞行》詩中「北軍百萬虎與貔,天子自將非他師」,這是反對王叔文集團謀奪宦官兵權之證。事實究竟怎樣呢?

(甲)《序》中明言:「十三年春,(監軍俱文珍)將如京師,相國隴西公(即董晉)飲餞於青門之外,謂功德皆可歌之也,命其屬咸作詩以鋪繹之。」當時韓愈是宣武軍節度使董晉的幕僚,他和其他僚屬一樣,都是「奉命作文」。而且作《序》在貞元十三年,「永貞改革」發生在貞元二十一年,怎能事先算出八年後將發生的事件,而不屑為俱氏作序?韓愈一生和俱文珍並無什麼特殊關係。再者,韓《序》中所稱俱氏平叛的功迹,是有一定事實根據的⑦,不應一概斥為「諂諛」(詳參拙作《韓愈與宦官》一文,《學術月刊》1980年第一期)。

(乙)韓愈對宦官集團「疏附」云云,查無實據,難以成立。相反,他在《上鄭尚書相公》、《諱辯》、《祭馬揔僕射文》等中,對宦官政治有不少攻擊、貶斥的言論。例如:在《諱辯》中謂士大夫不必避諱,「惟宦官宮妾乃不敢言諭及機,以為觸犯」,諷刺世俗之避諱是自「比於宦者宮妾」,對於宦官的蔑視溢於言表。《新唐書》卷一四二《路隋傳》也透露了韓愈對宦官集團廢立自專的譴責:「初,韓愈撰《順宗實錄》,書禁中事為切直,宦豎不喜,訾其非實,帝詔隋刊正。」

《舊唐書》卷十四《順宗紀》中韓愈稱讚順宗的記載,更表明他與宦官集團的對立:「史臣韓愈曰:順宗之為太子也……每於敷奏,未嘗以顏色假借宦官。居儲位二十年,天下陰受其賜……賢哉!」⑧以上確鑿的史料說明,韓愈晚年官職的升遷,與宦官集團並沒有什麼關係;他敢於「日與宦者為敵」的行為,也絕不是一個依靠「諂諛疏附」宦官而平步青雲者所敢幹的。

(丙)關於《永貞行》詩「北軍百萬虎與貔,天子自將非他師」

的問題。當時掌握京師一帶中央神策軍實權的恰恰是宦官。這話
似可理解爲反對王叔文集團謀奪宦官兵權,以此作爲趨附之證。
就事論事,確有「趨附」之嫌。但如進一步問,韓愈趨附於誰?
是公開投靠宦官集團,還是表明擁護新皇帝的態度?這就不能不
辯。前已指出,《永貞行》是一首政治態度鮮明的詩歌。參照韓愈
一生中與宦官集團鬥爭的經驗,那麼「天子自將非他師」云云,
雖然罵了王叔文,但卻不一定是在吹捧宦官,而是鼓勵「天子自
將」,要求皇帝直接掌握兵權。如元和十二年平淮西戰爭中,裴
度作爲統帥,要求免去宦官監軍之弊,憲宗欣然同意⑨。當時韓
愈是裴度特薦的行軍司馬,作爲高級幕僚,參與出謀劃策,他的
態度與裴度一樣,贊成這樣的「天子自將」。這實際上不也是矛
頭直指宦官集團,以另一種方式謀奪宦官的兵權嗎?不過與「永
貞改革」相比,雖然步子小了一點,但措施更爲謹愼而切實可
行。

　　事實說明,在「外制方鎮」、「內抑宦官」這兩個關鍵問題
上,韓愈與王叔文集團的「永貞改革」並無本質的不同。如果說
王叔文集團的改革是有組織、有計劃、有綱領、有理論,這與韓
愈的隨時應發、帶點實用主義的行動相比較,是棋高一著,更上
一層,那是事實;但謂「退之一代文宗,乃於此兩大禍患(按:
指方鎮與宦官),不惟無一矢加遺,而且謟諛疏附,唯恐不及」
⑩,這種說法卻是違反史實,根本站不住腳的。

四、韓愈與當時的政治宗派鬥爭

　　對於王叔文及「永貞改革」,韓愈一方面公開表明了自己的
異議;但實際上對改革運動的進步措施卻加以肯定。這一矛盾現
象應該怎樣解釋?除了本文第二節所述韓愈的個人恩怨和封建士

大夫的傳統偏見外，是否還有其他更爲重要的原因？

在韓愈柳宗元的時代，對王叔文集團和「永貞改革」的態度，並不是檢驗政治上進步與反動的唯一標準。明確地說，當時在王叔文集團之外，仍然有其他進步的政治集團存在。

如武元衡、李絳、裴度等人，史家一致肯定，他們都是當時比較進步、正直的政治家；但他們對王叔文集團「永貞改革」的態度明顯是敵視的。其中如武元衡等，更是直接採取具體的政治行動，或多或少地促使王叔文集團的垮台。永貞元年三月，王叔文當政的時候，因元衡明顯敵視改革，被貶爲左庶子。但武氏「外制方鎮」的態度與「永貞改革」並無不同。元和二年，浙西李錡叛亂，當時定計討叛的宰相就是武元衡；元和十年，在討伐淮西叛鎮吳元濟時，憲宗「悉以兵事委武元衡」。元衡就因力主討叛，堅定不移，被叛鎮派刺客殺害，爲國家未竟的統一大業獻出了生命。正因爲政治上有共同之處，所以儘管武元衡在「永貞改革」時對劉禹錫的態度粗暴，但元衡死後，劉禹錫仍然寫了《佳人怨》詩二首悼念他，感情是眞摯的（據《唐詩紀要》卷三十三武元衡條）。

再說李絳與裴度。他們二人在元和年間相繼爲相：李絳忠直敢諫，頗似德宗朝的陸贄；而裴則幹練，政績更加顯著。裴度早年曾任監察御史，貞元末，李絳與韓愈、柳宗元也同任此職。彼此非常熟悉。「永貞事件」發生時，裴、李正在京都，但史無一言提到他們當時對王叔文集團及其改革運動有任何的支持。憲宗登基後，凡接近王叔文黨的人，貶斥無遺；而裴、李二人恰恰相反，卻是大獲信任。這也間接地說明了裴、李二人與王叔文集團的對立。但裴、李二人的政治方針，也同樣是「外制方鎮」、「內抑宦官」，與「永貞改革」是一致的。後來，李絳就因與宦官頭目吐突承璀的矛盾而罷相。裴度於平淮西時撤去宦官監軍，

這也是謀奪宦官兵權的一個步驟。至於對叛鎮，裴、李同樣力主撻伐，以維護封建中央集權，利於國家的統一；對於吐蕃等少數民族中奴隸主貴族的侵襲，他們力主抗擊；對於處在水深火熱之中而難以維生的百姓，他們主張蠲免賦稅。當時柳宗元在永州貶所，曾寫了《晉文公問守原議》一文，針對憲宗重用宦官的錯誤，尖銳地指出：「不公議於朝，而私議於宮；不博謀於卿相，而獨謀於寺人」，實際上就是開「賊賢失政之端」。這些言論，與裴、李在朝的鬥爭遙相呼應，密切配合。柳宗元眼中的賢卿相，實際就是指裴度、李絳一類的政治人物。如果裴、李的政治路線與「永貞改革」決然相反，柳宗元也就不會這樣懇求皇帝謀於在朝的卿相了。

由此可見，貞元末至元和年間，反對王叔文集團的大有人在，既有反動腐朽的勢力，又有進步的政治人物，不可一概而論。雖然「永貞改革」基本上是進步的，但反對這一改革運動的人卻不一定就是反動人物。武元衡、李絳、裴度是不同於王叔文集團的另一批正直的朝官，他們與韓愈一樣，受傳統偏見影響，瞧不起出身低微的王叔文等，因而逐步成為另一無形的進步的政治集團，他們與王叔文集團進行過宗派鬥爭，但具體的政治措施又實際上都是在完成「永貞改革」未竟的事業。歷史就是這樣複雜。後來，憲宗因為寵任宦官，屢屢指責宰相李絳、裴度等有「朋黨」。李絳堅決反駁，認為這是宦官及其黨徒等「羣小欲害善人之言」⑪，裴度也表示了不與阿附宦官的「小人」並立的決心⑫。這時裴、李之「黨」，已不是針對王叔文集團，而是把矛頭轉向了勾結宦官、叛鎮的反動勢力，與「永貞改革」的政治方向基本一致。

韓愈是武元衡、李絳、裴度這一無形之「黨」中積極的一員。本文第三節提供的史料，也說明了韓愈與武、李、裴政治觀

點的一致。在長期的政治生活中，韓與他們建立了非常密切的關
係。平淮西時，韓全力支持裴度，不怕得罪權貴並因此貶官待
「罪」；淮西平後，韓作爲行軍司馬「隨度還朝，以功授刑部侍
郎。乃詔愈撰《平淮西碑》，其辭多敍裴度事」（見《舊唐書・韓
愈傳》）；元和十四年，韓愈因諫迎佛骨表，「忠犯人主之
怒」，差點腦袋搬家，當時爲之緩頰求情的仍然是裴度。由此可
見裴、韓的政治關係。韓愈有一首《示兒詩》：「開門問誰來？無
非卿大夫，不知官高卑，玉帶懸金魚。問客之所爲，峨冠講唐
虞。」在藝術上，這首詩是不成功的；但最近有文章因此指責他
是勾結舊官僚腐朽勢力，這實在有點冤枉。當時韓愈與之往來
的，主要是裴度「集團」中人。裴度當時雖貴爲宰相，卻不是什
麼腐朽力量的代表。「峨冠講唐虞」，說明他們討論的是涉及國
家大事的政治理想與具體措施。

　　韓愈和武元衡的關係也很密切。元和初年，武元衡鎮蜀，即
辟被貶在東都的裴度爲幕僚，後來裴度出蜀入京，連任要職。可
見武氏對裴氏政治才幹的賞識。平淮西時，韓愈與武元衡、裴度
的觀點完全一致。其實，武元衡對韓愈也早已賞識。據《新唐
書・韓愈傳》，「（愈）既才高數絀，官又下遷，乃作《進學解》
以自諭。執政覽之，奇其才，改比部郎中、史館修撰。」這是元
和八年三月的事情。當時的「執政」（即宰相）是武元衡、李吉
甫、李絳。從後來李德裕對韓愈修史記錄他父親李吉甫的劣迹不
滿來看，提拔韓愈的肯定是武元衡和李絳。元衡於元和八年初召
還秉政，當時韓愈有《奉和武相公鎮蜀時詠使宅韋太尉所養孔雀》
詩：「穆穆鸞鳳友，何年來止茲？飄零失故態，隔絕抱長思。翠
角高獨聳，金華煥相差，坐蒙恩顧重，畢命守堦墀。」這詩是頌
元衡入相，但「坐蒙恩顧重」云云，又何嘗不是自喻！

　　至於李絳，則關係更早更深。李與韓愈同爲梁肅薦於陸贄，

登貞元八年進士第,成為「同年」。《新唐書・文藝・歐陽詹傳》
謂歐陽詹「舉進士,與韓愈、李觀、李絳、崔群、王涯、庾承宣
聯第,皆天下選,時稱龍虎榜」。而王保定的《唐摭言》七更說明
韓愈、李絳、李觀、崔群等早就「共游梁補闕之門,居三年,肅
未之見,而四賢造肅多矣,靡不偕行。肅異之,一日,延接觀
等,俱以文學為肅所稱,復獎以交游之道」。可見韓愈與李絳的
關係並非一般。韓愈在元和年間政治地位的逐步升遷,與李絳、
裴度有關。這種「恩顧」,正是來自於政治上的一致。如元和元
年韓愈有《守戒》一文,要求朝廷首先翦滅淮西叛鎮;元和四年,
李絳也向憲宗建議首先討平淮西。韓愈在貞元十九年有《御史台
上論天旱人飢狀》,要求蠲免百姓租稅,元和八年所進的《順宗實
錄》中呼籲罷免「羨餘」「進奉」,元和十五年在袁州刺史任上
採取釋放奴隸的措施;李絳在元和四年則向憲宗建言:「欲令實
惠及人,無如減其租稅」,請求「禁諸道橫斂以充進奉」,又言
「嶺南、黔中、福建風俗,多掠良人賣為奴婢,乞嚴禁止」(見
《資治通鑑》卷二三七)。兩人的政治言行,何其相似!後來李絳
因與宦官集團的矛盾,於元和九年罷相,十年貶為華州刺史,這
時韓愈有《與華州李尚書書》:「……拜辭之後,竊念旬朔,不即
獲侍言笑,東望殞涕,有兒女子之感。獨宿直舍,無可告語,展
轉歔欷,不能自禁。華州雖實百郡之首,重於藩籬。然閣下居
之,則為失所。愚以為苟慮有所及,宜密以上聞,不宜以疏外自
待。接過客俗子,絕口不掛時事,務為崇深,以拒止嫉妒之
口。」當時韓愈身為中書舍人,正可幫李絳「密以上聞」,繼續
鬥爭。共同的政治理想,使他們相互支持,從這一角度來看,人
們視之為無形的政治集團,也是可以理解的。

　　韓愈既然是武、李、裴無形之「黨」中積極的一員,而這一
集團又大都有傳統偏見的影響,瞧不起出身寒微的王叔文等,因

而使當時的政治鬥爭顯露出錯綜複雜的局面。即在進步的勢力之間，也進行了激烈的宗派鬥爭，因而分散和削弱自己的力量，增強了反動派的力量，造成了後來一連串的改革的失敗。這種宗派主義，在政治上本來不可取，但因此斷定他們政治上誓不兩立、你死我活，這也違背歷史事實；而以「永貞改革」作為判斷當時政治人物進步與反動的唯一標準，則更屬荒謬。韓愈因狹隘的個人恩怨，士大夫的傳統偏見和嚴重的宗派主義情緒作祟而反對王叔文集團及「永貞改革」，這在政治上本來不足為訓，但從他一生的重要的政治實踐來看，其基本政治傾向是進步的。他的文學創作，能提出當時人們共同關心的社會問題，引起千古共鳴，正與他政治思想中進步因素的影響有關。

當然，韓愈在政治上也有他庸俗、落後的一面。戚戚於窮困，汲汲於功名，為了仕進，曾力圖「板聯」、借勢於達官貴人，如他在《與鳳翔邢尚書書》中直言不諱地宣稱：「布衣之士，身居窮約，不借勢於王公大人，則無以成其志；王公大人，功業顯著，不借譽於布衣之士，則無以廣其名。」他的三封《上宰相書》，乞憐求官，實在可嘆。《上李尚書書》又為求得倖臣李實的推薦，閉眼吹捧，令人作嘔。但這些事情大都發生在剛踏進仕途不久的貞元年間，政治經驗不足，世界觀尚未定型，並沒有構成他的政治基本傾向；元和以後，他才在政治上逐漸成熟起來。我們應看到這個發展變化，而不能一概否定。

---

①黃雲眉《韓愈柳宗元文學評價》，山東人民出版社，第55～59頁。

②見錢仲聯先生《韓昌黎詩繫年集釋》卷三《八月十五夜贈張功曹》注：「沈欽韓注曰：『是時楊憑為湖南觀察使』。按楊憑為柳宗元妻父，自必仰承伾、文一黨意旨，公與署之被抑，宜也。」

③王鳴盛《十七史商榷》卷七十四。

④關於現在流傳的五卷本《順宗實錄》，歷來學者都認爲是韓愈等撰，
　並無異議。沈欽韓校以《通鑑考異》，以爲合於略本，是韋處厚所
　撰，非韓愈所撰之詳本。但據韓愈《進順宗皇帝實錄表狀》，韋撰爲
　三卷本，韓改編爲五卷本。韋處厚的三卷本怎麼突然變成現在的五
　卷本呢？沈氏無法解釋。實際上，韋處厚所撰的三卷本早已失傳，
　唐代元和以後廣泛流傳的正是韓愈等撰的五卷本（參《新唐書‧路
　隋傳》）。晚唐時，文宗迫於宦官壓力，強令刪削修改的也正是韓
　愈的五卷本。因此，所謂詳本略本，應另有一說：詳本即指韓愈所
　撰之本；略本即指晚唐文宗朝的刪削本。這一略本的著作權，仍然
　應歸韓愈等人。

⑤元和十二年平淮西時，「布衣柏耆以策干韓愈」，韓愈立即推薦給
　統帥裴度，爲以後平河北立下功勞（見《資治通鑑》卷二四〇）。

⑥柳宗元《六逆論》：「夫所謂遠間親、新間舊，蓋言任用之道也。使
　親而舊者愚，遠而新者聖且賢，以是而間之，其爲理本亦大矣，又
　可捨之從斯言乎？」

⑦參見《舊唐書》卷一四五《董晉傳》。另據《舊唐書‧劉全諒傳》，董晉
　卒後，宣武軍又亂，俱文珍又與大將「密召逸準（即劉全諒）赴汴
　州」，主持軍務，又消除了一次無形的叛亂。

⑧今本《順宗實錄》沒有「未嘗以顏色假借宦官」一類的話，可能是被
　強行刪削的材料。

⑨《資治通鑑》卷二四〇：「先是，諸道皆有中使監陳，進退不由主
　將，勝則先使獻捷，不利則陵挫百端；度悉奏去之，諸將始得專軍
　事，戰多有功。」

⑩章士釗《柳文指要》卷四，第一五一頁。

⑪《資治通鑑》卷二三九。

⑫同上，卷二四〇。

（原載《復旦學報》社會科學版1980年第4期）

《師說》寫作的歷史背景及其意義

　　魯迅先生說：「世間有所謂『就事論事』的辦法……不過，我總以爲倘要論文，最好是顧及全篇，並且顧及作者的全人，以及他所處的社會狀態，這才較爲確鑿。」這話很中肯，指出了科學的研究方法。要正確理解《師說》的歷史意義，當然必須洄溯其寫作的歷史背景並結合韓愈的其他作品來分析。

一、《師說》寫作的歷史背景

　　韓愈（768～824年），字退之，河南河陽（今河南孟縣）人。中唐時期著名的文學家，唐代古文運動的主要領導人之一。關於韓愈及其作品，歷史上爭論頗多。即在唐代，也是頌揚者有之（如李翺、李漢等韓門弟子），批評者有之（如裴度），既讚揚又批評者也有之（如柳宗元）。因此，如何正確評論韓愈及其《師說》，確是我國文學史上一個複雜的問題。

　　在韓愈以前關於「師道」問題的論述有兩種主要的錯誤傾向：一是漢代以來儒家經生嚴守師法，故步自封；一是魏晉以來的上層士族社會中，士大夫非師無學的狂妄風氣。這兩種傾向對當時教育事業的發展與進步都很不利。

　　現在先談經生嚴守師法的傾向。自從漢武帝定儒學於一尊之後，勸之以官爵，誘之以利祿，尊孔讀經之風也就氾濫起來了。當時已有「遺子黃金滿籝，不如一經」的說法。這些經生是怎樣

傳道、如何學習的呢？清人皮錫瑞在《經學歷史》中說：「漢人最
重師法，師之所傳，弟之所受，一字毋敢出入，背師說即不用。
師法之嚴如此。」這些經生腐儒，凡老師沒說過的就不能說、不
能做，這怎麼會有創見呢？這種「好信師而是古」「不知難問」
的風氣，到唐代還是存在。如皮氏所言：「經學自唐至宋初⋯⋯
篤守古義，無取新奇，各承師傳，不憑胸臆，猶漢唐注疏之遺
也。」這些漢唐注疏已成為封建文人官場上的敲門磚了。這種嚴
守師法、故步自封的學風，對後代產生了極惡劣的影響。對此，
韓愈又持什麼態度呢？他在《師說》一文中是擁護，還是反對？要
回答這一問題，就必須考察他的一貫表現。他在《答李翊書》中一
方面先說自己先前「非三代兩漢之書不敢觀，非聖人之志不敢
存」，似乎同屬於經生腐儒；但後邊他同時又聲明：「志乎古必
遺乎今，吾誠樂而悲之。」他的立腳點最後又回到「今」字上。
他的《與馮宿論文書》「不知古文直何用於今世」，《答尉遲生書》
「古之道不足以取於今」，對於當時駢文流行，自己的「古文」
「古道」不能為「今世」所用，同樣表示了極大的憤慨。他的世
界觀有復古保守的一面，但又有「用於今世」的進步的另一面。
他對漢唐經生「一字毋敢出入」的態度極不贊成。所以強調學習
和創作必須「惟陳言之務去」（《答李翊書》），要「能自樹立不
因循」（《答劉正夫書》）。在這些地方，他更多的是強調發展師
說，力主創造，這與《師說》的基本精神是一致的。《師說》云：
「弟子不必不如師，師不必賢於弟子，聞道有先後，術業有專
攻，如是而已。」這樣講師生關係，確與漢唐經生的辦法大相逕
庭，也可說含有一定的辯證因素。學生要尊敬師長，向老師學
習；但老師也必須鼓勵學生超過自己的水平。只有這樣，才能促
進文化藝術等方面的不斷發展。如當時的著名詩人張籍是韓愈的
學生，但張曾批評老師「以文為戲」，韓愈並沒擺出師道尊嚴的

架式,更沒有因此大動肝火,和張絕交。這也足證韓愈在提倡發展師說這一點上是說到做到的。

其次,再來剖析一下魏晉以來非師無學的狂妄學風。三國時代,魏文帝曹丕行九品官人法,「州郡置中正,以定其選擇。州郡之賢有識鑑者爲之區別人物,第其高下」,承認士族大姓有做官特權和經濟特權,逐漸形成了以士族爲代表的門閥制度。按照南朝人的說法,「士庶之際,實自天隔」。不要說普通百姓,就是庶族地主也被士大夫瞧不起。劉宋時代有個徐爰,有寵於文帝,但因出身不是士族,自感低下,文帝即詔命吏部尚書王球等和他交朋友,以便抬高身分,但王球堅決拒絕說:「士庶之別,國之章也,臣不敢奉詔。」說得文帝也無可奈何地「改容謝焉」。從這件事可見當時士族大姓的囂張氣焰。這些士族大地主的子弟,不管賢愚不肖,生來就是統治者,既有政治經濟特權,自然可以壟斷思想文化,又何必去刻苦學習、拜師求學呢?如顏之推《顏氏家訓‧勉學》云:「梁朝全盛之時,貴游子弟,多無學術。至於諺云:『上車不落則著作,體中何如則祕書。』……明經求第,則雇人答策;三九公讌,則假手賦詩。」又據《宋書》記載,謝混只跟族門子侄輩來往,平日在烏衣巷「以文義賞會」,即所謂「烏衣之游」。其他人學問再好,也「莫敢造門」。這個故事很典型。所謂學問,只在士族大姓中以「家法」相傳授,他人無法染指。這些士族子弟,生活優裕,自修有藏書,敎養有父兄,切磋有賓客,他們以「家法」相授,而以「師法」爲恥。所謂「家法」,正是士族大姓壟斷文化的一種手段。如果一旦承認「師法」,學術下移,壟斷不就自然破產了嗎?這種惡劣風氣也影響到唐代。唐初,太宗一方面想削弱士族的力量,一方面又不得不借助士族的幫助。他叫高士廉撰寫《氏族志》,收集全國家譜,依據史書,辨別眞僞,考正世系,分清高低,定爲上上至下

下共九等。《氏族志》中有二百九十三姓，一千六百五十一家。不是這二百九十三姓的人，難得參預鄉貢，更難得錄取及第。可見，門閥觀念在唐代還是相當強烈的。如唐人白行簡的小說《李娃傳》寫到滎陽大姓鄭某，因兒子流爲歌郎（歌唱家），勃然大怒：「志行若此，污辱吾門。」爲了維護「門第」高名，竟把親生兒子用馬鞭活活打死。這可見當時門閥觀念流毒之深。在這種社會環境中，士族子弟接受魏晉以來的「家法」觀念，以拜師求學爲恥，這是自然的事。韓愈的《師說》，主要就是針對這種惡劣學風而發的。他感慨地說：「嗟乎，師道之不傳也久矣！」當時他的朋友柳宗元也深有同感，所以寫了《答韋中立論師道書》等文章支持韓愈的鬥爭：

> 由魏晉以下，人益不事師。今之世不聞有師，有輒譁笑之，以爲狂人。獨韓愈奮不顧流俗，犯笑侮，收召後學，作《師說》，因抗顏而爲師。世果群怪聚　，指目牽引，而增與爲言辭。愈以是得狂名……屈子賦曰：「邑犬群吠，吠所怪也。」……度今天下不吠者幾人？而誰敢衒怪於群目以召鬧取怒乎？……愈不可過矣！

在批判了唐代舉世不相師的風氣之後，柳對韓的《師說》給予高度的評價。在當時的古文運動中，招收學生，以師自任，正是宣傳中小地主主張的好辦法。韓愈的《師說》正是這一運動的產物，是當時的庶族地主企圖打破士族大地主壟斷思想文化的重要手段，又是重新組織文化隊伍的行之有效的措施。韓與柳都是當時古文運動的領導人，他們對「師道」問題的態度是基本一致的。韓在《師說》中說：「人非生而知之者，孰能無惑？惑而不從師，其爲惑也終不解矣。」這樣尖銳地批判了儒家「生而知之」的傳統觀

念，又有什麼不對呢？這樣激烈地攻擊魏晉以來非師無學的歪風邪氣，究竟又錯在哪裡？爲什麼要不看具體情況，不分青紅皂白地說韓愈所宣揚的全是孔孟之道呢？

二、怎樣理解《師說》中的「道」？

要進一步理解《師說》的歷史價值，還必須全面正確地認識韓愈所謂的「道」。

韓愈的「道」有兩面性。有落後的一面，又有進步的一面。在一般情況下，這「道」當然是指封建傳統之道。如《原道》所說：「斯道也，何道也？曰：斯吾所謂道也，非向所謂老與佛之道也。堯以是傳之舜，舜以是傳之禹，禹以是傳之湯，湯以是傳之文武周公，文武周公傳之孔子，孔子傳之孟軻。軻之死，不得其傳焉。」意思很清楚，韓愈想繼承孔孟之「道」的衣缽。不過這篇文章中「火其書，廬其居」云云，明言是針對佛老，矛頭並非指向法家。因此，處處以儒法鬥爭爲綱是不能自圓其說的。

但韓愈之所謂「道」，有時也會前後矛盾，自說自掃。他一方面在《與孔尚書書》中反對秦始皇「焚書坑儒」，感嘆孔丘「大經大法」的「亡滅」，以恢復儒家道統爲己任；一方面又在《石鼓歌》中嘲笑「孔子西行不到秦」，對儒家祖師又似乎不太尊敬。他在《進士策十三首（之五）》中主張「所貴乎道者」，不過是「以其便於人而得於己」，批評「後代之稱道者，咸羞言管、商氏」，要諸生「無惑於舊說」。這裡說的「無惑於舊說」，與他批判經生「一字毋敢出入」的觀點是一脈相承的。指責儒者「求其名而不責其實」，這在當時確是石破天驚之論。如果按照「四人幫」所謂「儒法鬥爭」的框框，這將如何解釋？韓愈之「道」，確非全然都是孔孟之道。在一定的條件下，它不也與先

秦的法家思想產生共鳴了嗎？「便於人而得於己」之「道」，是針對當時的現實鬥爭而發的。這樣的「道」，確有一定的歷史進步意義，不可全然抹煞。

所以，在批判韓愈之「道」的封建糟粕的同時，我們也應注意到他的「道」並非一成不變，而是有所變化與發展的，有時並不與先秦時期的孔孟之道完全相吻合，當然更有區別於後來宋明理學家之所謂「道」。韓愈心目中的孔丘，既是「聖人」，又不一定真指歷史上的孔丘，而是為韓愈所用、按照當時的需要重新改裝過的「新聖人」。看他在《原毀》中說的：

> 古之君子，其責己也重以周，其待人也輕以約。重以周，故不怠；輕以約，故人樂為善……今之君子則不然，其責人也詳，其待己也廉。詳，故人難於為善；廉，故自取也少……不以眾人待其身，而以聖人望於人，吾未見其尊己也。

在這篇文章中，他站在庶族地主的立場，感慨地說：「是故事修而謗興，德高而毀來。」出身卑微，即使有聰明才智，有所建樹，但終難以成功，因為有「今之君子」從中作梗。而「古之君子」則反之，是正面形象，韓愈以舜和周公為例。其實，這責己「重以周」，待人「輕以約」的古之君子，又何嘗真是歷史上的舜與周公！這樣的「聖人」，是韓愈為了鬥爭需要，自己想像創造出來的，不過是借用來攻擊「今之君子」而已。韓愈經常把文、武、周公、孔子一連串，從而創造一個新的「聖人」形象。我們不能望文生義，一看韓愈文中提到孔丘之「道」，就不作具體分析，一概否定。形而上學會讓人上當的！公開標榜的不一定就是真實的、本質的東西。恩格斯說：「判斷一個人當然不是看

他的聲明，而是看他的行爲；不是看他自稱如何如何，而是看他做些什麼和實際是怎樣一個人。」韓愈雖然自我標榜是儒家正統，經常抬出孔孟嚇人，但實際上對於儒學並無深刻的研究，行文中往往以此爲幌子的成分居多，這就給他的文學接觸現實生活、反映當代鬥爭留下了一線生機。所以後來宋代的蘇軾在《韓愈論》中就說：「韓愈之於聖人之道，蓋亦知好其名矣，而未能樂其實。」宋代的道學家頭子朱熹則更是不滿，認爲韓愈「平生用力深處，終不離乎文字言語之工」，「只要作好文章，令人欣賞而已」。這又從反面印證了韓愈之「道」並非全然是孔孟之道。由此可見，韓愈的「文學」與「儒學」，既有聯繫，又有區別。我們應具體問題具體分析，一分爲二地對待韓愈之「道」。生搬硬套，一棍子打死，不是歷史唯物主義的態度。

那麼《師說》中的「道」究竟應該如何解釋？《師說》作於唐德宗貞元十八年（802年），韓愈三十五歲，剛由洛陽閒居進入國子監任四門學博士，是個從七品的小官。他在進士及第後十年，仕途失意，憤懟滿懷。對於士族權貴的堵塞賢路，僵化思想，深有不滿，因此發而作《師說》，進行鬥爭。由此可見，《師說》中的「道」，對於封建正統的孔孟之道並非完全吻合，甚至有所批判，在當時可說是具有一定的歷史進步性。

當然，韓愈是封建統治階級中的一員，《師說》也必然有它的局限性。如在字裡行間，瞧不起「巫醫樂師百工之人」，輕視勞動羣眾，認爲是「君子不齒」，這是階級偏見所致。這和他在《圬者王承福傳》中所說「用力者使於人，用心者使人」的剝削思想相一致。又如輕視兒童的「章句」啓蒙之學，用今天話說，就是忽視小學的基礎教育，也是很不應該的。再有，打著儒家正統的旗幟來批判某些封建傳統思想，遮遮掩掩，欲說還休，也充分說明《師說》所進行的鬥爭的軟弱性和妥協性。這些都是應該予以

批判的。

三、《師說》的意義何在？

列寧教導我們：「判斷歷史的功績，不是根據歷史活動家沒有提供現代所要求的東西，而是根據他們比他們的前輩提供了新的東西。」從今天的眼光看，《師說》之論似乎並無驚人之處；但從歷史的眼光看，它確是提供了前輩所沒有的一些新東西，這就是它的價值所在。

第一，在韓愈以前，偶有討論師道的文章，如《呂氏春秋》有《尊師》等篇，但零敲碎打，難見要害。與前人相比，韓愈《師說》能較全面地論述了師生關係，這可說是「前無古人」的文章。這種首創精神值得肯定。同時，在唐代的古文運動中，它既是組織隊伍的宣言，又是宣揚庶族地主主張的理論根據，具有一定的歷史進步性。

第二，「師者，所以傳道受業解惑也。人非生而知之者，孰能無惑？惑而不從師，其為惑也終不解矣。」這也具有一定的合理內核。「四人幫」破壞教育革命，高喊「讀書無用」，「踢開教師鬧革命」，造成了不讀書、不看報的歪風邪氣，這與魏晉士族的非師無學的狂妄學風有其相似之處。「人非生而知之」，《師說》批判了儒家的唯心論先驗論，強調後天教育、學習的重要性，這正是它的進步之處，對今天也有一定的借鑑意義。

第三，「無貴無賤，無長無少，道之所存，師之所存也。」批判了士族地主的門第觀念，也有一定的合理性。《師說》強調的是能者為師，而不死守師法。今天我的學問比你好，你拜我為師；明天你超過了我，我反過來向你求教。這個專業知識你熟悉，你教別人；另一專業知識別人熟悉，你要學習，就又變成別

人的學生，師生關係是可以相互轉化的，這就要看誰的「道」高明了。這樣從發展觀點來看師生關係，就含有一定的辯證因素。既提倡尊敬師長，同時更提倡保護學生的學習、創造的積極性，這正是《師說》精華所在。

（原載《語文學習》1978年第3期）

今本《順宗實錄》作者考辨

一、討論今本《順宗實錄》作者問題的重要性

最近，學術界就韓愈的評價問題展開了討論，特別是關於他的思想與為人的問題，爭鳴非常熱烈。在爭鳴中，幾乎各家都引用了《韓昌黎文集・外集》所附《順宗實錄》（以下簡稱今本《順宗實錄》）的有關材料。由此可見，今本《順宗實錄》在討論中確實占有重要的地位。但這裡有個基本前提，即目前流傳的今本《順宗實錄》的作者是韓愈。在歷史上，除清代的沈欽韓等個別人外，這是一致公認的說法。近來，陳光崇、瞿林東諸同志曾著文詳加考證①。但最近《文學評論叢刊》第七輯刊登了《今本〈順宗實錄〉非韓愈所作辨》一文②，否定了歷史公認的說法，並斷定今本《順宗實錄》的作者是韋處厚。如果此說屬實，把基本前提推翻了，那麼大家引證今本《順宗實錄》的材料以討論問題就是無的放矢。這就不僅是簡單的考據問題，而是直接涉及評價韓愈的問題。從這點看，展開關於今本《順宗實錄》作者問題的討論，確是非常必要。

二、韋處厚撰三卷本《順宗實錄》
在歷史上沒有流傳的機會

　　在歷史上，韋處厚和韓愈都編寫過《順宗實錄》，韋本三卷，韓本五卷，這是事實。這兩種本子，誰先誰後？據《舊唐書》卷一六〇《韓愈傳》：「及撰《順宗實錄》，繁簡不當，敍事拙於取捨，頗爲當代所非。穆宗、文宗曾詔史臣添改……而韋處厚竟別撰《順宗實錄》三卷。」據此，似是韓本先而韋本後，朝廷最後公布並因此獲得廣泛流傳的是韋本。但這記載是根本違反史實的。韓愈在《進〈順宗皇帝實錄〉表狀》中明言：「去八年（**按**：元和八年）十一月，臣在史職。監修李吉甫授臣以前史官韋處厚所撰先帝（按：即順宗）實錄三卷，云未周悉，令臣重修。臣與修撰左拾遺沈傳師、直館京兆府咸陽尉宇文籍等共加採訪，並尋詔敕，修成《順宗皇帝實錄》五卷。削去常事，著其繫於政者，比之舊錄，十益六七。忠良奸佞，莫不備書；苟關於時，無所不錄。吉甫愼重其事，欲更研討，比及身殁，尚未加功。臣於吉甫宅取得舊本，自冬及夏，刊正方畢……謹隨表獻上。」這一表狀在元和十年四月二十九日上奏。同年五月四日又就此事再次上表：「宰臣宣進止，其間有錯誤，令臣改畢。卻進舊本者，臣當修撰之時，史官沈傳師等採事得於傳聞，詮次不精，致有差誤。聖明所鑑，毫髮無遺，恕臣不逮，重令刊正，今並改訖……庶獲編錄，永傳無窮。」這一文件說得很清楚：韋本先而韓本後，韋本是韓愈等重修時的參考本，韓本則是重修後的正式進奏本。當時朝廷公布的正是韓本，因它是唯一合法，所以獲得了「永傳無窮」的資格。那麼李吉甫爲什麼要命令韓愈等重修呢？這裡有宗派鬥爭的影響。韋處厚於元和初任史官，與宰相裴垍及韋貫之等關係密切，元和五年十月，裴垍把韋處厚等撰《德宗實錄》五十卷正式進奏，公布流傳。韋處厚即著手編寫《順宗實錄》。而元和六年正月，李吉甫入相，他與裴垍、韋貫之有矛盾、有成見，裴垍被貶爲太子賓客，即因「李吉甫惡之」（《通鑑》卷二三八）。於是李

吉甫又進一步採取組織措施，遷怒其「黨人」，因而韋處厚等皆
罷史職。《唐會要》卷六十四：

> 六年四月，史官左拾遺樊紳、右拾遺韋處厚、太常博士林
> 寶並停修撰，守本官……宰相李吉甫自淮南至，復監修國
> 史，與垍有隙，又以垍抱病方退，不宜以《貞元實錄》
> （**按**：應爲《永貞實錄》之誤）上進，故史官皆罷。

由此可見，韋本三卷《順宗實錄》寫於元和六年四月之前，它早擺
在史館，等候新來的監修宰相的審查。但因宗派鬥爭及其他原因
（如質量問題），李吉甫決心不讓韋本通過，並把它扣了下來，
一方面不予進奏，一方面又把它交給後任史官韓愈作爲重修實錄
時的參考本。這辦法很巧妙，一下子就把韋本空鎖史館，從此銷
聲匿迹了。我們這樣分析是有根據的。只要對唐代實錄的編纂、
公布及流傳的事實有所了解，自然就會清楚：在歷史上，韋本
《實錄》從來就沒有獲得流傳的機會。

　　唐代各朝均修實錄。它是國史，因而朝野都很重視。它與私
家修史大不相同，政府設有史館及專職官吏來加以編纂。特別是
中唐順宗永貞（805年）以後，情況變化，政府明文規定，未經
朝廷審查、批准和公布的實錄，嚴格不許流傳。請看《唐會要》卷
六十三：

> 貞元（**按**：當爲「永貞」之誤）③元年九月，監修國史宰
> 臣韋執誼奏：「伏以皇王大典，實存簡册，施於千載，傳
> 述不經。竊見自頃以來，史臣有所修撰，皆於私家紀錄，
> 其本不在館中。褒貶之間，恐傷獨見，編紀之際，或慮遺
> 文，從前已來，有此乖闕。自今以後，伏望令修撰官，同

共封鏁。除已成實錄撰進宣下者，其餘見修日曆，並不得
私家置本，仍請永爲常式。」從之。

這裡明文記載，對於韋氏所奏之事，憲宗批示「從之」。於是從
永貞元年（805年）九月起，這一新規定就以「欽定」的形式正
式生效，「永爲常式」。後來，史上不見中晚唐有哪個皇帝下令
把它廢除的記載。按這一嚴格規定，不要說是未經審批和正式公
布的實錄不許在社會上私自流傳，就是作爲編史用的「日曆」
（即大事記一類）之類的參考材料，也不許擅自帶出史館，即在
史官家中，也不許保留任何實錄的底本。根據這一規定，順宗永
貞以後編寫的實錄，如果不經朝廷「宣下」公布，或是沒有「欽
定」的特殊恩准，是絕對不許私自傳抄的。有的實錄，雖經「宣
下」公布並已廣泛流傳，倘若後來的皇帝下詔作廢，一旦失去
「欽定」的合法面貌，它的存在與流傳就產生了新的危機。如
《憲宗實錄》，原是路隨、韋處厚等撰，這是文宗太和年間批准公
布的國史，我們暫稱它是舊本《憲宗實錄》。但「會昌元年十二
月，李德裕奏修改《憲宗實錄》所載李吉甫不善之迹，鄭亞希旨削
之」（《舊唐書‧武宗紀》）。這是新本《憲宗實錄》，它經武宗批
准公布，取代舊本而獲得流傳。而武宗逝世後，宣宗即位，由於
牛李黨爭等種種原因，周墀上書斥責李德裕等的修改是「竄寄它
事，以廣父功」（《新唐書》卷八十二《周墀傳》）。於是宣宗於大
中二年十一月下詔：「《憲宗實錄》宜施舊本，其新本委天下諸州
察訪，如有寫得者，並送館，不得隱藏。」已經公布流傳的實
錄，一旦失去了「欽定」的合法性，就必須重新打入史館「冷
宮」，個人「不得隱藏」。曾經正式公布的新本《憲宗實錄》的命
運尚且如此，何況是未經審批的實錄手稿！舊本《憲宗實錄》，因
爲已經恢復了它那一度失去的「欽定」面貌，所以重新獲得了廣

泛流傳的可能性。而韋處厚撰三卷本《順宗實錄》的情況則完全不同，因它從來就不具備「欽定」的合法性。

韋處厚在元和初任史官，他撰《順宗實錄》，事在永貞元年九月以後不久，當然必須嚴格執行韋執誼奏章中提到的新規定。如前所述，韋本《順宗實錄》因爲李吉甫指責它「未周悉」，由監修宰相審查的第一關就通不過，當然就更談不到朝廷的批准公布，於是它剩下的唯一任務是留待後任史官重修時作參考。一旦新修實錄寫成進奏，這個參考本也就完成了自己的歷史使命，只能空鎖史館，任其塵埋土封而無人問津了。這是韋本《實錄》無法逃脫的命運！韋本《實錄》原只是一部手寫稿本，不准私自流傳，當然無人傳抄或刻印。於是除了極少數的有關史官和監修宰相外，誰也無法看到，因而無從識其「廬山眞面目」。後來，在晚唐五代以後，除今本《順宗實錄》五卷因附《韓昌黎集》而保存外，唐史館中保存的大量「欽定」實錄先後亡佚，當然更不用說那未經審批的「海內孤本」了。由此可見，韋本《順宗實錄》三卷，從它誕生後不久，即因從未獲得「欽定」面貌，不具備流傳的條件，旋即夭折在史館的「搖籃」之中。今天人們看不到那曾經因「欽定」而廣泛流傳的唐代各朝實錄，卻會突然發現早已夭折的韋本《順宗實錄》，如果這不是「奇蹟」，就必然是神話。神話是迷人的，但卻不是歷史的眞實！

三、韓本《順宗實錄》五卷在史上已廣泛流傳

據前所引韓愈《進順宗皇帝實錄表狀》，韓愈等三人於元和八年十一月接受了重修《順宗實錄》的任務，花了幾個月的時間，很快完成了初稿並交監修宰相李吉甫審查，大概因爲這一稿本攻擊了宦官集團並涉及其他敏感的政治問題，李吉甫「愼重其事，欲

更研討」④，因而暫時擱置。元和九年十月李吉甫去世，於是韓
愈從李宅中取出舊本，「自冬及夏，刊正方畢」，這個修改本於
元和十年四月二十九日隨表上奏，後來宰相傳達了朝廷的審查意
見，韓愈又修改一通，於五月四日寫成定稿本正式進奏。這個定
稿本是否批准公布了呢？回答是肯定的。請看《舊唐書》卷一五九
《路隨傳》：

> 太和二年，處厚薨，隨代爲相，拜中書侍郎加監修國史。
> 初，韓愈撰《順宗實錄》，説禁中事頗切直，内官惡之，往
> 往於上前言其不實，累朝有詔改修。及隨進《憲宗實錄》
> 後，文宗復令改正永貞時事。隨奏曰：「臣昨面奉聖旨，
> 以《順宗實錄》頗非詳實，委臣等重加刊正畢日聞奏。臣自
> 奉宣命，取史本欲加筆削，近見衞尉卿周居巢、諫議大夫
> 王彦威、給事中李固言、史官蘇景胤等各上章疏，具陳刊
> 改非甚便宜。又聞班行如此議論頗衆……今者庶僚競言，
> 不知本起；表章交奏，似有他疑。臣……既迫羣議，輒冒
> 上聞。縱臣果獲修成，必懼終爲時累。且韓愈所書，亦非
> 己出，元和之後，已是相循，縱其親密，豈害公理！……
> 其《實錄》伏望條示舊記最錯誤者，宣付史官，委之修定
> ……」詔曰：「其《實錄》中所書德宗、順宗朝禁中事，尋
> 訪根柢，蓋起謬傳，諒非信史。宜令史官詳正刊去，其他
> 不要更修。餘依所奏。」

如果韓本《實錄》沒有獲得「欽定」的合法性，宦官們就看不到，
更不必在皇帝面前搬弄是非，攻其「失實」，因而也就不會有
「累朝有詔改修」的事情出現。正因它是憲宗「欽定」的國史，
根據傳統習慣，「人君尚不改史，取必信也」，所以史官敢於違

抗帝旨，堅決抵制宦官集團對韓本《實錄》的竄改。路隨明言：
「韓愈所書，亦非己出，元和之後，已是相循。」由此可見，在
元和以後獲得廣泛流傳的《順宗實錄》，正是韓撰的五卷本，而非
韋撰的三卷本，這是鐵的事實。韋處厚死於文宗太和二年，路隨
繼之爲相。而路隨奉命修改韓本《實錄》，據《唐會要》卷六十四所
載，發生於太和五年。是時韋處厚已死，他的「另撰」云云，純
是無稽之談。路隨、韋處厚、韓愈三人曾同朝爲官，彼此非常熟
悉。路隨又是監修國史的宰相，當然對於韋、韓二人編寫《順宗
實錄》之事非常清楚。但他對韋本《實錄》從未提及，而只謂「韓
愈所書」。可見在文宗朝流傳的只有韓本。韓愈的門生李漢在編
《韓昌黎集》時也說：「《順宗實錄》五卷，列於史書，不在集
中。」（見李漢《昌黎先生集序》）所謂「列於史書」，也就是進
奏後經皇帝批准公布的實錄。李漢與路隨是同代人，他們二人的
話相互印證，說明韓本《實錄》「元和之後，已是相循」的說法確
是事實。

　　但有人可能提出，韓本《實錄》既然「累朝有詔改修」，是否
仍然可說是「韓愈等撰」呢？回答是肯定的。雖然文宗之前的
穆、敬二朝幾次下詔，但只是「改修」，並非推翻重來的「重
修」或「另撰」。即令有小修小改，仍然不失其基本面貌，所以
宦官會對它再三詆毀。而文宗朝，宦官集團勢力惡性膨脹，挾持
君主，廢立自專，文宗因而有「受制家奴」之嘆。這時文宗迫於
宦官的無情壓力，不得不下詔復令「改正」。因爲韓本《實錄》既
然「言禁中事甚切直」，矛頭指向宦官集團，因而宦官必欲把它
刪削淨盡而後快；朝官集團則因與宦官集團有矛盾，就以「人君
尚不改史」爲由，極力抗拒改修。於是圍繞著韓本《實錄》的改修
與否及如何修改的問題，南司（朝官）與北司（宦官）展開了一
場激烈的鬥爭。後來路隨奉命改修，可說是南、北司相互鬥爭又

相互妥協的產物。當時文宗下令把韓本《實錄》「所書德宗、順宗朝禁中事……詳正刊去，其他不要更修」。所謂「詳正刊去」，在具體執行時就有很大的活動餘地，可多改多删，也可少删少改，就看你怎樣理解與貫徹。當時具體執行修改的史官中有李漢、蔣係二人，都是韓愈的女婿，他們當然與一般朝官通氣，盡量小删小改，力圖保持原書面貌。所以韓本《實錄》雖經文宗朝的一場浩劫，删去了許多極不利於宦官集團的史料，但並沒有删削淨盡，隱約仍可看到韓愈對於宦官集團的批判。如「初，叔文欲依前帶翰林學士，宦官俱文珍等惡其專權，削去翰林之職」。這「削去翰林之職」，並非出於順宗之意，清楚地暴露了俱文珍等宦官侵奪君權的罪行，令人隱約感覺到作者的君權旁落之痛。又如「中官劉光奇、俱文珍、薛盈珍、尚解玉等，皆先朝任使舊人，同心怨猜，屢以啓上」。「怨猜」云云，就是對於皇帝施加壓力的一種體面的說法。「怨猜」皇帝，這不是「犯上作亂」是什麼？明眼人一看就明白。由此可見，韓本《實錄》的改修，並非下詔作廢，取消其「欽定」的合法性，而是有所變動，但仍保存了基本原貌。這樣的修改本，著作權當然仍歸韓愈、沈傳師、宇文籍三人；而三人當中，韓是主編，是最後的定稿人，並由他負責進奏，所以史上也有題「韓愈撰」的，這也沒有什麼大錯。在文宗以後出現的這個新修改本，仍以「欽定」的唯一合法的面貌出現。因而在晚唐時代得以廣泛流傳的《順宗實錄》，當然是韓本而非韋本。

再從史書及公私諸家目錄來看。韋處厚曾參與了《德宗實錄》《憲宗實錄》諸書的編纂工作，因為這幾部書是「欽定」本，所以見於新、舊《唐書》本傳及後代目錄的記載。而他雖編寫《順宗實錄》三卷，則除韓愈《進順宗皇帝實錄表狀》及《舊唐書‧韓愈傳》提及外，史書及公私目錄均不載。為什麼？就因為韋本《實錄》在

唐代從未正式進奏，沒有獲得「欽定」流傳的「許可證」。一部沒人傳抄的手稿本，即使不經兵火之災，它的自然「壽命」也很有限。後來的史家及目錄學家，誰也沒有見過韋本《實錄》，當然無從記載了。而關於韓本《實錄》的廣泛流傳，史上不乏記載。僅以南宋以前的史家及公私目錄的記錄爲例：

△《崇文總目》卷二：「《順宗實錄》五卷，韓愈等撰，李吉甫監修。」（錢繹按：「《玉海》云：景祐中編次《崇文總目》，《順宗實錄》有七本，皆五卷。五本略而二本詳。」）

凡按：南宋王應麟《玉海》所云詳本、略本問題，實本司馬光《通鑑考異》之說，材料詳後。

△《新唐書》卷五十八《藝文志》：「《順宗實錄》五卷，韓愈、沈傳師、宇文籍撰。」

凡按：歐陽修與宋祁是史家，在史料辨僞方面頗爲精審。宋代館閣中的詳本與略本，他們都研究過，但仍題韓愈等三人撰，並沒提及韋本《實錄》。這應該是有根據的。

△晁公武《昭德先生郡齋讀書志》卷二在「《唐順宗實錄》五卷」一條下曰：「右唐韓愈撰。」

△朱熹《韓文考異》：「李漢之說，據當時而言之，似未爲失。然其爲害，已足使《筆解》亡逸，無復眞本；《實錄》竄易，不成全書……況今去公之時又益以遠，比之當日，事體又大不同，故其片文隻字，名爲公之作而決可知其非僞者，皆當收拾無使失墜……故今於《實錄》，姑仍外集，而詳加校定，庶幾猶足以見公筆削之大指。」

凡按：朱熹在「辨僞」考訂方面的功夫較深。他曾熟讀韓

文，韓氏《進順宗皇帝實錄表狀》所載韋、韓二人均
編有《順宗實錄》一書，他當然明白。但他在嚴加辨
別之後，證其「決可知其非僞者」，仍把今本《順
宗實錄》的著作權歸於韓愈，應該是有他的考慮，
而非一時的偏聽偏信。

△陳振孫《直齋書錄解題》卷四（編年類）：「《唐順宗實
錄》五卷，唐史館修撰韓愈撰，見愈外集。」

這些宋以前的材料有以下幾點相同：一是不管詳本、略本，均題
韓愈等撰；一是不論詳、略本，均作五卷；一是從來沒有提及韋
本。就像司馬光這樣善於思考的史家，他明知韋處厚曾撰《順宗
實錄》三卷，但卻不明文交代略本即是韋本。爲什麼？因爲他是
一個嚴肅的學者，沒有充分的事實作根據，是不會隨便亂說的。
由此可知，在歷史上廣泛流傳的一直是韓本而非韋本。韋本既然
沒有機會流傳，那麼史上圍繞《順宗實錄》所產生的各種變化，如
詳本、略本與今本這類複雜的問題，當然就只能是發生於韓本系
統的問題，而與韋本《實錄》無涉。

四、詳本、略本、今本及其他

今本《順宗實錄》的作者是韓愈等人，這是一清二楚的事實。
但爲什麼有人會以《今本〈順宗實錄〉非韓愈所作辨》爲題，作出決
然相反的結論？這種錯誤是怎樣產生的呢？我想，關鍵就在於作
者把下面的兩個問題相互混淆、糾纏不清了：一是韋本與韓本的
關係問題；一是韓本系統中的詳本、略本及今本的演變問題。這
兩個既相聯繫、又相區別的問題，一旦被煮成一鍋「糊塗粥」
後，區別就消失了，於是就得出了這樣簡單的結論：韓本五卷是

詳，韋本三卷是略；略本即今本；今本即韋處厚撰。但是，一旦我們把這兩個問題分清，歷史的眞相就暴露無遺了。前面二、三節中，我們解決了韋本與韓本的問題。下面讓我們再來談談詳本、略本與今本等問題。

從現存史料看，最早記載這一問題的是北宋仁宗景祐年間王堯臣等編次的《崇文總目》。對於詳、略兩種本子，作者雖是「兩存之」，但均題「韓愈等撰」，並沒懷疑韓愈的著作權，更不會想到「略本是韋處厚撰」這類奇怪的問題。後來司馬光在編寫《資治通鑑》時具體比較了詳、略二種本子，提出了其間「異同」問題，見《通鑑考異》卷十九「李師古發兵屯曹州」條：

> 景祐中，詔編次《崇文總目》，《順宗實錄》有七本，皆五
> 卷，題曰「韓愈等撰」。五本略而二本詳，編次者兩存
> 之。其中多異同，今以詳、略爲別。

在這裡，司馬光只是指出當時流傳的詳、略二本在文字上「多異同」，對這些史料，他編史時是擇優而取。但司馬光並沒進一步去研究爲什麼會有詳、略二本的現象，沒說出「詳本出韓」而「略本是韋」這類的話。恰恰相反，他的《通鑑考異》倒是一再統稱「韓愈《順宗實錄》」。可見即司馬光也沒因詳、略本的「異同」，就懷疑略本舊題韓愈等撰是否正確，更沒有進一步肯定它是韋本。但清代的沈欽韓卻曲解了司馬光的意思，並據《通鑑考異》作出了「全新」的結論：

> 按韋處厚撰者三卷，昌黎後撰者五卷。略本是韋（凡按：
> 此話根據何在？甚爲武斷），詳本出韓。今以此本與《通
> 鑑考異》校之，無一事與詳本者合，而適合彼所稱略本。

> 然則此書非韓公本文也。蓋刊者適得略本，憒憒可恨。不
> 知刻者何爲卻收此本。
>
> ——光緒十七年廣雅書局刊本《韓集補注》

這裡應注意兩點：一是南宋朱熹收入《韓昌黎集・外集》中的五卷
本《順宗實錄》，也就是現在唯一流傳的今本《順宗實錄》，經沈欽
韓一比較，發現它「適合彼所稱略本」。這就是說，今本即是歷
史上的略本。這個發現是正確的。一是所謂「略本出韋」的結論
是錯誤的。現在有人根據沈氏此論，變本加厲，謂「由於韋本成
書在它（即韓本）之前，而且早已有人傳抄（**凡按**：有何根據？
有何記載？），這樣從元和九年以後，兩種本子得以並存」。本
文第二、三節就論證了韋本只是一個手寫稿本，它在歷史上早已
亡佚，怎會一千多年以後突然出現？沈氏「略本是韋」云云，並
沒提出事實根據。而今人據此發揮，說什麼在韓愈重修的元和九
年之前，「早已有人傳抄」，更純屬子虛烏有，毫不足信。因爲
從永貞元年九月起關於編修國史的新規定已經實行。韋本的流傳
早已排除。因此我們可以斷言，「略本是韋，詳本出韓」的結
論，無法解釋史上詳本、略本的問題。關於這一問題，我們另有
解釋：韓愈在元和十年的五卷進奏稿本是詳本；後來幾經刪削修
改、又在流傳中被「竄定無全篇」（見《新唐書・韓愈傳》）的本
子也分五卷，稱爲略本，也即現在尚在流傳的今本。在唐代，因
爲略本是最後的「欽定」本，所以它流傳較廣，得以保留的機會
就相應增加，所以北宋館閣中收藏的七本中就占了五本；而詳本
雖也曾因「欽定」而流傳，但經修改後新本公布，詳本失去了
「欽定」的面貌，因而按規定就必須收回史館，「民間不得隱
藏」，當然流傳機會相應減少，因此北宋館閣中只保留了二本。
這就是北宋館閣中所保存的詳本少而略本多的道理。後來，在北

宋末年靖康難中，汴京淪陷，館閣遭災，因而館閣中的《順宗實錄》，不管詳、略，一概亡佚。但與詳本的命運不同，略本因在社會上流傳機會較多，民間尚可看到，如南宋方崧卿《韓集舉正》雖不收，但方氏以前的韓集諸本均附《順宗實錄》五卷，於是它就有幸被朱熹收入韓集《外集》而保存下來。朱熹也明知它已被後人「竄易不成全書」，但既然詳本亡佚，無奈之際，只能收此略本，附集成爲今本而流傳了。

根據這一看法，今人提到的「詳本有而略本無」的四件事就不難解釋了。

㈠《舊唐書·順宗紀》：

> 史臣韓愈曰：順宗之爲太子也……每於敷奏，未嘗以顏色假借宦官。居儲位二十年，天下陰受其賜。惜乎寢疾踐祚，近習弄權；而能傳政之良，克昌運祚，賢哉！

大概這是劉昫等人照抄詳本《實錄》的一段話，它不見於今本《實錄》中。爲什麼？因爲文宗的改修指示是：「所書德宗、順宗朝禁中事……宜令史官詳正刊去。」這段記載謂順宗「未嘗以顏色假借宦官」云云，不正是因言「禁中事」，直接刺痛宦官而被刪嗎？這材料的被刪，一方面說明了韓愈對於宦官的態度，一方面也透露了詳本被刪的某些具體情況。

㈡《通鑑考異》引詳本：王叔文入翰林宴宦官李忠言、劉光琦、俱文珍及諸學士一事。王叔文有「自判度支已來，所爲國家興利除害」等語，「俱文珍隨語折之，叔文無以對」。而略本即今本則無這段記載。爲什麼被刪？有以下幾種可能：一是寫宦官大小頭目在翰林宴中競議國政，這樣寫法，有干涉朝政的「嫌疑」，故以言「禁中事」被刪；一是寫王叔文「爲國家興利除

害」云云，有歌頌的嫌疑；歌頌王叔文，即對鎮壓王叔文的憲宗
不利，這是用另一形式言「禁中事」，故出於政治宗派鬥爭也必
刪之。

　　㈢略本：「韋皋上表請皇太子監國，又上皇太子箋；尋而裴
坰嚴綬表繼至，悉與皋同。」詳本「裴坰」作「裴均」。而尋檢
史冊，永貞元年裴坰爲考功員外郎，裴均爲荊南節度使。所謂
「外有韋皋、裴坰嚴綬等箋表」之「外」，當然非指朝官，而指
在外的節鎮。故以詳本作「裴均」爲是。今天有人以此事爲由，
堅持略本是韋的觀點。實際上，韋處厚與裴坰關係密切，形同
「黨人」，韋氏又在裴坰的領導下修史，當然絕對不會把裴均的
事誤爲裴坰。如果略本的作者確是韋處厚，就不應該發生這種錯
誤了。這條材料反過來正可作爲略本非韋本的旁證。不過更大的
可能是，在後人的傳抄與刊刻之時，因「均」與「坰」二字形近
而誤。關於這點，前人早已言之，道理明顯，不再詳細徵引。

　　㈣「李師古發兵屯曹州」條，詳本有而略本無。此事發生於
永貞元年正月，德宗逝世、順宗即位，而告哀使未至、節鎮不悉
詳情的微妙時期。本來宦官集團很不樂意順宗即位，公然對朝臣
宣稱：「禁中議所立尚未定。」後因朝官抵制，無奈而立之（見
《通鑑》卷二三六）。因而此事被刪，也有以下兩種可能：一是宦
官與強藩相互勾結，企圖利用這一微妙時機，向朝廷施加壓力。
這樣記載，有可能洩漏廢立的陰謀，當屬言「禁中事」而刪；一
是對李師古之猖獗不臣，李元素之儒弱無能，「朝廷兩慰解
之」，這寫出了朝廷的屈辱，皇帝臉上也無光彩，以涉「禁中
事」而刪。

　　對於上述材料被刪情況的說明，是否完全合情合理，當然還
可進一步研究。但以這些被刪史料作根據，斷言「今本《順宗實
錄》非韓愈撰」云云，實是故作驚人之語，漏洞百出，難以服

人。

第二，作者聲名、流傳卷數諸問題。

現在有人認爲：「略本必是韋處厚本，因它不是法定的本子，而韋的名字又不像韓愈那樣爲人所熟知，於是他的名字遂爲韓愈所代替。而原來三卷也就被傳抄者分成五卷，以求符合韓作之數了。既然從形式上看兩種實錄都是韓愈撰，都是五卷本，那麼傳抄者、特別是刻印者，自然會選用略本而摒棄詳本，以求省工，這是常情。」這是武斷的論述。就韓、韋二人聲名大小而論，在古文創作方面，當然是韓大於韋，但即在當時，如裴度、李德裕等名宰相，對韓愈古文就不甚恭維了。而在政界及史學界，則韋的聲名比韓要大得多。韋、韓二人，原是先後史官，同朝共事多年。後來在敬宗、文宗二朝，韋處厚升任宰相，聲名顯赫。而韓愈在穆宗朝去世時最高的官位也不過是侍郎，從無入相的希望。再從史學上看，韋處厚曾編纂過《德宗實錄》五十卷，得到朝廷賞識，早獲「信史」之譽（見《舊唐書・韋處厚傳》），後來參與草創《憲宗實錄》，又出任監修國史的宰相，名聲大得很。而韓愈只做了一年多的史官，編過《順宗實錄》五卷。在編史的方面，韋的名聲也大於韓。《順宗實錄》是史書而不是古文。因而從史學上看，謂韋處厚的「名字遂爲韓愈所代替」云云，是沒有根據的。

其次談談卷數的問題。

在歷史上，無論詳本、略本或今本，均爲五卷。又因爲韋撰三卷本早佚，所以史上從無三卷本的記載。但今人爲了說明略本即今本的作者是韋處厚，就不得不在卷數上也費一番口舌，稱「韓集中的五卷本，實是三卷本」，是後人「把三卷强行分割爲五卷的」。這個意見，實在不敢苟同。這樣說法在史上毫無根據，公私諸家目錄也不見記載。五卷本到底怎樣被「强行分割」

爲三卷本的，作者沒告訴我們。正如友人卞岐先生所指出，既然是「强行分割」，就應該有明顯的分割痕迹存在，那麼我們就請作者指出這一痕迹，並據此恢復三卷本的原貌。顯然作者無法完成這一任務，因爲史上從無「强行分割」的痕迹存在。這種沒有根據的結論，古人地下有靈，也是不能接受的。

①陳光崇《唐實錄纂修考》的「順宗實錄」部分，見《遼寧大學學報》1978年第2期。瞿林東《韓愈與〈順宗實錄〉》，見《社會科學戰線》1979年第3期。

②另參張緒榮《韓柳之爭探討》中「澄清關於《順宗實錄》的一椿公案」一段，見《武漢師範學院學報》1978年第2－3期。

③據《資治通鑑》卷二三六，宰相韋執誼於永貞元年九月壬申上奏，時憲宗即位一月，順宗稱太上皇。是年十一月，韋即被貶爲崖州司馬。於此可證《唐會要》「貞元元年」實爲「永貞元年」之誤。

④李吉甫是中唐憲宗時期一位頗有眞才實幹的政治家，但他與宦官頭目梁守謙等關係密切。參見《通鑑》卷二三九「元和七年冬十月乙未，魏博監軍以狀聞」條。

（原載《文學評論叢刊》第16輯古典文學專號。
中國社會科學出版社1982年版）

韓愈《原道》篇新證

《原道》篇赫然冠舊本《韓昌黎文集》之首，史上地位顯著，毀譽參半。但不管是毀是譽，幾乎一致認爲它宣揚的是儒家孔孟之道。現在有些人看來，宣揚孔孟之道，就是罪狀一樁；更有甚者，因文中有「民不交粟米麻絲……以事其上則誅」之語，便大加撻伐，斥爲「與民爲仇」、「直與民賊無異」。但人們難以想像，一個思想如此「反動」的作家，居然創作出許多激起千古共鳴的藝術名篇！文學史上這一「矛盾」現象，將作如何解釋？其實，「矛盾」的關鍵所在，是沒有眞正理解《原道》之「道」的本質。

韓愈曾說：「讀書以爲學，纘言以爲文，非以誇多而鬥靡也，蓋學所以爲道，文所以爲理耳。」①要理解韓愈的文學，必先通其「道」；而要通其「道」，就須了解《原道》的寫作背景。關於《原道》的寫作年代，史上迄無定論：舊注引程頤語，以爲是寫於晚年；朱熹《考異》斷言是貞元二十一年韓愈量移江陵以前；近人童第德《韓愈文選》則認爲是元和八年「四十六歲以後的作品」。但不管何種說法，都在貞元末至元和時期這十餘年間。在中唐這一特定的歷史時期，強藩叛鎮跋扈於外，宦官集團驕橫於內，佛老勢力惡性膨脹，外族軍閥頻頻入侵，社會危機四伏，形勢岌岌可危。這就引起了有識之士的憂慮，因此順、憲二朝，高倡改革，有元和「中興」之舉。韓愈《原道》在這種改革與反改革的複雜鬥爭形勢中出現，正是針對時局，有爲而發。它主要針對

佛老，但又由此及彼，橫掃了社會的黑暗勢力，爲社會改革提供
了思想根據。

韓愈不是純思辨的理論家，因此他的所謂「道」缺乏精深博
大的理論思辨色彩；有時還有點迂腐庸俗之味，這是人所共知的
缺陷。但這只是韓「道」的一方面；同時，我們應看到它還有符
合時代潮流的進步的另一面，具有實踐的鬥爭品格。

《原道》開宗明義：「博愛之謂仁，行而宜之之謂義，由是而
之焉之謂道，足乎己、無待於外之謂德，仁與義爲定名，道與德
爲虛位。」韓愈明言，這是堯舜禹湯文武周公孔孟衣缽相傳的儒
家之道，「軻之死，不得其傳焉」，自己隱然上繼孟子道統，從
而成爲儒家的傳道師。在中唐時代，宣揚儒家思想，是否意味著
反動？這要具體分析。在歷史長河中，儒家之道自有它發生、發
展以至衰亡的歷史。在不同歷史階段，它所強調的重點不同，作
用各異，應從歷史的發展觀點來加以考察。歷史上的儒道，本身
相當複雜。孔子之道，熔唯心與唯物、進步與保守於一爐；孔子
死後，「儒分爲八」②，派中有派，彼此紛爭。即在先秦時代，
也已如此複雜，何況是千百年後的中唐時代！王安石《韓子》詩：
「紛紛易盡百年身，舉世何人識道眞？」的確，在漫長的封建社
會中，人人尊崇孔孟，但又有幾家眞是原封不動地照搬孔孟之
道？時代不同，環境各異，同樣宣稱孔孟，卻是各道其所道。韓
愈雖以恢復孔孟道統爲己任，但五代人已批評他「蠹孔孟之旨」
③；蘇軾《韓愈論》也說：「韓愈之於聖人之道，蓋亦知好其名
矣，而未能樂其實。」於此可見，韓愈之「道」，在繼承古代傳
統時，已經變化，有所突破，具有了歷史的新內容。如孟子之於
楊墨之學，排斥不遺餘力，謂「楊墨之道不息，孔子之道不著」
④。韓愈《原道》承此而虛著一筆；而在《讀墨子》中則大談「孔子
必用墨子，墨子必用孔子，不相用不足爲孔墨」。先儒痛斥法

家，誓不兩立；韓愈則在《進士策問》中肯定了「人以富、國以強」的管仲、商鞅法家之道，並要學生「無惑於舊說」。韓愈爲什麼要一反先儒「舊說」，頌及墨子，並吸取法家之道作爲發展儒學的養料？因爲他針對中唐的社會問題，希望藉此推行改革，以實現「一匡天下，戎狄以微，京師以尊」的理想。這不就是對於過去儒道的發展與突破了麼！這樣論「道」，已注進了歷史的新血液。而《原道》中的道德仁義，也一樣具有了歷史的新內容，所以應該具體分析，不可一概而論。

韓愈說「道與德爲虛位」，所謂「虛」，是哲學範疇的概念抽象，但這抽象是「合仁與義言之」，是從「仁與義」的事實中概括出來的。而所謂「仁與義」，在韓愈看來是很具體的。如其《贈太傅董公行狀》一文，再三頌揚董晉是「仁人」，這個「仁」，就有具體事實作根據。如建中、興元年間，朱泚叛亂，泚弟滔「自范陽以回紇之師助亂」，國家危急。這時，董晉赴河北，說服叛將王武俊歸順朝廷，「恆州即日奉詔出兵與滔戰，大破走之」。爲國家與民族，不顧個人安危，親赴亂軍叛鎮，爲平息叛亂作出貢獻，這就是韓愈所大書特書的「仁」。而所謂「義」，必須「行而宜之」，內容就更具體了。其《唐朝散大夫贈司勳員外郎孔君墓誌銘》稱頌孔戡之「義」曰：「君於爲義若嗜欲，勇不顧前後；於利與祿，則畏避退伏如怯夫然。」這同樣有事實作說明。據《新唐書‧孔戡傳》：「戡⋯⋯以大理評事佐昭義李長榮節度府。長榮死，盧從史自別將代之，留署掌書記。從史稍得志，益驕，與王承宗、田緒陰相結，欲久連兵以固其位。戡始陰爭，不從，則於會肆言以折之。」在大庭廣眾之中，公開揭露主帥叛國陰謀，其嚴重後果早在料中。後來，孔戡果然因盧從史誣陷而貶謫至死。不因私利而避害，這樣的「宜」，也就是「義」的具體內容。這樣視死如歸的「仁與義」，說到容易做到

難；但韓愈卻眞正實踐了這一理論。如穆宗長慶二年，鎮州王庭湊發動叛亂，兵圍深州，朝廷大軍征討失利，不知如何處置。這時，韓愈自告奮勇前往「宣慰」。據《資治通鑑》卷二四二載：「韓愈既行，衆皆危之；詔愈至境更觀事勢，勿遽入，愈曰：『止，君之仁；死，臣之義。』遂往。」身赴死地，義無反顧，刀劍叢中，慷慨陳辭，終於不辱使命，維護了國家尊嚴。按照一般情況，在接到「勿遽入」的詔命時，韓愈完全可以掉轉馬頭，返京享福。但在「仁與義」的激勵下，他卻從熱愛國家與民族的「博愛之仁義」出發，置個人生死於不顧。《原道》之「道」，主要是由這類具體的「仁與義」概括出來的，是作者所理解的人生必經之道。這條路雖曲折，但基本上是向前進的。

　　但有人不這麼看，他們激烈指責韓愈「與民爲仇」，主要是針對以下一段而發：「是故君者，出令者也；臣者，行君之令而致之民也；民者，出粟米麻絲、作器皿、通貨財以事其上者也。君不出令，則失其所以爲君；臣不行君之令而致之民，民不出粟米麻絲、作器官、通貨財以事其上，則誅。」因此，正確理解「則誅」一段，是剖釋《原道》之「道」的關鍵。

　　何謂「誅」？韓愈《復仇狀》曰：「誅者，上施於下之辭，非百姓之相殺者也。」可見韓文之「誅」，有其特殊含義。「誅」有二解：一般作「殺戮」解；但在特定條件下，作爲上司對下級的嚴厲責備或懲處，後來引伸爲口誅筆伐之意。這種用法，古已有之。《論語・公冶長》：「宰予晝寢，子曰：朽木不可雕也……於予何誅？」此「誅」即責備之意，非誅殺之謂。又如《周禮・天官・大宰》：「誅，以馭其過。」賈公彥疏：「誅，責也，則以言語責讓之。」所謂「言語責讓」，就是口誅筆伐之意。《原道》之「誅」，並非隨意殺戮，因爲如果把百姓殺光了，皇帝貴族靠誰供養？沒有百姓，國家朝廷也就不復存在。韓愈堅決維護

君權，當然明白這個道理。因此《原道》之「誅」，應取後一解，即譴責懲處、口誅筆伐之意。這一用法，在韓詩韓文中不乏其例，如《答崔立之書》：「作唐之一經，垂之於無窮。誅奸諛於既死，發潛德之幽光。」既然「奸諛」已死，當然不必殺戮。故此「誅」只能釋爲口誅筆伐、肅清流毒。其實何止是韓愈，當時如柳宗元《禖說》：「是其（按：指降災神靈）誕謾悁恍冥冥焉不可執取，而猶誅削若此……」人當然無法殺戮冥冥神靈，所以這「誅削」也明是口誅筆伐、不予祭饗之意。

上述材料可作爲解釋《原道》「則誅」的佐證。請看《原道》是怎樣「誅」佛老的：「嗚呼！其亦幸而出於三代之後，不見黜於禹湯文武周公孔子也；其亦不幸而不出於三代之前，不見正於禹湯文武周公孔子也。」所謂「黜」與「正」，正是批判改造之意。他要求對佛老採取「人其人，火其書，廬其居」的嚴厲措施，「火其書」的做法當然不好，但他所謂「人其人」，並非誅殺之謂，而是要求把享有特權的僧侶地主改造爲國家守法之民，並禁止寺觀收羅逃亡戶口，不許與國爭民，從而保護國家的勞動力及其他人才。由此可見，《原道》「則誅」云云，並不是要把不聽君言的官吏和不交租賦的百姓，統統斬盡殺絕，而是從思想上理論上予以口誅筆伐。

《原道》之「誅」，有它的特殊對象。對於百姓來說，只要不納賦稅，當然也在「則誅」之列。於此可見韓愈之「道」的階級性，宣傳的仍是地主階級的剝削有理。但這在當時並非特殊。作爲封建地主階級的一員，他不維護剝削制度，才是咄咄怪事呢！當時賢如柳宗元，也認爲「徵賦首入」⑤，對封建國家極其重要，因此一樣強調「勞心者役人，勞力者役於人」⑥。白居易《重賦》詩也說：「生民理布帛，所求活一身；身外充徵賦，上以奉君親。」對於人民，同情歸同情，賦稅還是非交不可的。但在

正常的情況下，工農百姓都向國家交納賦稅，所以自然也就不是
「則誅」的主要對象。韓愈《瀧吏》詩：「工農雖小人，事業各有
守。」《感春》（之四）寫漁民：「我恨不如江頭人……賣納租賦
官不嗔。歸來歡笑對妻子，衣食自給寧自羞。」韓愈認為，對於
遵守國家法度，按期交納賦稅的「工農小人」，朝廷官吏甚至不
可嗔怒相向，更何況是「誅」殺！

其實，與動輒誅戮的態度相反，韓愈對待「工農」百姓，強
調的是「相生相養」之道。《原道》曰：「有聖人者立，然後教之
以相生養之道……寒然後為之衣，飢然後為之食。」要求統治者
保證「鰥寡孤獨廢疾者有養也」。這樣居高臨下的「恩賜」，反
映了士大夫的階級意識，是英雄創造歷史的唯心史觀。但與對人
民實行殘酷壓榨相比，強調「恩愛」百姓，客觀上對勞動人民的
休養生息有利，有一定的歷史進步性。當然，「恩愛」百姓是為
了「奉君親」的需要，最終目的還是為了鞏固封建統治。唐太宗
的「貞觀之治」，實行的就是這樣一條思想路線。唐太宗說：
「為君之道，必須先存百姓；若損百姓以奉其身，猶割股以啖
腹，腹飽而身斃。」⑦韓愈所繼承和發揚的就是這樣的「君
道」。其《進士策問》明言：「人之仰而生者穀帛，穀帛豐，無飢
寒之患，然後可以行之於仁義之途，措之於安平之地。」要求百
姓講究「仁義道德」，必先保證他們「無飢寒之患」，衣食穀帛
是相生相養之「道」的物質基礎。反之，如過分壓榨而致使百姓
啼飢號寒，則一切「仁義道德」都是虛假的。「脫因水旱，穀麥
不收，恐百姓之心，不如前日之寧帖。」⑧因此，在天災頻仍、
兵連禍結的非常情況下，韓愈之「道」隨之變化：「所貴乎道
者，不以其便於人（民）而得於己乎！」（《進士策問》）也就是
說，「道」有「適時救弊」之用，因而在不同時期、不同條件
下，「道」的具體內容也應變化。「行而宜之之謂義」，「道」

須受「義」制約，而「義」則以是否符合現實變化爲準則。這就
把「道」的思想理論指導與具體的社會實際聯繫了起來。情況變
了，再堅持向百姓催逼賦稅，就會犯錯誤，因它違反了「仁人」
的「不忍」之心，這同樣不合「道」的原則。如貞元十九年關中
大旱，顆粒無收，但朝廷官府卻照樣催租逼稅，致使百姓「寒餒
道塗，斃踣溝壑」。這時韓愈挺身而出，爲民請命，堅持正
「道」，寫了《上天旱人飢狀》，告到皇帝那兒，要求蠲免賦稅，
以活「無辜之民」。爲此而得罪皇帝和貴要，被貶千萬里遙的陽
山。再如同年所寫《送許郢州序》，更是借題發揮，抨擊貪官汙吏
橫征暴歛的罪行，無情揭露了「財已竭而歛不休，人（民）已窮
而賦愈急」的社會黑暗，並指明其嚴重後果：「其不去爲盜亦幸
矣」。確鑿材料說明，《原道》之「誅」，並非主要針對工農百姓
守法之民，而是另有所指的。

　　「吾所謂道也，非向所謂老與佛之道也」，這就明顯地把儒
道和佛老思想對立了起來。爲了給儒道爭正統，於是《原道》把
「則誅」之劍，主要指向了佛老。唐王朝於佛老，曾給予政治、
經濟種種特權。朝廷一再告誡官吏，不可隨便得罪佛老之人。但
韓愈不管這些。其《送惠師》詩：「惠師浮屠者，君寧異於民？」
《送僧澄觀》詩：「丁丁啄門疑啄木，有僧來訪呼使前……臨淮太
守初到郡，遠遣州民送音問。」呼喚僧人，視其與「民」無異。
不僅如此，他還進一步視佛老爲「工農小人」都不如的不法刁
「民」。《原道》曰：「古之爲民者四，今之爲民者六；古之敎者
處其一，今之敎者處其三；農之家一，而食粟之家六；工之家
一，而用器之家六；賈之家一，而資焉之家六，奈何民不窮且盜
也！」所謂「古之民四」，指士農工商。柳宗元《際民詩》：「士
實蕩蕩，農實菫菫，工實蒙蒙，賈實融融。」古之民渾厚樸實，
守法盡職，互幫互助，社會安定。所謂「今之爲民者六」，即

士、農、工、商之外，另有佛、老之徒。韓愈認爲，自從佛老出現，生產破壞，社會動盪，所以有「奈何民不窮且盜」的慨嘆。與士農工商這些守法之民相比，佛老不稼不穡，不工不商，不讀「聖賢」書，不行君之令，是寄生社會的不法刁「民」，所以說「釋老之害過於楊墨」，不容於儒「道」，是「則誅」的重點對象。其《誰氏子》詩，明白要求政府化理論爲行動，處分佛老不法之人：「勸一罰百政之經，不從而誅未晚矣。」表現了與佛老勢不兩立的立場。

韓愈一生，與佛老進行了堅決鬥爭。元和十四年寫《諫迎佛骨表》，「忠犯人主之怒」，差點腦袋搬家；後來佛老者流造了許多謠言，他爲此寫《與孟尚書書》以斥「傳者之妄」；釋者曾詛咒韓愈反佛必有「癲死」報應，他則堅決闢謠，據《唐語林》卷三《方正》門：「韓愈病將卒，召羣僧曰：『吾不藥，今將病死矣。汝詳視吾手足支體，無誑人云韓愈癲死也。』」至死不忘佛老，可見鬥爭精神。

當然，韓愈反佛老也有它局限的一面。唐時儒、道、釋三家並立，兼容百家，形成了允許思想爭鳴的相對自由時代，在一定程度上促進了思想文化的發展。韓愈爲儒家爭正統，勇敢地爭，大膽地鳴，本是無可非議。但遺憾的是，《原道》的理論不甚嚴密，它沒能從「本體論」等根本問題上去批佛老思想，所以未能擊中要害；再加以他要求對佛老採取「火其書」的嚴厲行政鎮壓措施，類似秦始皇的焚書坑儒，這就不是對待思想爭鳴的正確態度。當時的佛老可以反，也應該反，但這種過激態度卻不值得提倡。不過韓愈之所以這麼激動，也自有它的歷史原因。因爲中唐時期的佛老問題，已經不是一個普通的宗教信仰或思想迷信的問題，而是一個威脅國家政治、經濟和思想文化的嚴重社會問題。韓愈認爲，當時的佛老之害，一是破壞民族思想傳統，與儒家爭

正統；一是經濟上與國爭民爭利；一是與國爭權、破壞了國家的正常政治秩序，甚至與叛鎮相勾結，以武裝威脅國家安全⑨。所以《原道》聲討佛老不聽君言，不行君令之罪：「棄而君臣，棄而父子」，「臣焉而不君其君，民焉而不事其事」，企圖從政治思想上宣判佛老為非法！有關中唐佛老之害及韓愈的鬥爭，前人論之已詳，不復贅述。這裡補充一點，即《原道》「則誅」之劍，明指佛老，而及於「夷狄」：「孔子之作《春秋》也，諸侯用夷禮，則夷之；進於中國，則中國之。《經》曰：『夷狄之有君，不如諸夏之亡（無）。』《詩》曰：『戎狄是膺，荊舒是懲。』今也舉夷狄之法，而加之於先王之教之上，幾何其不胥而為夷也！」韓愈認為，佛老是「夷狄之人」揚「夷狄之教」，這是為「夷狄」入主中原作思想宣傳。因此，在外族入侵、邊患嚴重的情況下，《原道》尊儒道，闢佛老，大力宣揚儒家的「尊王攘夷」主張，為抗擊外族侵擾、發揚民族精神，作了思想動員和理論準備。所以近人陳寅恪說：「蓋古文運動之初起，由於蕭穎士、李華、獨孤及之倡導與梁肅之發揚。此諸公者，皆身經天寶之亂離，而流寓於南土，其發思古之情，懷撥亂之旨，乃安史變叛刺激之反應也。唐代當時之人既視安史之變叛，為戎狄之亂華，不僅同於地方藩鎮之抗拒中央政府，宜乎尊王必先攘夷之理論，成為古文運動之一要點矣。昌黎於此認識最確，故主張一貫。」⑩因此，《原道》之批佛老斥「夷狄」，實與發揚民族傳統和愛國精神有關，富於現實精神，具有一定的歷史進步意義。

　　除佛老「夷狄」外，《原道》「則誅」之劍，還橫掃了「不君之臣」，暗中抨擊強藩叛鎮及宦官集團。「臣者，行君之令而致之民者也……臣不行君之令而致之民……則誅」。很明確，不服從中央朝廷領導的官吏，也概在「則誅」之列。其《酬崔十六少府》詩：「為官不事職，厥罪在誕謾。」《送區弘南歸》詩：「況

今天子鋪威德，蔽能者誅薦受機。」《瀧吏》詩：「不知官在朝，有益國家不？得無蠹其間，不武亦不文；仁義飾其躬，巧奸敗羣倫。」欺騙朝廷、蒙蔽聖聰、無益國家百姓的「巧奸」之徒，顯然盡在「則誅」之列。而當時的官吏，驕橫跋扈無過於宦官集團及強藩叛鎮，他們是「不行君令」的典型敗類。中唐自肅、代二朝後，宦官逐漸奪取了中央軍權，進而擅權操政，廢立自專，後來連皇帝也有「受制家奴」之嘆。英主如順宗、憲宗，都不免死於宦官之手。這就大大破壞了封建國家的職能，把社會引向後退。在韓愈看來，這樣「臣焉而不君其君」，猶如叛逆，罪在不赦。但鑑於當時宦官勢力日熾，因而藉批佛老的「不君不父」以暗中譏刺。這是不點名的點名⑪。至於強藩叛鎮，裂土自封，對抗中央，建立了許多國中之國，嚴重破壞了國家統一。據《新唐書・藩鎮傳》，當時的河北叛鎮，一方面「為合從以抗天子」，一方面「以土地傳子孫」，「遂擅署吏，以賦稅自私，不朝獻於庭」，脅迫百姓，「加鋸其頸」，「遂使其人自視由羌狄然」。如此「不君」之臣，猶如「夷狄」一般，當然盡在「則誅」之列。韓愈有許多文章，如《守戒》、《論淮西事宜狀》等，怒斥叛鎮，維護君權，呼籲統一，義正辭嚴。這與《原道》的「則誅」相呼應，形式不同而意思則一。

由此可見，《原道》因佛老而及「夷狄」，又因「夷狄」而及宦官、叛鎮及其他「不君其君」的社會惡勢力，目的只有一個，就是宣揚儒道，維護君權——即封建中央集權制，這在當時的鬥爭中有一定的現實意義。但是，「君者，出令者也」，是否意味著聽任皇帝專橫獨裁、胡作非為？不然，因為後面有「君不出令，則失所以為君」的限制語。關鍵就在如何「出言」「出令」。韓愈所謂「令」，雖是發自君口，但並非皇帝個人的胡說八道，而應是國家朝廷之「公言」。在這方面，唐代略有作為之

君，無不以太宗「貞觀之治」爲楷模。據《唐語林》：

> 玄宗既誅韋氏，擢用賢良，革中宗之政，依貞觀故事（卷四《企羨》門）。

> 憲宗問宰相曰：「天子讀何書即好？」權德輿對曰：「《尚書》哲王軌範，歷歷可見。」……（鄭餘慶）奏曰：「……若使資聖覽，爲理國之樞要，即未若《貞觀政要》。」（卷二《文學》門）

唐代比較進步的知識分子，也同樣力求貫徹「貞觀之治」的思想路線，韓愈也是如此。如《永貞行》：「嗣皇卓犖信英主，文如太宗武高祖。」《赴江陵途中寄贈三學士》：「佇繼貞觀烈。」《送王秀才序》：「（天子）有意貞觀開元之丕績。」《平淮西碑》：「高祖太宗，既除既治。」於此可見他對「貞觀之治」的嚮往，維護的是以太宗爲表率的「君權」。唐太宗曾說，當皇帝的出言發令，應首先想到「於百姓有利益否？所以不敢多言」⑫。於此可見，「君者出令者也」，並非信口開河。與「臣言」相比，「君言」是「天下之公言」，限制更多，它關係到國家前途、民族命運和百姓利益，所以尤須愼重處之。韓愈正是這樣理解「君言」「君令」的。因而他在《對禹問》中，頌揚「堯舜之利民也大，禹之慮民也深」，君主「言令」應考慮人民的利益。又《與少室李拾遺書》：「方今天子仁聖，小大之事，皆出宰相。樂善言，如不得聞。」《送水陸運使韓侍御歸治所序》：「今天子方擧羣策以收太平之功。」皇帝所出之「令」，應是「羣策」公言，不能棄百官朝廷而不顧。這是從正面言之。而從反面言，如果皇帝暴虐，胡亂「出令」，危及國家與民族，將如何對付？韓愈認

爲暴君之言不成其「令」，人們不僅不聽，更應諫諍，甚至是批之斥之。其《原人》曰：「主而暴之，不得其爲主之道矣。」皇帝出「言」發「令」失誤，就應檢查反省。他在《順宗實錄》卷四中，詳載陸贄對唐德宗錯誤「言令」的批判：「方今詔書，宜痛自引過罪己，以感人心。昔成湯以罪己致興，後代推以爲聖人；楚王失國亡走，一言善而復其國，至今稱爲賢者。陛下誠能不吝改過，以言謝天下，臣雖愚陋，爲詔詞無所忌諱，庶能令天下叛逆者回心喻旨。」在這裡，韓愈對陸贄稱頌備至，因爲這也是他想說的話。同一書中，批評德宗「出令」失誤的記載，比比皆是，如：

> 德宗在位久，益自攬持機柄，親治細事，失君人大體，宰相益不得行其事職（卷四）。

> 裴延齡判度支（**按**：延齡小人，務以刻剝聚斂爲功），天下皆嫉怨，而獨幸於天子（卷四）。

矛頭指向本朝皇帝，董狐史筆，令人敬佩。批判皇帝之「令」，這在封建社會中是危險的。蘇軾《潮州韓文公廟碑》說他「作書詆佛譏君王」，其實韓愈所譏，何嘗只是迎佛骨事！他在《左遷至藍關示侄孫湘》中宣稱：「欲爲聖明除弊事，肯將衰朽惜殘年！」這說明他維護君權、改革時弊的鬥爭決心。爲免君過，強於諫諍，爲此他數次被貶。事實說明了他對封建國家的「公心」。

但是，如果皇帝不納「羣策」，置國家、民族和百姓利益而不顧，韓愈則視爲「無道」而予口誅筆伐。其《衢州徐偃王廟碑》因周穆王「意不在天下」而斥爲「無道」。又如《三器論》：

子不謂明堂天子布政者邪？周公成王居之而朝諸侯，美
矣；幽、厲居之，何如哉！子不謂傳國之璽帝王所以爲傳
寶者邪？漢高、文、景得之而以爲寶，美矣；新莽胡石得
之，何如哉？子不謂九鼎帝王之所謂神器邪？夏禹鑄之，
周文遷之而爲寶，美矣；桀癸、紂辛有之，何如哉！……
不務其修誠於內，而務其盛飾於外，匹夫之不可，而況帝
王哉！

如果「不務其修誠於內」，不從國家、民族和百姓利益出發，雖
貴爲帝王，胡出「言令」，則臣子不僅不必執行而「致之於
民」，而且人共視其爲如桀、紂、幽、厲一般的獨夫暴君，唾之
「誅」之。於此可見，當時韓愈維護君權，也是改革時弊的一種
表現，這和「直與民賊無異」云云，相去何止十萬八千里！

綜上所述，對韓愈《原道》的作用、地位和影響談幾點感想：

一、因一斑以窺全豹。通過解剖《原道》這隻「麻雀」，可以
看到韓愈思想體系的縮影。《原道》涉及面廣，既有哲學問題；又
有倫理問題；尤爲突出的是比較全面地展現了他的政治思想，如
對佛老特權、外族侵擾及藩鎮、宦官諸問題的認識，思緒了然。
正確評價《原道》，爲探索這一充滿矛盾的複雜思想體系打開了方
便之門，因而有可能進一步對韓愈的思想與創作關係、《原道》對
唐代古文運動的指導意義等問題，作出適當的歷史評價。

**二、正確理解韓愈之「道」，應把它放到我國思想發展史中
去考察**。恩格斯說：「每一時代的哲學都把一定的思想材料作爲
前提，這材料是從先行者繼承下來，而它就是從這裡出發的。」
⑬韓愈是繼承和發揚了古代儒家之道。如關於「正心誠意」一
段，明顯是繼承了前人的思想資料，所以清‧全祖望認爲《原道》
「實闡正心誠意之旨以推本於《大學》」⑭。但可貴的是，他又以

此「出發」而有所發展。先儒「正心誠意」是從思想修養的主觀
角度來思考問題；韓愈則把著眼點轉移到「將以有爲也」上面，
這就把主觀修養與社會實際聯繫了起來，多少避免了先儒的繁瑣
空疏、不切實際陋習。又如關於「道德」問題，先儒多空泛之
論；韓愈則結合具體的「仁義」言之，因合於歷史潮流，具有實
際的社會內容，所以能化虛入實，有一定的鬥爭意義。因此，雖
然從總體上看，韓愈之「道」仍跳不出歷史唯心論的窠臼；但它
比前人進了一步，賦予了儒道以新內容、新生命，給後世以啟
迪，這又顯示了它的歷史進步性。

　　三、把它放到當時的社會鬥爭實踐中去考察。劉禹錫《祭韓
吏部文》：「子長在筆，予長在論，持矛舉盾，卒不能困。」構
設理論體系，確非韓愈之長；但其健筆所向，又具摧陷之功。
《原道》之闢佛老，常是以唯心論反唯心論，而沒有從本體論、認
識論等根本方面去作擊中要害的批判，因而理論不甚嚴密，頗見
漏洞。更有甚者，偏激之論，容易引入迷途。如嚴華「夷」之
辨，排斥一切「夷狄之法」，這種對外國或本國邊境少數民族缺
乏具體分析、全盤否定的做法，就不是科學的態度。如果後人不
加分析地接受，就可能造成閉關自守、盲目排外、甚至是兄弟民
族不和的嚴重後果。他自己宣稱「博愛之謂仁」，「夷狄」也是
人，一樣有君、臣、民之別，爲什麼又一概不是「博愛」的對
象？如此矛盾，不一而足。但總的說來，他以敏銳目光，洞察了
當代社會的重大矛盾，並力圖提到思想理論上來加以自覺的總
結。在當時的思想論戰中，他敢於面向現實，旗幟鮮明，言人之
所欲言，言人之所不能言、不敢言，因此大大鼓舞了人們的鬥爭
勇氣與信心。清‧紀昀曾把韓愈闢佛與宋儒闢佛作比較，明確指
出：「然則唐以前之儒，語語有實用；宋以後之儒，事事皆空
談。」⑮所謂「實用」，就是立腳現實、改革時弊的鬥爭精神。

力圖把思想理論與現實鬥爭密切結合，使《原道》篇具有了深刻的現實意義。

　　總之，韓愈《原道》篇有功有過，我們應拋開一切傳統偏見，給予公正的評價。不管是從縱的歷史發展角度，還是從橫的現實鬥爭角度，《原道》在中國思想史和文學運動中，都應占有重要的一席之位。

─────────

①韓愈《送陳秀才彤序》。

②《韓非子·顯學》。

③見《舊唐書·韓愈傳》。

④《孟子·滕文公》。

⑤柳宗元《太白祠堂碑陰文》。

⑥柳宗元《梓人傳》。

⑦《貞觀政要》卷十一《君道》。

⑧《貞觀政要》卷十《慎終》篇中魏徵語。

⑨據《資治通鑑》卷二三九載，元和十年，安史餘黨中岳寺僧圓淨，曾組織了幾千名叛軍，準備血洗東都洛陽。

⑩陳寅恪《元白詩箋證稿》第五章《新樂府·法曲》。

⑪關於韓愈對宦官集團的態度，參見拙著《韓愈與宦官》一文，見《學術月刊》1980年1月號。

⑫參《貞觀政要·慎言語》。

⑬《馬克思恩格斯關於歷史唯物主義的信》，第90頁。

⑭全祖望《鮚埼亭集·外論》卷三十七《李習之論》。

⑮紀昀《閱微草堂筆記·姑妄聽之㈣》。

（原載《學術月刊》1985年第8期）

韓愈《八月十五夜贈張功曹》考辨
——兼論唐代驛遞制度

一

韓愈七古《八月十五夜贈張功曹》（下稱《八》詩），在韓詩中別開生面，讀來另有一番滋味：

> 纖雲四捲天無河，清風吹空月舒波。
> 沙平水息聲影絕，一杯相屬君當歌。
> 君歌聲酸辭且苦，不能聽終淚如雨。
> 洞庭連天九疑高，蛟龍出沒猩鼯號。
> 十死九生到官所，幽居默默如藏逃。
> 下牀畏蛇食畏藥，海氣濕蟄熏腥臊。
> 昨者州前槌大鼓，嗣皇繼聖登夔皋。
> 赦書一日行萬里，罪從大辟皆除死。
> 遷者追回流者還，滌瑕蕩垢朝清班。
> 州家申名使家抑，坎坷只得流荊蠻。
> 判司卑官不堪說，未免捶楚塵埃間。
> 同時輩流多上道，天路幽遠難追攀。
> 君歌且休聽我歌，我歌今與君殊科：
> 一年明月今宵多，人生由命非由他，

有酒不飲奈明何！

這首七言古詩，寫於永貞元年（805年）中秋的湖南郴州。詩題中的張功曹，即張署。貞元十九年（803年），韓張二人同為監察御史，因關中旱飢，上疏朝廷，為民請命，既忤權貴，又犯天顏，遠貶南方，韓為陽山令，張為臨武令。唐時湖南廣東一帶，尚未很好開發，氣候炎熱，瘴癘叢生，中原人不服水土，一旦南貶，大有九死一生之痛。再加上政治歧視，懷才不遇，報國無門，感情極端壓抑。故詩中有「幽居默默如藏逃」的形象描繪，藉以抒發貶謫生涯中的牢騷和不平。永貞元年新皇登基後，頒布大赦令，他倆一道待命郴州。本來滿懷希望回京，但因上司作梗，只能量移江陵，韓任法曹參軍，張為功曹參軍。他們仍然因功受過，冤屈難伸。環境的巨大壓力，使詩人憤怒填膺，因而慷慨悲歌，宣洩內心的苦悶，抨擊社會的不平。

在藝術上，韓愈長篇古詩（如《南山詩》之類）多炫博鬥奇，典故很多。《八》詩則一反往習，幾乎純用白描，流暢易曉。「昨者州前槌大鼓，嗣皇繼聖登夔皋」二句，寫的是當日時事，斯時盡人皆知；但是時過境遷，事隱旨晦，卻又啟疑竇而逞紛爭。詩中「昨者」明指何日？「嗣皇」又指何人？因為在永貞元年（805年）有兩個新皇帝登基。正月二十三日（按：農曆，下同），唐德宗李适崩，二十六日太子李誦即位，後稱順宗。他在二月二十四日「御丹鳳門，赦天下」①。唐順宗因中風之病，委政於王叔文集團，銳意推行「永貞改革」。不過由於宦官、強藩及保守官僚聯合鎮壓，形勢迅速惡化。八月四日，順宗下制「立皇太子為皇帝，自稱曰太上皇」。八月五日朝廷改元永貞，頒布大赦令，「降死罪以下」。八月初九，太子李純即位，全面奪權，史稱憲宗。於是順宗被迫退出政治舞台。韓愈《八》詩寫於該

年八月中秋，但並沒有明言「嗣皇」究竟是指順宗，還是憲宗。
而所謂「昨者」，既可坐實指昨日、昨天，即八月十四日；但按
傳統用法，也可泛指昔日，追述發生在該年正、二月間的事。
「昨者」如泛指往事，則憲宗尚未即位，「嗣皇」只能指順宗；
「昨者」如確指八月十四日，則順宗已遜位，「嗣皇」應屬憲
宗。但遺憾的是，詩人並無明白交代，因而成了歷史懸案。現在
我們討論這一問題，並非無謂考證。因為弄清「昨者」與「嗣
皇」之所指，有助於知人論世，可以幫助讀者進一步明白韓愈的
思想傾向，說明他與王叔文集團的關係，更深一層地揭示韓詩的
藝術精神。

二

　　前人注《韓昌黎集》，有的在「嗣皇」句下注：「貞元二十一
年（即永貞元年）正月，順宗即位。」這可稱為「順宗說」。
清·沈德潛、顧嗣立諸人持此說。沈氏《唐詩別裁集》注云：「順
宗即位，徙掾江陵。」很明顯，他們認為「昨者」是追憶昔日
正、二月間發生的事。「嗣皇」確指順宗，「赦書」頒布是順宗
朝事，與憲宗無涉。

　　而持相反的「憲宗說」者影響更大。如方扶南《韓昌黎編年
箋注詩集》在「赦書」下注云：「按《舊唐書·順宗紀》……八月
憲宗即位，改貞元二十一年為永貞元年，自八月五日以前天下死
罪降從流以下遞減一等。詩所云『昨者』『赦書』正指此。」1949年
後出版的著作，大都信從此說，確指為憲宗上台時事。如《中國
歷代文學作品選》：「嗣皇，指憲宗李純。」他們據此進一步解
釋「登夔皋」云：「以舜時任用賢臣夔與皋，比喻憲宗繼位後必
能任賢舉能。」概括言之，持「憲宗說」者意旨有四：一、「昨

者」確指八月十四日；二、八月之時，韓、張待命郴州，因而
「州前」確指郴州府衙；三、憲宗八月初九登基的詔書連同大赦
令，以特急件處理，交驛站飛遞各地，唐制驛馬日行五百里，六
天內行程三千，於八月十四日抵郴州，諭告全體官民；四、更重
要的是政治上的根據，韓愈政治上反對王叔文集團的「永貞改
革」，如其《永貞行》詩「小心乘時偷國柄」，《赴江陵途中寄贈
三學士》「嗣皇下明詔……首罪誅共呿。」故《八》詩「嗣皇」應
指憲宗，因為他把王叔文等比為「小人」、「共呿」等。而《八》
詩則稱「嗣皇繼聖登夔臯」，夔與臯是舜時賢臣，與韓愈所痛恨
的王叔文等不合，故當指憲宗即位後所任用的王叔文反對派，也
即後來韓愈的政治後台。這種意見，似乎言之鑿鑿，理由充足。
人們常以此來說明韓愈在政治上是代表了頑固豪族地主保守派，
他在王叔文集團執政前後，力拒改革。因而《八》詩中的牢騷與憤
懣，只能是對於「永貞改革」肆意詆毀的情感發泄，當然也就毫
無意義可言了。

　　但事實勝於雄辯。舊持「順宗說」者，雖然語焉不詳，卻是
合乎實際；而持「憲宗說」者，貌似理由充足，但如細加推敲卻
又窒礙難通。現論述如下：

　　(1)所謂「昨者」，可作二解：一是確指昨日，一是泛稱往
昔，應根據作品作具體分析。而在文學作品中，泛稱昔日的機會
更多。如杜甫《北征》：「憶昨狼狽初，事與古先別。奸臣竟菹
醢，同惡隨蕩析。」詩寫於肅宗至德二年（757年）秋，而馬嵬
兵變誅楊國忠兄妹事，發生於玄宗天寶十五年（756年）奔蜀途
中，事隔一年，所以稱「昨」以泛指昔日。又如李白《宣州謝朓
樓餞別校書叔雲》：「棄我去者，昨日之日不可留；亂我心者，
今日之日多煩憂。」以「昨日」慨嘆歲月飛逝，往事如煙。韓愈
《憶昨行和張十一》詩：「憶昨夾鐘之呂初飛灰。」所稱「昨」者

與李詩一樣泛指往昔。因此，斷言《八》詩「昨者」確指八月十四，有武斷之嫌。

(2)既然「昨者」並不一定確指八月十四，而可泛指往昔，指正、二月間順宗登基時事。其時韓在陽山，屬連州；張在臨武，屬郴州。故「州前槌大鼓」云云，並非確指某地。詳審詩之對答形式，在韓當指連州，在張則指郴州。新皇登基，何州不是「槌鼓千聲」聞於官民？情況不難想像。

(3)《八》詩多紀實之言：「昨者州前槌大鼓，嗣皇繼聖登夔皋。赦書一日行萬里，罪從大辟皆除死。」所敘皆按時間順序而寫。應是皇帝即位在先，發布赦令在後，次序宛然。史載順宗正月二十六日即位，二月二十四日「赦天下」，與詩順序相符。而在憲宗八月初九即位之前，於八月初五發布大赦令，卻是以順宗太上皇名義因改元而頒布。八月之事，是先大赦而後登基，次序與詩相左。而憲宗即位的當年，又絕無再赦之令發布。這樣，「嗣皇」赦書不在八月，當然只能是發生於正、二月間的順宗朝事了。

(4)驗以《八》詩「遷者追回流者還」句，如果「嗣皇」指憲宗，則當時距新皇登基僅四、五天，赦令尚未送達諸貶謫官任所，他們又怎能飛還京師呢？如指順宗，則是年三月，「羣臣以微過譴逐者⋯⋯至是始得量移。壬申，追忠州別駕陸贄、郴州別駕鄭餘慶、杭州刺史韓臯、道州刺史陽城赴京師」（見《資治通鑑》卷二三六《順宗永貞元年》）。韓詩所稱遷者流者，正指陸贄、陽城、鄭餘慶諸人，事與詩合。再從當日的地理位置、交通條件、驛遞速度看，更可證明《八》詩所稱新皇即位絕非八月時事。據李吉甫《元和郡縣圖志》，郴州屬江南道，「西北至上都（長安）三千二百七十五里，東都（洛陽）三千一十五里」。當時從京師長安至郴州有兩條路線：一是先到洛陽然後南下，這一

路線較長。一是從藍田由商山出武關，道經襄陽，過長江，浮洞庭，然後到郴州。一般驛遞所行，正是出武關路線，驛程爲三千二百七十五里。以順宗太上皇名義發布的改元赦令，雖是八月初五在京師公布，但《八》詩明言「嗣皇繼聖」及「州前槌鼓」之事，說明韓愈得知新皇登基消息與大赦令同時到達。如依「憲宗」說解釋，韓愈至遲應在八月十四得知「嗣皇」即位和赦書內容。而據韓愈《順宗實錄》，憲宗八月初九登基。新皇登基，應有隆重典禮和慶祝活動，朝廷各部院是不會馬上辦公的。因此，登基詔令和大赦令，最早也得在初十才能發出。從初十至十四，首尾五天，實際只有四天。考察古代交通條件，旣無飛機火車，又無電訊設備，專靠驛站傳遞。從長安到郴州的三千二百七十五里，驛馬必須日行八百餘里才能準時把新皇登基的文件送達。這驛馬速度是可能的嗎？驗以事實，大可懷疑。詩中雖有「赦書一日行萬里」之語，這只是詩人的形容誇張之辭。古代交通不便，爲了國家管理和交流信息，封建帝國設置驛站，以驛馬驛船的接力方式，傳遞文書詔令，並驛載官吏出差巡視。驛遞文書，又區分緊急程度而規定驛馬驛船的遞送速度。據漢·衞宏《漢舊儀》：「奉詔書，使者乘馳傳，其驛也三騎行，晝夜行千里爲程」。應劭《漢官儀》亦有此文。根據現代戰爭騎兵速度來檢驗，或是從動物生理學角度來考察，再加上高山丘陵湖泊河流自然地理的條件限制，漢時驛馬「晝夜行千里」的說法大可懷疑。要麼因古今度量衡制度不一，「里」的長短不同，造成這一矛盾現象；要麼衞宏等人記載，在一、二千年的流傳中發生差錯，二者必居其一。因爲後代史書所載接力驛馬速度，均在日行五百里之內。注意，所謂「日行」，即晝夜兼程。旣然驛馬日行千里說法不可信，那麼四天之內把憲宗登基詔令從長安送達郴州就不可能。據此進一步推斷，八月十四日這一天，韓愈根本還不知道憲宗登基的信

息，所以詩中的「嗣皇」，就不可能指憲宗。

又據顧炎武《日知錄・驛傳》：「唐制赦書日行五百里。」唐德宗朝宰相陸贄代擬詔令中，也屢有「赦書日行五百里，布告遐邇」的公文套語，見載其《翰苑集》。但驗以史實，似乎也有問題。據《北史・宣帝紀》載：「乙丑，行幸洛陽。帝親御驛馬，日行三百里。四皇后及文武侍衛數百人，並乘騎以從……人馬頓仆，相屬於道。」《周書》所載相同。皇帝驛馬，當然挑選最強健善跑的良馬，故皇后侍衛之馬，因疾驅隨從而「頓仆」道途。在洛陽一帶平坦驛道上，即使是皇帝驛馬也不過是「日行三百里」。再驗之以唐朝之事。唐穆宗長慶二年（822年），河北鎮州叛亂，朝廷征討失利，當時身為兵部侍郎的韓愈挺身而出，親赴鎮州平息叛亂。韓乘驛馬馳驅，其《鎮州路上謹酬司空相公重見寄》詩云：「銜命山東撫亂師，日馳三百自嫌遲。」軍情緊急，驛馬全力疾驅，最高速度也只是「日馳三百」。所以顧炎武又說，唐代驛馬「其行或一日而馳十驛」。《新唐書・百官志》明言：「凡三十里有驛。」驛站設置有長有短，三十里有驛，只是大致如此，但說明日行十驛也就是三百里。唐代史書正式規定驛遞速度已難尋覓，但參考前後史書，顧炎武日馳十驛（三百里）的說法比其日行五百里說法更可靠一些。如《金史・百官・兵部》：「泰和三年置遞鋪。其制，該軍馬十里一鋪，鋪設四人，鋪兵三人，以所轄軍射糧軍內充差，腰鈴日行三百里。」金兵北人，善騎射，所載驛遞速度，也是日行三百里。又《明會要・兵部・郵驛》：「遞送公文，照依古法……晝夜須行三百里。」所言驛馬速度，一樣「照依古法」而晝夜行程三百里。一般而論，明與唐比，驛站騎傳的管理有所進步，交通設施也較好一些。因此，明代的驛遞制度，肯定不慢於唐朝。唐時相沿三十里設一譯站。而明十里一「鋪」（即驛站），顧炎武《日知錄・驛傳》有

「今十里一鋪」之言爲證。從接力角度看，十里一換馬，則馬的衝刺速度比唐時三十里一換馬爲快。儘管驛馬速度加快，但因涉及驛遞交接管理等制度限制，仍是日行三百里。

不過，驛遞制度發展到清代，又視公文傳遞緊急程度加以控制和調整，因有所謂「三百里」、「六百里」之稱。所謂「六百里加急」，指的是遞送公文的緊急級數，而非眞是規定必須日馳六百里。如《欽定大淸會典事例・兵部・郵政》：「（康熙）四十七年議准……內外緊要公文，皆交馬上飛遞，其最關緊要者，則於牌票注明，每日行三站或四站，間有行五站者，約計亦不過四、五百里。此等公文，原不常有。」最關緊要的公文，最多也不過日行四、五百里。而此類公文，原不常有。驛馬在北方大平原上拼命馳騁，日行五百里，或有可能。但一到南方，山高水險，不便車馬，即使規定日行五百里，也不過是一句空話。因此，到雍正年間又作了新規定：「無論限三百里、六百里，總照律載遞送公文之例，每晝夜概行三百里。」（同前）驛馬在南方諸省遞送最緊急公文，日行速度不超過三百里，郴州正處湖南廣東交界的南方，這段驛路當然日行不會超過三百里了。

上述材料證明，古代驛遞緊急公文，一般日行三百里，而最緊急「原不常有」的少數公文，其最高速度極限是日行四、五百里。唐代所謂「赦書日行五百里」的說法，在一般情況下是辦不到的。如《舊唐書・玄宗紀》載，天寶十四年十一月丙寅，安祿山反於范陽，壬申聞於行在；而據《資治通鑑》，則是十一月甲子反，庚午聞於行在。具體時間有出入，但消息都一樣是在七天內送達。時玄宗在驪山。據《元和郡縣圖志》，范陽距長安二千三百四十五里。而安祿山反這樣的十萬緊急軍情，一刻也不耽誤，驛馬當是日夜兼程，接力馳驅，即使把馬累死也在所不惜。但其速度也不過平均日行三、四百里。以這樣速度來驛傳公文，在唐代

極為少見。又唐德宗時陸贄上疏論邊事云：「戎虜馳突，迅如風
飆，驛書上聞，旬月方報。」邊情何等緊急，也經「旬月」方才
送達。而一般皇帝登基及大赦令，則是正常事情，當然不會以最
緊急公文來處理。因此，韓愈在郴州聞知「嗣皇繼聖」及大赦
令，情況不同於安祿山反的消息送達驪山：一是文件驛遞緊急程
度不同。二是范陽至臨潼，驛站多在北方大平原，驛道寬闊平
坦，便於馳驅；而從長安至郴州則從商山地區開始，道途險阻。
據《唐會要・道路》：「從商州西至藍田，東抵內鄉七百餘里，皆
山阻，行人苦之。」驛馬一入南方，水多急流險灘，山多峻嶺深
谷，驛遞經此，常有「如臨深淵，如履薄冰」之感，怎麼還能疾
驅呢？因自然條件限制，從長安到郴州的驛遞速度，根本無法與
長安到范陽相比。三是從長安至郴州，渡長江浮洞庭，須乘驛
船，木船速度難與驛馬相比。四是韓愈所處中唐時代，強藩林
立，軍政不一，驛站設置與馬匹供應，常受干擾破壞，驛遞難以
正常運行。與韓愈同時的柳公綽曾上奏：「比館遞匱乏，驛置多
闕……驛馬盡，乃掠奪民馬。怨嗟驚擾，行李殆絕」③。於此可
見中唐時代驛遞制度的破壞。即使當時朝廷真有「敕書日行五百
里」的規定，也是徒具空文而已。五是長安至范陽，僅二千餘
里，須經六、七天到達；而長安到郴州，相距三千餘里，路程長
了近千里，再加道途艱難，怎麼反而可能在更短的四、五天內到
達呢？

現在再來討論一下，唐朝皇帝登基及大赦令，在驛遞中是否
即為「最關緊要」的特急件？回答是否定的，請看事實：

據《資治通鑑》卷二三六：永貞元年，「壬子，（淄青節度
使）李師古發兵屯西境以脅滑州。時告哀使未至。」壬子是二月
十二日，當時朝廷告哀使驛遞尚未到淄青鎮，給李師古以發兵藉
口。而唐德宗崩於正月二十三日，二十四日宣遺詔，順宗於二十

六日登基。從宣遺詔的正月二十四日到二月十二日，首尾十九天；而從順宗登基之日算起，首尾十七天，老皇帝崩、新皇帝立的公文在這樣長的時間內尚未送達山東青州。據《元和郡縣圖志》，青州距長安僅二千四百零五里，距洛陽僅一千五百五十五里。如果驛馬從長安出發，日行三百里，八天即可到達青州。但實際情況是青州於十七、八天後尚未見到遺詔及新皇登基詔書。可見新、舊皇帝交替的公文雖是重要文件，但並非緊急文件，因而驛遞速度不快。

至於赦書，則更非緊急公文。如元和十三年正月一日，唐憲宗「赦天下」，時劉禹錫在連州刺史任上，他收到赦令制書後寫了《賀赦表》，尾署日期是「元和十三年正月二十九日」（見《劉禹錫集》）。按規定，古時貶謫官一接到赦令，必須立刻上表以示感戴天恩。如扣除起草時間，那麼大赦令也是在二十幾天後才由長安驛遞送達連州的。而連州「西北至上都三千六百六十五里」，驛遞速度如以日行三百里計，則十二、三天內可送達，但實際時間加倍。又敬宗即位，於長慶四年三月三日頒布大赦令，時劉禹錫任夔州刺史寫《賀赦表》，尾署日期是「長慶四年三月二十七日」。夔州距長安僅二千餘里。但大赦令卻經行二十幾天才由驛遞送達。於此可見，皇帝登基詔令及大赦令，並非緊急文件，沒有必要以日行三百里速度疾驅前進。

再看韓愈自己的記載。史載唐穆宗於元和十五年正月初三登基，二月五日「赦天下」。時韓愈任袁州刺史，寫了《皇帝即位降赦賀觀察使狀》云：「二月五日恩赦，今月二十四日卯時到州。當時集百官僧道百姓宣示訖。」穆宗赦令也行經二十天左右才到達袁州。袁州距長安三千一百一百八十里，比郴州近了百里左右。為什麼同一性質公文，驛遞較近的袁州需二十天，而較遠的郴州反而只要四、五天呢？如此懸殊，絕無此理。

現根據上述史實，略加歸納概括：

㈠古代交通，官府公文往返及信息傳遞，主要依靠驛遞。

㈡在正常環境中，驛馬以接力形式傳遞緊急公文，速度規定是「晝夜行三百里」；所謂「唐制赦書日行五百里」的說法，原非常有之事，不可代表一般，至多是可稱為驛遞的最高速度。

㈢在封建社會中，新舊皇帝交替及大赦令，從性質講，當然是「重要公文」，但它不是必須立即飛遞的特急件，因此驛馬不必以「日行三百里」的速度行進。

㈣假設韓愈於永貞元年八月十四日在郴州獲悉新皇登基及所頒赦令，上距憲宗登基的八月初九實際只有五天，郴州距長安三千二百七十五里，那麼驛馬速度必須大大超過「唐制赦書日行五百里」的規定，多達日行六、七百里。在和平時期，這樣的驛遞速度是不可想像的。郴州地處南方，山高水深，交通不便，驗以清代實際情況，驛遞速度減半，難道中唐時期反而會速度加倍，高出中原平坦驛道？

㈤因此，憲宗於八月初九登基的消息，根本無法在四、五天內送達郴州。退一步說，就從太上皇頒布大赦誥令的八月初五算起，到八月十四，也只有九天。即以緊急公文傳遞「日行三百里」計算，至少也要在十一天後才能送達，韓愈不可能在八月十五日預先知道「嗣皇繼聖登夔皋」的消息。

㈥唐時驛遞速度還常因人而異。憲宗元和三年，「春正月癸巳，羣臣上尊號曰睿聖文武皇帝，赦天下……知樞密劉光琦奏分遣諸使齎赦詣諸道，意欲分其饋遺。翰林學士裴垍、李絳奏：『赦使所至煩擾，不若但附急遞。』上從之。光琦稱舊例，上曰：『例是則從之，苟為非是，奈何不改！』」⑤這故事說明，元和三年（808年）正月以前，皇帝的赦書由宦官作欽差分送諸道。中唐宦官，長於深宮，養尊處優，高車駟馬，不耐馳驅，他們不會

像韓愈那樣勞於王事而「日馳三百自嫌遲」了，而是外出撈油
水，每到一地，貪汙受賄，拖延時日，因此驛車速度更慢。永貞
元年（805年），正是由宦官把詔書敕令專送湖南觀察使治所潭
州，然後再附遞分送所屬諸州。這樣一來，花費時日愈多。公文
從長安送到郴州，不是四、五天，而是需要幾倍的時間。這也可
作旁證，說明八月十四日前，韓愈在郴州絕不可能得知憲宗登基
消息，因而詩中的「嗣皇」，只能指同年正、二月間登基的順宗
李誦了。

三

　　既然《八》詩中「昨者」泛指昔日，「嗣皇」是指順宗，那麼
「嗣皇繼聖登夔皋」的「夔皋」，自然是以舜時賢臣夔及皋陶為
喻，稱頌在順宗朝執政的韋執誼、王叔文等。而在歷史上，韓愈
反對王叔文集團，立場明確，與這裡稱之為「夔皋」，態度不
一，自相矛盾，又將如何解釋？其實，韓對王叔文集團持反對態
度，是有其發展過程的。貞元十九年冬，他因寫《御史台上天旱
人飢狀》被貶陽山，忤逆宗室權貴李實，而非王叔文集團。當時
王叔文集團並未形成，韓愈與王叔文個人並無任何糾葛。他與柳
宗元、劉禹錫則是同官御史的好友。其《赴江陵途中寄贈三學士》
詩云：「同官盡才俊，偏善柳與劉。或慮言語泄，傳之落冤仇。
二子不宜爾，將疑斷還不。」有人以此為據，說明韓愈早與王叔
文集團要人結仇。查紹祖《新舊唐書互證》云：「疑劉、柳漏泄。
當是與宗元、禹錫言王叔文之奸，而二子漏其語於叔文，遂為其
所中也。」這是毫無根據的妄測。如章士釗《柳文指要》所說：
「（韓愈）陽山之貶，乃叔文出山一年以前事。叔文當時潛伏東
宮，即其諫止太子言宮市事觀之，可見是一異常謹慎之人⑥。即

令不喜退之，亦何至出頭干預朝官之黜陟乎？此類猜測，終嫌不
切實際。何況退之之貶由迁李實而起，別見證據確鑿乎！」⑦所
論甚是。韓愈在回憶貶官時，也曾懷疑柳劉二人是否洩漏其語，
但「將疑斷還不」，如章士釗所解釋：「語意十分斬截，謂吾曾
疑之，旋取斷爲絕無此理也。」後來韓與柳劉的友誼，生死不
渝，就是明證。王叔文集團發動「永貞改革」時，韓在陽山貶
所，根本不在京師，並沒有直接捲入這場政治鬥爭。王叔文執政
只有半年左右，時間很短。在古代交通、通訊落後的條件下，恐
怕韓愈尚未完全得知其改革內容時，鬥爭業已結束。而現在我們
據韓集分析，韓愈的政治理想與王叔文集團的改革措施，多有一
致的地方。他們同樣主張外制强藩，內抑宦官，革除弊政，維護
國家統一，適度減輕人民負擔。但是王叔文不搞統一戰線，非我
即敵，打擊一大片，甚至包括武元衡、杜黃裳一類較正直的士大
夫，也在嚴厲打擊之列，又極力反對太子李純出台。這樣，憲宗
（李純）一上台，怨恨王叔文集團，給予無情鎮壓。韓愈批判王
叔文集團，是在憲宗上台、王叔文集團失敗之後的事。他爲了
「適應」新形勢，從宗派鬥爭、傳統偏見及個人恩怨出發，表態
加以反對⑧，並寫了《永貞行》一類詩篇加以抨擊。但在此之前，
即在王叔文集團執政之日，並無直接對抗的蹤影。

　　韓愈寫《八》詩時，並不知道王叔文集團已經垮台，因而在詩
中仍隱然對其抱有期望，並稱頌之爲「夔皋」。順宗即位後不
久，他在陽山有《縣齋有懷》詩云：「嗣皇新繼明，率土日流
化。」這一「嗣皇」確指順宗。歌頌順宗，實際也即歌頌他所委
政的王叔文集團。他在貶所等待，在郴州又等待，滿懷希望。不
過在王叔文集團執政之時，對於韓愈這樣的小官，沒有像對待陸
贄、陽城諸名流那樣予以重視，昭雪並召回京師，而僅作一般處
理，循例量移江陵。這使汲汲於功名的韓愈，大失所望，感到極

不愉快。因而對於筆下的「夔皋」之輩，也不乏憤怨之言。《八》詩思想複雜，詩人對於執政的王叔文集團，既有期望，譽之爲「夔皋」；又因個人遭遇，心情壓抑，吐言酸楚，以傾瀉其憤慨。思想如此矛盾，這才是有血有肉的詩人韓愈，而不是被抽象化神聖化的衛道者韓愈。即使對於同一個人，韓愈在急於做官時也會去干謁或吹捧；一旦觸犯其堅持的原則，又會奮不顧身地去鬥爭。對於李實就是一例。貞元十九年初，爲求官寫《上李尚書書》，吹捧權貴李實云：「未見有赤心事上，愛國如家如閣下者。」李實不予理睬。李在京兆尹任上，橫征暴歛，激怒了韓愈，於同年底又寫了《御史台上天旱人飢狀》，控告李實藝瀆職守，欺君害民。時隔不久，判若二人，集庸俗性與鬥爭性於一身。這就是作家韓愈。同樣，《八》詩所表現的對於王叔文集團的恩恩怨怨的矛盾態度，也把韓愈的靈魂描繪得非常眞實。「詩可以怨」，韓愈不忘這句古訓。在封建社會中，即使像王叔文這樣的改革家，也不可能眞正舉賢授能。「永貞改革」自然也有它失誤或局限之處。因而韓愈針對其缺點，發發牢騷，怨及「夔皋」，也未必不可。這與後來在得知王叔文集團失敗後那「打死老虎」式的《永貞行》是大有區別的。韓愈在《八》詩中雖是以發泄個人情緒的形式來展現壓抑、牢騷與不平，但它又是封建士人歷史悲劇的眞實寫照，同樣具有深刻的社會意義。

---

①司馬光《資治通鑑》卷二三六。

②范祖禹《唐鑑》卷八。

③《新唐書・柳公綽傳》。

④《資治通鑑》卷二四一。

⑤《資治通鑑》卷二三七。

⑥韓愈《順宗實錄》卷一：「上（順宗）在東宮，嘗與諸侍讀並叔文論

政，至宮市事。上曰：『寡人方欲極言之。』衆皆稱讚，獨叔文無言。既退，上獨留叔文，謂曰：『向者君奚獨無言？豈有意邪？』叔文曰：『……陛下在位久，如疑太子收人心，何以自解？』上大驚，因泣曰：『非先生，寡人無以知此。』遂大愛幸。」

⑦章士釗《柳文指要》下卷「體要之部」卷六，中華書局1971年版，第1613頁。

⑧關於韓愈與王叔文集團的關係，詳參拙文《韓愈與王叔文集團的永貞改革》，見《復旦學報》1980年第4期。

（原載《安徽師大學報》第22卷1994年第1期）

韓愈的軍事生涯及其愛國詩篇

　　韓愈是唐代的文學大師，古有「文起八代之衰」美譽，死後諡「文」，人稱韓文公。但本文偏稱之爲「傑出的軍事家」，似乎風馬牛不相及。其實，世界複雜，人生多變，一個人的才能及其功業也是多方面的。因此，研究一個具有歷史代表性的重要作家，應多角度思考問題，全面了解其歷史貢獻。韓愈，當然首先是史上公認的一代文宗；但這並不妨礙他同時是一個名副其實的傑出軍事家。而且，他的軍事生涯，相當激動人心，已成爲其愛國詩章的重要源泉。作爲一個親赴戰場的軍事家，韓愈滿懷愛國激情，熱烈謳歌維護祖國統一的正義戰爭，從而譜寫了一曲壯麗的人生史詩。

　　以發生在元和十年至十二年（815～817年）的淮西之戰爲例。宦官擅政及藩鎮割據，是中晚唐的兩大社會痼疾。藩鎮割據嚴重破壞了國家的統一。當時河北諸鎮及山東淄青，已成叛亂巢穴。元和十年，淮西叛鎮吳元濟派兵侵擾東都洛陽，朝野震動。淮西地處中原腹心：北聯河北以抗中央；東合淄青堵截運河漕運；南下威脅江淮富庶之區；而最令人擔憂的是，叛軍西出直逼東都，可以叩潼關，犯京師。但是對於淮西之叛，是派兵征討，還是姑息養奸？朝廷舉棋不定，久議而不決。朝廷曾派都統韓弘率十六道兵征討，但因諸軍相互觀望推諉而失利。於是，主張姑息的主和派充斥朝廷，而以御史中丞裴度（後任宰相）爲首的主戰派反而成爲少數派。韓愈則站在裴度一邊，力抗潮流，大聲疾

呼，堅決主戰，爲淮西之捷作出了卓越貢獻。他具體作了以下三
方面的軍事謀劃：一是廣泛的輿論準備和戰爭動員。他寫《與鄂
州柳公綽書》，一方面抨擊朝廷的驕兵悍將，臨陣怯敵，十萬之
師，「不聞有一人援枹鼓誓衆而前者」；一方面歌頌柳公綽率偏
師英勇鏖戰的愛國精神，稱其一介書生，「一旦去文就武，鼓三
軍而進之……雖古名將何以加茲」！在朝野和戰的大辯論中，韓
愈常在「中朝稠人廣衆會集之中」，宣揚柳公綽事迹，以「羞武
夫之顏，令議者知將國兵而爲人之司命者，不在彼而在此也」。
其輿論宣傳、理論準備說明了平叛戰爭的正義性和必要性，不僅
鼓舞了三軍士氣，而且直接影響了國家的戰略決策。韓愈雖是文
人，但是一旦國家需要，立刻投筆從戎。他比單純的軍事將領的
思考更全面，知道充分發揮「文」的宣傳鼓動作用，文武兩軍雙
管齊下，因而影響更大。二是在朝廷有關戰與和的決策爭論中，
態度鮮明，立場堅定，寫《平淮西事宜狀》，上書唐憲宗，不僅具
體分析敵我雙方力量對比與時局形勢，提出正規軍與地方武裝相
互配合，協調諸道兵馬的戰鬥序列，並注重後勤給養，破壞諸叛
鎮聯合，以便集中優勢兵力消滅淮西心腹之患，而且從政略和戰
略高度，敦促皇帝痛下決斷：「以（淮西）三小州殘弊困劇之
餘，而當天下之力，其破敗可立而待。然而所未知者，在陛下斷
與不斷耳。」慷慨激昂，擲地有聲，很有說服力，對唐憲宗決心
平叛以統一國家的根本戰略決策，起了積極的促進作用。三是作
爲軍事將領親赴前線參戰。元和十二年，裴度任淮西宣慰處置
使，韓愈任行軍司馬（相當於參謀長兼軍隊執法官）。史載韓愈
先到汴州說服韓弘等諸道將領同心協力，協調戰鬥，四面合圍進
擊，置淮西叛鎮於四面楚歌之地。他又爲統帥裴度出謀劃策：除
正面攻擊外，建議派奇兵乘虛而入，偷襲蔡州擒吳元濟。他自告
奮勇，請兵三千直搗賊巢。事載李翱《韓吏部行狀》。因種種原

因，裴度沒答應。但後來鄧唐隨節度使李愬果然輕師雪夜襲蔡州，生擒吳元濟以獻。李愬是否知道韓愈的奇策，史書失載。但至少證明韓、李英雄所見略同。不過，就在舉國歡慶淮西大捷的時候，韓愈的戰略眼光看得更遠，他接受布衣柏耆意見，建議裴度立即派人下書河北，恩威並施，果然奏效，河北叛鎮先後宣布歸順朝廷，天下重新統一，取得了「元和中興」的偉大勝利。

於此可見，韓愈並非迂腐書生，而是文武雙全、眼光深遠的傑出軍事家。火熱的戰地生活，使他唱出了一首又一首高亢激越的愛國戰歌。因篇幅所限，僅以兩首小詩爲例。如七絕《次潼關先寄張十二閣老使君》，運用詩歌藝術，形象地描繪了淮西大捷後的歡欣鼓舞之情。詩云：

> 荊山已去華山來，日出潼關四扇開。
> 刺史莫辭迎候遠，相公新破蔡州回。

詩作於元和十二年冬班師回京路經潼關之時。韓愈五十歲，雖是垂暮之人，豪氣卻不減少年，寫出了「平生第一快詩」（蔣抱玄語，見錢仲聯《韓昌黎詩繫年集釋》）。快者，愉快、滿足之謂。快人快語，來自於快心快事。「淮西之役」是中唐的關鍵一仗，暫時結束了分裂割據局面，維護了國家的統一，具有重要歷史意義。對詩人來說，他曾參與事件的決策，勝利把他推向了人生得意的峯顛，其心情喜悅可以想像。於是舒朗的心緒，化爲歡快的旋律，水到渠成，名篇佳作衝口而出。詩題中的張十二，指當時任華州刺史的張賈。詩的前二句，寫凱旋班師一路歌舞入關的壯麗景象；後二句以詩代信，通知華州刺史遠犒三軍。查愼行評云：「氣象開闊，所謂捲波瀾入小詩。」所稱甚是。「荊山已去華山來」，山川沒有生命，位置相對靜止，怎能「去」而復

「來」？這是詩人以眼睛代替了今天電影鏡頭的推移，成功地運用擬人化手法，寫來氣勢恢宏，一往無前，構思奇特，色調浪漫。荊、華二山，巍峨刺天，俯瞰關中內外，傾聽黃河咆哮，迎來送往，活力湧現，不僅是人，連山河也爲勝利而同聲歡唱。荊山在河南靈寶縣，華山在陝西華陰縣，相去數百里，空間跨度甚大，一去一來，何其神速！但對奏捷之師來說，「過都越國，蹴如歷塊」，詩人的藝術思維，早已突破時空所限，舒卷自如，無限歡暢。「日出潼關四扇開」，潼關是地處陝、豫、晉三省交界的軍事要塞，古稱天險，兵家必爭，故杜甫《潼關吏》有「窄狹容單車」、「千古用一夫」之語。隆冬潼關，白雪皚皚，旭日東升，霞光萬道，爲歡迎勝利之師而四門洞開，並披上了節日的盛妝，洋溢著歡慶昇平的氣象，那明麗熱烈的氣氛，讓人感染了明快的心理色調。詩人並無一字一句正面描繪旌旗招展、軍歌沸天或隊伍浩蕩，但古老潼關煥發青春而四門洞開的具體景象，自然讓人浮想聯翩，眼前盡是王師歌舞入關的熱鬧場面。程學恂稱之爲「不著一字，盡於言外傳之」，此其所以爲妙。第三句直呼刺史遠候犒軍，當仁不讓，理氣甚壯，隱含了詩人對於戰爭勝利重要意義的深刻認識。末句承上而點眼結穴。「相公新破蔡州回」，相公指裴度。新破蔡州，並非平叛戰爭的結束，而是決心逐一消滅各地叛鎮，感情色彩甚是濃烈。詩小而氣象闊大，飽蘸激情，豪情滿懷，色調明麗而音節流暢，骨力剛健又別具風韻，熱烈歌頌了統一戰爭的勝利，形象地展現了中唐時代的一個重大歷史畫面。

又如七絕《鎮州路上謹酬裴司空相公重見寄》，涉及到詩人晚年平定河北叛鎮的另一場正義之戰，詩云：

衡命山東撫亂師，日馳三百自嫌遲。

　　風霜滿臉無人識，何處如今更有詩？

乍讀感覺不過爾爾，並無神來之筆。實則不然。如果「知人論世」，熟悉其創作背景，幾乎每句都有個生動故事，細加咀嚼，自會品出味來，發現了隱藏在語言表象後面的深層含義，並感受到一股清新氣息的激盪，詩人的一腔愛國熱血，噴薄湧動，令人擊節。詩題中裴司空，指裴度。鎮州，今河北正定縣一帶。山東，不是指今山東省；古時用以稱崤山或華山以東的廣大中原地區；詩中特指鎮州。詩寫於唐穆宗長慶二年（822年）二月作者由長安赴鎮州途中的壽陽（今屬山西）驛，古時壽陽以西屬河東，逾嶺而東則是河北鎮州。

　　開篇「銜命」云云，淡筆出之，實是爐火純青的鍛鍊，其間經歷了一場關係國家安危的生死考驗，故事驚心動魄。當時鎮州成德軍發生叛亂，叛酋王庭湊四處侵擾，兵圍深州，氣焰囂張。朝廷派宰相裴度率師征戰失利，因而改變策略，決定派人前往宣撫——實即允許有條件地歸服。但是聖命一出，滿朝文武鴉雀無聲，誰也不敢應命。這時，只有兵部侍郎韓愈主動請纓，任鎮州宣慰使，身入虎穴，危險可知。但詩人經受了這一嚴重的人生考驗。單槍匹馬，亂豈易平？深入叛鎮巢穴，實是九死一生。曾幾何時，德高望重的顏真卿宣慰淮西，就被敵人活活燒死，此事記憶猶新。鎮州王庭湊更是心狠手辣，什麼事幹不出？幾十萬大軍征戰所完不成的任務，韓愈一介書生能扭轉乾坤？但是他明知山有虎，偏向虎山行，早置生死於度外。他「受任於敗軍之際，奉命於危難之間」，首先考慮的是國家前途和民族利益，這一中華民族優良傳統的歷史積澱，詩人習以為常，因而「撫亂師」的語調才會這樣輕鬆自然，「銜命」挽救危難，實出自覺自願。所以他明知身赴死地，但卻聲聲感嘆「日馳三百自嫌遲」。史載韓愈

出發後，元稹對穆宗說：「韓愈可惜！」韓是千年不一遇的文學
天才，把他送入虎口，豈不要擔當歷史罪名？爲此皇帝馳詔曰：
「至境觀事勢，無必於入。」詔命實是要他返京。但韓接詔後明
白表示：「止，君之仁；死，臣之義。安有受君命而滯留自
顧？」拒絕回家享福，繼續奮馬揚鞭。其視死如歸的愛國精神，
實在令人敬仰。第三句的「風霜滿臉」，自然是因日夜兼程、全
速馳驅的形象寫照。但是「風霜」又語帶雙關，同時象徵鎮州方
面傳來的陣陣殺氣。迎著風霜上，正寫出了詩人威武不能屈並準
備犧牲的決心。末句說明國事重大，生死關口，哪有心思作詩應
酬呢？但就在這不該有詩的時刻，這首壯懷激烈的愛國名篇卻衝
口而出，情深語摯，詩人那鞠躬盡瘁、死而後已的赤膽忠心，歷
歷如畫。不久，韓愈即用實際行動譜寫了一首悲壯絢麗的人生史
詩。他一到鎮州界，叛軍早已嚴陣以待，弓上弦，刀出鞘，劍戟
森立，寒光閃閃，令人心悸，氣氛十分緊張。但是詩人毫無懼
色，慷慨陳辭，大義凜然，折服叛酋，立解深州之圍，終於不辱
使命，經受了生與死的嚴峻考驗，表現了愛國志士的高風亮節，
堪爲後世師表。

總之，世俗只知韓愈是一個口不離「聖人之道」的迂夫子，
實在非常片面。他曾馳騁沙場，受過血與火的洗禮。當然，他不
是一個躍馬橫刀、搴旗登陣的猛將；也不是一個輕功如飛、馭氣
運劍的大俠；但他是一個橫槊賦詩、運籌帷幄、重視戰略決策的
兵家儒將！如上述二詩所反映，在國難當頭、民族危亡之秋，韓
愈的勇略膽識及其隨時準備爲國獻身的精神，用詩人自己的話來
形容：「雖古之名將何以加茲！」韓愈的軍事生涯及其愛國詩
篇，充分說明了他無愧於「傑出軍事家」的光榮稱號。如果編寫
唐代軍事家列傳，應該用濃墨重彩爲韓愈補上一筆。

原載《古典文學知識》1993年第5期

韓柳的生活、思想及學風異同之比較

　　文壇中有「韓柳」，猶詩家中之「李杜」，他們並駕齊驅，在中國文學史上熠熠生輝。在中唐古文運動中，韓柳這對好朋友成爲文壇領袖。二人密切合作、相互支持又南北呼應，在風雲變幻的生活實踐和文學鬥爭中，結下了生死不渝的深厚友誼。柳宗元於元和十四年十一月八日騎鶴仙逝，臨終託孤韓愈。如劉禹錫《重祭柳員外文》所說：「幼稚在側，故人撫之，敦詩（崔羣）退之（韓愈），各展其分。」韓愈的確盡心盡力地完成了對亡友的道義和責任。在不長的時間內，他連續爲柳宗元寫了三篇傳誦千古的紀念文字：《祭柳子厚文》、《柳子厚墓誌銘》、《柳州羅池廟碑》，悲悼亡友，述其貢獻，情眞意切，催人淚下。其祭文就追敍了柳臨終託孤之事，云：「嗟嗟子厚，今也則亡。臨終之音，一何琅琅。遍告諸友，以寄厥子（按：指長子周六）。不鄙謂余，亦託以死。凡今之交，觀勢厚薄。余豈可保，能承子託。非我知子，子實命我。猶有鬼神，寧敢遺墜！」在古人看來，託孤之事何等重大！漫長的生活道路上，不管遇到了什麼風浪，韓柳之間或有爭論糾葛，總的說來，不失爲生死不渝的知交摯友，這是無可懷疑的歷史事實。至於在文學領域，二人交相輝映，恰如雙峯插雲，共同登上古代散文藝術大師的寶座，掀起唐代古文運動的高潮。但是，古往今來的人們常揀了芝麻丟了西瓜，只看到韓柳常有矛盾和論爭，卻不去深入探究其本質，故史上不乏「揚韓抑柳」或「抑韓揚柳」之言，此軒彼輕，弄得韓柳優劣論紛紛

揚揚，甚而流傳了千餘年。其實，依我之見，韓柳的比較研究是
有意義的，但齗齗於韓柳優劣的大比拚是沒有必要的。因爲韓柳
在生活、思想、學術及文風上，同中有異，異中見同，呈現了較
爲複雜的現象。可說是各擅勝場，互補則雙美，相替則兩傷。韓
柳各有其永不泯滅的光輝成就，殊途同歸，一道登上了中國古代
文學的峯巔。

一、生活道路及思想品格之異同

　　韓愈（768～824年），字退之，河南河陽（今河南孟縣）
人，貞元八年（792年）進士。柳宗元（773～819年），原籍河
東（今山西永濟縣）。由於家庭及生活道路的異同，二人思想性
格也頗有異同。

　　從生活經歷相似的方面來看，首先是二人的家庭均非豪富，
而是中小地主的小官僚出身，父輩官階均不高，但聲名甚佳。韓
父仲卿，曾做過縣尉、縣令之類地方官，晚年調入京師任祕書
郎，官卑職微。柳家雖出名門，但家道早已衰落，柳父鎮也曾歷
任地方官，後入京師，做過殿中侍御史（從七品下）之類清望
官。韓仲卿曾任武昌縣令，政績斐然，離任時李白爲作《去思頌
碑》，稱頌他的施政是雷厲風行，「奸吏束手，豪宗側目……官
絕請託之求，吏無絲毫之犯」，一方面抑制豪強、保護百姓，一
方面重視發展生產，表現了正直的政治品格。柳鎮正直清廉的官
聲甚佳，他在地方敢於忤觸節鎮上司，在朝廷又力抗奸相竇參而
名振天下，德宗皇帝稱譽他是一個不會爲兒子科舉而去請託走後
門的清官，朝廷制書稱頌他是「守正爲心，嫉惡不懼」的廉吏。
父輩共同的清廉正直家風形成了家庭傳統，給予後代良好的影
響。後來韓愈之鯁直、嫉惡如仇，以及柳宗元的端方、絕不同流

合污，均是倔強而不甘失敗的個性，即與父輩的良好家風影響有關。

　　其次，韓柳二人少年時，兩家同樣經過了戰亂。韓家避亂江南宣城，柳家遠禍江南吳中。韓愈十二歲隨大哥韶州刺史韓會遠赴廣東韶關生活，而柳宗元十歲開外隨侍父親遠赴湖北江西生活，走南闖北，經歷風浪，兩人增長了生活閱歷，對日後的讀書和創作產生了潛在的良好影響，而不是單純關在書齋中的文人。第三，韓柳兒童時期都具有聰穎的天資，更因長者督促，勤奮刻苦地攻讀，為日後的成長打下堅實的文化基礎。撫養韓愈的嫂嫂鄭夫人督教甚勤，韓後來在《祭鄭夫人文》中說：「此韓氏之門，視余猶子，誨化諄諄。」南遷宣城時，遵嫂之教，「始專專於講習兮，非古訓無所用其心。窺前靈之逸迹兮，超孤舉而尋幽。」宗元四歲時則受慈母之教而誦古賦十四首。學而能思，是韓柳二少年的共同特點。第四，一旦踏上仕途，起始的青年時期，柳氏一帆風順，韓愈卻起步維艱；但步入中年以後，子厚長貶不起，退之卻屢蹶屢起。韓柳如出一轍之處在於：都經歷了宦海風浪的人生考驗，都具有豐富的貶謫生活之深切體會與具體感受，都同樣熟悉地方和了解民間社會情況。後來，兩人均發揮了屈原、司馬遷的「發憤著書」或「發憤抒情」的精神，當與其重壓之下相似的貶謫生活有關。韓柳一齊倡導古文運動，當與其相似的生活道路多少有關。

　　而從相異的方面看，又是另一副面貌。由於家族門第及具體的經歷差異，韓柳二人的性格頗有不同。魏晉南北朝以來的世族門第觀念雖在唐代受到一定衝擊，但上流貴族社會仍然受到相當的尊重。這只要考察一下唐代皇族及士人聯姻的狀況自可明白。是的，韓柳同樣反對世家望族的妄自尊大的復古情結，主張任人唯賢、不擇出身。如韓《行難》之文，以歷史上「管敬子（按：即

管仲）取盜二人爲大夫於公，趙文子擧管庫之士七十有餘家」爲
例，反對世族壟斷仕途，他甚至認爲聖人賢人可能出於「胥商之
族」，要知道，古時士農工商四民，胥商地位是極其低下的，很
難一窺世家望族之門牆，於此可見韓愈反門閥世族的思想之強
烈。這是從理論上爲出身爲庶族寒門的中小地主知識分子參加政
府開拓門徑。柳宗元《永州鐵爐步志》更是反對世族門閥意識的名
篇。文中有云：「今世有負其姓而立於天下者，曰：『吾門大，
他不我敵也。』問其德與位，曰：『久矣其先也。』然而彼猶曰『我
大』，世亦曰『某氏大』。其冒於號有以異於茲步者乎？……位存
焉而德無有，猶不足大其門，然世且樂爲之下……大者桀冒禹，
紂冒湯，幽厲冒文武，以傲天下。由不知推其本而姑大其故號，
以至於敗，爲世笑僇，斯可以甚懼。」作者針對古代世卿世祿的
門閥制度，尖銳揭露了中唐時代世族豪門依仗世襲特權把持政權
的腐敗無能，強烈要求任人唯賢、不論出身。對於治國人才，作
者否定了名存實亡的僞劣「名牌」，希望循名責實以舉賢授能。
在文章中，他實際上表達了中小地主階級要求革新政治的強烈願
望。

但我們若進一步深入韓柳潛意識領域，則傳統之影響仍清晰
可辨。韓愈自稱郡望昌黎，但譜牒難考，查無實據。他實際出身
早已衰落的庶族寒門之中小地主，所謂北魏安定桓王之後，不過
是自高門第的標榜而已。他從小失去父母，寄養於長兄韓會家
中，不管嫂嫂鄭夫人待他如何恩愛，總難免寄人籬下的感覺。因
此，他從小發憤，希望一朝出人頭地，改換門庭，從而躋身上流
社會，以此功名心切合乎情理。在中唐那家族門第仍有一定影響
的社會環境裡，儘管他自以爲滿腹詩書文章，「謂靑紫其可拾」
（《復志賦》），以爲獲取功名只是尋常之事，但現實卻相當嚴
酷，四試於禮部（按：指科擧中的進士科試）乃一得，三獻於吏

部卒無成（**按：指博學宏詞科試落選**），缺乏强有力的後台可能是其原因，並非文章詩賦不美。雖然他在貞元八年登進士第，但淹蹇京師長安數年，一直無法釋褐入仕，過著類似乞憐的辛酸生活，這怎麼能不讓人悲憤滿腔呢？後來，他只能退求其次，通過地方節鎮的推薦而登上仕途。年輕的韓愈急於改變現狀，而現實卻是舉步維艱，在生活環境的壓力下，他的性格日趨直率而躁急，甚至時有激憤和褊狹。他結交了許多朋友，可說是三敎九流人物衆多，只要對其生活前途有點幫助，都曾「公關」相識，其交友表面似濫，實際卻有自己的道義原則。這可讀其《與崔羣書》自可明白。他做官是再三貶謫，但終崛起而挺立當朝，其汲汲於功名也是從不掩飾的。他有三篇《上宰相書》，爲求官而唇乾舌燥，以致招世「急功近利」、「搖尾乞憐」之譏。馬其昶《韓昌黎文集校注》卷三引張子韶言云：「退之平生木强人，而爲飢寒所迫，累數千言，求官於宰相，亦可怪也……大其聲而疾呼矣，略不知恥，何哉？」其實，這是苛責古人。啼飢號寒、汲汲功名原非高尙，但作爲一個封建士夫，如不登仕途，則猶如今日失業，不僅難以施展抱負，還有擧家食秋風之虞。關鍵並不在於要官做，而在於做怎樣的官和通過什麼途徑來得官。唐時宰相操用人之柄。韓愈向宰相求官並沒有請託後門，更沒有通過賄賂等腐敗手段來達到目的，有什麼可怪可恥呢？唐時士子干謁名流重臣以求賞識推薦，猶如今之宣傳廣告，乃正常的登仕之途。韓愈上宰相書是時勢使然，只是年輕缺少經驗，不看具體形勢，略嫌操之過急耳。這是方法方式上的瑕疵之病，何必爲此大驚小怪呢？從歷史的角度看，其汲汲功名既有啼飢號寒急於要官的躁急一面，但又有其不遮不掩性格率眞的另一面，包括自己的缺陷，也赤裸裸地加以暴露。雖然這樣的形象並非光彩，但和那些滿口仁義道德而肚裡男盜女娼的虛僞官僚相比較，不是有性質的不同

嗎？具體事情應該具體分析，而不能只看其表面。

柳宗元則情況有所不同，啼飢號寒而汲汲功名之類的事絕對不會出現在他身上。他雖然和韓愈一樣出身於家道衰落的中小地主家庭，但若論其家族淵源，則是另一番況味。柳家出身於河東柳氏家族，柳鎮與宗元所出譜牒記載明白。河東柳氏在南北朝時就是北方的士族強宗，歷朝封侯拜相屢見不鮮。直到唐初的高宗、武則天年代，河東柳氏與唐皇室及貴要聯姻者不在少數，柳氏族人頗多占據朝廷要津之位，據宗元《送澥序》云：「人咸言吾宗宜碩大，有積德焉。在高宗時，並居尚書省二十二人。」其高伯祖柳奭於高宗永徽初出任宰相，後遭武則天而貶死。此後，雖然柳氏勢衰，但卻無改其世族的傳統面貌。柳鎮就繼承了河東柳氏家族的正直品格，柳宗元為此感到驕傲。其《伯祖趙郡李夫人墓誌銘》云：「中書令諱奭，自中書以上，為宰相四世。噫！我伯祖以宗胄碩大而濟其德厚，夫人以族屬清顯（按：趙郡贊皇李家，當時世家望族）而修其禮範。合二姓以承先祖，為士者榮之。」因此，雖然同為中小地主出身，但因家族淵源關係，他不同於韓愈，常常潔身自好，高自風標，不交非類，如其所言：「余慎取友，於心之虔。」（《祭呂敬叔文》）其所與交，多士林精英，如劉禹錫、呂溫、淩準、韓曄、韓泰、崔羣、韓愈之輩，多為後來文壇政界的翹楚人物。這與韓愈那「所與交往相識者千百人」（韓《與崔羣書》）的情況大不相同。大概因為宗元天資聰穎秀發，劉禹錫《柳君集紀》曰：「（子厚）始以童子有奇名於貞元初。」而且是名門之後，父親柳鎮又曾被皇帝親口讚譽，所以年輕時代的柳宗元不像韓愈那樣坎坷，而是一帆風順，二十一歲就進士及第，因父喪守制三年之後，又於二十六歲赴吏部博學宏詞科試中式而釋褐登仕，入朝為官。當時許多大人物都想把他羅之門下，更多的人以和他結交為榮。宗元可稱是風雲際會，準備

爲實現理想而大展宏圖。在長安交遊中，他與劉禹錫、韓愈等青年進士出身的精英時常聚會，切磋道藝，談詩論文，意氣風發，好不快哉！這些自由爭論和暢所欲言使他學問日進，視野漸寬，同時又銳氣陡升，傲氣時見。這個衆人眼中的有爲青年，已在不知不覺中成了世俗嫉妒的目標。你不與俗人同流合污，當然就是世俗眼中的敵人。一旦他參加永貞改革失敗，立即就成了世俗排陷打擊的重點。爲家族名譽考慮，也有性格原因，柳宗元不願低下他那高傲的頭顱，但時局形勢的重壓及生活的煎熬又迫使他淚和著血往肚裡嚥。他的性格深沈內向，長貶不起、一蹶不振給他造成的壓抑悲痛可想而知。政治上既沒有出路，他只能把自己的才華和理想釋放在文學中，永州時期創作了大量優秀詩詞文章，「長吟哀歌，舒三世幽鬱」（《上李中丞獻所著文啓》），以藝術來形象地續展其積極人生。他與韓愈因生活道路及出身差異而思想品性有所不同，但發憤著書以文明道的精神則一致，文學創作成爲他們生命中不可或缺的重要組成部分。

在對待王叔文集團發動的「永貞改革」的問題上，韓柳二人態度有異，立場判別。世人常因此在他們的思想間畫上一道分界線，以爲韓柳性質迥異。柳積極參加了這場興利除弊的鬥爭，成了改革運動的中堅，失敗後被貶遙遠的南方。在長期的痛苦掙扎中，他雖也有向在京親友求告的書信，但絕無低三下四、賣友爲榮的混帳話。他很講究原則，具有高尚峻潔的政治品格，永遠值得後人學習借鑑。但因柳之高尚而把韓愈的思想品格一筆罵倒，恐怕失之草率而不合實際。如章士釗先生的《柳文指要》對韓嚴加譴責，其激烈批判也有欠公允。的確，韓詩《永貞行》矛頭直接指向了永貞改革及其領袖人物王叔文，詩云：「君不見，太皇（按：指順宗）諒陰未出令，小人乘時偷國柄……嗣皇（按：指憲宗）卓犖信英主……共流幽州鯨死羽。」其態度與立場與柳迥

異，我們應看到這一事實，並予以批判。但當時社會原因複雜，反對永貞改革的並不一定就該遭譴責。如史上公認較爲正直的杜黃裳、武元衡等都明顯反對永貞改革，爲什麼？我以爲其中不一定有政治原則的根本分歧，比如永貞改革的重要措施是抑制強藩與驕橫的宦官，而主張平叛與不假宦官以顏色，又是杜、武之類正直士人的嚴正主張，武元衡甚至爲平淮西付出了生命代價。強調國家統一和維護封建中央集權，永貞改革集團與杜武之輩如出一轍。所以我們應注意以下幾點：一是韓詩《永貞行》《贈江陵三學士》等均作於永貞改革失敗之後的一、二年間。實際上，貞元十九年韓愈就被貶陽山（今屬廣東），永貞改革及後來頑固派發動政變的期間，他並不在京師，既沒有參加改革運動，也沒有任何實際否定或反對改革的言行。後來改革失敗，憲宗上台，盛怒之下詔令柳劉等永貞八司馬雖遇赦不得量移。此時，韓愈量移江陵，希望早日調還京師，所以寫詩向皇帝表忠心，詆毀永貞改革，純屬「打死老虎」，在政治鬥爭中並無實際作用，卻有損其人格。

事實上在韓愈眼中，八司馬與王叔文有別。對於劉柳的誤會消除之後，他仍然給予眞摯的同情，故《永貞行》云：「吾嘗同僚情可勝。」又柳宗元《祭穆質給事文》云：「時乑憲司，竊分枉直。抗詞犯長，有志無力。惟韓洎劉，同憤霑臆。」韓即韓愈，劉乃劉禹錫。兩人志同道合，出自宗元晚年的回憶記述，其眞實性無可懷疑。在永貞元年秋，韓劉在岳陽樓會見，彼此誤會已經消除。韓很同情劉的遭遇，勸他給朝廷老臣淮南節度使杜佑求助，事見劉《上杜司徒書》，文中有「會友人江陵法曹掾韓愈以不幸相悲」等語。對於永貞改革的中堅人物，除個別人外，韓大都持關懷同情的態度，並沒有一概打擊。所以他和柳宗元的友誼貫徹始終而生死不渝。韓愈實際是讚頌永貞改革的進步措施的，比

如反對強藩割據，主張維護國家統一；批判宦官集團驕橫，維護
朝廷權威；抨擊貪墨之吏，主張任用賢人；同情人民的苦難，為
受災百姓請命，要求減免賦稅……在這些主要的政治思想方面，
韓愈的論調和永貞改革的中堅人物劉柳諸人何其相似！後來，韓
愈於元和九年編寫《順宗實錄》時，基本忠於歷史，較為完整地記
載並保存了永貞改革推行諸項進步措施的史料，所謂「百姓相聚
歡呼大喜」而「人情大悅」，表面是歌頌順宗，骨子裡卻讚揚了
王叔文集團，感情溢於言外。因此，透過韓與劉柳對待永貞改革
態度之異，以歷史發展的眼光來加以考察，又應看到韓與劉柳政
治思想另有本質相通的一面。不然，我們就很難理解：為什麼韓
柳能夠共同倡導了唐代的古文運動，同樣為古文運動提出了「文
以明道」的理論綱領。如果韓柳之「道」性質是一反動一進步，
韓柳二人又將如何攜手共進呢？而且在對待永貞改革的問題上，
韓之思想也非反動。大多數的反對派一如杜黃裳、武元衡輩是出
於宗派主義矛盾或士大夫的偏見，甚至可能摻雜了某些個人恩怨
的成分，瞧不起王伾、王叔文以卑微出身而暴起領事。這樣的認
識雖有局限，卻不是在政治思想上與王叔文集團有根本衝突。

　　另外，在政治上韓愈竭力維護「君權」（參見其《原道》），
柳宗元強調「民生」（參見其《送薛存義之任序》），一個眼光向
上，一個俯首向下，其表現似乎迥異其趣。但深入考察，則可發
現另有奧妙。二人同樣屢遭貶謫，柳長貶不起，韓卻屢躓屢起，
因此韓在朝而柳在野，觀察問題的角度和重點自然不同。在宦官
驕橫、藩鎮割據的特定歷史條件下，韓愈站在國家朝廷的立場，
強調君權即維護封建中央集權，就意味著維護國家的統一而反對
分裂，這在當時是具有一定歷史意義的。而且，如果不被成見蒙
蔽眼睛，細細咀嚼《韓昌黎集》，自會發現韓愈並不因為主張維護
君權就去否定「生人之意」，這只要讀其《御史台上論天旱人飢

狀》自可明白：「京畿諸縣，夏逢亢旱，秋又早霜，田種所收，十不存一……至聞有棄子逐妻以求口實，坼屋伐樹以納稅錢，寒餒道途，斃踣溝壑，有者皆已輸納，無者徒被追徵。臣愚以爲此皆羣臣之所未言，陛下之所未知者也……（朝廷）豈有知而不救？」爲民請命，要求減免租稅以活黎元，爲此而觸忤貴幸，遠貶千萬里外的陽山。其《歸彭城》詩又云：「天下兵又動，太平竟何時？訏謨者誰子？無乃失所宜。前年關中旱，閭井多死飢。去歲東郡水，生民爲流屍……我欲進短策，無由至彤墀。刳肝以爲紙，瀝血以書辭……」同情人民疾苦，不辭剖肝瀝血。和柳宗元一樣，韓愈不是也有關注「生人之意」的一面嗎？晚年在袁州刺史任上，他曾向時任柳州刺史的柳宗元學習，努力興利除弊，在力所能及的範圍內爲人民做好事，採取了抑制豪強、釋放奴隸等進步措施。

至於柳宗元，則因在野而遠離京師朝廷，疏離政權中心，對於國家大事雖很關心，所視卻不如韓愈眞切。但若問對於民間疾苦的了解，顯然在野者更有優勢。他經常不是以恩賜者的「牧人」身分，而是平等地站在農夫野老的中間，娓娓而談，交換意見，因此，在平等意識及民主精神方面，柳高於韓甚多。柳高倡「生人之意」關心民生疾苦，並且爲此作出了種種政治設想。只要讀其《送寧國范明府詩序》《送薛存義之任序》《與元饒州論政理書》等，就會被他的民主性精神感動。這一思想的確難能可貴。但是，近人或把柳宗元的「生人之意」與近現代的民主意識相提並論，恐怕也是超越時代的不實之辭。因爲柳宗元的終極目的與韓愈相同，仍是爲了維護封建制度，服務於當時的國家「中興」。其《獻平淮夷雅表》歌頌唐憲宗的「中興」大功爲「其道彰大」，又云：「伏惟睿聖文武皇帝陛下，天造神斷，克淸大憝，金鼓一動，萬方畢臣。太平之功、中興之德，推校千古，無所與

讓⋯⋯（臣）思報國恩，獨惟文章。」這與韓愈《平淮西碑》的基本精神如出一轍。又如《捕蛇者說》這篇名文，作者雖然很同情人民的苦難，但還是對捕毒蛇抵賦的蔣氏說：「若毒之乎！余將告於蒞事者，更若役，復若賦，則何如？」你看，上交朝廷的賦稅是不能免的，其《梓人傳》中有「吾聞勞心者役人，勞力者役於人」，認爲封建士人統治人民天經地義。他甚至說：「夫富室，貧之母也，誠不可破壞。」（《答元饒州論政理書》）在維護封建等級秩序方面，柳之目標與韓愈並無二致，所以其《守道論》明確宣示：「故自天子至於庶民，咸守其經分，而無有失道者。」其「大中」之道最終仍與封建等級制度相適應。

還有，在追求理想、堅持眞理方面，韓柳二人異曲同工。柳因在野，政治上缺乏實行機會，大都表現爲理論的剖析和思想的奮鬥。永貞改革雖然失敗，但其精神不滅。他在《懲咎賦》中說：「苟余齒之有懲兮，蹈前烈而不顧。」表示要繼承先烈遺志。他在《答周君巢書》中一方面描繪了自己「萬受摒棄」的險惡處境，一方面又表示了「不更乎其內」的態度，絕不向黑暗勢力妥協，體現出高尚正直的思想品格。至於韓愈，則多在朝直接參與了朝廷的諸多重大事件，其理想抱負或有實行的機會。比如元和九年、十年，在平淮西叛鎮吳元濟的鬥爭中，他力排衆議，主張平叛，與裴度同心協力。而且此前他還作有《論淮西事宜狀》，爲淮西平叛、統一國家的戰爭，從政略、戰略到軍事布防、後勤安排都作了深入的社會調查，並從理論上予以概括。他力諫憲宗痛下決斷，云：「況（淮西）以三小州殘弊困劇之餘，而當天下之全力，其破敗可立而待也。然所未可知者，在陛下斷與不斷耳。」所論極其痛快淋漓，卻因此忤觸貴幸而由中書舍人左遷爲右庶子。又如元和十四年作《論佛骨表》，以爲「事佛漸謹，年代尤促」，批佛老卻撇開佛骨，專在政體政論上作文章，以探尋其禍

國殃民之利害，語氣激烈而情極懇切，爲此觸怒憲宗，差點被處極刑，幸賴宰相及羣臣相救，才免死而遠貶潮州，所謂「一封朝奏九重天，夕貶潮陽路八千」（《左遷至藍關示侄孫湘》）。穆宗長慶二年（822年）河北成德軍叛，朝廷征討失利，舉動失措。這時，晚年韓愈以兵部侍郎身分親赴鎭州叛軍，爲了國家民族，不顧個人安危，義正詞嚴，消弭了一場禍亂，不失英雄本色。所以作爲一個政治家思想家，蘇軾稱讚他是「忠犯人主之怒，勇奪三軍之帥」（《潮州韓文公廟碑》）。其思想品格的確有令人敬佩的一面。總之，同樣的高風亮節是韓柳文學相輔相成、攜手共進的思想基礎。

二、學風之異同

在學術上，韓柳之異同很難一言以蔽之，應予以具體剖析。從異的方面來看，一般的思想史、哲學史多針對韓愈的道統說及性三品說，認爲他宣揚唯心主義天命論；柳宗元則大力宣傳了唯物主義無神論，具有思想理論的戰鬥品格（詳參侯外廬主編《中國思想通史》第四卷上冊，人民出版社1959年版）。大致而論，所言有其根據，但斷語失之簡單。比如韓柳有關「天」的論爭，韓愈《答劉秀才論史書》曾說作史者「不有人禍，則有天刑」，把「天」當作有主觀思想意志的上帝。柳宗元《天說》一文曾大段稱引韓愈有關「天」的議論文字（按：今本韓集此文已佚，應予補輯）。韓認爲人在受到社會壓迫而痛苦掙扎的生活中，常是呼天搶地，罵「天」是「殘民者昌，佑民者殃」，這是犯了「舉不能知天」的錯誤。因爲人類在創造文明的同時，又不顧及子孫後代地大量「墾原田，伐山林」，與「天」爲仇，「壞元氣陰陽也滋甚」。人類破壞了自然環境，當然受到「天」的懲罰，有什麼可

叫冤的呢？柳宗元對韓愈「天」說不以為然，在其《天說》中作了批評。他針鋒相對，提出天、人相分之說，認為天地陰陽元氣是不依人的意志為轉移的客觀自然存在，而不可能具有人的意識。天地萬物遵循其客觀發展規律而運動不息，乃「功者自功、禍者自禍」，怎麼會有意志有目的地去實行其「賞功而罰禍」呢？他明確地反對了「天人感應」的儒家「天命觀」。很明顯，在這場有關人和自然關係的「天」說論爭中，柳宗元站住了時代的前列，對此作出了較為先進的理論闡釋。比較而言，韓愈「天」說難免染有「天人感應」的主觀唯心色彩，並未曾對「天」進行全面而科學的探索，因此其思想理論落後於柳甚遠。柳之唯物思想與先進的「天」說當然值得讚揚，但韓之「天說」是否因其唯心傾向就一無是處呢？也不盡然。比如韓愈對於人們濫伐山林等無限制掠奪自然、破壞環境所提出的尖銳批評，今天看來不是很有啟發和借鑑價值嗎？在這方面，柳宗元未曾提到，韓之思想的超前性又於此可見一斑。

在對待佛老的問題上，韓柳的思想論爭則是另一番面貌，猶如辯論賽，有正方，有反方。一般說來，韓在朝，從維護當前國家的政治經濟利益出發，反對佛老與民爭利、與國爭民，堅決批判中唐時代佛老所占據的政治經濟特權，要求佛老還錢於國，還民於朝，其態度之激烈，可於《原道》見其一斑，「人其人，火其書，廬其居」的行政措施雖未施行，但口號喊得連天響。韓愈是從「正面」立論。柳宗元則貶官在野，為了排遣內心的孤寂苦悶而醉心佛學。其部分文章如所作釋教碑銘《南岳大明律和尚碑》之類，宣揚儒、道與釋三教調和的思想。《曹溪第六祖賜諡大鑑禪師碑》即云：「其道以無為為有，以空洞為實，以廣大不蕩為歸。其教人，始以性善，終以性善，不假耘鋤，本其靜矣。」本於其道的思想本質，柳氏稱頌禪宗六祖慧能是「師以仁傳，師以

仁理」、「天子休命，嘉公德美」、「光於南土，其法再起，厥徒萬億，同悼齊喜，惟師教所被」。這是從辯論的「反方」來答辯。如果說韓批佛老是擊其「實」——即針對中唐時代僧侶地主的政治經濟特權而發；柳宗元則是從「虛」的方面——即佛老思想的宗教哲學方面來作維護佛老的答辯。中唐時佛老的特權確實損害了國家權利，表面看，韓愈主動挑起論戰是氣盛言宜，眞理在握，且正中要害。柳宗元則因在野之故，置佛老特權於一邊，不予理論，政治勇氣的確輸韓一步。但是，韓柳論辯雙方並不因此定下勝負。實質上韓之言頗爲膚淺，僅論其粗迹而已，對佛老思想的哲學內容缺乏眞正深入的認識；柳則深入探索了佛老哲學的思想本質，揭示了「浮圖誠有不可斥者，往往與《易》《論語》合……不與孔子異道。」（《送僧浩初序》）對中唐時代儒、道、釋三教合一的統治思想之理論本質有明確認識，比韓愈要深刻得多。有關韓柳之思想論爭，詳參拙著《論韓愈柳宗元的思想論爭及其實質》一文。

論爭並非思想上勢同水火，而是在探索眞理的過程中求同存異。韓柳的思想學術之作風也頗多相似相同之處。首先，韓柳在主觀上都想盡量結合現實需要來作切實可行的學術研論。如韓之《原道》《原毀》《師說》諸篇及柳之《封建論》《貞符》《天對》等文，或論國體政制，或議思想哲學，無不立腳現實，爲興利除弊、安邦治國作思想動員和理論總結，絕非泛泛發思古之幽情。他們擺脫了儒家傳統章句之學，不拘泥一字一句的瑣屑講解，深入探究儒經思想實質，揭示其理論大義。在這方面，韓柳所走的都是唐代新經學的道路，成爲由漢儒傳統經學向宋代儒家新理學發展的思想過渡。著眼於現實的重大課題，是韓柳共通的學術興趣，也是二人共同努力探索唐代新儒學的理論個性或思想特點。有關這一方面，諸多中國哲學史和思想史著作述之已詳，這裡只作簡單介

紹。

　　韓《與孟尚書書》云：「漢氏已來，羣儒區區修補，百孔千瘡，隨亂隨失，其危如一髮引千鈞，綿綿延延，寖以微滅。」對於漢儒馬（融）鄭（玄）章句之學甚為不滿。所以，當有人告訴他宜以古聖賢人之書為師時，他回答說：「師其意，不師其辭。」韓論六經，豈是章句之師所能牢籠？而柳宗元在京師之時曾拜陸質為師，學習啖助、趙匡的《春秋》新經學，重在為現實改革作理論準備，對於漢儒以來的傳統章句之學，直斥之為「窮章句為腐爛之儒」（《上大理崔大卿應制舉不敏啓》），年輕時尚且如此，更遑論永州以後時期的態度了。所以他在《答嚴厚輿秀才論為師道書》中公然指出：「仲尼豈易言耶？馬融、鄭玄者，二子獨章句師耳，今世固不少章句師，僕幸非其人。」批判傳統章句經學的目的在於注重現實問題，企望解決國計民生的實際問題，這就是韓柳二人所要揭示的儒家經典大義實質之所在。如韓愈《上宰相書》其三云：「山林者，士之所獨善自養而不憂天下者之所能安也。如有憂天下之心，則不能矣。故愈每自進而不知愧焉。」為了實現其憂國憂民、解民倒懸的政治理想，隱遁山林以清高自鳴尚且不可，更何況是貪贓枉法留下萬世罵名呢？現實的國計民生是他首先考慮的問題。其《進士策問》十三篇以為聖賢立論「皆非故立殊而求異也，各適於時，救其弊而已矣。」又云：「所貴乎道者，不以其便於人而得於己乎？」「人之仰而生者穀帛，穀帛豐，無飢寒之患，然後可以行之仁義之途，措之於安平之地。」同於《管子》，卻與先儒重義輕利之言有異。為了實現中唐反對割據以統一中國的現實需要，以儒家道統文統自居的韓愈卻敢於突破儒家思想局限，勇氣自不同凡響。至於柳宗元，其稱「大中」之道為「輔時及物」，也即理論要結合現實來加以研討，思想理論以解決現實問題為前提。為了實行現實改革，其

《送寧國范明府詩序》《送薛存義之任序》突破了傳統思想局限，重點討論官與民的關係，提出了「吏為民役」的主張，這振聾發聵的偉論啓發了後代官吏是人民「公僕」的思想，其理論勇氣與膽識更是前無古人。柳氏之言並非徒發空論，其《答元饒州論政理書》就具體地回答了當時饒州刺史元萇所提出的現實問題，具體討論了賦稅制度的改革。賦稅制度，不僅關係到國庫虛實和國家經濟實力，而且進一步關係到全國百姓千家萬戶的生活。柳氏在回信中一方面揭露了當時「賄賂行而徵賦亂」的黑暗社會現實，無情鞭撻了橫行不法的貪官污吏；另一方面，從積極方面提出了「定經界，核名實」，也即以丈量土地、清查戶口、核實田產與嚴格法制為基礎的平均賦稅的理論主張，希望因此而在一定程度上減少廣大農民的負擔。

其次，韓柳所稱的「道」以儒為主，又貫通諸子百家，廣泛汲取一切有益的前人思想之營養，來壯大自己的理論機體。因此，其學術視野非常開闊，其造就的學術之塔的基礎深厚扎實。比如韓愈，他在《上兵部李侍郎書》中自稱，「凡自唐虞已來，簡編所存……奇辭奧旨，靡不通達」，於是「逐得窮於經傳史記百家之說……而奮發乎文章。」在《答侯繼書》中也說：「僕少好學問，自《五經》之外，百氏之書，未有聞而不求得而不觀者。」可見他的學習與著作早已突破了儒家固守的傳統領域，思想較為解放，絕不拘泥於儒經的一字一句，而是在學海中自由馳騁。他在《原道》中曾痛詆佛老為「夷狄之法」，恨不得「火其書、廬其居」；其《與孟尚書書》又稱「楊墨行而正道廢」，「釋老之害，過於楊墨」。其實，韓愈的真實認識不一定如其公開的宣言，《讀墨子》即云：「儒墨同是堯舜，同非桀紂，同修身正心以治天下國家，奚不相悅如是哉？」他因此斷言：「非二師之道本然也。孔子必用墨子，墨子必用孔子，不相用不足為孔墨。」韓之

於墨，稱譽非止一端，其《爭臣論》又云：「孔席不暇暖，而墨突不得黔，彼二聖一賢者，豈不知自安佚之爲樂哉？」又如先儒痛詆管（仲）商（鞅）之類的法家思想，但韓作《進士策問》，大反儒家傳統而自行其是，公然稱頌齊行管仲之法，「九合諸侯，一匡天下」而稱霸；「秦用商君之法，人以富，國以强，諸侯不敢抗，及七君而天下爲秦」，爲統一中國而作努力，是管、商的歷史大功。與韓愈相比，柳宗元的學術來源更「雜」。他公開宣稱聖賢之言關鍵在於「行之如何」，必須經過實踐檢驗（《桐葉封弟辯》），不能被經典蒙住眼睛。有如此開闊的認識境界，顯然是廣泛開拓思想來源的緣故。其《與楊京兆憑弔》稱：「自貶官來無事，讀百家書，上下馳騁。」《與李翰林建書》云：「僕近求得經史諸子數百卷，常候戰悸稍定，時即伏讀，頗見聖人用心賢士君子立志之分。」所以他寫文章，就常「參之莊老以肆其端」（《答韋中立論師道書》），莊老同樣是「取道之原」，並無歧視貶損之意。與韓力排佛老不同，柳之論說則通於佛釋。「統合儒釋，宣滌無礙」（《送文暢上人登五台遂遊河朔序》）是其要旨，這大概和他所說的「自幼好佛，求其道，積三十年」的生活道路有關。其學術取徑更廣於韓，因而其理論造詣更加深廣。

第三，韓柳學術同具特立獨行的創新意識，因而能放言高論、迥出流俗而啓人至多。如韓愈《伯夷頌》云：「士之特立獨行，適於義而已。不顧人之是非，皆豪傑之士，信道篤而自知明者也。一家非之，力行而不惑者，寡矣；至於一國一州非之，力行而不惑者，則千百年乃一人而已耳。若伯夷，窮天地亘萬世而不顧者也。昭乎日月不足爲明，崒乎泰山不足爲高，巍乎天地不足爲容也！」關於這篇文章，古今頗多爭論，以顧易生、徐粹育先生《韓愈散文選集》之言最爲精當，即認爲這是一篇「有託而洩其憤」的議論文字：「文中極力表彰伯夷『特立獨行，窮天地亘

萬世而不顧』的精神與氣概，不正是韓愈不顧世俗非笑迫害、不計榮辱生死，反對風靡八代的駢體而提倡古文，排斥傾動朝野的佛道、擅權橫行的宦官和藩鎮而爲民請命、迴護國家統一等等作爲的寫照嗎？」「特立獨行」的精神人格，並不直接等於創新意識，但卻是創新意識得以產生的思想溫牀。故其《與劉正夫書》云：「要若有司馬相如、太史公、劉向、揚雄之徒出……不自於循常之徒也。若聖人之道不用文則已，用則必尚其能者。能者非他，能自樹立不因循者是也。」其學術之獨創意識、創新精神於此可見一斑。至如柳宗元，更是高揚學術民主的特立獨行精神，公開宣稱：「聖人之道，不益於世用」，如果聖人經典之言，一旦「無補於萬民之勞苦」（《與楊京兆憑書》），那麼「雖十易之不爲病」（《桐葉封弟辯》）。一反傳統之觀點，確是驚天動地之言。又如其《貞符》，針對漢代大儒董仲舒的「君權神授」符命之說，加以批判，認爲古人受其思想毒害，「皆沿襲嗤嗤，推古瑞物以配受命。其言類淫巫瞽史，誑亂後代」，可謂橫掃「天人感應」的唯心主義舊說，精神令人敬佩。尤爲可貴的是，他破中有立，進一步正面闡述了自己的唯物主義理論主張，認爲「受命不於天，於其人：休符不於祥，於其仁」，朝廷國家之命是繫於「生人之意」。人者，民也。所謂「生人之意」，即以人民的意願要求爲言行之準的。在古代思想家中，柳宗元的「民主」意識以其精神創新而獨放異彩。至於《封建論》《桐葉封弟辯》《晉文公問守原議》諸文的獨特思想建樹，前人論之已詳，此略。

第四，對新生事物非常敏感，韓柳一樣接受了當時新興市民意識的影響，並從積極方面加以改造和融合，從而拓寬了其所謂「道」的深廣社會內容，爲儒家思想輸進了激發其活力的新血液。如韓愈在《順宗實錄》中公開批判德宗朝以來的宮市，「名爲宮市，而實奪之」，反對宮廷宦官藉勢在市場上公開劫奪人民財

產,破壞了市場秩序,矛頭直指德宗皇帝。當順宗登基後,明令禁絕,韓又大書「人情大悅」,其態度立場極爲鮮明。他對當時市場的商業活動情況瞭若指掌。如其《論變鹽法事宜狀》,表面反對鹽政「變法」,似爲保守,實際則不然。這是在深入市場作了實際調查之後的有的放矢之論,爲民請命,還利於商,其批判矛頭指向了虐民官商的仗其權勢壟斷市場。而對於民間的正常貿易活動,「商人或自負擔斗石,往與百姓博易,所冀平價之上,利得三錢兩錢」,作者則予肯定,並進一步指出其對國家的經濟貢獻。他以古文創作小說,寫了《圬者王承福傳》,爲普通泥水匠樹碑立傳,强調勞而後食,把勞動當作商品投入市場。如果說泥水匠是簡單勞動,文學創作則屬複雜勞動,所以韓愈在《復志賦》中又說:「吾旣勞而後食。」自己的生活質量和自己的「勞動」代價直接相關,無論是做官還是作文,都是特殊的「勞動」,出力愈多,成就愈大,則其所「食」——即生活水平當然也會大大提高了。反之,「食焉而怠其事,必有天殃」(《圬者王承福傳》)。這些都與當時新興的市民意識影響有關,從而爲韓愈所明之道增添了新的時代內容,後來韓愈以古文來戲作小說,當也與此有關。在這方面,柳宗元比韓愈更加激進。因爲他貶謫在野,長期深入社會基層,所以能夠更敏銳地感受到時代新風,而當時新興市民意識對他影響也就更大一些。他在《讀韓愈所著〈毛穎傳〉後題》中,對韓創作古文小說的「以文爲戲」,給予熱情的關懷和大力的支持。在這方面的思想共鳴,使得韓柳二人在以古文作小說的行動中步調一致。比較而言,在形象展現新興市民意識的文學創作中,柳的作品更爲豐富典型,思想也更爲深刻精彩。如其《宋清傳》《種樹郭橐駝傳》《梓人傳》《鞭賈》《吏商》等,無不閃爍著市民意識的光彩,是他對市民生活的描繪和禮讚。對與人民生活密切相關的商貿交易等活動,柳宗元非常關心,並能從

理論角度來概括其意義和價值。有關這一方面的內容，詳參拙著
《韓柳集中市民意識的文學表現》一文，此略。

韓柳散文藝術之異同及其貢獻

　　在文風方面，思想性格、社會人生及其學術道路的異同決定
了韓柳文學創作必然具有不同的藝術風格和創作個性。高爾基
說：「風格即人格」，文章風格確如其人。韓柳散文風格面貌很
不相似，各富藝術個性：韓文具陽剛之美，雄奇剛健，自由奔
放，如長江大河，雖不免泥沙俱下，但是浩浩蕩蕩，直瀉千里，
掀雷抉電，氣勢磅礴而一往無前，使人如高山仰止而又不敢迫
視。柳文則含陰柔之致，清幽明澈，峻拔峭刻，柔外中剛，如山
溪之流，石潭之水，「清瑩秀澈，鏘鳴金石」（柳宗元《愚溪詩
序》），清冽芬芳，沁人肺腑，純淨透明，簡直容不得一點泥沙
塵滓的污染，但同時又「漱滌萬物，牢籠百態」（同前），深藏
了一腔「有容乃大」的廣闊胸懷。在行文結撰方面，韓文「猖狂
恣睢」，跌宕生姿，急轉直下，而絕無侷促滯澀之弊；柳文則
「精裁密緻，璨若貝珠」（《舊唐書·柳宗元傳》），步步推進，
層層呼應，法度謹嚴又具迴旋曲折之妙。當然，這樣的藝術比較
也是相對的。韓文號為絕足奔放，卻自有其內在的邏輯法度在；
柳文雖稱縝密精深，但又揮灑自如而富「雄深雅健」之筆。總的
說來，韓文是「不平則鳴」（《送孟東野詩序》），言之有物，注
重描繪社會矛盾與心中之不平；柳文則注眼於「導揚諷諭」，要
求作家形象地展現「輔時及物」之道，強調文學創作必須「有益
於世」而不空發議論。當然，韓柳散文藝術各擅勝場，難以相互
取代，而且，韓柳文章也非字字珠璣，篇篇上乘。韓文有時因過

分追求新奇獨創而誤入怪僻險澀之區，如《曹成王碑》等；柳文有
時因刻意典雅而奧典艱深，有失流暢而難以卒讀，如《天對》等。
但綜而言之，韓柳之文的藝術成就極高，敗筆無多，且瑕不掩
瑜，難遮其照人藝術光彩，不愧爲中國古代散文史上比肩聳立的
兩座藝術高峯。有關韓柳文風之異，前人論之甚詳，此略。

　　是不是韓柳文風只見其異而難見其同呢？也不盡然。在同一
時代大潮的驅動下，韓柳散文是兩朵最爲活躍的藝術浪花，必然
相互碰撞，彼此交融，時而呈現出共同的創作要求與時代風貌。
韓柳生活在同一朝代，他們二人共同倡導並領導了唐代的古文運
動，其文學宗旨和創作基礎，必然有其相似或相同的一面，在藝
術手段及創作規律的運用方面，彼此也有許多共同點。韓柳散文
藝術異同，世人多言其「異」；我則於人所罕言之「同」詳加分
析論述，以便取長補短，希望一斑窺豹，略呈其散文藝術異同之
全貌。下面就此略加分析。

　　**一、注重古典現實主義創作手法的運用，並相機展現了古典
浪漫主義藝術的光彩。**

　　韓柳的散文創作，基本上是採取古典現實主義的手法，比如
韓的《張中丞傳後敘》、《原毀》、《師說》、《諱辯》等，柳的《封建
論》、《捕蛇者說》、《段太尉逸事狀》諸文，無不針對現實中存在
的問題或弊端，加以客觀的論述和形象的概括，強烈的現實性是
其藝術感人力量之源泉所在。但可貴的是，韓柳並不因此排斥古
典浪漫主義藝術手法的運用。過去，有人批評韓愈的創作有「以
文爲戲」的傾向，其中包括了韓的門生張籍及好友兼上司裴度，
他們認爲韓「以駁雜無實之說爲戲」，態度不嚴肅，寫作不眞
實，無益於世，而有失於聖人之道，批評主要針對韓愈《毛穎
傳》、《石鼎聯句詩序》等，也就是說，不眞實是其藝術缺陷。這
實是對於藝術眞實的誤解。在古代文學創作中，強調眞實已形成

傳統。但不同的作家對於「眞實」的理解有本質的差異。機械模
仿現實的「寫眞實」，並不一定就是現實主義手法；當然，與浪
漫主義藝術手法相距就更爲遙遠。《韓非子・外儲說左上》有一段
關於畫鬼魅易畫犬馬難的記載，關鍵在於「犬馬人所知也，且暮
罄與前，不可類之，故難」。古人認爲，藝術的成功在於描繪或
反映生活的眞實。後來，晉代左思《三都賦序》聲稱自己作賦，
「其山川城邑，則稽之地圖；鳥獸草木，則驗之方志；風謠歌
舞，各附其俗；魁梧長者，莫非其舊。」當日皇甫謐爲之作序，
一方面讚頌左賦「其物所出，可披圖而校」，一方面又譏諷司馬
相如大賦是「虛張異類，託有於無」，虛妄失眞是藝術弊端。因
此，反「虛妄」而求「眞實」，形成了當日文壇的一股風氣，迅
速彌漫。以此之故，左思賦一出，洛陽爲之紙貴，連那自負的陸
機也爲之嘆服，其轟動一時的場面宛然可見。但是，這樣反「虛
妄」而求「眞實」，實是大大限制了作家的藝術想像力，「課虛
無以責有，叩寂寞而求音」（陸機《文賦》）又將如何實現？故晉
人所稱按記校圖之「眞」，實是對於藝術虛構和自由想像的反
動。但是，隨著我國文學藝術的發展，魏晉以後「文學自覺」時
代的到來，就必須跳出「寫眞實」的傳統誤區，進入虛實相生、
形神兼備的新天地。以繪畫言，比如白紙一張，中間畫一小舟，
遠處浮現若有若無之遠山，在大部空白的空曠畫面上，卻產生了
如見千里煙波浩淼之感。「虛」中有「實」──這是藝術的眞
實，它來自生活，又高於生活。文學創作的道理亦然。一草一
木、一絲一髮，機械如實地加以自然主義的描摹，能畫得完嗎？
現實生活無限豐富，不用說那無形的精神與情感，光是一個人的
頭髮也多得數不清，那自然的「寫實」又將如何寫法呢？因此，
要允許文學家的虛構和想像，既要有寫實的手段，又要有想像的
自由。散文藝術大師韓柳二氏的文學創作，遵循的就是這一虛實

相生的藝術途徑。比起古典現實主義來說，古典浪漫主義追求富
有詩意、充滿幻想的神奇世界，其誇張、甚至「荒誕」正是其抒
發理想和情感的熱烈表現。一般說來，這兩種創作方法，各有藝
術優勢，且各有其文學隊伍；只有少數藝術大師能具兼善之才。
就以傳記文學的寫作來說，古代為人立傳，是一件非常嚴正的大
事，屬史官職責，即使是出將入相的人物，也先要家屬門生提供
詳實的行狀，經過史館及其上司審查，通過之後才能編入史書列
傳。韓柳部分碑志史傳之類的作品，也是傳統史傳的筆墨。但是
他們還有另一類傳記作品，突破傳統「真實」的拘束，把史家之
「真」，發展為藝術之「真」，一再為平頭百姓如圬者王承福、
種樹郭橐駝樹碑立傳，甚至是為毛穎（毛筆）或蝜蝂（小蟲）立
傳，沒有憑空構設的自由想像，能完成這一藝術任務嗎？比如韓
愈《毛穎傳》，只要看題目，就知道他為毛筆立傳是別開生面的寫
法，是一篇典型的「以文為戲」的代表作。通篇運用了雙關妙語
及擬人化的藝術手段，把毛筆的形象及其周圍社會人物的縱橫交
錯的複雜微妙關係，描繪得栩栩如生而入木三分。該文號稱傳
記，實是關乎人生理想的動情之作。文章不僅以文為戲，進一步
又以史為戲，藉唐人新興的傳奇手法來作古文，又以古文來創作
小說，虛空結構，想像豐富，語言瑰偉，色彩斑斕，寄託遙深，
激情與理想寓於莊諧相間之筆墨。用擬人、雙關等手法，敍事議
論在似與不似之間，藉以抒發胸臆，以幻想來實現其理想追求，
寫來汪洋恣肆而章法一絲不亂，確是現實精神與浪漫藝術相結合
的神奇之作。在創作藝術方面，其另闢蹊徑的創作意識在古文家
中首屈一指。韓愈的《毛穎傳》，大約寫於元和初，因為柳宗元作
於元和五年（810年）的《與楊誨之書》中說：「足下所持韓生《毛
穎傳》來，僕甚奇其書，恐世人非之，今作數百言，知前聖不必
罪俳也。」所稱「今作數百言」，即指其《讀韓愈所著毛穎傳後

題》。因爲《毛穎傳》一出，當時傳統文人對它的攻擊詆毀幾無完膚，引起了柳的憤激，於是作此文以聲援，爲韓愈的「以文爲戲」辯護，指出了它同樣「有益於世」，合於聖人之道，並熱情謳歌了韓文的新「怪」——支持其浪漫想像的積極運用，他說：「自吾居夷，不與中州人通書。有南來者，時言韓愈爲《毛穎傳》，不能舉其辭，而獨大笑以爲怪，而吾不可見。楊子誨之來，始持其書，索而讀之，若捕龍蛇、搏虎豹，急與之角而力不敢暇，信韓子之怪於文也。世之模擬竄竊，取青媲白，肥皮厚肉，柔筋脆骨，而以爲辭者之讀之也，其大笑固宜。且世人笑之也，不以其俳乎？而俳又非聖人之所棄也。《詩》曰：『善戲謔兮，不爲虐兮。』太史公書有《滑稽列傳》，皆取乎有益於世者也。」他進一步又從藝術風格、創作手法的多樣性和獨創性統一的美學原則，歌頌了韓文以怪奇之「傳」來「發其鬱積」——即抒寫胸襟、展現理想，從而有力地批判了傳統文壇「貪常嗜瑣」之輩的自然主義「眞實論」。在唐代的古文運動中，韓柳南北遙相呼應，默契配合，相互支持，爲古典現實主義與浪漫主義的藝術手法結合，共同開拓了一片新天地。柳文《愚溪對》寫夢，在現實中無法直接表達的東西，藉夢中幻想自由馳騁，發泄感情，溪神與人合二爲一，不復知何者爲溪，何者爲人矣。其想像之新奇，虛幻境界之構設，原非人間所有，何論其「眞實」？但又語之沈痛，其無盡牢騷筆墨，恰當地瀉其一腔悲憤，具有強烈的現實針對性，此又非「眞」而何？其藝術眞實不僅在於外景自然之形似，更在於內在心靈的無形之神似。虛實相生，形神兼備，其現實精神及浪漫藝術的完美結合，已達出神入化之新境界。韓柳是古典現實主義的散文大師，但是，他們不僅不排斥古典浪漫主義的創作方法，而且在自己的創作實踐中，努力學習並巧妙運用了浪漫主義的藝術手段，使自己的創作佳構增添了一對浪漫幻想

的翅膀，因而顯得愈加絢麗多姿，令人嘆賞。韓柳的散文傑作不
僅植根於深厚的現實生活土壤之中，而且時而飛上太空，自由翱
翔，時而俯瞰茫茫人世，富有浪漫的藝術氣息。現實精神與浪漫
藝術的完美結合，使韓柳站得更高，看得更遠，影響更大。

　　二、創作立意高大深遠。

　　文學作品必立「主腦」，而立「主腦」的成功與否，又常常
與其作品的立意直接關聯。對此，韓柳一樣都很注意。創作立意
的高大深遠，當然與作者是否選擇重大題材有一定聯繫，但又並
無絕對的對應關係。文學事實說明，無論取材重大與否，如果立
意不高，未能高瞻遠矚，其藝術視野必然大受局限，難以深刻反
映生活和體現作品的審美價值。反之，所選題材雖是發生在身邊
的「小事」、「瑣事」，爲人們日常習見，未曾引起注意，但
是，一旦作家的觀察敏銳，立意高巧，於尋常事件中見人之所未
見，言人之所未言，那麼它與重大題材的作品相比，同樣可以反
映社會現實生活的本質眞實，並形象展現時代精神，從而奏響時
代的強音。高明的散文藝術大師，其所選材，舒卷自如而大小稱
意：可以是大題小作，納須彌於芥子；也可以是小題大作，從一
粒恆河沙見大千世界。其奧妙之一，即在其創作立意藝術的精粗
優劣。

　　比如韓愈《張中丞傳後敍》《平淮西碑》《原道》諸篇，柳宗元
《封建論》《段太尉逸事狀》《捕蛇者說》等文，所取題材重大，無不
關係到國計民生、思想原則的大事件。這類作品一方面猛烈抨擊
了盤踞地方甚至中央朝廷的頑固勢力，如驕橫的宦官集團及跋扈
猖狂的強藩；一方面又對民生疾苦頗多關心與同情，體現了作者
那力求革除弊政以統一國家的社會理想。在當時的中唐社會，具
有積極的現實意義。就以韓《原道》與柳《封建論》而言，如林紓
《韓柳文研究法》所譽：「（《原道》）語至平易，然而能必傳者，

有見道之能，復能以文述其所能也。宋之道學家，如程朱至矣，問有論道之文，習誦於學者之口耶？……故無傳耳。昌黎於《原道》一篇，疏瀹如導壅，發明如燭闇，造語復衷之法律，俾學者循其途軌而進，即可因文以見道。」如果不是退之立意極高而構思奇妙，那麼古往今來論道之文何止萬千，爲什麼他文黯淡而韓文獨放異彩呢？至於柳之《封建論》，林紓又言：「《封建》一論，爲古今至文。」古時議論封建者甚多，如曹元首、陸機、劉頌、李百藥、顏師古、杜佑諸人，但是，「宗元之論出，而諸子之論廢，雖聖人復起，不能易也……（宗元）不惟識高，文亦高也。」題材重大而立意高大深遠，輔以構思曲折變化之妙，當然其文必傳誦千古。但是，文學家之取材既可「遠取之物」，又可「近取諸身」（《易傳・繫辭》），只要眼界高而立意深，雖然是發生在自己身邊的瑣常小事，或是抒發個人的不平和牢騷，也可成爲佳作名篇。題材雖小，但是聰明的作者盡可登高望遠。繪畫藝術有「咫尺具萬里勢」之言，文學創作又何嘗不然！韓文如《送董邵南序》《送李愿歸盤谷序》《藍田縣丞廳壁記》等，柳文如《桐葉封弟辯》《永州鐵爐步志》諸篇，所寫無不是身邊瑣常小事。但是，大手筆者卻能因其立意之高深，因小見大，以少總多，同樣描繪出或場面悲壯慘烈，或聲色清婉流麗的藝術至境，令人有觀止之嘆。爲什麼會產生如此勾魂奪魄的藝術魅力呢？因爲這一言一行、一草一木，或芝麻小事，讓人洞明了時代的主旋律，或欣賞了一代知識分子的牢騷不平和強烈心聲變奏。比如柳文《桐葉封弟辯》，秋天桐葉從樹上掉下來，兒童玩耍，哥哥撿起一片桐葉當作玉塊信物戲封弟弟。這種遊戲，人間隨處可見，可謂小事一樁。但周公卻因是周成王之言，以「天子不可戲」爲由，逼著成王封幼小的弟弟於唐（**按**：桐、唐音近）。「天子不可戲」，其言出如山，成爲律典，這本是幾千年來的傳統之言。但

是，作者卻從桐葉封弟的兒童遊戲，進一步批判了數千年的傳統信條及聖人之言。作者以爲兒童之戲，反常舉動常會發生，比如成王若是「以桐葉封婦寺」，那麼按照聖人所稱「天子不可戲」，不就應該把唐國的土地和人民封給宮女或宦官了嗎？這一反問，設想巧妙而立意精深，引起了人們對中唐現實生活中宦官專橫擅政的深刻反思。於是順理成章，作者痛下斷語：「凡王者之德，在行之何若（**按**：就是要經得起實踐的檢驗）。設未得其當，雖十易之不爲病。要其於當，不可使易也，而況以其戲乎？若戲而必行之，是周公教王遂過也。」不管是誰做的事，也不管是誰說的話，即使貴如帝王、賢若聖人，都要把他們的言行放到實踐理性的天平上去重新估量一下。其批判的眼光，何其敏銳深邃！敢於對天子及聖人放「炮」，言人之所不敢言，其立意之高，眞是匪夷所思。

總之，韓柳散文創作在選材時，其眼光的焦點是凝聚在那些能反映生活本質及人們共同關心的社會問題。當他們發現了啓人思考的問題而不吐不快時，就會毫不猶豫地舉起了如椽巨筆，來描繪人生圖畫，而不問其文學題材是否重大。這樣，即使是發生在身邊的「瑣事」「小事」，只要作家善於深入生活，高瞻遠矚而細緻觀察，又自會有新的發現。比如韓文《送董邵南序》，送人遠行，抒寫友誼，宣示祝福，這是尋常小事而無處不在。但韓愈卻能高屋建瓴，凌空立意，從普通的送行中翻出一番大議論，巧妙地強調了反對強藩割據以維護中央統一的重要。高明的文學家善於在瑣常小事中發現希望的星火，雖然微弱，人不注意，但大手筆卻會毫不猶豫地去捕捉這一星星之火，以期引燃燎原的大火。這是從本質看問題，不爲瑣小現象所蔽。反之，即使是現實中驚天動地的重大事件，如果不去注意它，或是雖然眼有所見、耳有所聞，但卻不去關心它，也就是說，如果純客觀地堆砌重大

事件而缺乏生活激情，那麼無論其題材如何重大，都一樣毫無藝術價值可言。創作立意的高大深遠，重要的是作者以敏銳的眼光，傾注心血與熱情，促使創作客體與主體的完美統一，韓柳就是這樣把生活寫活了。

三、善於捕捉生動細節與塑造典型形象。

刻畫生動的藝術形象（包括感情形象），是衡量散文創作成功與否的重要因素。在這方面，韓柳心印相通。韓柳散文寫人摹景，狀物之功當然很有本事，但它是爲刻畫人物形象作必要的藝術鋪墊。比如韓文《藍田縣丞廳壁記》寫老吏對縣丞的欺侮：「丞位高而逼，例以嫌不可否事。文書行，吏抱成案詣丞，卷其前，鉗以左手，右手摘紙尾，雁鶩行以進，平立睨丞曰：『當署！』丞涉筆占位署，惟謹，目吏，問：『可不可？』吏曰：『得。』則退。不敢略省，漫不知何事。」在古代，官、吏之別，難以混淆。縣吏的地位與縣丞（相當於今之副縣長）地位相差懸殊，爲什麼卻敢於欺負縣丞呢？因爲制度使然。吏上有縣令支持，小人趨炎附勢，狗眼看人低。縣吏表面上不得不對縣丞必恭必敬，列隊而進以請事。但「抱成案」中的「成」字說明在請示之前，早已經辦妥，縣丞簽署，不過是例行公事的簽字畫押而已。胥吏表面愈是恭敬，愈是虛僞得令人噁心。「鉗以左手，右手摘紙尾」的細節非常形象。一個「鉗」字下得萬分力氣，幾乎令人窒息。縣吏的左手就像一把老虎鉗，緊緊夾住前面捲起的文件，把胥吏唯恐縣丞「偷看」文件的微妙心理刻畫得淋漓盡致。再者，「平立睨丞」這一細節也很生動。「平立」是恭敬的表現，因官、吏等級之別，不得不然，但並非心甘情願，所以「平立」之後有連續動作「睨丞」，一個「睨」字透露了天機。「睨」者，斜視。平立而斜視，說明虛僞的禮節掩飾不住內心的鄙視，小人得意之態活靈活現。爲了達到迎合縣令以獻媚邀寵的目的，不惜欺侮「上

司」，胥吏的形象通過幾個細節描繪，簡直是呼之欲出。韓文筆墨藉細節刻畫來傳神傳貌，其所揭示，在封建專制社會中，頗具普遍意義。

又如韓愈《國子助教河東薛君墓誌銘》寫青年進士薛公達入鳳翔軍幕，軍帥武人，不喜文人，公達不爲之屈。「後九月九日大會射，設標的，高出百數十尺，令曰：『中，酬錦與金若干。』一軍盡射，莫能中。君執弓，腰二矢，指一矢以興，揖其帥曰：『請以爲公歡。』遂適射所，一座皆起，隨之。射三發，連三中，的壞不可復射，中輒一軍大呼以笑，連三大呼笑，帥益不喜，即自免去。」薛公達才品殊絕，不僅能文，而且能武。文中寫校場射靶一段，細節生動，形象傳神。「一軍盡射，莫能中」，爲薛公達的善射作烘托。公達「執弓，腰二矢，指一矢以興，揖其帥」，一系列動作顯露出青年文人的豪俠英氣。「射三發，連三中，的壞不可復射」，表現其射技之精。「中輒一軍大呼以笑，連三大呼笑」，更加烘托出其形象風采。這種呼之欲出的描寫是韓愈吸收了當時傳奇筆法的一個例證。他改造了嚴正沈重的墓誌文體，大大增強了作品的感染力。在《張中丞傳後敍》中，韓愈通過細節的生動刻畫，傳神地塑造了安史叛亂中堅守睢陽的張巡等民族英雄的典型形象。如寫城陷之後，「賊縛巡等數十人坐，且將戮。巡起旋（小解），其衆見巡起，或起或泣，巡曰『汝勿怖！死命也。』衆泣不能仰視，巡就戮時，顏色不亂，陽陽如平常。」雖然著墨不多，但是張巡視死如歸、慷慨就義的愛國英雄形象歷歷如在眼前。

與韓愈塑造了張巡這一典型形象相媲美的，有柳宗元《段太尉逸事狀》塑造了憂國憂民的段秀實這一英雄人物。郭晞（**按**：郭子儀之子）駐軍邠州時，縱士卒無賴劫殺人民的生物財產，邠寧節度使白孝德束手無策，段秀實挺身而出，以都虞候（按：軍

中執法官）身分，採取了果斷措施，擒捕犯法軍士，「皆斷頭注
槊上，植門市外」以示衆。這時，「晞一營大噪，盡甲」，盡甲
者，全副武裝也，說明叛亂即將發生。爲了敉平事變，把叛亂消
滅於初萌之時，段秀實親赴晞營。他什麼衞兵都不帶，只領了一
個瘸腿老兵侍從牽馬，「至晞門下，甲者出，太尉笑且入曰：
『殺一老卒，何甲也？吾戴吾頭來矣！』甲者愕。……」「吾戴吾
頭來矣」，此頭非他人之頭，是段秀實自己貢獻出來的，慷慨赴
難、視死如歸的凜然氣節不稍減於張巡，確是石破天驚之語。此
文用語極其生動準確，敍述有「不著一字」之妙。

　　總之，韓柳塑造散文典型，不僅描摹其外在形貌，而且更注
重其內心世界靈魂之美的刻畫，通過選取生動細節，讓人物性格
在矛盾鬥爭的自然發展中來傳神圖貌。這樣塑造出來的典型形象
有血有肉，有靈魂有感情，因而也就更眞實動人，更具有時代的
普遍意義。

　　四、意境湊泊，情景交融，虛實相生而意趣無窮。

　　韓柳散文一樣注重文中有畫，畫呈其文，有聲有色，形神兼
備。創造富有詩情畫意的境界，是其藝術眼光集聚的又一重點。
比如韓愈《藍田縣丞廳壁記》，寫藍田縣丞崔斯立懷才不遇、報國
無門的悲憤之情，很少直接發牢騷，而是通過環境氣氛來加以烘
托。如寫其辦公室：「庭有老槐四行，南牆巨竹千挺，儼立若相
持，水㶚㶚循除鳴。」公廨之所，上班之時，老槐參天而巨竹掩
映，人迹罕至而無公可辦。崔斯立雖然貌似灑脫，日哦其間，以
無事爲公幹，但置身於這樣寂靜清冷的環境中，熱心腸者又怎能
抑制那心中湧動的無限悲鳴呢？愈是漫不經心的閒靜之筆，愈是
令人痛徹肺腑。環境氣氛之靜，更襯托出其內心的騷動，把志士
仁人報國無門滿腔悲憤的內心世界形象地呈現在讀者面前。意境
的創造使筆下的人物個個「活」了起來。

　　而柳宗元散文意境的創造更是另有藝術絕招。他的《永州八記》早已膾炙人口，是我國散文中山水文學的奠基之作。他不是自然主義地機械摹山仿水，而是在山光水色、奇石異卉中融入了人的靈魂，外化爲山水的獨特藝術個性，洋溢著生命的活力，使山水自然之美獲得了藝術的昇華，達到了「心凝形釋，與萬化冥合」（《始得西山宴遊記》）的至境，不復知何者爲山爲水，何者爲人矣！如其《小石潭記》云：「從小丘西行百二十步，隔篁竹聞水聲，如鳴佩環。心樂之。伐竹取道，下見小潭，水尤清洌。全石以爲底，近岸卷石底以出，爲坻爲嶼，爲嵁爲岩，青樹翠蔓，蒙絡搖綴，參差披拂。潭中魚可百許頭，皆若空游無所依。日光下徹，影布石上，怡然不動；俶爾遠逝，往來翕忽，似與游者相樂。潭西南而望，斗折蛇行，明滅可見。其岸勢犬牙差互，不可知其源。坐潭上，四面竹樹環合，寂寥無人，淒神寒骨，悄愴幽邃。以其境過清，不可久居，乃記之而去。」散文而具有詩情畫意，乃是柳文本色。《小石潭記》重點是寫水之清澈空明，令人心曠神怡。始寫隔竹聞聲如鳴佩環，流水淙淙，鏗鏘如音樂，已是未見其水先慕其聲，使人急於揭其神祕的面紗。這是以聲襯景之法。接著寫岸邊的青樹翠蔓，參差披拂，實際是從視覺所見的色彩方面來進一步烘托，使人聯想水中倒影。試想，渾水一潭，又何來倒影搖動之美？接著寫魚，以魚的一靜一動，進一步寫盡自然的無限生機。同時，又以寫魚之實，來襯托潭水之虛，動靜相生，虛實互用，令人如親眼目睹潭水之清澈空明，簡直容不得絲毫塵滓。而清澈空明潭水之「虛」筆，又爲人們的藝術聯想留下了無限的空間。大自然中的魚可與人相樂，如水之純淨，清澈見底，毫無保留；而人的世界呢？渾濁的官場及上層社會，何時能見其空明之境？思之令人愴然。所以作者又生出了「淒神寒骨，悄愴幽邃」的慨嘆。林紓在其選評的《古文辭類纂》中評云：「此

等寫景之文,即王維之以畫入詩,亦不能肖。潭魚受日不動,景狀絕類花塢之藕香橋,橋下即清潭,游魚百數聚日影中,見人弗逝,則爭竄入潭際幽蘭花下。所謂『往來翕忽,似與游者相樂』,真體物到極神化處矣……文不過百餘字,直是一幅趙千里得意之青綠山水也。」(浙江古籍出版社1986年版,第401頁)

五、構思新穎巧妙,布局曲折多變。

文章藝術的成功與否又與作者的構思謀篇直接相關,在這方面,韓柳散文同樣下了功夫。一般說來,作家總是按照豐富多彩的現實生活進行形象概括和藝術創造的,因此,即使同樣的題材,處在不同時間不同環境之中,也會各呈其貌而各有特點,蓋作家構思謀篇各有其法,移步換形,曲盡其妙,時如清風明月之下的繁花疏木,搖曳多姿,楚楚動人;時如出峽觸崖的長江大河,急流迴旋,一瀉千里。作家的構思謀篇必須視具體事態的發展變化而定,沒有固定不變的程式。只知道文學創作教程或寫作手冊中某體用某法,非癡即呆,怎能成為真正的作家?在謀篇構思方面,韓柳散文為我們樹立了優秀的榜樣。比如同樣是懷才不遇、不為世知的雜文題材,韓愈有《雜說・馬》及《獲麟解》二篇,前篇一百餘字,後者近二百字,文章雖短,卻是構思巧妙而曲盡變化,可說是巧奪天工而又層次清晰,意旨大明。《雜說・馬》以善於相馬的伯樂與千里馬的關係來譬喻古代人才選拔問題,寄託遙深而感慨良多,生動地反映了古代士人懷才不遇、報國無門的悲憤心理。此文構思之新,論者已詳,此略。至於《獲麟解》,立意與《馬》說一樣,但構思又另起波瀾。文章首段說麟為靈,故祥,且見於《詩》《春秋》等經典記載,應是人人「皆知」其為祥。本段實為下文映襯。其二,由麟的「皆知」一轉而為「不可知」。其三,說麟不可知,「則其謂不祥也宜矣」。但是麟的出現必有聖人在其位,麟為聖人而出,聖人知麟,故為祥。這是另

一轉。其四，**麟**的最大特徵是「德」，不待聖人而出便是「無德」，那麼以此責**麟**不祥也無不可。文章從祥與不祥論到知與不知，再論到「以德」還是「以形」，思緒遙深，層層翻新。人不知**麟**而以爲不祥，責任在人而不在**麟**；**麟**不待聖人而出，謂之不祥，責任在**麟**而不在人。一正一反，再一反一正，每段又自有曲折變化之妙。清·劉大櫆評云：「尺水興波，與江河比大，惟韓公能之。」張裕釗亦云：「翔躅虛無，反覆變化，盡文家擒縱之妙。」（見馬其昶《韓昌黎文集校注》卷一稱引）此文之「**麟**」與上述之「馬」同是寓言譬喻，興寄之深，啓人思維。**麟**本爲祥物，乃曠代奇才，卻不爲世俗所知，指爲不祥而埋沒以終。韓愈藉此指責執政者不識人才。**麟**不待聖人而出，被認爲不祥，實是反躬自省，提醒才志之士要審時度勢方能爲世所用。這又從另一角度暗諷當政者並非聖賢。文章嘆人、嘆時、嘆世，包含了絕大的感觸，旣是作者的自我寫照，同時也是爲廣大才志之士命運多舛鳴不平。此文與《雜說·馬》相較，如近人錢基博《韓愈志》云：「《雜說·說馬》與《獲麟解》同一自況。《說馬》語壯，言外尚希有知；《獲麟》意懟，心中別無餘望，而咸歸於『不知』。惟《獲麟》以『祥』『不祥』伴說『知』『不知』作煙波；說馬以『有』與『無』逼出『不知』作洄瀾，雖限尺幅，而卷舒有千里勢。」（見《韓文籀讀錄》第六，香港龍門書店1968年《中國文學研究叢書》版，第122頁）韓愈文構思謀篇寓無限妙理於生動的藝術形象之中，其新穎巧妙而曲盡變化，於此可管窺蠡測。

柳文構思之新之妙更可能與其思想方法中所具有的辯證因素有關，因爲柳宗元對儒《易》及道、釋辯證思想了然於胸中，必然激盪外發，故柳文常能出人意表呈精新之見。如《賀進士王參元失火書》，王參元家失火，財貨蕩然，按常規該弔問安慰才是，爲什麼反而祝賀呢？這新鮮題目就是個大懸念，讓人非讀不可。

「得楊八書,知足下遇火災,家無餘儲。僕始聞而駭,中而疑,終乃大喜,蓋將弔而更以賀也。」由始駭——世俗的一般見解,至中疑——對於人生盈虛倚伏、來去無常的進一步思考,到最終的改弔爲賀——徹悟人生至理的哲學根源,其思維一層深入一層,層層翻出新意。大概王家原爲富貴,多有不義之取,爲世所惡,王參元聲名亦因之受累,胸襟難開。如書中所云:「京城人多言足下家有積貨,士之好廉名者,皆畏忌,不敢道足下之善,獨自得之心蓄之,銜忍而不出諸口,以公道之難明,而世之多嫌也,一出口則嗤嗤者以爲得重賂……常與孟幾道言而道之。」明知王參元之善而無法爲之薦揚,於心不安。現在可算是障礙已除,「凡衆之疑慮,舉爲塵埃」,「則僕與幾道十年之相知,不若茲火一夕之爲足下譽也,宥而彰之,使夫蓄於心者咸得開其喙。」王參元因火災而趨貧,則譽之者無貨可賂,其聲名因隨之而顯,其仕宦也因其本身善質而顯其美。家財礙名與財破美顯,二者相較,能不爲之賀乎?柳宗元辯證看法之深刻精新,非常人所能及。又如《敵戒》,作於元和十四年,時唐憲宗以武力削平叛藩,出現了史稱元和「中興」的短暫局面,憲宗及其統治集團志得意滿,以爲天下從此太平,日益驕奢淫逸。而具遠見卓識的柳宗元則深懷憂慮,故有《敵戒》之諷:「皆知敵之仇,而不知爲益之尤;皆知敵之害,而不知爲利之大。秦有六國,兢兢以强;六國既除,訑訑乃亡。晉敗楚鄢,范文爲患,厲之不圖,舉國造怨。孟孫惡臧,孟死臧恤:『藥石去矣,吾亡無日。』智能知今,猶卒以危;矧今之人,曾不是思!敵存而懼,敵去而舞,廢備自盈,祇益爲癒。敵存滅禍,敵去召過。有能如此,道名大播。懲病克壽,矜壯死暴。縱欲不戒,匪愚伊耄。我作戒詩,思者無咎。」一、二百字的短文,卻說了一個亙古貫今的大道理。正面文章反面做,反面文章正面做,從正面看到反面,又從反面回顧

正面，正、反相生，意態無窮，其構思之新巧，來自所思所見的
透徹之悟，並非故意翻案，文章波瀾跌宕，翻江倒海，幾令人心
悸神眩。

六、巧於運用藝術對比手法。

在辯證方法的驅動下，韓柳又具體運用藝術對比之法。俗話
說「黑白分明」，藝術辯證法也有此法。如柳宗元《段太尉逸事
狀》形象描繪了郭晞放縱亂兵之驕橫殘暴、節度使白孝德的懦弱
無能、涇大將焦令諶的貪婪酷殘，正是爲了以「黑」襯「白」，
作爲一種行之有效的藝術對比，反襯出傳主段秀實憂國愛民之崇
高和偉大，這樣一比，段秀實的形象就更加高大、完美。又如
《捕蛇者說》，人與毒蛇、百姓與王稅兩對矛盾作對比，更襯出王
稅之毒，猶如苛政猛於虎。這種含蓄的控訴在藝術對比中顯得更
突出、更深沈、更有力，不僅能激起人們的痛恨，且進一步促使
人們反思。

韓愈對藝術對比的重視不亞於柳，但風貌有不同。如其《原
毀》，以「古之君子」與「今之君子」兩兩相較，見「古之君
子」愛賢獎善之高尚，反襯「今之君子」忌賢妒能之卑劣，不明
言毀而毀意自明。通篇以排比對偶來增其浩瀚流轉之氣勢，實是
對比藝術的上乘佳作，故金聖嘆《天下才子必讀書》評云：「此文
段段成扇，又寬轉，又緊峭，又古勁，最是學不到之筆。」雖是
八股腔調，卻自有其眞知灼見處。又如《送李愿歸盤谷序》，藉友
人之口，抨擊官場腐敗，可謂入木三分：權貴前呼後擁的烜赫聲
勢；趨炎附勢之徒的「足將進而趑趄，口將言而囁嚅」，小人可
鄙的矛盾心態活脫而出；而操行高潔的隱者（按：以喻志士才
人），則不爲世俗的功名富貴所動。三者連環相比，產生了強烈
的藝術效果。

韓柳同樣善於運用藝術對比手法，但在具體的創作實踐中，

又是變化多端而各極其妙。同一創作法則並非僵硬教條，藝術大師必須善於應「變」，才能塑造出栩栩如生的形象，具有無窮的意趣。

七、重視繼承與善於創新。

關於文學藝術的繼承與革新的問題，古今爭論紛紜，藝術大師無不潛心揣摩，以覓創作通途。清初葉燮《原詩》內編下云：「夫惟前者啓之，而後者承之而益之；前者創之，而後者因之而廣大之。」明·董其昌《畫禪室隨筆》卷一亦云：「書家未有學古而不變者。」所論正是文學藝術因革沿創的大問題。韓柳對此不僅有清醒的認識，而且化爲具體行動，指導自己的創作實踐。韓柳學習古人絕非機械模仿，而是「因」而知「革」，雖「沿」實「創」，爲文學藝術的變革創新準備條件，爲文學的發展作出新的貢獻。

韓柳散文雖師服西漢遷、固之文章，反對魏晉以來駢偶之體，但對《楚辭》以來的辭賦，卻嗜習知變，從中汲取了創新的養料。宋·洪邁《容齋隨筆》卷七《七發》條云：「枚乘作《七發》，創意造端，麗旨腴詞，上薄騷些，蓋文章領袖，故爲可喜。其後繼之者，如傅毅《七激》、張衡《七辯》、崔駰《七依》、馬融《七廣》、曹植《七啓》、王粲《七釋》、張協《七命》之類，規仿太切，了無新意。傅玄又集之以爲《七林》，使人讀未終篇，往往棄諸几格。柳子厚《晉問》乃用其體，而超然別立新機杼，激越清壯，漢晉之間諸文士之弊於是一洗矣。東方朔《答客難》，自是文中傑出；揚雄擬之爲《解嘲》，尚有馳騁自得之妙；至於崔駰《達旨》、班固《賓戲》、張衡《應閒》，皆屋下架屋，章摹句寫，其病與《七林》同。及韓退之《進學解》出，於是一洗矣。」

柳之《晉問》繼承並發揚枚乘《七發》以來辭賦的優良藝術傳統，如寫晉地兵器之精艮，集中起來，精光閃耀，「浩浩弈弈，

淋淋滌滌，熒熒的的，若雪山冰谷之積，觀者膽掉，目出寒液。當空發耀，英精互繞，晃蕩洞射，天氣盡白，日規爲小。鑠雲破霄，跕墜飛鳥。」其藝術想像極盡誇張之能事，直逼漢賦大家而不少讓。又如寫馬，「羣飲源槁，回食野楮，浴川蹇浪，噴震播灑。潰潰焉，若海神駕雪而來下。觀其四散愉悅，開合萬狀，喜者鵲厲，怒者人搏，決然坌躍，千里相角。風驟霧鬣，剿山抉塁，耳搖層雲，腹捎衆木，寂寥遠遊，不夕而復。攫地跳梁，堅骨蘭筋，交頸互齧，鬥目相馴，聚溲更噓，昂首張齗。」藉馬自況，把遭貶謫後一腔雄傑驚蕩之氣，盡情抒發了出來。在藝術手段的運用上，自具新意，而非前人堆砌辭藻、疊牀架屋之可比擬。對於古昔先賢，韓柳一樣是「師其意不師其辭」（韓愈《答劉正夫書》）。實際上，讀《晉問》可知其所謂「意」，已是自出機杼而另創新意，富有豐富的現實內容，而絕非前人一味模仿的無病呻吟。如柳集舊注引宋・晁無咎言：「枚乘《七發》，蓋以微諷吳王濞毋反。《晉問》亦『七』，蓋效《七發》以諷時君薄事役而隆道實云。」通過《晉問》，柳宗元以藝術形象來寄寓自己的社會理想。一般儒者居高臨下提倡「利民」，已稱先進。但柳氏更深一層，高倡「民利」。「利民」與「民利」語序顛倒，性質大異，柳之「民利」意在使人民「安其常而得所欲，服其教而便於己，百貨通行而不知所自來，老幼親戚相保而無德之者，不苦兵刑，不疾賦力。所謂民利，民自利者是也。」也就是說，「民自利」是百姓自己的事，勸戒統治者少去干擾破壞。這一社會理想，不用說是在古代封建社會，就是在今天也很有啓迪。雖然不無遺憾的是，這在古代僅是一種無法實現的烏托邦之想。但其想像之創新、民主思想因素之先進，則站在了時代的前列，這是毫無疑義的。

又如韓愈《進學解》既繼承與發揚了辭賦的優勢，在藝術上又

別創一格，啓發了宋代散賦的創體。此文在寫法上貌似東方朔
《答客難》及揚雄《解嘲》，但與後繼者的呆滯駢文不同，韓愈另創
新格，他是駢散兼行，運駢入散，句式整飭又富於變化。古人以
爲文筆「凝重多出於偶，流美多出於奇。體雖駢必有奇以振其
氣，勢雖散必有偶以植其骨」（包世臣《藝舟雙楫・論文》卷
一），這正是對於韓文《進學解》之類藝術創新的理論概括。而該
文在構思創意方面也極新穎別致，是韓愈「以文爲戲」的一篇力
作。一正一反的師生對答，幽默的反語、生動的比襯，形象栩栩
如生，造成了文章強烈的藝術效果。另外，文多韻語，擲地作金
石聲，而優美流轉中又寄寓了無限憤激和悲痛，感人至深。它不
僅是自嘲自誇發一己鬱積之氣，更爲備受壓抑的一代封建知識分
子鳴不平。故晚唐孫樵《與王霖秀才書》云：韓吏部《進學解》「拔
地倚天，句句欲活。讀之如赤手捕長蛇，不施控騎生馬，急不得
暇，莫可捉搦」。其磅礴的氣勢早已擺脫了辭賦的範圍，屬於另
創的新體。

八、語言藝術的大師。

文學是語言的藝術，韓柳之於古代散文無愧於語言大師的稱
號。文學語言，首先必須符合人們實際運用的語言規律。所以柳
宗元在《復杜溫夫書》中勸戒文學青年說：「但見生用助字，不當
律令，唯以此奉答。所謂乎歟耶哉夫者，疑辭也；矣耳焉也者，
決辭也。今生則一之。宜考前聞人所使用與吾言類且異，愼思之
則一益也。」從漢語的虛詞助語方面入手，說明文學語言無論怎
樣變化，必須符合「律令」——即服從於約定俗成的語法、修辭
及邏輯的規律。但語言的發展是隨時代變遷而不斷繼承揚棄的歷
史過程，其創新與變化在所難免。如果我們今天仍然固守上古漢
語的語法規律，則其語言僵死而詰屈聱牙，必然無法傳達今天豐
富的時代新內容。符合「律令」的同時並不否定變化與創新，所

以，柳宗元說自己作文又高倡「引筆行墨，快意累累，意盡便止，亦何所師法」，要求文學語言有變化創新。在這方面，韓愈也有明確的論述，其《答劉正夫書》云：「或問爲文宜何師？必謹對曰：師其意，不師其辭。又問曰：文宜易宜難？必謹對曰：無難易，唯其是爾，如是而已。」所稱「師其意不師其辭」，就指出了文學語言藝術創新的途徑。語言文字宜難宜易的問題，也就是遣辭造句宜典雅古奧或通俗流暢的問題，韓氏以一「是」字回答，實在是一語中的。所謂「是」，指既要符合一般的語法修辭規律，同時又要符合語言發展的歷史實際，力求變化和創新，以求最完美地表情達意，爲突出文學主題服務。該文所稱「能自樹立不因循」者以此；其《答李翊書》所說的「惟陳言之務去，戛戛乎其難哉」也是同一意思；又其《南陽樊紹述墓誌銘》稱「惟古於詞必己出，降而不能乃剽賊」，其意也如出一轍，同樣強調文學語言的變化與創新。但是，這一變化與創新必須在「文從字順各識職」的基礎上來完成，關鍵在於「各識職」，也就是文學語言之新變同樣必須符合語言規律及約定俗成的習慣。所以在此文之末，韓氏指點迷津，謂「有欲求之此其躅」——在韓愈散文中，新變獨創與「文從字順各識職」是矛盾的統一，符合藝術的辯證法。現就韓柳散文的文學語言藝術略加分析。

〔1〕高度精鍊的成語創造。

韓柳善於讀書，又能根據現實生活加以活用，許多古人詞語經其提煉點化，精光閃爍，爲世人沿用而化爲成語。就以韓《進學解》而言，「跋前躓後、動輒得咎」源自《詩經·邠風·狼跋》「狼跋其胡，載寬其尾」，經韓點化，縮爲「跋前躓後」的四字成語而爲世公用。又如「補苴罅漏、張皇幽眇」肇自《呂氏春秋·分職》「衣弊不補，履冰不苴」，經韓一用，點鐵成金。又如《原道》「坐井而觀天」，後人去「而」縮爲「坐井觀天」，還

有《子產不毀鄉校頌》的「下塞上聾」、「川不可防，言不可弭」
等。又如柳文《敵戒》的「敵存滅禍，敵去召過」，《師友箴》「道
苟在焉，傭丐爲偶；道之反是，公侯以走」。韓柳之佳作傑構是
生活智慧的高度藝術提煉，充滿了辯證的光彩。

〔2〕生動語言的形象性。

韓柳均注重文學語言的形象性。韓《原道》是一篇政論文，但
其排斥佛老態度之堅決，通過生動形象的語言來傳神寫貌，如
「人其人，火其書，廬其居」，三字句一頓的句式如斬釘截鐵，
每句前一字，名詞動化，形象極其生動，情感非常充沛。又如其
《進學解》講自己讀書的「爬羅剔抉、刮垢磨光」，以沙裡淘金比
喻搜羅人才，以磨練寶器來比況精心造就人才，遣詞鏗鏘有力而
形象性强，頗富感染力。又如柳宗元山水遊記的語言藝術，正如
《愚溪詩序》所說「清瑩秀澈，鏘鳴金石」是其特點。從語言文字
中，人們可以感覺到視覺與聽覺審美形象的浮現。又如《小石潭
記》語句簡鍊、清新、準確而形象，完全擺脫了六朝駢偶的人工
痕迹：「潭中魚可百許頭，皆若空游無所依」，「空游」一詞極
其準確而別致，展現了水之清澈透明。又如「潭西南而望，斗折
蛇行，明滅可見」，「斗折蛇行」四字並無任何典故，卻形象地
把握了水源的特徵，令人嘆服。「明滅」二字更爲簡潔，以光線
的明暗來說明視線與溪身的交錯和水面的光亮，使人如身臨其
境，產生無盡遐想。

〔3〕突出了語言的音樂美及散文的聲音形象。

漢語本身單音孤立、可以靈活調度的特性爲中國文學語言的
音樂性創造了良好的條件。韓柳同樣注意到了語言的音樂性特
徵，並進一步巧加運用於散文藝術之中。如韓愈《原人》云：「天
道亂，而日月星辰不得其行；地道亂，而草木山川不得其平；人
道亂，而夷狄禽獸不得其情。」句式二句一聯，一短一長，自由

排比，同時「行」、「平」、「情」又押韻，讀來朗朗上口，節
奏明快，聲調鏗鏘，絕無堆砌沈滯之感。文章通過音節聲調的巧
妙驅駕，形成了一氣呵成、暢通無阻的奔放氣勢，使其議論之理
如泰山蓋頂，令人不得不服。又如其《進學解》云：「業精於勤荒
於嬉，行成於思而毀於隨。方今聖賢相逢，治具畢張。拔去凶
邪，登崇畯良。占小善者率以錄，名一藝者無不庸。爬羅剔抉，
刮垢磨光。蓋有幸而獲選，孰云多而不揚？」句式自由變化，運
駢入散以御文氣，因而聲音情感維妙維肖。又巧用頌體的四言句
式，和以韻腳，使人讀來，既感穩重沈實，又幽默風趣，兩種感
覺矛盾統一於國子先生身上，把其心中無限酸甜苦辣況味盡數傾
瀉出來。於此可見，韓柳並不絕對排斥六朝的駢儷文字，而是採
取了「拿來主義」，巧加運用化為壯大文學新肌體的養料。又如
韓愈《送石處士序》形容石洪之議論料事云：「若河決下流而東
注，若駟馬駕輕車就熟路，而王良造父為之先後也，若燭照數記
而龜卜也。」在「若」字之後，一氣三十六字，聲勢連綿而下，
如長江大河之滾滾滔滔，具有一往無前勢不可擋的音響效果，其
偉岸雄放之聲音形象愈顯出韓文藝術創新的本色。

　　巧於駕馭語言音樂性特點，使散文具有詩化傾向，在這方
面，韓柳同稱聖手。散文一般不押韻，但柳《小石潭記》卻在遠近
間隔不等的句尾暗綴韻腳，以通聲調。如「水尤清冽，……卷石
底以出……青樹翠蔓，蒙絡搖綴，參差披拂……日光下徹……俶
爾遠逝，往來翕忽，似與遊人相樂……四面竹樹環合，淒神寒
骨。」師兄林冠夫釋云：「這些句子句尾的字，都是入聲，分別
屬『屑』（冽、綴、徹），『月』（骨、忽），『質』（出），『物』
（拂）以及『藥』（樂）五個韻腳。這樣看來，這篇散文的韻腳，
即使按詩歌用韻要求來衡量，也是合乎規則的。詩歌用韻有寬嚴
之別。在古體詩中，鄰韻通押是一種正常的現象。《小石潭記》所

屬的五個韻腳，恰好是古體詩中可以通押的鄰韻。再放寬一點，屬『合』部的『合』字也可以通融。」（見《唐宋八大家名篇賞析》，北京十月文藝出版社1987年版，第108頁）由於柳宗元的巧於用韻入散，形成了一種迴環往復的音調之美，讀來如詩，富於節奏。特別是入聲韻的運用，「入聲短促急收場」，其韻律猶如洪鐘大鼓叩擊心胸，和諧之中別具震撼之力。散文音色之美，於斯堪稱絕唱。

再舉一例，其《種樹郭橐駝傳》云：「凡植木之性：其本欲舒，其培欲平，其土欲故，其築欲密。既然已，勿動勿慮，去不復顧。」暗中間隔自由押韻，以助音節聲調之鏗鏘。這一段講到園藝工人郭橐駝種樹時能夠順木自然之本性，寫其從容不迫的性格與情狀，因此又連用了四個四言的主謂結構詞組，四言詞組在漢語中人所習用，其特點是音節非常平穩，具從容不迫之態。這與郭橐駝的性格相合。後面則插入了「既然已」虛詞三字句，既表語氣，又明其語言脈絡，使人感到變化之妙，說明郭橐駝為人平穩扎實，但又不呆滯，知變化。之後「勿動勿慮」等又回返四言句式，卻換為並列結構的四言二音步的詞組。但「去──不復顧」一句，雖為四言，卻以一音與三音相配合，更顯其平穩之中的變化之妙。這音節聲調的天衣無縫組合有助於藝術形象的塑造，說明郭橐駝雖為下層工人，卻不是愚蠢呆瓜，且具有實踐經驗，性格平實穩練、從容不迫，內心思考深遠，堪稱有頭腦有思想的智者。這就是柳文音節與性格形象相配的效果：平穩中有變化，不平中更襯其穩當。再後一段，敘官吏下農村的情況，音節陡轉，化平穩為急促之調：「且暮吏來而呼曰：官命促爾耕，勖爾植，督爾獲，蚤繰而緒，蚤織而縷，字而幼孩，遂而雞豚，鳴鼓而聚之，擊木而召之，吾小人輟飧饔以勞吏者且不得暇，又何以蕃吾生而安吾性耶？」官吏一開口，語句即化四為三，「促爾

耕，勖爾植，督爾獲」，一連三組，表明其連續動作，音節跳蕩
而急促，一個命令未完，緊接著又一個命令，必須同時完成。其
末尾「獲」字巧用入聲，氣急而促，似大鼓一樣扣人心弦，形象
鮮明地描繪出官吏催逼時一疊連聲、不容商量的嘴臉。下面緊接
著「蚤（早）繰而緒」等一連串的動賓結構的四言詞組，其中的
「而」釋為「爾」──即「你」，但在朗讀之時，「而」字虛
化，實際上是由上述三字句式演變而來，音節並不平穩，是為了
一種過渡的需要。因此，再後是「吾小人輟餐饔以勞吏……」二
十五字的長句。長短參差，變化跳動，鬱積心中的雄厚之氣難以
遏阻，把平民百姓受官府騷擾的滿腹怨恨傾瀉而出，其音節聲調
洋溢著充沛的感情。韓愈《答李翊書》所稱：「氣，水也；言，浮
物也。水大而物之浮者大小畢浮。氣之與言猶是也，氣盛則言之
短長而聲之高下者皆宜」，不僅韓文謹遵此道，柳文同樣用之不
疑而行之有效。清·劉大櫆《論文偶記》總結了韓柳散文的經驗，
云：「音節高則神氣必高，音節下則神氣必下，故音節為神氣之
迹……積字成句，積句成章，積章成篇，合而讀之，音節見矣，
歌而詠之，神氣出矣。」信然。

綜上所述，韓柳文風及散文藝術之異同，非區區一文所能盡
述。拙著不過是舉隅示例，企望以一斑而窺全豹。如有謬誤，全
責在我，望正方家；若偶有金針度人之效，示青年學生以讀書心
得，則非吾能，而是功在學林前賢之啟迪。

韓柳集中市民意識的文學表現

　　本文所謂「市民意識」，不是西學東漸後與近代資本主義萌芽直接相聯繫的概念，而是在古代城市經濟發展過程中形成的重視商貿活動的新階層之新意識，與「士大夫意識」和「農民意識」相對，在思想領域具有獨立意義。中國漫長的封建社會一直強調以農立國，以農爲本，並重本抑末。士農工商四民中，商人地位被置於社會底層，似有永不翻身之勢。譬如，《史記·高祖本紀》載，漢初的政府對待商賈不僅「重租稅以困辱之」，而且法律規定「賈人毋得衣錦繡綺穀絺紵罽、操刀、乘騎馬」。但是，有壓抑就會有反彈，時代的進步和經濟的發展逐漸突破了傳統偏見的禁錮。同樣在《史記》裡，司馬遷亦曾引俗諺形容發家致富之道云：「農不如工，工不如商，刺繡文不如倚市門。」又云：「天下熙熙，皆爲利來；天下攘攘，皆爲利往。」（《史記·貨殖列傳》）經商貿利、發財致富，勢埒王侯，天經地義。相對於正統儒家敎義而言，太史公的重商意識頗具「異端」色彩。唐代城市經濟和商貿交通又非漢時可比。唐京都長安設有東、西二市，各置令管理；東都洛陽則設東、西、北三市；中原地區如《新唐書·李勣傳》載「宋、鄭商旅之會，御河在中，舟艦相會。」而南方的廣州、揚州與海外交通，如《舊唐詩·蘇環傳》稱：「揚州地當要衝，多富商大賈，珠翠珍怪之產。」城市經濟繁榮、商賈雲集，茶樓酒肆鱗次櫛比，優伶娼妓粉紅黛綠。新興的市民階層影響漸大，其特有的心理要求自然也反映在文學上。

唐人傳奇及說話等俗文學在中唐如雨後春筍日漸昌盛，中唐時的詩文大家韓愈、柳宗元也沾漑世風，以創作表現了這種新形勢、新意識。

在市民意識及唐傳奇影響下，韓柳始創以古文作小說。如韓愈《圬者王承福傳》，作於貞元十七年（801年）在京等候調選前後。立傳本是史官之事，而傳記體制亦有規程章法，極為嚴正。韓氏一介候選小官，卻敢於一反傳統偏見，公然為一個被士人視為「賤且勞」的「圬者」——即粉牆補壁的泥水匠樹碑立傳，故事本身雖無赫赫功業可陳，卻也充滿了傳奇色彩，富有世俗氣息。如云：「（王承福）手鏝衣食，餘三十年，舍於市之主人，而歸其屋食之當焉，視時屋食之貴賤，而上下其圬之傭以償之，有餘，則以與道路之廢疾餓者。」也就是說，圬者與主人是市場上的雇傭關係，其「屋食」（房租飯錢）即生活質量，是與自己的手藝——圬牆勞動相適應的，「圬」是其謀生手段，同時又是一種入市的商品。在篇末的議論中，作者一方面熱情謳歌了勞動人民自食其力、無愧於心的行為，其同情態度溢於言表；同時又以此為參照，嚴厲批判了「食焉殆其事」的官僚政客的可恥行徑，從而形成強烈的藝術反差。於此可見，對於當時市民階層的新興，士人如韓愈是有所感觸的。

韓愈另有《論變鹽法事宜狀》一文，表面反對「變法」，實是深入市場作了實際調查之後的有的放矢之論，為民請命、還利於商，言之鑿鑿，無可辯駁。所稱反對鹽政「變法」，矛頭所指實為虐民官商的壟斷市場。對於民間的正常貿易，「商人或自負擔斗石，往與百姓博易，所冀平價之上，利得三錢兩錢」，作者則予肯定，並進一步指出了商賈對於國家經濟的貢獻，與工農納稅之人無異：「國家榷鹽，糶與商人，商人納榷，糶與百姓，則是天下百姓無貧富貴賤，皆已輸錢於官矣。不必與國家交手付錢，

然後爲輸錢於官也。」可貴的是，作者兼顧國家與商賈小民的利
益，站在國家立場，而從商人的視角看問題，明確指出了官商壟
斷市場，不僅不能爲國家經濟增加收入，而且會帶來負面的政治
動亂，如果國家打擊或破壞民間正常的商業活動，「則富裕大賈
必生怨恨，或收市重寶，逃入反側之地，以資寇盜，此又不可不
慮者。」韓愈雖自稱郡望昌黎，但實出自庶族地主之寒門，一生
坎坷、南北奔波，幾上幾下，在現實生活中跌打滾爬，對當時新
興市民階層之思想及活動有直接接觸和感受，因而在自己的文學
創作中塑造了坊者王承福這類市民的鮮明形象，並非偶然。

　　但是韓柳相比較而言，在以古文小說反映市民意識方面，柳
宗元的創作更爲豐富集中，思想也更爲深刻精彩。如其《宋清
傳》、《吏商》、《鞭賈》、《種樹郭橐駝傳》、《梓人傳》等，無不閃
耀著市民意識的光彩，是對市民生活的描繪甚至禮讚。對與人民
生活密切相關的商貿交通等活動，柳宗元總是非常關注，並能從
理論角度看待其意義和價值，甚至在遠斥南方時，他也不忘觀察
當地的農村墟市。比如，他晚年任柳州刺史，曾作《柳州峒氓》
詩，有句曰「青箬裹鹽歸峒客，綠荷包飯趁虛人」。此處「虛」
即農村墟市，是集市貿易的地方。他概括爲「利合而動，乃商賈
之相求」①，又稱「通商平貨，有來胥悅」②，「商旅交於關
市，既富且庶，廉恥興焉」③，說明商賈經商貿利合理合法。他
並不把儒家的仁義之道與「求利」對立，從而大大擴展了他所創
立的「大中」之道的現實內容，並爲新時代的儒家之道輸進了新
血液。元和初，他作《晉問》，認爲山西的猗氏之鹽販銷全國各地
以入市，「西出秦隴，南過樊鄧，北極燕代，東逾周宋，家獲作
鹹之利……此可以利民矣。」商賈的正常貿易活動利己利民，此
利有何不好？一般市民意識即如此，但柳宗元的思想顯然高出一
般市民，更具超前意識，他進一步追求商貿的理想境界：「百貨

通行而不知所自來……所謂民利，民自利者是也。」(《晉問》)
所謂「利民」，可以說是國家或政府自上而下的恩賜；但「民自
利」者，則商貿活動的利國利民主要是來自下層市民百姓的艱辛
勞動與積極創造。柳宗元的這一思想在今日也屬先進，但在一千
多年前的唐代則是難以實現的超前意識，或可稱為烏托邦式的社
會構想。如其《送寧國范明府詩序》云：

> 夫仕之為美利乎，人之謂也。與其給於供備，孰若安於化
> 導？故求發吾所學者，施於物而已矣。夫為吏者人役也，
> 役於人而食其力，可無報耶？

其《送薛存義之任序》又云：

> 凡吏於土者，若知其職乎？蓋民之役非以役民而已也。凡
> 民之食於土者，出其十一傭乎吏，使司平於我也。今我受
> 其直（值）怠其事者，天下皆然；豈惟怠之，又從而盜
> 之。向使傭一夫於家，受其直，怠其事，又盜若貨器，則
> 必甚怒而黜罰之矣。以今天下多類此，而民莫敢肆其怒與
> 黜罰者何哉？勢不同也。勢不同而理同，如吾民何？有達
> 於理者，得不恐而畏乎？

　　研究柳宗元者無不涉及這兩篇著名的文章，但幾乎都是從柳
氏推己及物的「生人（民）之意」及「大中」之道方面著眼，認
為這是柳宗元積極入世之儒家思想的集中表現。這一認識當然正
確，但是並非全面。上述二文所體現的儒家之道明顯具有了中唐
的時代新內容，而非機械照搬來的孔孟之道。柳宗元「大中」之
道的形成或多或少與其所受市民意識的薰染有關。

　　首先，是「吏爲人役」的思想，這本是從先秦儒家之「民本」思想——主要是《孟子》中的「民爲貴」觀念演進而來，但因時代發展，其內涵亦有質的深化。「人」者，民也，乃唐人避太宗名諱之習慣說法。「吏爲人役」即官吏是老百姓的僕役。也就是說，在官與民的關係中，柳宗元認爲應該以民爲主。不過現實生活中，卻處處「苛政猛於虎」，官吏比豺狼還凶。杜甫早有「吏呼一何怒，婦啼一何苦」的憤慨（見其《石壕吏》）。柳宗元的《捕蛇者說》更藉捕蛇抵賦的蔣氏之口詳加描繪：「悍吏之來吾鄉，叫囂乎東西，隳突乎南北，譁然而駭者，雖雞狗不得寧焉。」吏者，明清謂之公差，是不入流品的政府職員；官則是吏的上司。對於人民，官下之吏尚且如此凶狠，則吏上之官一旦出動，虎狼衙役左右簇擁，其待民衆又將如何？思之令人膽寒。柳氏「吏爲人役」之說正是對當時殘酷封建統治的猛烈批判。近代中國，孫中山提出總統是民衆「公僕」，此主張自然屬於資本主義民主意識的理論範疇，但對柳宗元「吏爲人役」的看法是否有一定的繼承發展呢？值得思考。

　　其次，是民「傭乎吏」的雇傭觀點，屬較爲典型的市民意識縮影。「凡民之食於土者，出其十一傭乎吏，使司平於我」，這是上述「吏爲人役」觀念的繼承和發揮。爲什麼官吏必須是民役而非役民呢？因爲人民以其生產所得收入的十分之一作爲賦稅上交國家，國家再拿這些錢來雇傭官吏，「使司平於我（民）」。封建國家並不直接參加生產活動，其國庫收入來自人民，故國家雇傭的官吏實質上是人民出錢所雇。但傳統認識與現實感受並非如此，官吏「牧民」、恩養百姓的觀念歷來根深蒂固。即使賢如貞觀明君唐太宗，也明確宣示臣民曰：「朕貴爲天子，所以養百姓也，豈可勞百姓以養己之宗族乎！」④在官與民或國家與百姓之間到底是誰養活誰的問題上，柳氏公然顛倒了開國明君的御定

秩序，認爲是百姓養活了國家朝廷，官吏僅是百姓雇傭的辦事僕役。這一雇傭觀念，是無法從先秦儒家「民本」思想演化而成的，它只能與唐代市民意識直接相關。從歷史文獻中可知，唐代市民頗有「商品意識」，誰有錢就可以雇傭別人做事，爲自己服務。出錢者爲主，被雇者稱役。主者出多少錢，被雇者就應按質按量地幹多少活，這是正常商貿活動中的共識。這個觀念被柳宗元引入了自己的理論體系，稍加改造即成爲「吏爲人役」的先進思想。

由於儒家「勞心者治人，勞力者治於人」（《孟子》）的觀念影響，官吏一貫以恩養百姓自居，而且這還是比較開明的清廉之吏的說法。更多的無恥官吏是「受其（民）直怠其事」，又「盜若（民）貨器」，敲骨吸髓，無惡不作，顛倒了主僕關係，其所以然，作者指出是「勢不同」所致。所謂「勢」，也就是封建體制及傳統觀念使然，置民於水火之中。百姓卻敢怒不敢言，歸根結蒂，他們根本不是眞正的主人，哪裡能夠「肆其怒與黜罰」這些「僕役」呢？所以，柳宗元在批判體制弊端的同時，又啓示了政治經濟改革的必要。

第三，對於新興市民意識的影響，柳宗元不僅積極吸納，而且加以深化和昇華，對封建國家的政治經濟改革，進一步提出了「訟者平，賦者均，老弱無懷詐暴憎，其不爲虛取直也的矣」的理論綱領，構設理想的社會境界。因爲官吏的俸祿雖來自國庫，實是出於百姓的賦稅，旣拿民錢財，就必須爲民服務，並盡量把事情辦好，達到上述理想境界。這也是一般市民所謂「不虛取」的說法，即所做之事與所拿工錢相當的意思。古時所稱「訟」，不僅是今天的官司訴訟之事，更是國家政治要事的代名詞，故「訟者理」句實泛稱古代的政理訟平之意。《周易》六十四卦中有《訟》卦，就與國家政治生活相關聯。故《序卦傳》釋云：「飲食必

有訟，故受之以《訟》。」所謂「飲食」，泛指人類的一切生產和生活資料的分配。在奴隸社會和封建莊園經濟的自然環境中，人們所需物質生產還不發達，產品消費不大，尚且會因產品消費的分配享受問題引發政治糾紛和訴訟，更何況是在封建的城市經濟日趨發展的商貿活動中，法律公正尤見重要。如果缺乏法律保護，不是公平買賣，市場規律遭受破壞，生意怎麼做呢？則廣大市民賴以謀生的手段就被官吏無情地剝奪殆盡了。這在中唐時代，是很現實的嚴重問題，商賈市民反響尤為激烈。如韓愈《順宗實錄》卷二載：

> 舊事，宮中有要市外物，令官吏主之，與人爲市，隨給其直。貞元末，以宦者爲使，抑買人物，稍不如本估。末年不復行文書，置白望數百人於兩市並要鬧坊，閱人所賣物，但稱宮市，既斂手付與，真僞不復可辨。無敢問所從來。其論價之高下者，率用百錢物買人直數千錢物，仍索進奉門戶並腳價錢。將物詣市，至有空手而歸者，名爲宮市，而實奪之。嘗有農夫以驢負柴至城賣，遇宦者稱宮市取之，纔給絹數尺，又就索門戶，仍邀以驢送至內。農夫涕泣，以所得絹付之，不肯受，曰：「須汝驢送柴至內。」農夫曰：「我有父母妻子，待此然後食。今以柴與汝，不取直而歸，汝尚不肯，我有死而已！」遂毆宦者。街吏擒以聞，詔黜此宦者，而賜農夫絹十匹。然宮市亦不爲之改易。諫官御史數奏疏諫，不聽。

韓氏所載，確爲當日實有之事。白居易有《賣炭翁》詩，即是中唐宮市的形象描繪。農夫把養父母妻子的柴炭白送宦者，宦者猶不肯罷休，於此可見宮市之毒，幾乎無法無天。農夫市上受

損，但是官吏卻「擒以聞」——不經訴訟，立即加以逮捕，銀鐺入獄。當日德宗皇帝雖因此黜一宦者，但千百宮使白望之類的流氓無賴，口稱「宮市」，巧取豪奪，擾亂市場，德宗卻視而不見，「宮市亦不為之改易」。可見破壞市場的公平買賣，實是來自最高統治者的私心欲念。「宮市」之行，百姓敢怒不敢言，有苦無處訴。市場之中，上行下效，官商橫行，何法之有？堂堂京師輦轂之地。尚且如此，地方秩序不言而知。當時地方要員，壞市自肥者比比皆是。如淮南節度使陳少游，據《新唐書》卷二二四《叛臣‧陳少游傳》載，「三總藩，皆天下富饒處，以是斂求貿易無虛日，積財寶巨億萬。」德宗奉天下之難，有國賦八百萬緡寓揚州，將輸京師，少游武力脅取。國賦尚且搶劫，其所「貿易」之所以發大財者，奧妙可想而知。挾軍政之勢以入市，壞市場交易規律，巧取豪奪於名都鬧市，怎能不「積財寶巨億萬」呢？其實，不僅在上的節鎮諸使，就是在下的驕兵悍卒也藉勢壞市以劫財自肥。

柳宗元於此也有親身感受，其《段太尉逸事狀》就揭露了郭子儀之子晞領行營節度使時，「縱士卒無賴……日羣行丐取於市，不嗛，輒奮擊折人手足，椎釜鬲用甕盎盈道上，袒臂徐去，至撞殺孕婦人」。這不是鬧市之上，公然殺人劫貨又是什麼？可是當時「吏不得問」。嗚呼，市場之上，王法何在？商賈百姓以此吞淚泣血，家破人亡，國家政治經濟怎能不因此而動亂不定呢？欲挽救混亂的市場，即使貴如帝王，在商貿活動中，也應公平交易，而非恃勢奪人之愛。如屈原《天問》有云：「啓棘賓商，《九辯》《九歌》。」棘賓，陳列。此句意謂夏啓怎樣陳列宮商之音，編製了《九辯》和《九歌》的樂曲。柳宗元《天對》回答稱：「啓達厥聲，堪輿以呻。辨同容之序，帝以賚（貿）嬪。」意謂夏啓精通宮商音律，依照天地之道編製樂曲來加以演唱，他分辨了樂律音

序，並用三個妃嬪和天帝換回了《九辯》和《九歌》。你看，貴爲天帝和天子（夏啓），也不能白拿別人的東西，而必須等值交換，公平交易而皆大歡喜。上述柳文中的正、反之例，說明了柳宗元的態度和傾向。據此，他針對社會弊端，提出了「訟者平」的設想，要求嚴格依法辦事，不是具有明顯的現實意義嗎？

《送寧國范明府詩序》作於貞元末年，當時宗元任監察御史，二王八司馬發動的永貞改革（西元805年）正在醞釀之中，《詩序》出於此時並非偶然。它不僅是這場改革的思想動員和催生劑，而且也反映了新興市民階層的某些要求。《送薛存義之任序》則作於元和年間宗元被貶官永州司馬之時，永貞改革早已失敗，運動領導及骨幹貶死相繼。但政治上的失敗並不意味著理論的沈默和思想的窒息，作爲被貶斥的八司馬之一，柳宗元作此序不過是借題發揮，代民立言，以便總結過去，繼續爲改革事業提供理論借鑑和行動依據。其「吏爲人役」思想觀念的創設，又與當時市民意識的新興密切相關。謂予不信，請再看其《宋清傳》：

> 宋清，長安西部藥市人也。居善藥。有自山澤來者，必歸宋清氏，清優主之。長安醫工得清藥輔其方，輒易讎（售），咸譽清。疾病疕瘍者，亦皆樂就清求藥，冀速已。清皆樂然響應，雖不持錢者，皆與善藥，積券如山，未嘗詣取值。或不識遙與券，清不爲辭。歲終，度不能報，輒焚券，終不復言。市人以其異，皆笑之，曰：「清，蚩妄人也。」或曰：「清其有道者歟？」清聞之曰：「清逐利以活妻子耳，非有道也，然謂我蚩妄者亦謬。」

> 清居藥四十年，所焚券者百數十人，或至大官，或連數州，受俸博，其饋遺清者，相屬於戶。雖不能立報，而

以賒死者千百，不害清之爲富也。清之取利遠，遠故大。
豈若小市人哉，一不得直，則怫然怒，再則　而仇耳。彼
之爲利，不亦翦翦乎！吾見其蚩蚩之有在也。清以是得大
利，又不爲妄，執其道不廢，卒以富。來者益衆，其應益
廣。或斥棄沈廢，親與交；視之落然者，清不以怠，遇其
人，必與善藥如故。一旦復柄用，益厚報清。其遠取利，
皆類此。

　　吾觀今之交乎人，炎而附，寒而棄，鮮有能類清之爲
者。世之言，徒曰「市道交」。嗚呼！清，市人也，今之
交有能望報如清之遠者乎？幸而庶幾，則天下之窮困廢辱
得不死亡者衆矣，「市道交」豈可少耶？或曰：「清，非
市道人也。」柳先生曰：「清居市不爲市之道，然而居朝
廷、居官府、居庠塾鄉黨以士大夫自名者，反爭爲之不
已，悲夫！然則清非獨異於市人也。

在這篇文學傳記中，柳宗元熱情謳歌了一個名不見經傳的市井藥
商。古時官民地位懸殊，猶如天淵之別。但作者卻以之爲正面榜
樣，與趨炎附勢的官僚士大夫作了鮮明的比照，以諷刺居統治地
位的食肉者那貪得無厭的卑劣行徑。這是借助新興市民思想來繼
續宣傳其改革政治的社會理想。本文有以下幾點值得注意：

　　一、一個普通的市井賣藥商人，以其賣藥營利的活動，成爲
作者注目和調查研究的對象，並被公然樹碑立傳，柳宗元如此做
法一反士大夫的傳統偏見，大大提高了市民階層的社會地位，並
加深了人們的認識。

　　二、市場的買賣交易必須出之以眞誠之心，譬如宋清對待買
藥者，無論貴賤窮富，也不問得位失意，一視同仁，治病救人，
是其矢的所在。因此，正直的藥商只售有效的眞藥善藥，而拒絕

賣假冒偽劣之藥，令廣大消費者用了放心，治病行之有效而有益健康，這樣一傳十、十傳百，「求者益衆，其應益廣」，生意也愈來愈紅火，宋清以此發財致富。讀到這裡，不禁聯想到今日中國，假冒偽劣屢禁不絕，更有甚者大肆兜售假藥，全然不顧人命關天。思昔撫今，扼腕長嘆，如宋清輩之「善藥」不是最佳廣告嗎，又何必弄虛作假喪盡天良呢？

　　三、優秀的商人，經商必有其「道」，這與士大夫立身講孔孟之道差不多。把經商貿利的市場買賣提到經濟哲學——「道」的思想高度來認識，柳宗元的創意在封建士大夫中極其罕見。孔子曾云：「富而可求也，雖執鞭之士，吾亦爲之。」⑤就是說，只要致富可求而得，即使從事替人趕車的卑賤職業也無所謂。但他又明確地說：「富與貴，是人之所欲也，不以其道得之，不處也。」柳宗元繼承發展了孔子思想，並借助新時代中具體的商業活動來闡述，宋清正是其理想人物。一般小市民斤斤計較分文「小利」，偶有不得即怫然而怒、謾罵結仇。與此短視態度相反，宋清謀求「執其道而不廢」的「大利」、「遠利」——即本著良心去實踐商人之「道」。人們常批評「市道交」，認爲市場中商人的交情只以「利」來衡量，卻很少追問「利」的大小之分。俗人之「小利」與宋清貫徹商人之道的「大利、遠利」性質有別。宋清雖是一個普通商人，但如果人人學習宋清經商「執其道而不廢」，那麼不僅市場繁榮，國家也可理了。故作者嘆賞：「幸而庶幾，則天下之窮困廢辱得不死者衆矣，『市道交』豈可少耶？」這就把市民經商的巨大貢獻列入到推動時代發展、社會進步的文明行列之中。人們千萬不可小看了「市道交」的作用，關鍵在於深刻認識和正確引導。今天商品經濟發達以後，是否可進一步思考「市道交」中自有正「道」的問題呢？

　　另外，如其《種樹郭橐駝傳》及《梓人傳》均與《宋清傳》相似，

皆從正面爲市井小民樹碑立傳。郭橐駝，甚至不知其名，且「病瘻」駝背、「隆然伏行」，走路連腰也直不起來，外貌甚醜。但他種樹能順木之性，「碩茂蚤實以蕃」，故而成爲柳宗元筆下的光輝形象。選中一個市井種樹之人作爲主人公，這本身就充分體現了作者對於新興市民意識的認識。不接觸熟悉市井生活、不熱愛新興市民中的佼佼者，能塑造出郭橐駝這一光輝的文學形象嗎？又如《梓人傳》，從政治意義上說，這篇文章與《種樹郭橐駝傳》一樣，均作於柳宗元年輕時任職京師期間，是在爲不久即將發動的永貞改革作思想動員和理論準備。梓人就是木工或建築工，在輕視技術的封建時代，其社會地位極低，與一般工匠無異。但是，梓人楊潛爲什麼生活質量比普通的工匠要高得多呢？其中自有奧妙，「故食於官府，吾受祿三倍；作於私家，吾收其直太半焉」。對楊潛的做法，作者肯定其合理性，那是因爲梓人「善度材，視棟宇之制，高深、圓方、短長之宜，吾指使而羣工役焉。捨我，衆莫能就一宇」。如果暫時不談其政治改革思想，純以技術而言，梓人楊潛所幹之事，實在相當於今天的建築設計師或工程師之類。工程師所幹的活屬於複雜勞動，與一般工匠的簡單勞動不同，同一勞動時間中所創造的價值亦非簡單勞動者可比，那麼其工資待遇高於一般工匠三倍以上，不也合情合理嗎？作者把人的技能與知識當作商品投放市場，然後按質論價、公平交易。這正是市民階層興起以後在文學創作中出現的新現象。

　　如果說柳宗元的上述文章是從正面來描繪新興市民意識的活躍及其社會要求，那麼《吏商》、《鞭賈》、《哀溺文》、《招海賈文》等則從多方面揭露、抨擊其對立面。如卷二十《鞭賈》一文：「市之鬻鞭者，人問之，其賈宜五十，必曰五萬。復以之五十，則伏而笑；以五百，則小怒；五千則大怒，必以五萬而後可。」後由富家子弟眞以五萬購之，持之三年而不用，故保其表面之光鮮。

一旦騎馬臨危而期以「大擊」之用,則「鞭折而為五六」,人墜地傷焉。於此可見,兜售假貨偽劣產品者,必譁眾炫耀以欺行霸市,自古而然。其中,鞭賈之狡詐、富家子之愚蠢,形象均鮮亮欲活,筆墨雖少,不乏真實性與典型意義。故作者一針見血地指出偽劣商品的嚴重危害:「居無事,雖過三年不害。當有其事,驅之於陳力之列以御乎物,以夫空空之內,糞壤之理,而責其大擊之效,惡有不折其用而獲墜傷之患者乎!」商場如此,朝廷又何嘗不如此!作者的嘲諷及批判之意,極其深刻。

又如《吏商》之文:

> 吏而商也,污吏之為商,不若廉吏之商,其為利也博。污吏以貨商資同惡與之為曹,大率多減耗役傭工費舟車,射時有得失,取貨有苦良,盜賊水火殺攽焚溺之為患,幸而得利,不能什一二,身敗祿攽,大者死,次貶廢,小者惡,終不遂,污吏惡能商矣哉!廉吏以行商,不役傭工,不費舟車,無資同惡減耗,時無得失,貨無良苦,盜賊不得殺攽,水火不得焚溺,利愈多,名愈尊,身富而家強,子孫葆光,是故廉吏之商博也。苟修嚴潔白以理政,由小吏得為縣,由小縣得大縣,由大縣得刺小州,其月利益各倍;其行不改,又由小州得大州,其利月益三之一;其行又不改,又由大州得廉一道,其利月益之三倍,不勝富矣!苟其行又不改,則其為得也,夫可量哉!雖赭山以為章,涸海以為鹽,未有利大能若是者。然而舉世爭為貨商,以故販吏相逐於道,百不能一遂,人之知謀,好邇富而近禍如此,悲夫!或曰:「君子謀道不謀富,子見孟子之對宋牼乎?何以利為也!」柳子曰:「君子有二道:誠而明者,不可教以利;明而誠者,利進而害退焉。吾為是

言，爲利而爲之者設也。或安而行之，或利而行之，及其
成功一也。吾哀夫沒於利者以亂人而自敗也，姑設是，庶
由利之大小登進其志。幸而不撓乎下，以成其政，交得其
大利，吾言不得已爾，何暇從容若孟子乎？孟子好道而無
情，其功緩以疏，未若孔子之急民也！

《吏商》借商議政。中唐時代，藩鎮叛亂，宦官跋扈，戰亂頻仍，
加以德宗貪貨，憲宗好武，國庫虛耗，兩稅法行而徵賦紊亂，國
家財政危若累卵，以此朝政專權之法屢興，官吏與民爭利於市，
因而賄賂公行，生民以亂。賈販經商，「歧路脈布彌九區，出無
入有百貨俱」（見其《招海賈文》），對國民經濟的發展頗有貢
獻，其貿利發財也與之一致，這是按質論價的公平交易，其
「利」之來，合情合理。其實，商貿之利來之不易，甚至付出了
生命的代價。《招海賈文》曰：「咨海賈兮，君胡以利易生而卒離
其形。大海蕩泊兮，顛倒日月，龍魚傾倒兮，神怪驚突，蒼茫無
形兮，往來遽卒。陰陽開闔兮，氛霧溗渤，君不返兮逝恍惚。」
但是，「汙吏之商」則不然，恃其官勢，欺詐百姓，擾亂市場，
壟斷生意，根本不是正常的商業活動，實是把政治特權轉化爲暴
利和巨額利潤，如此「交易」，公道何在？因此，在正直士大夫
看來，汙吏經商，危害了整個封建國家的安定。爲了維護封建統
治，就有整頓吏治、清明朝政的時候，屆時，汙吏「貨商」必然
「相逐於道」，昔日山積之財，轉眼化爲煙雲。但可悲的是，世
俗不悟，竟逐「小利」禍國殃民、欺人害己而不顧，如此短視之
見，引發了作者的浩然長嘆：「然而舉世爭爲貨商……好邁富而
近禍如此，悲夫！」「汙吏之商」如此，唯利是圖的奸商何嘗不
然。其《哀溺文》於此有形象的筆墨形容，該文敘一永州善游之
氓，渡船溺水，身負千錢重貨，不捨，終沈溺身亡。作者借以爲

喻，諷刺了生活中貪取「大貨」而致禍身死的短視之徒。其文有云：「吾哀溺者之死貨……不忍釋利而離尤……始貪贏以嗇厚兮，終負禍而懷仇。前既沒而不知懲兮，更攬取而無時休。哀茲䰡之蔽愚兮，更賊己而從仇。」其《蝜蝂傳》雖為寓言，但所寓之理相似，可相發明：「今世之嗜取者，遇貨不避，以厚其室，不知為己累也，唯恐其不積……日思高其位，大其祿，而貪取滋甚，以近於危墜，觀前之死亡，不知戒……亦足哀夫！」又以奸商喻污吏，二者本質相通，故然。

與「污吏之商」相反，《吏商》另塑「廉吏之商」，形象光彩照人，從而形成了強烈的藝術對比。所謂「廉吏」——即世人眼中的「清官」，實際並不經商。世人多認為清官不貪不取，無取其利，何可冠以「商」名？人或標榜孟子「何以利為」之言，似乎稱商言利則玷污了清官的廉潔聲名。但是，柳宗元一反傳統思維的褊狹短視，認為廉吏之為「商」，並非一「利」莫名，而是取其利之大者遠者，藉《老子》「大音希聲」之言為喻，可稱之「大利無形」，雖然生活中無所不在，但俗眼不睹其利，故云。柳宗元的批判，雖古聖先賢不避，其言道：「孟子好道而無情，其功緩而疏，未若孔子之急民也。」他受當時新興市民意識影響，公然言「利」，並藉商賈眼光，來衡量士夫官吏之廉污。「急民」二字，是其「利」之所在，是其「大中」之道的思想核心，正與其「生人之意」相吻合。「急民」者，急民衣食貨用之利也，關係到國計民生之根本。打個譬喻，國家、百姓如水，官吏士夫如舟，水漲則船高；國家興旺，百姓富裕，則廉吏之「為利也博」，故「身富家強，子孫葆光」。其聲名如日月經天而不滅，其「大利」之用令人歆羨。典型俱在，「污吏之商」能無愧乎！

唐代新興市民意識，其思想影響有積極及消極兩方面。韓柳

的好友劉禹錫《賈客詞》也反映出共同的時代特點，其詩云：「賈客無定遊，所遊唯利併。眩俗雜良苦，乘時取重輕。心計析秋毫，捶鈎侔懸衡。錐刀旣無棄，轉化日已盈。徼福禱波神，施財遊化城。妻約雕金釧，女垂貫珠纓。高資比封君，奇貨通倖卿。趨時鶩鳥思，藏鏹盤龍形。大編浮通川，高樓次旗亭。行止皆有樂，關梁自無征。農夫何爲者？辛苦事寒耕。」這是當日商賈不避險峻波濤，經商致富，以財自雄而及時行樂的社會風俗圖畫。商賈經商行市，離家經年，走南闖北，東西飄蕩，缺乏正常的家庭生活。因此，一旦「腰纏萬貫下揚州」，進入繁華城市，秦樓楚館，燈紅酒綠，食色徵逐，所得享樂與所擁財富成正比。其性開放的要求，消極與積極影響並存；其徵歌逐舞，喜聽說話藝人講那富有傳奇色彩的故事，又在一定程度上刺激了廣大市民階層的文藝需求，並促進了唐人傳奇的興盛。在政治上，商賈發財之後，就自然要求相應地提高其社會地位，以至有的人生出勢埒王侯的欲念。他們多出身於社會下層，卻產生了金錢面前人人平等的意識，甚或無視秩序等級，要求與士夫官僚平起平坐、自由交往，此所謂藉財生勢，具有了某種民主意識因素。總的說來，韓柳劉諸人多取其積極一面，而捨棄其消極因素。特別是柳宗元，更是在接受當時新興市民意識積極影響的同時，又根據自己的思想需求，予以改造，以融入其「生人之意」和「大中」之道的先進理論體系之中，從而實現了精神昇華。正因爲有了這一新的刺激及堅實的思想基礎，柳宗元在文學作品中表現市民意識，其思想與藝術頗多成功創造也是勢在必然，值得後人學習與借鑑。

---

①見《柳河東集》（下稱《柳集》）卷五《唐故特進贈開府儀同三司揚州大都督南府君睢陽廟碑》。

②見《柳集》卷十《安南都護張公（舟）墓誌銘》。

③見《柳集》卷八《故銀青光祿大夫右散騎常侍輕車都尉宜城縣開國伯柳公（渾）行狀》。

④見《資治通鑑》卷一九二。

⑤見《論語・述而》。

柳集與性意識的文學萌動

　　曲折而漫長的人生道路上，韓、柳文集常伴我而行。即使在文革期間「五七」幹校中，它們被迫韜光晦影、悄臥箱底時，雖不得觀，也心嚮往之，偶爾咀嚼回味，堪稱苦中作樂。今日重讀柳集，感慨良多，信手考錄若干首，以饗讀者。

　　乍看標題，人或勃然而怒，以為這是玷汙古賢的荒唐之言。柳宗元是個生活態度嚴肅的正直士人，貞元十二年（西元796年）二十四歲時與楊憑女兒結婚，貞元十五年八月楊夫人即早逝。夫妻三年，伉儷情深，柳宗元此後沒有再婚。如此端方之士，其詩其文，何「性」之有？其實，這樣來認識柳宗元及其文學創作，是不全面的。柳宗元也是心理健康的男人，如果完全排除其內在性意識的萌動，反倒成了身心殘疾的一種表現。

　　《易‧繫辭》云：「乾道成男，坤道成女」，「男女構精，萬物化生。」《孟子‧告子上》亦云：「食色，性也。」先儒孟子並不否定「色」亦人之性。何況，唐代社會環境開放，商業繁榮、經濟發展，市民意識無形之中影響著士人，在此時代背景下，男女之事較少倫常禁忌。與宗元同時之人，賢如韓愈、白居易也自矜其「豔福」或「豔遇」。孟棨《本事詩‧事感》載：「白尚書姬人樊素，善歌；妓人小蠻，善舞。嘗為詩曰：『櫻桃樊素口，楊柳小蠻腰。』年既高邁，而小蠻方豐豔。因為楊柳之詞以記意，曰：『一樹春風萬萬枝，嫩於金色軟於絲。永豐坊里東南角，盡日無人屬阿誰？』」白尚書就是白居易。就事論事，小說家之言

是否完全可靠，可以討論。但是，白居易頗有風流雅韻，則可斷言。至於以言道傳教著名的韓愈，其《酒中留上襄陽李相公》詩裡也有「銀燭未消窗送曙，金釵半墜座添春」之句，更遑論風流才子元微之的《鶯鶯傳》和《會眞詩》！難怪杜牧感慨：「至於貞元末，風流恣綺靡。艱極泰循來，元和聖天子。」

因此，柳宗元作爲一個長期鰥守的中青年，在其嚴正理性的精神縫隙中，時而流露某些性意識的覺醒和萌動，的確合乎天性自然。按照現代心理學的說法，文學創作也是內在心理機制自我調整的結果。那麼，柳宗元的潛在性意識成爲其作品思蘊中的無形細流，又有何不可呢？

柳集卷四十三《戲題石門長老東軒》詩云：

> 石門長老身如夢，旃檀成林手自種。
> 坐來念念非昔人，萬遍《蓮花》爲誰用？
> 如今七十都忘機，貪愛都忘筋力微。
> 莫向東軒春野望，花開日出雉皆飛！

據王國安《柳宗元詩箋釋》引王昶《金石萃編》卷一〇五《柳宗直等華嚴岩題名》，此詩是柳宗元偕堂弟宗直於元和元年三月八日遊永州華嚴岩後所作。「石門長老」，舊注以爲即法華寺僧覺照。柳集中另有《法華寺石門精室三十韻》詩，兩相比照，可知石門長老的精舍就是法華寺石門精室。柳宗元《永州法華寺新作西亭記》評覺照云：「不起宴坐，足以觀空色之實，而游乎物之終始。其照也逾寂，其覺也逾有……豈若吾族之挈挈於通塞有無之方以自狹耶？」據此，則石門長老覺照，是一位精通佛理的高僧，修行甚爲了得。佛門五戒，色戒尤重。但是，詩人與覺照可能關係熟稔，所以敢在詩中以性色之戒戲笑七十歲的得道高僧。

此詩關鍵在末聯。雉，野雞也。「雉皆飛」有典故。古樂府有《雉朝飛》曲，相傳是戰國初齊宣王時處士犢牧子所作。據吳兢《樂府古題要解》卷下，他「年七十無妻，出採薪於野，見雉雄雌相隨而飛，意動心悲，乃仰天而嘆曰：『聖王在上，恩及草木鳥獸，而我獨不獲！』因援琴而歌以自傷。」年七十的老人，在生機蓬勃的自然中觸景生情，壓抑已久的孤獨哀怨突如其來，噴瀉而出，發爲雉雞雄雌相逐、陰陽和鳴之聲。正巧，老僧覺照也是年過七旬，詩人因而借譬打趣。末聯意味：你老和尚雖是《蓮花經》誦念萬遍的得道高僧，但千萬不要站在東軒眺望春光爛漫的原野，那兒旭日花開，色彩斑斕的野雞雄雌相逐嬉戲，你能抗拒那犢牧子七十無妻的本能煩惱嗎？

詩稱「戲題」，當然不可當眞，並非年過七十的覺照眞的產生了欲破色戒的愛情追求。但我們反思一下，詩人爲什麼要和得道高僧開這個玩笑呢？其實，追求愛情之「戲」，難與覺照有所關涉，詩人卻偏偏拉他入「戲」，這是不是詩人那潛伏深處的性意識在不自覺地驅動呢？是不是詩中暗藏夫子自道的意念呢？

這就讓人想起明代湯顯祖《牡丹亭》中的主人公杜麗娘，她被封建禮教禁錮閨中，生來只見過兩個男人，一是其父杜寶，一是迂腐老儒陳最良。豆蔻年華的少女對正常男性的認識幾乎爲零。但是，陰陽和合，異性相吸，乃自然萬物之規律，也是人類的本能特性。被壓抑的感情一旦突破堤防，就會如洪水火山之迸發，去熱烈地追求滿足。杜麗娘遊園賞春，見良辰美景，姹紫嫣紅開遍，自然景物的美好激發起她的生命活力，不由地唱出：「我一生愛好是天然。」這是不朽名句。追求異性之愛也是一種「天然」，是青春蓬勃生命煥發的表現。既然現實中見不到可親可愛的男人，她就在夢裡完成對性的追求，自我塑造了一個戀愛對象——書生柳夢梅。於此可見，性意識的萌動可以昇華爲美好的憧

憬，映照出對生命與自然的熱愛。

　　柳宗元此詩乃永貞末被貶爲永州司馬數月後的作品，他當時心境自是極端壓抑苦悶，因而借詩遣懷，滿紙風趣的詼諧調侃中，不僅暗伏著對異性之愛的合理嚮往，而且表達了自己不屈服於環境重壓的熱愛生命之追求，苦中作樂，其詩所「戲」，眞諦在此。

　　人或以爲這是孤證與偶然，其實不然。如柳集卷四十三《戲題階前芍藥》云：

　　　夜窗藹芳氣，幽臥知相親。願致溱洧贈，悠悠南國人。

清‧何義門《讀書記》釋曰：「『願致溱洧贈』二句，陳思王詩『南國有佳人，容華若桃李』，結句雖戲，亦楚辭以美人爲君子之旨也。」何氏所釋，爲賢者忌，實際是求深反淺之辭。楚騷香草美人之法發展到唐代，早已成爲中國詩文創作的優良傳統，用來冠冕堂皇，柳宗元又何必出以「戲題」二字呢？「戲題」者，不必過分認眞之謂也。關鍵在於「溱洧贈」之言，其出典在《詩經‧鄭風‧溱洧》：

　　　溱與洧，方渙渙兮。士與女，殷其盈矣。女曰：「觀
　　　乎？」士曰：「既且。」「且往觀乎！」洧之外，洵訏且
　　　樂。維士與女，伊其將謔，贈之以芍藥。

　　柳詩中的「芍藥」，指的是木芍藥，即今之牡丹花。唐人尤重牡丹，花開時節，京洛貴族幾爲之瘋狂。白居易《秦中吟‧買花》有「一叢深色花，十戶中人賦」之句，其《新樂府》又有《牡丹芳》之曲。觀柳詩《戲題階前芍藥》「悠悠南國人」云云，則詩爲

宗元貶永州司馬時作。在距京師千萬里之遙的貶所，詩人發現了故鄉京師所重的「芍藥」（即牡丹），花是而地非，價值也各異，聯想到自己的處境，撫今追昔，能不爲之感慨浩嘆嗎？故鄉的「芍藥」給詩人受傷的靈魂一絲安慰。而《詩經‧溱洧》中持贈美人的「芍藥」，據馬瑞辰《通釋》考證，則是蘪蕪之類的一種香草，與牡丹花無涉。詩人爲什麼要把兩種毫不相關的「芍藥」勉強拉扯在一起呢？是詩人考證不精嗎？我看不是。宗元學富五車，理應知道《溱洧》所處的先秦時代，芍藥並非牡丹。在詩中，他不過是借助相同的「芍藥」之名，浮想聯翩，以便了卻自己那久壓心中的追求與願望罷了。

永貞元年王叔文黨八司馬之貶，宗元即其一，因憲宗之怒，「有詔，雖遇赦無得量移」（《資治通鑑》卷二三七元和四年二月載）。對於詩人來說，時代的悲劇永無終息之望。而人的生命則希望獲得撫慰，不然怎樣生活？於是，在現實中不可得之物，轉化爲詩文的夢想與追求。《溱洧》本是一首情歌，描繪古代三月上巳節時青年男女在溱水洧水之間踏青遊春、談情說愛之情形。柳宗元正處於現實的重壓之下，感情泉源行將枯涸，由芍藥想及昔日京師生活之絢麗、短暫愛情之美好，彷彿《溱洧》之情趣，這一切怎不令人又怦然心動？據柳集卷十三《亡妻弘農楊氏誌》回憶其妻楊夫人云：「及許嫁於我，柔日既卜，乃歸於柳氏……髫稚好言，始於善謔。雖間在他國，終無異辭。凡十有三歲，而二姓克合。」柳楊二人，青梅竹馬，兩小無猜，「始於善謔」，看來二家因孩子之間親密的風趣調笑而成其婚姻。古代的墓誌銘是莊重嚴正的文字，但柳宗元卻在追憶賢妻時寫出「髫稚好言，始於善謔」，其實，這也不過是其濃縮之影，少年夫妻間卿卿我我、恩恩愛愛的生動情趣不知還有多少，與《溱洧》中「伊其相謔，贈之以芍藥」之事，二者何其相似！於是，詩人由此及彼，移花接

木，使《詩經》之詩成爲自己苦悶生活的解碼，讓想像中情事的甜蜜潤澤乾枯的生命，重新激發起現實生存的熱情與希望。

又柳集卷四十三有樂府詩《楊白花》云：

> 楊白花，風吹渡江水。坐令宮樹無顏色，搖蕩春光千萬里。茫茫曉日下長秋，哀歌未斷城鴉起。

據王國安《柳宗元詩箋釋》（上海古籍出版社1993年版）云：「似亦元和四年（809年）讀書有感之屬。」所言甚是。有關此詩題旨，另有韓醇《詁訓柳集》稱：「詩云『風吹渡江水』，又云『搖蕩春光千萬里』，亦以自況也。」也就是說，詩人藉楊白花之事來比況自己遠斥南國。王國安否定了韓說，以爲「此讀書詠史，非必有自況意也」。二論相較，以王說爲優。但是，讀書消悶，有感以詠，歷史的無意反覆引起詩人內心強烈的現實震撼。無論詠史還是自況，只要不牽強於一時一事，加以古今通感的靈活比較，則二者之間，又不可斷言必無聯繫。

元和四年，柳宗元作書京師親友，希望幫助自己脫困量移，未果。其《寄許京兆孟容書》云：「（京師）家有賜書三千卷，尚在善和里舊宅。宅今已三易主，書存亡不可知，皆付受所重，常繫心腑，然無可爲者。」於舊日藏書心心念念，卻也無可奈何。於是在永州貶所，他另置書籍以消時日。其《與李翰林建書》云：「僕近求得經史諸子數百卷，常候戰悸稍定，時即伏讀，頗見聖人用心賢士君子立志之分。」《與楊京兆憑書》云：「自貶官來無事，讀百家書，上下馳騁，乃少得知文章利病。」以上三封書信，均見於柳集卷三十。可見，被貶永州之後，讀書言懷，已成爲宗元生活中不可或缺的重要組成部分。故元和四年作《讀書》詩云：「幽沈謝世事，俛默窺唐虞。上下觀古今，起伏千萬途。遇

欣或自笑，感戚亦以吁……竟夕誰與言？但與竹素俱。倦極更倒臥，熟寐乃一蘇。欠伸展肢體，吟詠心自愉。得意適其適，非願爲世儒。道盡即閉口，蕭散捐囚拘。巧者爲我拙，智者爲我愚。書史足自悅，安用勤與劬？貴爾六尺軀，勿爲名所驅！」讀書酸甜苦辣的況味盡在其中。

其《楊白花》詩當與《讀書》、《詠史》諸作參閱，均爲元和四年一時先後之作。楊白花何許人也？《南史》卷六十三《王神念傳》附《楊華傳》云：「時復有楊華者，能作驚軍騎，亦一時妙捷，帝深賞之。華本名白花，武都仇池人。父大眼爲魏名將。華少有勇力，容貌瓌瑋，魏胡太后逼幸之。華懼禍，及大眼死，擁部曲，載父屍，改名華，來降。胡太后追思不已，爲作《楊白花歌辭》，使宮人晝夜連臂蹋蹄歌之，聲甚悽斷。華後位太子左衞率，卒於侯景軍中。」楊白花者，史上無功業可載，其所以列入史傳，僅以其與胡太后曖昧事而令史官著筆。章士釗《柳文指要》上體要之部卷三討論《六逆論》時云：「吾嘗怪子厚詩中，有《楊白花詞》一首……集中僅刊白文，別無線索可資省釋，子厚果何所爲，而必著錄此詞，使人長言詠嘆以自感其不足乎？夫楊白花，楊大眼子，元魏胡武靈后之孌人也，懼禍奔梁，而胡后追戀不已，宮中作《楊白花歌》，令宮人連臂踏之，聲甚淒斷。雖《楊白花歌》，比之子厚《楊白花詞》高下如何？吾未嘗深加比覈，然料定此終是宮中淫亂之象，持較『梁家宅裡秦宮入，趙後樓中赤鳳來』，妖豔一無遜色，獨作爲一種政治推動力看，聯同子厚所定淫破義一款，稍稍放寬眼界，曲予優容，並使一時抒情文學，多得一宗烘雲托月資料，與民同樂，故許彥周終於認定此詞爲樂府中古今絕唱，不爲無義也歟？」章氏所論雖有啓迪，但也不可盡信。郭茂倩《樂府詩集》卷七十三《雜曲歌辭》載無名氏《楊白花》古辭云：「陽春二三月，楊柳齊作花。春風一夜入閨闥，楊花飄蕩落南家。含

情出戶腳無力,拾得楊花淚沾臆。秋去春還雙燕子,願含楊花入
窠裡。」據史稱,胡靈太后「性聰穎,多才藝……親覽萬機,手
筆決斷」(見《魏書》卷十三《皇后列傳》)。她作《楊白花》古辭,
當屬可信。但詳考古辭詩意,似乎只是一首婉麗哀傷的追思戀人
之作,而無關乎政治。

宗元的《楊白花》相繼而作,描繪的是長信宮中,落日樓頭,
晚鴉亂起,其景象已失胡太后原作「願含楊花入窠裡」的一縷希
望之光,增添的只是追念無期、希望破滅後的無限悵惘之調。在
古辭與柳詩之間,看不出有什麼「政治推動力」存在,更感悟不
到柳宗元之《六逆論》的理論精義,能體味到的只是一曲追思戀人
已不可得的哀婉絕唱。聯繫宗元身世,其《寄許京兆孟容書》云:
「煢煢孤立,未有子息。荒陬中少士人女子,無與爲婚,世亦不
肯與罪大者親暱,以是嗣續之重,不絕如縷。」其《與楊京兆憑
書》亦云:「身世孑然,無可以爲家。」於士人婚姻縈懷腦海、
耿耿於懷,但又如風吹楊花渡江去,渺然無望。

史稱胡靈太后淫穢宮廷,以致亡國。章士釗先生因此斷言柳
宗元作《楊白花》刺之,以發揮其《六逆論》中「淫破義」的微言大
義。所謂「淫破義」,指邪惡言行損害了禮義道德。其所稱
「淫」範圍很廣,當然淫穢之行也包括在內。但章氏之言合於世
俗之見,而與柳宗元無涉。如元稹《鶯鶯傳》云:「昔殷之辛,周
之幽,據百萬之國,其勢甚厚。然而一女子敗之,潰其衆,屠其
身,至今爲天下僇笑。」而柳宗元則相反。作爲一個博大精深的
思想家,他對於世俗史家「女人禍水」的傳統偏見當然不會贊
同。屈原《天問》有云:「妖夫曳衒,何號於市?周幽誰誅,焉得
夫褒姒?」大意是問:那對妖人夫婦相隨而行,他們在炫耀叫賣
什麼?周幽王是被誰誅殺的,是不是和他獲得了美女褒姒有關?
柳宗元則在其《天對》中有針對性地回答說:「孺賊厥詭,爰縶其

弧。幽禍挈以誇,憚褒以漁。淫嗜蔑殺,諫屍謗屠。孰鱗蔡以
徵,而化鼉是辜!」其大意是說:那些小孩亂唱童謠:「檿弧箕
服,實亡周國。」而事實上周幽王失敗被殺,乃由於他驕侈狂
妄。他無端生事,威嚇鄰邦,掠奪褒國,並以殺人為樂,進諫者
被處死,不滿者被屠殺。怎能把龍沫的傳說當作不祥禍根,把西
周亡國歸罪於因母親吞龍沫而生下的美女褒姒呢?據《史記・周
本紀》,周厲王時,有宮女因吞龍的唾沫而懷孕生子,棄之於
路,為鄉人夫婦收養。「宣王之時童女謠曰:『檿弧箕服,實亡
周國。』於是宣王聞之,有夫婦賣是器者,宣王使執而戮之。逃
於道,而見鄉者後宮童妾所棄妖子出於路者,聞其夜啼,哀而收
之,夫婦遂亡,奔於褒。褒人有罪,請入童妾所棄女子者於王以
贖罪。棄女子出於褒,是為褒姒。當幽王三年,王之後宮見而愛
之,生子伯服,竟廢申后及太子,以褒姒為后,伯服為太子。太
史伯陽曰:『禍成矣,無可奈何!』」後來周幽王因此而亡國。對
於史官伯陽把西周之亡歸罪於美女褒姒的說法,柳宗元堅決予以
駁斥,認為亡國主要是幽王暴政失德所致,與傳說中的龍沫所化
生的褒姒毫無關係,「孰鱗蔡以徵,而化鼉是辜!」回答乾脆,
擲地有聲。但對於殷紂王與美女妲己,柳宗元的態度似乎是嚴厲
些。史稱妲己禍水,殷紂以亡。屈原《天問》亦云:「殷有惑婦,
何所譏?」意謂殷商出了妲己這樣迷惑紂王的婦人,臣民還怎麼
進諫呢?柳宗元《天對》一方面承前而云:「妲滅淫商,痛民以亟
去。」意謂妲己加快了淫亂殷商的滅亡,受苦難的百姓希望趕快
擺脫其殘暴統治。在此,妲己個人於商之亡有一定的歷史罪責。
但同時柳宗元又嚴正指出:「紂無誰使惑,唯志為首。逆圖倒
視,輔讒以僇寵。」意思很明確,殷商滅亡的根本罪責在於殷紂
王,誰也無法迷惑他,主要是他性本邪惡,顛倒黑白而倒行逆
施,殺戮忠良而寵任邪佞所致。妲己不過是其身邊的邪佞之一。

如果執政的紂王心志賢明，又有誰能迷惑他呢？亡國之罪主要在當政的紂王，而非他身邊的女人。無論是先秦三代的奴隸社會，抑或秦漢以後的封建社會，男女關係都是以男性為中心。齊家治國平天下的男性，怎能把亡國禍水潑向女性、而不去思考自己的社會責任？在這方面，柳宗元的思想認識，超越了同時代的士人。因此，其樂府詩《楊白花》不可能只是譏刺胡靈太后的淫亂宮廷。作為男性的皇帝，可以三宮六院萬千宮女服侍，為什麼胡靈太后只因年輕守寡，接納了幾個孿人男寵，就要大受斥責，而成為「亡國禍水」呢？北魏之亡，主要是政治上的原因，而非男女之間的「性」問題所致。聯繫柳宗元的一貫思想和理論主張，他的認識不會褊狹。故其《楊白花》新辭，承胡太后古辭而作，發揮的是抒情文學的藝術特性，生動描繪了男女之間的戀情與追求，是其性意識不自覺的又一次萌動與覺醒。

如果說詩歌是比興文學，其藝術特點是微而婉，對性意識的抒寫亦比較含蓄；而散文著述則是屬於「辭令褒貶」的文學，藝術表現就比較顯露，絞述較為直接清晰。這只要讀其外集卷上的古文小說《河間傳》，就可見柳宗元對性心理的描繪是相當細膩而現實的。

小說開篇交代：「河間，淫婦人也。不欲言其姓，故以邑稱。」但河間怎樣由不出閨門「未嘗言門外事」的賢婦，搖身一變而成淫婦的呢？這是由於「其族類醜行者」共謀「壞之」，設下種種色性陷阱，一步步引誘河間墮落而終不可自拔。也就是說，河間變壞，是社會使然。一次，壞蛋們羣擁河間到寺廟觀歌舞，「先壁羣惡少於北牖下。降簾，使女子為秦聲，倨坐觀之。有頃，壁者出宿選貌美陰大者主河間，乃便抱持河間，河間號且泣，婢夾持之。或諭以利，或罵且笑之。河間竊顧視持己者甚美，左右為不善者已更得適意，鼻息咈動，意不能無動。力稍

縱，主者幸一逡焉。因擁致之房，河間收泣甚適，自慶未始得也
……必與是人俱死。」天黑了也不願離廟，實在不得不回家時，
又「持淫夫大泣，齧臂相與盟而後就車……心怦怦，恆若危柱之
弦。夫來，輒大罵，終不一開目，愈益惡之」。後來，又想法致
丈夫於官而被笞殺。於是，河間大喜，「闔門召所與淫者俱逐為
荒淫，居一歲，所淫者衰，益厭，乃出之。召長安無賴男子，晨
夜交於門。猶不慊，又為酒壚西南隅，己居樓上，微觀之，鑿小
門，以女侍餌焉，凡來飲酒，大鼻者，少且壯者，美顏色者，善
為酒戲者，皆上與合，且合且窺，恐失一男子也。猶日呻呼憒憒
以為不足。積十餘年，病髓竭而死。自是雖戚裡為邪行者，聞河
間之名，則掩鼻蹙頞皆不欲道也。」

在這裡，柳宗元描繪的是不健康的性變態圖。河間本是賢婦
人，其所謂「賢」，不過是被封建禮教禁錮閨中而未嘗窺外的極
端性壓抑，可能是因封建禮教種種嚴格規範，妨礙了夫妻間真正
的感情交流，也有可能是呆瓜丈夫不解風情，難以給河間婦一定
的性滿足。於是，缺乏正確的感情疏引和心理指導，有的只是惡
少布下的色性圈套，這時河間潛伏深處、禁錮已久的本能欲望一
旦獲得釋放，就惡性膨脹，因環境的扭曲而產生質的變易，甚至
導向了毀滅之路。其因淫致死，是社會和時代的罪惡使然，柳宗
元對此持明顯批判態度。人類與生俱來的本能性意識必須是「發
乎情止乎禮義」（見《毛詩序》），禮教的過分禁錮，恰恰是造成
被壓抑的性意識惡性反彈而化為惡魔的原因之一。在這方面，
《河間傳》的啟示是有意義的，不僅如此，柳宗元還進一步指出男
女陰陽和合的性追求，不能永遠處於盲目的潛意識中，而應深化
一層，提到自覺理性的階段，「發乎情」的同時進一步昇華到
「合乎禮義」之道，不能被一時邪利蒙住理性的眼睛。這就要求
人們具有健康的性心理，而非一味被性意識的盲目騷動所驅遣。

與元稹《鶯鶯傳》那「始亂之，終棄之」的寡義薄情之「性」相比較，柳宗元則進一步，希望給予人們一定的性教育，要求將性意識昇華爲情理統一而合乎道義，既滿足生理和感情的本能需求，又不苟合以保障社會文明秩序的健康發展。其《河間傳》篇末點題云：

> 柳先生曰：天下之士爲修潔者，有如河間之始爲妻婦者乎？天下之言朋友相慕望，有如河間與其夫之切密者乎？河間一自敗於強暴，誠服其利，歸敵其夫猶盜賊仇讎，不忍一視其面，卒計以殺之，無須臾之戚。則凡以情愛相戀結者，得不有邪利之猾其中耶？亦足知恩之難恃矣。朋友固如此，況君臣之際，尤可畏哉！余故私自列云。

與元稹《鶯鶯傳》及《會眞詩》中性意識的文學表現相比較，柳宗元詩文與之同中有異。首先，不主張性禁錮，認爲對性意識應加以適當疏導宣泄。如前所述，這是他們身處的共同社會思潮所致，並非哪一個人的獨到之見。在作品中主動描繪性心理與行爲，是唐代士人的自覺選擇，在這基本方面，柳宗元與元稹並無二致。其次，他們對性意識的認識上，同樣主張情與理的統一。但是，其認識程度有深淺之別，品格有精粗之異。元稹《鶯鶯傳》以贊成與欣賞的態度描寫了始亂終棄的玩弄女性行爲，謂「時人復許張（生）爲善補過者」；而柳宗元的樂府詩《楊白花》則對於胡靈太后失去可愛男人的哀歌悲痛，抱著同情態度，故有「茫茫曉日下長秋，哀歌未斷城鴉起」之嘆。長秋，皇后宮殿。言皇太后追念戀人，其憂思之深幾忘旦暮。另外，元稹也以殷紂王之妲己、周幽王之褒姒爲例，宣揚女人禍水的傳統偏見；柳宗元則超邁時輩，對此偏見加以否定和批判。柳、元二人同爲貞元、元和

才子，在對女性的態度及其各自性意識的表達方面，二者誰是誰非、孰高孰低，讀者不難分辨。第三，柳元二氏均涉及對性心理及性行為的刻畫描繪，不過，元氏較為開放顯露，如《會眞詩》「戲調初微拒，柔情已暗通……轉面流花雪，登牀抱綺叢。鴛鴦交頸舞，翡翠合歡籠……汗流珠點點，髮亂綠蔥蔥」，詳述性愛過程，已近色相挑逗與誘惑。在這方面，柳宗元較為「保守」，其作品的藝術表達也較為含蓄委婉，或巧於用典，令人遐想，或是恰到好處、點到為止。柳元二氏的性意識描寫，同樣給人審美享受，但其藝術品格仍有雅俗之別，這或與柳宗元的嚴正家教及其端方品格有關，而風流倜儻的元才子更近於市井世俗生活，較少顧忌，更重視以男性為中心的性愛之生理及精神愉悅。

陰陽男女，人倫之始。柳宗元對此有所認識。因此，他對以「邪利」為情愛相戀者，明確持批判否定立場。男女之「性」，必須以健康的心理作基礎，要發乎情而合乎禮義之中道，方才能拒斥「邪利」的性誘惑。由男女人倫，他又進一步論及「君臣之際」，與儒家齊家、治國、平天下的精神相一致。總的說來，柳宗元仍難免封建觀念的制約和局限。以《河間傳》為例，他似乎為性意識確定了政治哲學的背景與走向，力圖完成理論與道德上的昇華，始終未失他的儒者本色。

柳家新樣元和腳

——柳宗元與書法藝術

柳宗元的詩歌與摯友劉禹錫酬唱往返最多，箇中緣由：一來由於政治上的志同道合、同病相憐——同因參加永貞改革而被貶斥爲遠州司馬，後又同遷遠州刺史；二來是由於貶地相近，任司馬時，一在永州，一在朗州，同在湖南境內，任刺史時一柳一連，省份相鄰，地域相望，驛遞便利；三來是在文化藝術素養諸方面，劉柳興趣相投，除了詩詞文章及音樂之外，有關書法藝術的討論也成了二人以詩代書流連往返的經常課題。切磋書藝，一方面可以稍微減輕政治上失敗被貶的孤寂苦悶，慰撫受傷的心靈，一方面可以加深增厚文化藝術素養，在激活自己生命活力的同時，對其文學創作給予有益的促進和推動。「苟吾位不足以充吾道，是宜寄餘術百藝以泄神用，其無暇日，與得位同」①，話雖出自劉禹錫，卻能代表劉、柳、韓愈等正直士人的共同看法，甚至可說是形成了一代藝術風氣。如音樂、美術及書法藝術均在「泄神」寓志的「百藝」之中。唐李肇《唐國史補》卷下云：「長安風俗，自貞元侈於遊宴，其後或侈於書法圖書。」雖小說家語，然並非無根浪言。如韓愈之於音樂、美術，雖非作者，但在審美鑑賞方面卻可稱專門名家。其《畫記》載韓覓一佳畫，「意甚惜之，以爲非一工人之所能運思，蓋聚集衆工人之所長耳，雖百金不願易也」，時當貞元十年（794年），正是韓愈幾度見黜於吏部博學宏辭科試之際，雖然窮愁潦倒，但卻寧願餓乏其體膚而

不肯以百金售其藏畫，可見其鑑賞繪畫的藝術素養並非泛泛之輩
可比；至於音樂藝術審美鑑賞，韓詩有名篇《聽穎師彈琴》，千古
流傳。元代畫家倪瓚曾把音樂、繪畫二藝精神合而爲一，有《題
陳惟允畫》詩云：「韓公曾聽穎師琴，山水蕭條太古音。不作王
門操瑟入，溪山高隱竟何心！」可見藝術創意與人的高尚情操、
獨立人格息息相關。劉柳二公，與韓同調，於書法藝術亦然。

　　有關柳宗元書法藝術，古今人雖偶有議論，但甚罕見，可謂
鳳毛麟角，難以窺其完貌。此道關卡至章士釗先生始加突破，其
《柳文指要》下通要之部卷十三專論《柳書》，啓迪頗多，可資參
閱。但嫌意猶未盡，故筆者重加搜輯整理，以期系統論之而見概
貌。

　　元和十年（815年），柳宗元四十三歲。該年正月奉詔自永
返歸京師，二月與劉禹錫結伴抵長安，三月出爲柳州刺史，劉禹
錫連州刺史，二人同路南返至衡陽始分道揚鑣。六月至柳州上
任。此後，他創作了與劉禹錫切磋書藝的一組五首論書絕句，即
《殷賢戲批書後寄劉連州並示孟崙二童》、《重贈》二首（一作《重
贈劉夢得》二首）、《疊前》、《疊後》凡五首；劉禹錫不甘人後，
積極回應，依次回贈論書絕句三首，即《酬柳柳州家雞之贈》、
《答柳宗元重贈》二首。二人旗鼓相當，於切磋索異之際，頗多親
切風趣生活氣息，在柳詩悲鬱風格之中，另具清新暢達之調。現
就詩論藝，略加疏通，並述讀後之感。

　　一、《殷賢戲批書後寄劉連州並示孟崙二童》（題下自注云
「家有右軍書，每紙背庾翼題云：王會稽六紙，二月三十日嘗
觀」）詩云：「書成欲寄庾安西，紙背應勞手自題。聞道近來諸
子弟，臨池尋已厭家雞。」殷賢，劉禹錫家子弟。庾安西，原指
東晉庾翼，字稚恭，曾任都督江荊司雍梁益六州諸軍事、安西將
軍。這裡借喻劉禹錫，同時又暗中以王右軍（羲之）自況。可見

柳宗元於書藝之道，自視甚高。家雞，典出《南史·王僧虔傳》稱引王僧虔與人書云：「庾征西翼書，少時與右軍齊名。右軍後進，庾猶不分。在荊州與都下人書云：『小兒輩賤家雞，皆學逸少書，須吾下當比之。』」宗元之詩，據題推測，是因劉家子弟殷賢「戲批」而發。據韓醇《詁訓柳集》卷四十二云：「公與夢得聞問最數，殷賢戲題其書後，故舉庾翼之事爲寄，蓋劉家子弟當有學其書者。」劉家子弟不傳夢得而學柳書，殷賢年輕坦率，故有「戲批」之舉，詩之末句「臨池尋已厭家雞」即此之謂。柳宗元在壓抑十年以後，方遷柳州刺史，但是其無忘生人之意的理想仍激發了他的政治熱情。他到柳州後，曾嘆息道：「是豈不足爲政耶？」故其《種柳戲題》詩云：「柳州柳刺史，種柳柳江邊……好作思人樹，慚無惠化傳。」他對自己遠貶邊州刺史的內心痛苦盡量加以多方面排解：比如一方面認眞負責地推行賢政，爲建設柳州的文明作貢獻，在忘我的積極工作中，來淡化內心的悲痛色彩；一方面又在公務之暇，以切磋書藝求其創新日進自勉，此與劉禹錫「寄餘術百藝以泄神用」同一意思。劉、柳二人書法，其初旗鼓相當，如章士釗《柳文指要》下《通要之部》卷十三云：「夢得領兒輩習字，兒輩並不甚尊重家翁書法。尋夢得原偕子厚及楊歸厚，同受法於皇甫閱，功力亦大致相差不遠也。」但後來柳氏日進，悟新境界，而劉書之法，依舊師承而停滯，如王右軍書之於庾翼，柳劉書藝高下精粗判然有別。故引發二人論書絕句之作。柳劉論書往返，合共八絕，「以詩爲戲」是其藝術特點。在古文創作方面，柳宗元曾作《讀韓愈所著毛穎傳後題》一文，以爲人譏韓文似俳之戲，他反駁說，但「俳又非聖人之所棄者，《詩》曰：『善戲謔兮，不爲虐兮』（**凡按**：見《鄭風·淇澳》），太史公書有《滑稽列傳》，皆取乎有益於世者也。」在這裡，他不僅積極支持了韓愈所提倡的「以文爲戲」的創作思想，而且不斷擴大其

所為「戲」的文學內容，並進一步拓展到詩歌領域。其論書絕句，就是「以詩為戲」的典型。其詼諧風趣之意溢於言表而令人神往。於此可見，詩人並非整天鎖眉蹙額如林妹妹，也不是一個只會板起面孔教訓別人的衛道者，而是一個活生生的人，是一個幽默可親、很有人情味的文學大師。劉禹錫針對此詩，迅疾以《酬柳柳州家雞之贈》詩回應，云：「日日臨池弄小雛，還思寫論付官奴。柳家新樣元和腳，且盡薑芽斂手徒。」官奴，原是王羲之子獻之小名，劉禹錫借喻己子。「且盡薑芽斂手徒」，王國安《柳宗元詩箋釋》云：「薑芽，當喻五指握筆彎曲狀，禹錫詩乃戲言柳宗元雖變新樣，而實不佳，學柳者盡『薑芽斂手』之輩。」劉詩大意是說：我是天天督促孩子們臨池習書，同時還想把自己對書法藝術的心得體會整理出來，傳給兒輩。你柳宗元的書法雖然自成面貌，呈現了世人所稱「柳家新樣元和腳」的新變，但書體非佳。「柳家新樣元和腳」，舊注以為指柳公權，誤。章士釗《柳文指要》釋云：「柳家新樣，諸注統謂指柳公權，其時公權實未涉世有名，而子厚書名已滿天下。蓋公權小於子厚五歲，立名於穆、敬、文、武、宣、懿六朝，咸通六年，年至八十有八而終，元和腳的說不上公權。」所論甚是。據唐・趙璘《因話錄》卷三：「元和中，柳柳州書後生多有師效，就中尤長於章草，為時所寶。湖湘以南童稚悉學其書，頗有能者。長慶已來，柳尚書公權又以博聞強識工書不離近侍，柳氏言書，近世有此二人。」長慶為晚唐穆宗年號，趙璘字澤章，開成進士。其時代與宗元相距未遠。璘為趙宗儒從孫，觀柳集卷三十五有《上廣州趙宗儒尚書陳情啟》《賀趙江陵宗儒闕符載啟》，卷三十六有《上江陵趙相公寄所著文啟》諸文，柳與趙家交誼非淺，璘因此熟聞祖上友善宗元故事，故言必有據。據《因話錄》所載，明言柳宗元以書法名家於元和朝，當時南方士子童稚「悉學其書」。按宗族序列，雖然公

權輩分高於宗元②，但年歲卻少宗元五歲，宗元於貞元九年
（793年）進士及第，而據徐松《登科記考》，公權於元和三年
（808年）登進士第，二柳科名仕進相距甚遠。公權於唐穆宗朝
後始以侍書學士著名於世，而在元和一朝，公權未嘗以書法名
家，無論正史或私家筆記，均載其書藝名重於穆宗以後的晚唐諸
朝。劉禹錫早貶在外，於柳公權並非熟悉，而且劉氏「柳家新樣
元和腳」之詩，寫於元和十年，又是直接與宗元往返切磋之作，
當然所稱柳家書藝自成一家新樣的「元和腳」，只能是柳宗元，
而非柳公權。一排時地交遊，事實俱在，自不待辯。「元和
腳」，人或不知「腳」者何謂，其實，只要參考後人之言，自能
知道指的是書法字體。如宋·黃庭堅書法著名於元祐間，故其友
陳師道《徐仙書》詩云：「肯學黃家元祐腳，信知人厄非天窮。」
見《後山詩注》卷十。參此，則「元和腳」謂柳宗元書甚明。「元
和腳」與當時詩壇流行的「元和體」並稱，一謂書法，一謂詩
體，同樣富於藝術創新精神，屬於時代美學精神使然。

　　二、《重贈》二首（其一）云：「聞說將雛向墨池，劉家還有
異同辭。如今試遣隈牆問，已道世人哪得知。」此詩針對劉詩
《酬柳柳州家雞之贈》而加調侃。劉詩有「寫論付官奴」之言，劉
氏以官奴喻己之子弟。柳氏答詩，則藉「官奴」事予以巧妙回
答。你譏我柳家新樣是「薑芽斂手」，但你家子弟對你劉家字體
又如何看法呢？望你考察三思。據《世說新語·品藻》第七十五則
云：「謝公問王子敬：『君書何如君家尊？』答曰：『固當不同。』
公曰：『外人論殊不爾。』王曰：『外人哪得知？』」劉孝標注引宋
明帝《文章志》曰：「獻之善隸書，變右軍法為今體，字畫秀媚，
妙絕時倫，與父俱得名。其章草疏弱，殊不及父。或訊獻之，云
義之書勝不？莫能判。有問義之云：『世論卿書不逮獻之。』答
曰：『殊不爾也。』它日見獻之，問：『尊君書如何？』獻之不答。

又問：『論者云，君固當不如。』獻之笑而答曰：『人哪得知之
也。』」詩末二句「隈牆問」、「哪得知」之出典在此。於此可
見，劉禹錫曾率子弟辛勤臨池學書，以便與柳家書藝一爭高低，
但其兒輩並不以家翁之書為是，故柳詩發為「劉家還有異同詞」
之說。「異同詞」者，公開爭議，不甚重視家翁書法也。劉家書
藝不如柳家，在柳家內部「矛盾」中清楚可見。據此推測，劉家
子弟臨池學書多有以柳書為楷模者，可能其書藝頗有可觀，所以
敢於輕忽家翁之書而有「戲批」之舉，且有王獻之的自負：「已
道世人哪得知」，正面敘述劉家子弟習柳書後之青出於藍，暗寓
柳氏對於禹錫書藝的批評。書藝之道，劉不如柳，即在你劉家子
弟，不也有「異同詞」嗎？用王獻之典，正見詩人的戲謔之意。
如果不是劉柳二人情深意摯、關係密切，能夠這樣親切地開玩笑
嗎？

　　但劉禹錫是個好強爭勝的爽快人，處處不肯落於人後，其
《元和十年自朗州承召至京，戲贈看花諸君子》詩，有「玄都觀裡
桃千樹，盡是劉郎去後栽」之句，公然向世俗挑戰。在廢棄二十
三年後於文宗大和二年三月召還重遊玄都觀，又有「種桃道士歸
何處？前度劉郎又重來」之句（見《再遊玄都觀絕句》）。當然，
這是向政敵挑戰，但其不服輸的好強個性，於此可見一斑。他和
柳宗元是無話不談的摯友，但在較技論藝之時，兩個才子仍是各
逞智能而互不相讓。劉氏《答柳宗元重贈》二首（答前篇）云：
「小兒弄筆不能嗔，浣壁書窗且賞勤。聞彼夢熊猶未兆，女中誰
是衛夫人？」夢熊，古人以為生男之先兆。典出《詩經・小雅・
斯干》之篇：「吉夢維何？維熊維羆……男子之祥。」衛夫人
（272～349年），即衛鑠，字茂猗，汝陰太守李矩之妻，工書，
師法鍾繇。書藝著名於時，尤善隸書。王羲之曾從之學書。柳詩
曰：「聞說將雛向墨池，劉家還有異同詞」，劉答詩就此回應，

說是劉家子弟練習書法，無論他們怎樣「弄筆」或有「異同」之
爭，甚至是玷污了白壁書窗，也不該爲此生氣，而應賞識其勤
快。前二句一方面默認了柳詩所稱劉家子弟習書時有「異同」之
詞，對兒輩學柳書者，不僅不嗔怒，反而予以讚賞。面對摯友的
調侃，詩人從「小兒弄筆」生發，謔柳膝下無兒以光大柳書「元
和腳」，實在遺憾。故後二句謂，聽說你猶未有生兒的夢兆，那
麼膝下承歡的學書女兒，又有誰可成爲書中女聖衛夫人呢？所譏
意在言外，嘆惜「柳家新樣元和腳」的柳家書體無人可繼承發
揚。在元和十年刺柳之前的永州時期，柳宗元曾經再三再四地嘆
恨自己尚無子嗣。但其卒後，韓愈《柳子厚墓誌銘》云：「子厚以
元和十四年十一月八日卒……有子男二人，長曰周六，始四歲；
季曰周七，子厚卒乃生。」合而觀之，其二男皆誕於柳，爲妾所
生。古人計算年歲以虛數，故其長子周六，實生於元和十一年。
而劉柳論書八絕的往返戲謔，則作於元和十年下半年（最遲至十
一年初），當時周六尚未誕生，故劉詩有「夢熊未兆」之句。

三、《重贈》二首（其二）：「世上悠悠不識眞，薑芽盡是捧
心人。若道柳家無子弟，往年何事乞西賓？」劉詩曾以「薑芽
徒」譏柳書，字雖新樣而實非佳作。柳氏《重贈》（其二）據此而
發。西賓，即西席，舊時對塾師或幕賓的尊稱。王國安《柳宗元
詩箋釋》云：「此是宗元戲稱自己，非眞謂曾作劉家西席。詩謂
西賓，禹錫往年曾求宗元寫《西都賦》也。」柳詩意謂：對於書法
藝術，世俗不識眞貨，對於我柳家新樣，世人無具眼者，目前學
柳書多「薑芽歛手」之輩，此非柳書之罪，實是效顰捧心，未見
西施眞美之緣故。如果我的書藝不佳，那麼當年你又何必請我代
寫《西都賦》呢？言外之意，你劉禹錫當年就明白承認柳書高於劉
書，能賴帳嗎？

對於宗元的戲問，禹錫《答柳宗元重贈二首》（答後篇）云：

「昔日慵工記姓名，遠勞辛苦寫《西京》。近來漸有臨池興，爲報
元常欲抗行。」三國曹魏時大書法家鍾繇，字元常，其書師法蔡
邕、曹喜、劉德昇諸人，博採眾長，諸體兼善，點畫之間，多有
異趣，而結體樸茂，實出自然，形成了由隸入楷的新風貌，與晉
王羲之並稱「鍾王」。劉詩前二句說自己昔日因性本疏懶，倦於
書寫，所以遠道求你代寫《西都賦》。這裡表面稱「慵」，實是婉
轉地承認柳書高於己字，故有請寫《西都賦》之事。考其「遠勞」
二字，請柳代寫《西都》，當非作於同在京師之際，而是己貶朗
州、柳貶永州任司馬的昔日。但結束二句筆鋒陡轉，再次挑起
「爭戰」，把劉禹錫不甘人後的頑強個性表現得淋漓盡致。二句
意味：昔日書藝有差，但今日我臨池興濃，當在書藝方面努力一
搏，力爭與柳兄並駕齊驅。柳《重贈》二首作於一時以寄；劉《答
柳重贈》二首，也是「以牙還牙」，一時吟成而附驛。兩個回
合，第一次各一絕，第二次則各有二絕，可見其切磋戲謔之樂有
增無減。

　　四、第三回合則是柳有往而劉無回。在收到劉禹錫《答柳宗
元重贈》二首之後，柳氏感慨萬端，興猶未盡，於是又揮毫續作
二詩附遞，即《疊前》、《疊後》之篇。疊者，和也。《疊前》詩和劉
氏《答前篇》，詩云：「小學新翻墨沼波，羨君瓊樹散枝柯。在家
弄土唯嬌女，空覺庭前鳥迹多。」劉氏《答前篇》謂劉家兒輩縱有
「異同」之詞，不以家翁書體爲是，但無論如何，總算還是後繼
有人。言外之意，嘆惜柳家無子嗣加以發揚光大，故詩中有「女
中誰是衛夫人」之句。因爲當時柳宗元膝下承歡唯有嬌女而尚無
兒子。古代是以男性爲中心的社會，沒有兒子則謂無後，是爲不
孝。女兒是不可稱子嗣承繼宗族香火的。作爲一代思想家和文學
宗師，柳宗元無法擺脫這一時代局限。他同樣以子嗣續後爲念。
劉詩觸其心事，故柳頗致感慨。瓊樹，即玉樹，喻優秀的子弟後

代。典出《世說新語・言語》:「謝太傅(安)問諸子姪:『子弟亦何預人事,而正欲使其佳?』諸人莫有言者,車騎(按:指謝玄)答曰:『譬如芝蘭玉樹,欲使其生於階庭耳。』」嬌女,典出左思《嬌女詩》,謂膝下承歡之女兒。「握筆利彤管,篆刻未期益。執書愛縑素,誦習矜所獲」,吟詩習字,一副天眞爛漫的嬌態。柳詩意謂,柳家雖有嬌女承歡,在庭院地上胡亂作書習字,但猶如鳥迹沾塵,沒有章法。不過,苦中作樂,觀之亦另有趣。只是比較而言,終不如劉家有芝蘭玉樹般的佳子弟,後繼有人,令人欣羨。風趣之語,暗中透露了一縷悲涼之意。但在賞識劉家「玉樹」的同時,又暗中肯定了劉家子弟在書法練習上的進步,甚至可見學柳家新樣的效果。這又是令人喜悅之事。其詩意態搖曳,悲、喜之情交織,頗耐咀嚼。

　　五、《疊後》詩云:「事業無成恥藝成,南宮起草舊連名。勸君火急添功用,趁取當時二妙聲。」此和劉氏《答後篇》。劉詩結句有云:「近來漸有臨池興,爲報元常欲抗行。」表示了自己於書法藝術將努力拚搏、力爭進步的決心。柳氏則予以肯定和鼓勵。事業無成,指永貞革新失敗,理想破滅,長貶不起。藝成,則指自己獨創「柳家新樣元和腳」的書法造詣。「恥」者,古人稱:「德成而上,藝成而下。」③區區書法,何足道哉!傳統偏見如此。但詩人於此,則正話反說,實在並不以之爲恥,而是以之爲榮。因爲書法一道,同樣有益於世用,同樣具有「泄神用」的奇妙功效。南宮,指朝廷中樞的尚書省。永貞元年初。柳官禮部員外郎,劉官屯田員外郎,同爲尚書省屬官,故有「南宮起草舊連名」之句。趁取,求取也。二妙聲,指魏晉之際書家衞瓘與索靖「俱善草書。時人號爲一台二妙」④。當時衞瓘任尚書令,索靖爲尚書郎,二人書法俱佳,一時稱絕,又同爲台省人,故云。總之,對於劉禹錫追求書藝精進不已的決心,柳宗元爲之加

油鼓勵,「火急添功用」云者,又不爲友人諱,指出其不足,望
其努力再努力,以便早日迎頭趕上,爭取與己齊頭並進,同攀書
法藝術的高峯。最後二詩奉寄之後,劉禹錫沒有作答,可見他完
全同意柳宗元的意見。劉柳二人論書酬唱之詩由兒郎輩入筆,生
發出許多有趣故事,掀起了幾多波瀾,最終攬入自身,以求書道
精進,益於世人。

孫月峯《評點柳柳州集》卷四十二云:「此下八絕,雖非莊
調,然借事發意,含譏帶謔,興趣固有餘,可想見二公風流雅
致,足爲墨池故實,故自可喜。」所評近是。但稱「非莊調」,
則其識見有所不及。柳劉二人切磋書藝,表面爭強鬥勝,實是相
互促進、共同發展。這樣的自由爭論有益於書法藝術的進步。其
言雖近戲謔,但透過滿紙風趣的科諢之言,人們卻逐漸咀嚼出探
討書藝之道的嚴正主題。不知不覺的「灌輸」,更容易引人入
勝,信然。

在論書絕句中,劉禹錫戲貶柳書,實是反話正說,藉以刺激
柳宗元,以期「柳家新樣」能攀新高而傳久遠。實際上,劉氏於
柳之書藝早已膺服而賞其造詣。他於柳氏生前致書頌譽其書法創
作云:「零陵守以函置足下書娄來,屑末三幅,小章書僅千言,
申申亹亹,茂勉甚悉……所不如晤言者無幾。」(見其《答柳子
厚書》)此文作於柳氏居永時期。子厚擅長小章書,使夢得見書
如晤,其傾倒之意可見。又子厚卒後,夢得復作《傷愚溪》詩三首
悼念,其二有「草聖數行留壞壁」之句,愚溪爲子厚舊宅,夢得
稱頌亡友之書爲「草聖」,可見柳氏又擅長草書。書而稱
「聖」,雖然難免溢美,但其書法造詣已登藝術神殿,則可斷
定。故其代鄂州李大夫作《祭柳員外文》中,藉鄂守李程的口氣稱
頌云:「予來夏口,忽復三年。離索則久,音眤屢傳。篋盈草
隸,架滿文篇。鍾索繼美,班揚差肩。」⑤這評價不僅李程首

肯，而且是夢得藉以表達自己的內心評價。柳宗元除小章書及草書之外，兼善隸書、楷書⑥。鍾指鍾繇，索指索靖，均爲魏晉間著名書法大家，也即子厚論詩絕句中所謂一台二妙之人。鍾索繼美，直接譽其書法，評價極高。這一稱譽，並非僅是夢得私美摯友的個人之見，而是當朝較爲普遍的認識。如前引趙璘《因話錄》稱其「尤長於章草，爲時所寶。」其實，柳書不僅廣泛流傳於「湖湘以南」的中國，而且見重於京師，甚至流傳至國外而爲雞林所寶。清・沈曾植《海日樓札叢》卷八《日本書法》云：「日本書法始盛於天平之代，寫經筆法有妙絕者……橘逸勢傳筆法於柳宗元，唐人呼爲橘秀才。」所稱日人橘逸勢傳筆法於柳宗元，並非由柳宗元親授師傳，而是橘逸勢留學京師長安，見柳宗元書法作品而喜愛之，以之作爲自己臨摹師承之楷模，並把「柳家新樣元和腳」的藝術特點細細品味，加以實踐，傳回日本，而自成一家。橘逸勢筆法，實即肇自柳宗元書。故近人章士釗在參觀中日兩國書法交流展覽之後，題一絕以紀實云：「海國堂堂橘秀才，乙庵（按：沈曾植號）好古見豐裁。柳州墨法蕭寥甚，且覬蓬山一線緜。」⑦「柳家新樣元和腳」豈可小覦！

柳宗元的書法作品史上曾有流傳，但今罕見。南宋初王觀國《學林》卷七《柳子厚》云：「歐公（按：歐陽修）《集古錄》有子厚書《般舟和尚碑》並《南岳彌陀和尚碑》。歐公跋曰：『書既非工，而字畫多不同。疑喜子厚者，竊藉其名以爲重。』觀國嘗於南岳山間見此子厚二碑，詳觀之，乃子厚南貶時書也。子厚書體格雖疏，靜好藏鋒，類崛筆書。」⑧可見宋代已有柳書流傳，其書法體格雖疏，但「靜好藏鋒，類崛筆書」是其藝術特點，與唐時流行書家相較，呈現出不同一般的自家風貌，這或與其長期貶謫生涯所形成憤抗流俗的嚴正人格有關。至於王觀國以爲，柳書「在唐未可以名家……大抵士人文章稱著，則併其書亦爲世所貴重，

子厚嘗以文稱於朝矣，及其南貶也，湖湘以南士人慕其文章，又學其書，此古今之常態也。」所言經不起推敲。試問，劉禹錫在朝時也以能詩善文稱名於朝，其聲名與柳相埒，元和朝二人同時南貶，慕劉之文學者不在少數，但學其書者又有幾人？不僅世無學者，即在劉家子弟內部也如柳絕所稱有「異同」之辭，不以家翁書體爲然。是不是劉禹錫書特別醜陋，如今日某些名流的字呢？亦不然。唐時科舉很重視書法，特設「明書」之科，國學中又設有書博士二人。如果不好好練習書法，能與士大夫書信交往、文章干謁嗎？科舉考試中，若試卷字迹醜陋，任你文如錦繡，同樣危乎殆哉，難過考官目測之關，中舉的機會有多少？作爲進士及第的士人，劉禹錫的書法應有相當修養，所以敢與柳宗元論書抗行，但於書法有修養和成爲著名書法家之間又頗有境界差距。

再以柳之好友韓愈爲例，他在書法審美及評論方面的藝術修養並非泛泛，如其《送高閑上人序》評張旭草書云：「旭善草書，不治他伎。喜怒窘窮，憂悲愉佚，怨恨思慕，酣醉無聊不平，有動於心，必於草書焉發之。觀於物，見山水崖谷，鳥獸蟲魚，草木之花實，日月列星，風雨水火，雷霆霹靂，歌舞戰鬥，天地事物之變，可喜可愕，一寓於書，故旭之書，變動如鬼神，不可端倪。以此終其身而名後世。」述張旭草書藝術，可稱「功夫在書外」，見解極其深刻，非常人能及。況且他年長子厚五歲，文名早著，更甚於柳，又貞元末至元和年間數次南貶，幾度沈浮。他是唐代古文運動的當然領袖，全國學韓文者豈在少數而可計量？但學韓書者又有幾人呢？書家稱名及其作品流布，有幸與不幸的某些偶然的歷史因素，也可能與其文名多少有些關係，但並非主要，此可斷言。當時南方學柳書者、日人傳其書藝於海外者，以其書之境界造詣，另創「柳家新樣」的藝術風姿，又恰與某些士

子審美興趣相投，故當時頗有流傳應是歷史事實。關於柳宗元的書法作品，章士釗《柳文指要》下卷十三《柳書》云：「范致能《驂鸞錄》云：『《南岳般舟和尚第二碑》，爲子厚自書，頗擅楷法。』葉玉甫云：『曾在湖南，獲見有意流通之柳碑，失之交臂。』……李元度《南岳志》稱：子厚在南岳撰書各碑，除《般舟》外，尚有《彌陀》、《大明》兩和尚碑，又《雲峯和尚》與《中院大律師》塔銘。」又稱引高二適來信云：「柳州善小章書，曾爲賓客所稱，而劉柳論書諸絕句，往復奇恣，爲適所嚮往。適舊藏有柳州石刻，似符讖，爲明天啓間柳州井中掘出者，此小長方拓片一紙，《指要》付梓時，可影印於書端，因不失爲一妙迹也。」人於此刻，或有「柔毫三寸挾風霜」之美譽。但章氏以「似符讖」一語致疑，謂「予未敢遽信爲柳州筆」⑨。

綜上所述，柳宗元書法藝術在唐時雖非大家，也不失自家面目。元和時南方士人多學柳書，從柳書因日人留學京師而傳流東瀛一事看，京師甚重柳書者並非偶然個別，不然，柳氏長貶不復，遠在南方，日本留學生因何得見？日人又怎能傳受柳宗元筆法？其書法藝術名重雞林，爲古代中外文化交流作出了自己的貢獻，其境界造詣並非偶然。現略加檢討如下。

首先，柳氏家族於書藝之道頗有傳統。自魏晉以來，士族多興家學。唐時河東柳氏爲當時名門望族。到柳宗元時，雖然家道中落，但家族的某些優良傳統仍然綿綿承傳，喜歡藏書讀書以傳子弟就是一例。子厚南貶，常致念於京師舊日藏書，其《寄許京兆孟容書》云：「家有賜書三千卷，尚在善和里舊宅，宅今已三易主，書存亡不可知，皆付受所重，常繫心腑，然無可爲者。」於書籍中，尤善法書之作。如其《與呂恭論墓中石書書》云：「僕早好觀古書（凡按：此「書」非泛稱一般書籍，而是專指書法作品），家所蓄魏晉時尺牘甚具。又二十年來，遍觀長安貴人好事

者所蓄，殆無遺焉。以是善知書。雖未嘗見名氏，亦望而識其時
也。」柳家舊藏魏晉尺牘甚夥，子厚亦深加揣摩鑽研，自不必
說。同時他又進一步「遍觀長安貴人好事者所蓄，殆無遺焉」，
其於傳統書法所用功夫之深，世罕其匹。比如弘農楊家時爲世家
望族，其家藏歷代著名書畫作品之富甲冠京師士人，如《舊唐書》
卷一六八《錢徽傳》云：「（段）文昌好學，尤喜圖書古畫。故刑
部侍郎楊憑兄弟以文學知名，家多書畫，鍾王張鄭之迹，在《書
斷》《畫品》者，兼而有之。凌子渾之求進，盡以家藏書畫獻文昌
（**凡按**：時穆宗長慶元年，段文昌將以宰相身份出鎮蜀川），求
致進士第。文昌將發，面託錢徽（**按**：時徽任禮部侍郎，知貢
舉），繼以私書保薦……及（徽）榜出，渾之、（周）漢賓皆不
中選。」當時官宦子弟參加科舉而走後門之事屢見不鮮，箇中是
是非非姑置勿論。但楊家藏有衆多歷代名書碑帖則是事實。柳宗
元作爲楊家女婿，少時又深獲丈人楊憑眷顧，故於楊家之藏必精
研有素。經驗證明，臨摹古代著名碑刻法帖及諸般眞迹手書，在
繼承傳統的基礎上加以變化，是自成一家書藝的重要條件。柳宗
元在這方面條件優越且用心良苦，其書能自成「柳家新樣」顯非
偶然。唐時，柳氏家族之書法藝術乃宗元肇其端，稍後則有公權
發揚光大，並推向高峯。如《新唐書》卷一六三《柳公權傳》云：
「其書法結體勁媚，自成一家……當時大臣家碑志，非其筆，人
以子孫爲不孝。」柳公權曾在京兆西明寺書寫《金剛經》，「有
鍾、王、歐、虞、褚、陸諸家法，自爲得意。」沈淫於古代諸家
名書，揣摩精熟而加以變化，此一傳統與宗元功夫同一軌迹，柳
書之新之變因而日益成熟，終於登上成功的藝術殿堂。又如公權
之侄柳仲郢（**凡按**：公綽子），《新唐書》傳云：「家有書萬卷，
所藏必三本：上者貯庫，其副常所閱，下者幼學焉。仲郢嘗手鈔
《六經》，司馬遷、班固、范曄史皆一鈔，魏、晉及南北朝史再，

又類所鈔它書凡三十篇，號《柳氏自備》，旁錄仙佛書甚衆，皆楷小精眞，無行字。」成功來自於勤奮，皇天不負苦心人，「柳家新樣」之書可謂後繼有人。

其次，提倡師道，也是提高書藝的重要條件。家富魏晉名家尺牘筆札，又有條件遍觀長安貴人所藏古代著名法書名作，當然爲其書藝日進創造了良好的藝術環境。但光有藏書，只觀看而不去實踐，能打開成功的通途嗎？對這一問題，柳宗元有明確的回答。在古文運動中，當韓愈因作《師說》提倡師道，受到世俗的嘲笑時，柳宗元作《答韋中立論師道書》堅決予以支持，云：「由魏晉氏以下，人益不事師。今之世不聞有師，有輒嘩笑之，以爲狂人。獨韓愈奮不顧流俗，犯笑侮，收召後學，作《師說》，因抗顏而爲師，世果羣怪聚罵，指目牽引，而增與爲言辭，愈以是得狂名，居長安炊不暇熟，又挈挈而東，如是者數矣。屈子賦曰：邑犬羣吠，吠所怪也。」其《師友箴》並引云：「今之世，爲人師者衆笑之，舉世不師，故道益離。」又云：「不師如之何，吾何以成？」文學創作必須有師引路，書法創作亦然。故其《與李睦州論服氣書》又用自己親身經歷過的事情來加以論證，云：「及年已長，則嗜書，又見有學書者，亦不得碩師，獨得國故書，伏而攻之，其勤若向之爲琴者，而年又倍焉。出曰：『吾書之工能爲若是。』知書者又大笑曰：『是形縱而理逆。』卒爲天下棄，又大慚而歸。是二者皆極工而反棄者，何哉？無所師而徒狀其文也，其所不可傳者卒不能得。故雖窮日夜，弊歲紀，愈遠而不近也。」結合自己的習書道路與創作實際，說來態度誠懇、語重心長，親切有味而令人折服。習書之道，是否從名師而獲其指導，並受到正確的基礎訓練，是關係到事半功倍或事倍功半的大問題。無名師指導，一味依葫蘆畫瓢，縱使整天摩碑臨帖，「徒狀其文」，取其形似而棄其神理，虛耗年華而已，豈能日進而成

家！柳宗元於書法之道，如前引章士釗說，曾與劉禹錫共拜皇甫
閱為師。皇甫閱，元・陶宗儀《書史會要》卷五有所介紹。作為名
家，能入《書史會要》，當非泛泛之輩。現在老師早已不在，但薪
盡火傳，柳宗元言傳身教，又傳授給堂弟柳宗直。其《志從父弟
宗直殯》云：「從父弟宗直，生剛健好氣……聞人善，立以為己
師……善操觚牘，得師法甚備。融液屈折，奇峭博麗，知之者以
為工。」宗直之師，即宗元自己。故柳氏家族書藝日進，而成其
「柳家新樣」，當與其倡導書道之師說有關，這一歷史經驗值得
注意。

又次，不斷總結經驗教訓，提高自己的理論修養，以便指導
創作。在古文運動中，柳宗元堅持「文以明道」的理論綱領。但
書法與作文，由於藝術樣式及其運用的材料、手段不同，故理論
指導自然不可千篇一律。柳、劉二氏，於文學均倡「中道」，夢
得直接以之移論書法，而子厚則知變化而切於實際。夢得有《論
書》之篇，子厚則有《報崔黯秀才論為文書》，二文矢的無異，而
途徑非一。夢得《論書》云：「或問曰：『書足以記姓名而已，工
與拙可損益於數哉？』答曰：此誠有之，蓋舉下之說爾，非中道
之說……藝者何？禮、樂、射、御、書、數之謂。是則藝居三德
之後……書居數之上，而六藝之一也。」又云：「問者曰：『然
則彼魏、晉、宋、齊間亦嘗尚斯藝矣。至有君臣爭名，父子不
讓，何哉？』答曰：吾姑欲求中道耳，子寧以尚之之弊規我歟！
……所謂中道而言書者何？處文學之下，六博之上。」把書法藝
術列為傳統的六藝之一，其地位處於文學之下而六博之上，如此
論證書合「中道」之「中」，實是膠柱鼓瑟，有失機械。為什麼
書法的藝術功能及其功用一定比文學低一等，而又高於圍棋等
「六博」呢？其實，文學家有其欲明之「道」，書法或圍棋若要
拓通成功之途，也是各行其「道」，但又各道其所「道」。文

學、書法及圍棋，前二項屬藝術範疇，後一項屬體育範疇。藝術
要有「道」，體育也要有「道」。搞體育若無其「道」，吹黑
哨、踢假球，甚而把啓人思維、鍛鍊大腦的圍棋，變成一擲千
金、一呼萬貫的賭博，成何體統？因此，從「道」的最高哲學根
源看，無論是文學、書法，還是圍棋六博，都是爲繁榮歷史文
明、活躍人類生命作貢獻，因此，此三項活動的最高境界自然都
與人格修養密切相關，可說都是「志氣統其關鍵」⑩，這一內涵
並非有異，又將如何判分等第而列其高下呢？而從其達「道」之
徑言，則三者又只能各行其是，難以混一等同。夢得《論書》之
篇，論調雖高自風標，但其所患正是機械混同而不切實際之病。
子厚《報崔黯秀才論爲文書》則克服了這一弊端而另倡新論。其書
云：「崔生足下：辱書及文章，辭意良高，所嚮慕不凡近，誠有
意乎聖人之言，期以明道。學者務求諸道而遺其辭；辭之傳於世
者，必由於書。道假辭而明，辭假書而傳。要之，之道而已耳；
道之及，及乎物而已耳。斯取道之內者也。今世因貴辭而矜書，
粉澤以爲工，遒密以爲能，不亦外乎？吾子之所言道，匪辭而
書，其所期於僕，亦匪辭而書，是不亦去及物之道愈遠乎？」
「求諸道而遺其辭」，一般釋「遺」爲棄，誤。「遺」有二義：
一是遺棄；一是遺留，如「遺產」之「遺」，即取後一義。此處
之「遺」，實非遺棄，而取遺留之義。觀其下有「道假辭而明，
辭假書而傳」之句可明。若辭與書俱棄而不留，則道何所明，而
辭何所傳？失其所假之中介物而徒發空論，子厚不爲也。柳氏之
意，針對唐代士人好文辭、專攻書法而遺其大中之道的不良風氣
而發，他認爲道與辭、書比較，道是內，而辭、書見外，人們不
去追求辭、書所要表達的「道」——即內在的精神實質，而一味
求其外在的文章作法、書法技能，則如南轅北轍，愈騖愈遠。故
其文又批評崔黯棄道求伎之病，而有「甚矣，子癖於伎也」之

嘆。因此，道為內而辭書為外，實是強調「功夫在辭書之外」的
意思，這一見解合於韓柳倡導的古文運動的「文以明道」宗旨。
在文學方面，明道者必有其文，言而無文，則行之不遠，子厚又
何嘗真的為明道而遺棄其文！移之書論，他同樣不可能為明道而
遺棄其書。實際上，為能明道而及乎物，就必須極其重視辭與書
之修養及其技能的提高。觀其論書絕句勸劉禹錫於書藝之道「火
急添功用」，可知其用意所在。子厚之於文章及書法，可謂一生
汲汲以求，絕無停息，但其功夫在辭書之外的理論主張，又將其
文章及書法藝術推向一個新境界新高峯。故下文又云：「凡人好
辭工書，皆病癖也。吾不幸蚤得『二病』。學道以來，日夜砭針攻
熨，卒不能去，纏結心腑牢甚，願斯須忘之而不克。」他在文章
和書法藝術方面用功之深，世罕其匹。其所稱「病」，實為正話
反說，有其特殊的針對性，在政壇風浪中，子厚長貶不起，故除
少數的親友和學生外，一般士大夫不與之議政論道，以免政治嫌
疑。人們想到了他，大都由於他善於文學又寫一手好字，以辭、
書而專門名家。在這方面，令滿腹經綸、理想遠大的柳宗元痛心
疾首，所以文章再三強調「期以明道」。而為了明道以及物──
也即追求真理和現實事物的結合，他又必須在辭（文章）書（書
法）兩方面努力錘鍊，以期化理論的追求為現實生動的藝術。他
自小至今，好辭工書，與實現「明道」的目標相一致，其所謂
「病」，自負之謙辭也。文章與書法已成為他生命的有機組成部
分，豈能斯須相離！所以他又對崔黯說：「誠欲分吾土炭酸鹹，
吾不敢愛……俟面乃悉陳吾狀……幸期相見時，吾決分子其咯嗜
者。」也就是說，對於來請教辭書技藝者，我柳宗元絕不吝惜自
己的作文經驗和書藝筆法，如果今後有幸相見，我會源源本本把
自己的心得體會和你交流切磋，以期共勉。化抽象的思想追求為
實際的藝術切磋，而不像夢得《論書》的空言「中道」，是《報崔》

文的理論特色，子厚何嘗對具體的書法藝術技能掉以輕心！這正
是其書法理論勝於夢得的高明之處。

第四，化理論爲實踐，對具體的書家及作品進行深入的理論
剖析。其《志從父弟宗直殯》指出柳宗直師法自己，其書法形成了
「融液屈折，奇峭博麗」的藝術特點，在藝術上走獨創的新路。
故其《祭弟宗直文》嘆惜云：「汝墨法絕代，知音尚稀。」其《與
呂恭論墓中石書書》對自己因爲「好觀古書」，又「遍觀長安貴
人好事者所蓄」之古代名家書法作品，「以是善知書」而相當自
信。其理論判斷正來自於平素的具體審美鑑賞之中。故稱「雖未
嘗見名氏，亦望而識其時也」，也即對各個時期書法藝術的審美
特徵已然瞭若指掌。這樣的文化素養的確來之不易。其論墓石僞
書，立論判斷鑿然有據，識見過人，又非世人能及，其具體云：
「今視石文，署其年曰永嘉，其書則今田野人所作也。雖支離其
字猶不能近古，爲其永字等，頗效王氏變法，皆永嘉所未有。辭
尤鄙近，若今所謂律詩者，蓋晉時未嘗有此聲，大謬妄矣。」永
嘉爲西晉末懷帝年號，墓石雖曰「永嘉」，但刻石中之「永」
字，卻「頗效王氏變法」，所謂王氏，指東晉王羲之。西晉之人
又怎能知「王氏變法」而加仿效？又其言辭如唐時今體律詩，須
知，永明聲律出於齊梁沈約諸人，律詩乃入唐後方定型，更是永
嘉時代絕對不可能出現的文體格律，故該墓石必爲後人僞託無
疑。論之鑿鑿，成爲定案。其學術價值甚高。另外，關於「永」
字八法，據元‧陶宗儀《書史會要》卷五云：「宗元名蓋一時，善
書，嘗作《筆精賦》，略曰：勒不貴臥，側常患平，努過直而力
敗，趯當蹲而勢生，策仰收而暗揭，掠右出而鋒輕，啄倉皇而疾
罨，磔趑趄以開撐，此永字八筆，足以盡書法之妙。」《筆精賦》
不見於今本柳集，其片段一時難定眞僞，故錄以待考。

①劉禹錫《答道州薛郎中論方書書》，見《劉禹錫集》卷十，上海人民出版社1975年版，第98頁。

②柳集卷二十五有《送巽上人赴中丞叔父召序》，中丞叔父，謂元和初任湖南觀察使的柳公綽。《新唐書》卷一六三《柳公綽傳》云：「公綽本與裴垍善，李吉甫復當國，出爲湖南觀察使。」公權爲公綽弟，故於宗元爲叔父輩。

③見《禮記·樂記》。

④見《晉書·衛瓘傳》。

⑤見《劉禹錫集》卷四十，上海人民出版社1975年版。又劉禹錫《祭柳員外文》稱：「鄂渚差近，表臣分深。」故知李大夫爲李程，字表臣。

⑥章士釗《柳文指要》下通要之部卷十三《柳書》云：「小章書抑草隸，是一是二，無從曉洽。」待考。

⑦《柳文指要》下通要之部卷十三《柳書》。

⑧《四庫筆記小說叢書》，上海古籍出版社1992年影印本。按：《四庫總目提要》據宋·晁公武《郡齋讀書志》及陳振孫《直齋書錄解題》，原書名應作《學林新編》。

⑨凡按：「似符讖」之碑拓，即世傳《龍城石刻》，又稱《劍銘碑》，碑刻十八字：「龍城柳，神所守。驅厲鬼，出比首。福四民，制九醜。」相傳爲柳宗元之書。據現存石刻跋語，明天啓三年（1623年）「龔重始得於柳公井中」。今石刻仍存廣西省柳州市柳侯祠中，但略有損傷。關於此刻眞僞，學界至今爭訟未息，迄無定論。

⑩見劉勰《文心雕龍·養氣》篇。

英年早逝　醫者奈何

　　柳宗元是一個有理想有抱負的偉人，他也曾爲身體健康和延年益壽而努力，以便爭取多活幾年，爲國分憂，解民倒懸，但卻壽終四十七歲，英年早逝，令世人嘆息悲悼。是否他身罹惡疾絕症——如今日的癌症、愛滋病之類不治之病？是否因意外事故暴卒，如心肌梗塞、腦溢血或車禍、溺水？是否患有家族遺傳的不治惡疾？非也。他不過是有些「痞疾」、「腳氣病」一類普通慢性疾病，爲什麼在他剛想爲柳州人民多做貢獻之時，卻卒於柳州刺史任上呢？他頗通中醫中藥之理，一貫積極治療，爲什麼仍然無法救治自己的普通疾患呢？一連串的問題值得人們思考。我想，眞正懂醫之人，應是功夫在醫外，從巨大的社會打擊與長期的心理壓抑方面找原因。柳宗元的天才生命是被社會制度無情吞噬的，是不折不扣的時代犧牲品，病魔肆虐不過是表面現象而已。

　　柳宗元在京師長安從政期間，仕途一帆風順，春風得意，未曾說到自己有病。但自永貞元年三十三歲被貶永州司馬以後，他在給親友的信中就屢次提起自己生病的情況了。如《寄許京兆孟容書》云：「伏念得罪來五年，未嘗有故舊大臣肯以書見及者，何則？罪謗交積，羣疑當道，誠可怪而畏也。以是兀兀忘行，尤負重憂，殘骸餘魂，百病所集，痞結伏積，不食自飽，或時寒熱，水火互至，內消肌骨，非獨瘴癘爲也。」又云：「（宗元）雖欲秉筆覘縷，神志荒耗，前後遺忘，終不能成章。往時讀書，

自以不至底滯，今皆頑然無復省錄。每讀古人一傳，數紙已後，則再三伸卷，復觀姓氏，旋又廢失。」其《與楊京兆憑書》云：「凡爲文，以神志爲主。自遭責逐，繼以大故，荒亂耗竭，又常積憂恐，神志少矣，所讀書隨又遺忘。一二年來，痞氣尤甚，加以衆疾，動作不常，眊眊然騷騷內生，霾霧塡擁（壅）慘沮。雖有意窮文章，而病奪其志矣。每聞人大言，則蹶氣震怖，撫心按膽，不能自止……中心之悃愊鬱結，具載所獻許京兆丈人書。」《與裴塤書》云：「北當大寒，人愈平和。惟楚南極海，玄冥所不統，炎昏多疾，氣力益劣，昧昧然人事百不記一，舍憂慄，則怠而睡耳。」《與蕭翰林俛書》云：「居蠻夷中久，慣習炎毒，昏眊重膇，意以爲常。忽遇北風，晨起薄寒中體，則肌革慘慄，毛髮蕭條，瞿然注視，怵惕以爲異候，意緒殆非中國人。」《與李建翰林書》云：「僕自去年（**按**：指元和三年）八月來，痞疾稍已，往時間一二日作，今一月乃二三作。用南人檳榔餘甘，破決壅隔大過，陰邪雖敗，已傷正氣，行則膝顫，坐則髀痹。」《讀書》詩云：「瘴疴擾靈府，日與往昔殊。臨文乍了了，徹卷兀若無。」以上五書一詩，皆作於元和四年（809年）貶永之時，年方三十七歲。元和八年作《答韋中立論師道書》云：「居南中九年，增腳氣病。」在京師時，柳宗元身體健康、精力充沛、意氣風發。但貶永之後數年之間，年未四十，曾幾何時，卻已是病魔纏身、未老先衰了。

概括起來，大致有以下數種慢性疾病：一是痞疾，即腹間充氣，鬱結膨脹，中焦堵塞，陰陽不通，從而形成了食物腹滯、消化不良，明顯食欲不振。該疾可能因慢性脾臟腫大所致。二是腳氣病，即《素問》所稱「厥疾」。該病兩腳浮腫，足趾間有水泡滲液，自脛股上達腰際。舊說是因腎虛挾風濕所致。近代研究以爲是人的食物長期缺乏維生素C所致。觀《與李建書》所稱「膝顫」

「髀痹」，似又與風濕性關節炎有一定的關係。髀，指大腿及股部。痹，指因風寒濕三種陰鬱之氣侵入經絡關節而引發的肢體腫痛或麻木不靈的症狀。三是嚴重的神經衰弱，晚期可能發展爲神經功能障礙。這是由於長期的神經緊張和精神恐懼所引發的疾病，其記憶衰退、前看後忘等是症候表現。上述三種均爲慢性疾病，只要改善客觀環境、克服主觀憂慮或恐懼，加以柳宗元頗通醫道藥理，可以進行積極的治療，自會日漸恢復健康，何至英年早逝。但遺憾的是，卻是事與願違，即使扁鵲復生也徒喚奈何！

　　如集所示，柳宗元給在京諸親友的書信中述己病狀，即可見其通於醫理。他稱因用檳榔和餘甘之藥治療痞疾，但「破決太過，陰邪雖敗，已傷正氣」，頗明中醫調和陰陽的辨證施治之理。雖然一時因分寸難以掌握，破陰邪而傷陽氣，但只要汲取經驗教訓，自會久病成良醫。其病之來，當然與所在客觀環境有關，故《寄許京兆孟容書》謂「居夷獠之鄉，卑濕昏霧，恐一日塡委溝壑」，也就是說，他身爲中原士人，不服南方水土，氣候炎熱，昏霧瘴癘，亦是致病原因之一。其《茅檐下始栽竹》詩云：「適有重腿疾，蒸鬱寧所宜。」南方悶熱的氣候加重了腿腫之病。但是在正常的社會條件下，時間一長，就會日漸習慣，如其所稱「居蠻夷中久，慣習炎毒……意以爲常」（《與蕭翰林俛書》）。人有一定的生活適應性，能夠逐漸克服水土不服所致之疾。他在元和四年三十七歲時，雖然因社會環境壓迫而思想苦悶，也曾想到死的問題，但他估計自己生命的終結不是近在眼前的時日，而是三十年以後。如《與蕭翰林俛書》稱：「人生少得六七十者，今已三十七矣，長來覺日月益促，歲歲更甚，大都不過數十寒暑，則無此身矣。」《與李翰林建書》更提到：「假令病盡，己身復壯，悠悠人世，越不過爲三十年客耳。」當時他正在與自己的病患作鬥爭，積極進行治療，以期盡快恢復健康，何嘗

想到自己會在十年之內病故。同書又云：「僕在蠻夷中，比得足下二書，及致藥餌，喜復何言！」在歷敍己病之狀後，又要求京師親友補充寄來治病良方與善藥：「所欲者補氣豐血，強筋骨，輔心力，有與此宜者，更致數物，忽得良方偕至益善。」對症下藥，積極治療，其通醫理於此可見。他與劉禹錫是生死不渝的摯友，書中稱「又於夢得處得足下前次一書」云云，說明在與李建討論己病之時，又常與劉禹錫往返商量研究，且受其影響甚多。

劉禹錫也是永貞改革失敗後被貶斥的八司馬之一，當時為朗州（今湖南常德）司馬，朗州與柳宗元所處永州同屬湖南，故書信來往尤為密切。在當日士大夫中，劉禹錫以精通醫道藥理而著稱，他於此道也頗為自負。其《答道州薛郎中論方書書》云：「君子受乾陽健行之氣，不可以息。苟吾位不足以充吾道，是宜寄餘術百藝以泄神用。其無暇日，與得位同。」基於這一思想認識，他從年輕時就積極學醫，「遂從世醫號富於術者，借其書伏讀之，得《小品方》，於羣方為最古。又得《藥對》，知《本草》之所自出。考《素問》，識榮衞經絡百骸九竅之相成。學切脈以探表候，而天機昏淺，布指於位不能分累菽之輕重，第知息至而已。然於藥石不為懵矣。爾來垂三十年，其術足以自衞。或行乎門內，疾輒良已，家之嬰兒未嘗詣醫門求治者。」薛郎中，名景晦，當時任道州刺史，也善醫方，編《古今集驗方》十卷。劉禹錫曾以「已試者五十餘方」回贈景晦，事載其《傳信方述》之中。薛景晦與宗元同為河東人，其刺道州，地在湘西，鄰永州，與劉、柳貶所相近。相信當日通過劉禹錫為中介，柳、薛也會有所交往問候。

劉禹錫、薛景晦喜集醫方以濟世，柳宗元可能受其影響，同樣喜集醫方。今有柳氏所傳醫方佚文，附錄以資保存，同時作為柳、劉交流醫方之佐證。宋人許叔微著《普濟本事方》卷七，錄有「唐柳柳州纂《救死三方》」二則：

　　元和十二年二月，得腳氣，夜半痞絕，肋有塊大如
石，且死，咽塞不知人三日，家人號哭。滎陽鄭洵美傳杉
木湯，服半食頃，大下三次，氣通塊散。用杉木節一大
片，橘葉一斤，無葉以皮代之，大腹檳榔七個，合搗碎
之，童子小便三大升，共煮取一升半，分二服。若一服得
快利，停後服。以前三死皆死矣，會有教者，皆得不死。
恐不幸有類余病者，故傳焉。

　　崔給事頃在澤潞，與李抱真作判官。李相方以毬杖按
毬子，其軍將以杖相格，乘勢不能止，因傷李相拇指，並
爪甲擘破。遽索金瘡藥裹之，強坐頻索酒，飲至數杯，已
過量，而面色愈青，忍痛不止。有軍吏言取蔥新折者，便
入煻灰火煨，乘熱剝皮擘開。其間有涕，取罨損處，仍多
煨取，續續易熱者。凡三易之，面色卻赤，斯須云已不
痛。凡十數度易，用熱蔥併涕裹纏，遂畢席笑語。

　　（**凡按**：以上柳氏所傳佚方，為師弟陳尚君提供，以饗醫
家及讀者，特此誌謝。）

　　劉柳二人為生死之交，對於柳病，劉怎能不過問呢？劉之善
醫必然影響於柳，則柳之通醫道藥理不為空無依傍。章士釗《柳
文指要》下通要之部卷十四《榮衞》篇云：「子厚好用『榮衞』字，
榮衞，血氣也，血為榮，氣為衞……尋子厚之喜用此類字，當與
醫理有關，而子厚之注重醫理，難言與夢得交誼無涉。」所論甚
是。子厚《愈膏肓疾賦》有云：「夫上醫療未萌之兆，中醫攻有兆
之者，目定生死，心存取捨……雖九竅未擁（壅），四支且安，
腹膜營胃，外強中乾，精氣內傷，神沮脈彈。以熱益熱，以寒益
寒，針灸不達，誠死之端。」最好的醫生應該善於「養命」，不
能只見表面的「四支且安」、身強體壯，而應深入內裡，醫療

「未萌之兆」。有病則治，以爲「非藥曷以瘳疾」；無病養生，變「鮐背鶴髮成童兒」。人之生死，「寧關天命，在我人力」，柳宗元從積極方面來談醫道，所論頗爲辯證深刻，並非虛泛之言，而是化爲醫藥方面的實踐活動，其《從崔中丞過盧少府郊居》詩云：

> 寓居湘西四無鄰，世網難嬰每自珍。蒔藥閒庭延國老，開
> 轉虛室値賢人。泉迴淺石依高柳，逕轉垂藤間綠筠。聞道
> 偏爲五禽戲，出門鷗鳥更相親。

據王國安《柳宗元詩箋釋》，此詩作於元和九年（814年），正是詩人腳氣病增重之時。五禽戲，漢華佗所創，《後漢書・華佗傳》：「佗語（吳）普曰：『……吾有一術，名五禽之戲：一曰虎，二曰鹿，三曰熊，四曰猿，五曰鳥。亦以除疾，並利蹄足，以當導引。體有不快，起作一禽之戲，怡而汗出，因以著粉，身體輕便而欲食。』」五禽戲實如今日之健身體操，兼有導引養氣之功，利於健身除病，屬於積極的養生預防法。詩人重視五禽戲，正是爲其健身除疾服務。此詩頷聯中「國老」是中藥名，即甘草，可和百藥。花園庭院之中，不注目於名花，而唯言蒔藥，這是他潛意識裡對中醫藥草的關心所致，目的在於治病與養身。其詩中再三提及，如《種仙靈毗》云：

> 窮陋闕自養，癘氣劇囂煩。隆冬乏霜霰，日夕南風溫。杖
> 藜下庭際，曳踵不及門。門有野田吏，慰我飄零魂。及言
> 有靈藥，近在湘西原。服之不盈旬，蹩躠皆騰騫。笑扞前
> 即吏，爲我擢其根。蔚蔚遂充庭，英翹忽已繁。晨起自採
> 曝，杵臼通夜喧。靈和理內藏，攻疾貴自源。壅覆逃積

霧，伸舒委餘暄。奇功苟可徵，寧復資蘭蓀？我聞畸人
術，一氣中夜存。能令深深息，呼吸還歸跟。疏放固難
效，且以藥餌論。痿者不忘起，窮者寧復言？神哉輔吾
足，幸及兒女奔。

柳宗元種藥諸詩頗見陶調而自具風神。此詩分三個自然段，
起首六句，由南方瘴癘囂煩以感興。「杖藜下庭際，曳踵不及
門」，說明詩人風痺之疾相當嚴重，行走頗爲不便。自「門有野
田吏」至「爲我擢其根」八句，野田鄰居告以治病「有靈藥」，
賓主一問一答，富有生活氣息。自「蔚蔚遂充庭」以下爲詩之結
束段。形象地描繪了移植仙靈毗及採曝製藥的過程，自然論及
「靈和理內藏（臟），攻疾貴自源」的醫理，認爲治病應對症下
藥，主治其根而非治標。於此可見詩人頗通醫理，並非無根浪
言。以下形象地描繪了藥性、藥理及其療效，中間巧妙地插入畸
人氣功一段故事作對比，節奏跌宕，頗見風調。莊子神其事，詩
人卻立足現實，堅持世人的藥餌治療。「痿者不忘起……幸及兒
女奔」，其功效令人嚮往。詩中提及的蘭蓀及仙靈毗皆中藥名。
蘭蓀，即菖蒲，《證類本草》卷六云：「菖蒲，味辛溫，無毒，主
風寒濕痺……利四肢濕痺不得屈伸。」仙靈毗，即淫羊藿，《證
類本草》卷八：「味辛寒……益氣力，強志，堅筋骨。」如果再
與此詩參讀，則人們可更爲全面地認識仙靈毗之藥理藥性藥效。
又如其《種白蘘荷》詩：

蠱蟲化爲癘，夷俗多所神。衛猜每臘毒，謀富不爲仁。蔬
果自遠至，杯酒盈肆陳。言甘中必苦，何用知其真？華潔
事外飾，尤病中州人。錢刀恐賈害，飢至益逡巡。竄伏常
戰慄，懷故逾悲辛。庶氏有嘉草，攻檜事久泯。炎帝垂靈

編，言此殊足珍。崎嶇乃有得，託以全余身。紛敷碧樹
陰，眈眜心所親。

這也是元和四、五年間永州司馬時期的作品。蘘荷，藥草
名，亦稱陽藿、蒚蒩、覆葅。葉尖長類薑。嫩莖可食用，根可入
藥。司馬相如《上林賦》有「芷薑蘘荷」之句，《史記‧司馬相如
傳》正義釋曰：「蘘……柯根旁生筍，若芙蓉，可以爲葅，又治
蠱毒也。」皿蠱，即古時盛於南方閩廣一帶的蠱毒，據《隋書‧
地理志》下，南國風俗「往往蓄蠱……其法以五月五日聚百種
蟲，大者至蛇，小者至蝨，合置器中，令自相啖，餘一種存者留
之，蛇則曰蛇蠱，蝨則曰蝨蠱，行以殺人。因食入人腹中，食其
五臟，死則其產移入蠱主之家。三年不殺他人，則蓄者自鍾其
弊。累世子孫相傳不絕。」其不艮社會風俗迷妄愚蠢，用心險
惡。故詩人有「銜猜每臘毒，謀富不爲仁」之嘆。爲了謀取他人
產業財富，居然在所賣光鮮蔬果食物中下其蠱毒，故使人雖飢至
而逡巡不敢於食。「華潔事外飾，尤病中州人」，詩人雖外貶，
但屬來自京師的「中州人」，正是下蠱者的重點對象，故有「竄
伏常戰慄，懷故逾悲辛」的酸楚恐懼。「炎帝垂靈編，言此殊足
珍」是說傳說中的神農著《本草》，其中言及蘘荷之藥有治蠱毒之
功效，詩人讀醫書受啓發，因而不辭艱險以覓，移種庭園之中，
以爲治蠱毒保健康之用。故詩末曰「紛敷碧樹陰，眈眜心所
親」，治病祛毒，心中歡欣，有了「託以全余身」的安全之感。
此詩並非僅爲詩人一己所發，而是推原種白蘘荷的緣由，以見其
功夫在醫外的深刻用心，爲了保護人們的身體健康，直把批判的
矛頭指向了落後、迷妄而愚蠢的社會惡習。

詩人另有《種朮》之篇，云：「守閒事服餌，採朮東山阿。東
山幽且阻，疲苶煩經過。戒徒劚靈根，封植閟天和。違爾澗底

石，徹我庭中莎。土膏滋玄液，松露墜繁柯。南東自成畝，繚繞
紛相羅。晨步佳色媚，夜眠幽氣多。離憂苟可怡，孰能知其他？
⋯⋯」朮，藥草名，即白朮，其根狀莖肥大成塊狀，中醫以之入
藥，其性溫、味甘苦，有健脾益氣、利水化濕諸多功效，主治脾
虛泄瀉、水腫、痰飲等症。詩人之病，如風痺、腳氣病均明顯適
用白朮。另外，其痞疾或爲脾臟腫大所致，而白朮可治脾虛。可
見詩人之種朮，治病健身的目的很明確。白朮的繁茂給詩人帶來
了一種安全與喜悅的和諧氣氛。但「晨步佳色媚，夜眠幽氣多。
離憂苟可怡，孰能知其他？」又似有守拙自足之意，詩雖淡而風
神自高。

　　綜上所述，柳宗元因政治改革的失敗被貶南方，而疾病纏
身，迅速未老先衰，但所患乃普通常見的慢性病痛，並無急邃性
命之危。他本人又與善醫的劉禹錫爲摯友，生死之交情分非淺。
劉氏怎能坐視不救？而且在與摯友的交往討論中，柳宗元也受到
了有益的啓發，讀了不少醫書，有心搜集了不少驗方，所以頗通
醫道藥理，並親自種植多種利於己疾的藥草。爲了身體健康，他
還進行了積極的養生鍛鍊（如五禽戲之類健身操）和袪疾治療，
可說是對自己的病根病灶相當清楚明白，其用方也基本對症下
藥。但爲什麼他只是暫時好轉，不到十年就迅疾惡化而永辭人世
了呢？這就不能僅僅在醫術方藥方面找原因了，另有無形而深刻
的醫外之故存在。

　　柳宗元身上的器質性疾病開始並不嚴重，一旦對症下藥，即
使難以完全康復，病情也會日漸減輕，絕無生命之虞。但是，實
際情況並非如此，而是時好時壞，日益嚴重，最終竟然迅速惡化
以至不治而亡。爲什麼？應該說是與其「心」病密切相關。俗話
說：心病要用「心藥」醫。不用「心藥」，則心病難除，什麼善
方良醫也是束手無策。很明顯，柳宗元的「心病」直接來自超負

荷的社會重壓，以致造成了他長期的精神壓抑和心靈傷痛。而如
此心理壓力自然引發神經系統方面的疾病，中樞神經系統之指揮
部分失靈，植物神經紊亂，內分泌失調，消化吸收不良，長此以
往，腹脹否塞、食物阻滯的痞疾怎麼可能好轉呢？藥物只能見效
一時，唯有去其「心病」的本源才能加以根治。但這「心病」卻
是社會制度和黑暗時代造成，試問，柳宗元有何辦法克服這一客
觀環境的泰山重壓呢？其《答周君巢餌藥久壽書》作於貶永期間，
開篇即云：「宗元以罪大擯廢，居小州，與囚徒為朋，行則若帶
縲索，處則若關桎梏，彳亍而無所趨，拳拘而不能肆，槁然若
枯，隤然若璞，其形固若是，則其中者可得矣。」居如囚徒而行
帶鐐銬，有話無處說，有冤無處申，有力無處使，可謂英雄失
路、報國無門，空負滿腹經綸，「則其中者可得矣」，心病怎能
不日益沈重呢？其《寄許京兆孟容書》云：「伏念得罪來五年，未
嘗有故舊大臣肯以書見及者，何則？罪謗交積，羣疑當道，誠可
怪而畏也。以是兀兀忘行，尤負重憂。殘骸餘魂，百病所集……
非獨為瘴癘也……立身一敗，百事瓦裂，身殘家破，為世大僇
……是以當食不知辛鹹節適，洗沐盥漱，動逾歲時，一搔皮膚，
塵垢滿爪，誠憂恐悲傷，無可告愬，以至此也。」柳宗元自永貞
元年改革失敗之後，一貶不起，憂心重重，食不知味，皮膚乾燥
搔癢，由精神因素引發了心理疾病，又由心理因素轉化為物質因
素，進一步引發了生理疾病。「尤負重憂……為世大僇」的心病
一天不去，則只會在原有疾病基礎上添加新的併發症，怎麼可能
恢復健康呢？直至元和四年，憲宗還對永貞改革集團餘怒未消，
明確有詔，規定八司馬「雖遇赦無得量移」（《資治通鑑》卷二三
七）。你看，連量移近地都不行，更何況是無罪復職呢？這樣柳
宗元的一絲希望之光也熄滅在無邊的黑暗之中了。

元和十年（815年）正月，八司馬例召至京師，柳宗元心中

陰霾爲之一開，其詩《過衡山見新花開卻寄弟》云：「故國名園久別離，今朝楚樹發南枝。晴天歸路好相逐，正是峯前回雁時。」又《詔追赴都二月至灞亭上》詩云：「十一年來南渡客，四千里外北歸人。詔書許逐陽和至，驛路開花處處新。」其實正、二之月，冬寒猶存，春陽方動，正是寒意料峭之日，但詩人卻因詔返京師，以爲又可大展宏圖，滿懷希望，所以一路走來，所見所聞俱生機盎然，歡欣之情溢於言表。不料入京以後，因政敵宿怨未已，又被詔改任柳州刺史，官雖遷而貶地更遠。一瓢冷水當頭澆下，心中烏雲堆積難開，心情自然十分惡劣。其《衡陽與夢得分路贈別》詩云：「十年顦顇到秦京，誰料翻爲嶺外行。伏波故道風煙在，翁仲遺墟草樹平。直以慵疏招物議，休將文字占時名。今朝不用臨河別，垂淚千行便濯纓。」作於同年赴柳途中，至怨至悲，洞見心扉。如此精神狀態，再好的醫生、再佳的良藥也無可如何了。這病從根本上看，是無藥可醫的，其根源在於整體的社會制度，幾個跳樑小醜更加重了它的程度，但黑暗的社會制度根深蒂固，難以撼動，且柳宗元是否眞正明白自身悲劇的根源呢？他的希望究竟寄託於何處呢？其心病之根一日不去，則病情一日沈重，其遽歸道山也屬意料之內。如此天才被扼殺於黑暗的政治環境之中，英年早逝，非天之罪，人之罪也，悲夫！

真情流肺腑　至理啓後進
——《答劉正夫書》賞析

　　韓愈《答劉正夫書》，是一篇以書信形式出現的文學理論文章。說理議論，闡明創作規律，這本是學術研究。而學術文章屬邏輯思維範疇，一般總是避免感情用事，行文布局以明理爲要，並不一定追求文采藻繪，更不要求藝術形象。但《答劉正夫書》則不然。它以簡潔明快的藝術語言，眞摯動人的充沛感情，渲染了精當深刻的名言至理；字裡行間，作者那奬掖青年、諄諄善誘的文壇長者形象，鮮明可見，令人倍感親切；又因態度親切，所述之理，絕無說敎之弊，而收服人之功。

　　我國古代文體，書信屬「書牘」或「書說」類。「書牘」藝術，在漫長的封建社會中，逐漸發展，蔚爲大觀，終於成爲獨具特點、人所喜愛的散文樣式。當然，並非所有書信都可進入藝林；但書信中的珍品則和文學結下了不解之緣，它的適用範圍極廣，顯示了朝氣蓬勃的藝術活力。如六朝丘遲的《與陳伯之書》，吳均的《與朱（一作宋）元思書》，千百年來，膾炙人口。書信形形式式，少數是公開信，多數是私人信件；有親朋同志的諄諄告語，也有敵我對陣的嚴辭論辯；有尊卑長幼的「行上行下」之語，也有同輩相交的「平行往復」之書……實際上，作者通過書信交往，把自己的思想見解傳達給對方，並以強烈的感情去感染讀者。書信藝術，既可敍事，又能議論，更善抒情，常常是兼而有之。由於寫信人及收信對象具體情況的不同（如身分、地位、

處境、思想見解、愛憎好惡），必須針對具體的人和事，有爲而發，因而不管是敍事、議論或抒情，都具有明顯的針對性。這就決定了書信藝術的特點：它一方面根據收信對象的需要，明有所指，如矢破的；一方面又根據生活變幻，移步換形，如行雲流水，「常行於所當行，常止於不可不止」（蘇軾《答謝民師書》）。在這方面，《答劉正夫書》堪稱典範。

　　首先，從構思立意角度談談文章主題的深化。這是一篇韓愈宣傳古文創作主張的文章。具體討論的是怎樣寫散文的問題。它著重說明了寫文章應「師古聖賢人」，這也就是「文以明道」的意思。現代許多人一聽到「文以明道」，就認爲是復古，其實不然。因爲下面緊接著提出了「師其意不師其辭」的學習問題。「意」重內容。從精神實質上看，韓愈認爲古代「聖賢」的「意」，多是爲國爲民興利除弊的見解、主張。這樣理解古人之「道」，明顯是韓愈的「夫子自道」，實際是明張古幟而行今之實，是以「復古」爲革新。「辭」指形式，要求詞必己出，陳言務去，而不可生搬硬套古人的言語。總之，不管是思想內容，還是藝術形式，都必須推陳出新，才能有所貢獻。這就自然推出了「能自樹立不因循」的錚錚名言，形成了全文中心的中心。「能自樹立不因循」，就是針對當時文壇的具體情況，從破與立兩方面來提倡藝術的創新精神。文中的「因循」，指的是因循守舊的陳辭濫調；「不因循」就是從破的方面來反對舊思想舊傳統的羈絆。而「能自樹立」，則是從立的方面來創新。不管是破，還是立，都需要突出一個「異」字。所謂「異」，與「奇」相聯繫，這裡指的不是故作驚人的標新立異，而是打破「今文」（即駢文）公式化概念化的「循常」之弊，實質上是有意義的創新。文章要能樹立這樣的奇異之「新」，這就不是一般藝術懶漢所能企望的了。作者必須經過頑強的藝術勞動，「深探而力取」，才會

具有這種藝術才能。近人劉成忠讀到「深探力取」一段時很有感慨，並針對當時文壇的情況加以發揮：「今人甫知捉筆，便欲自居作者，試問探之果深、取之果力否？不深不力，雖昌黎不敢自信。今且並探與取廢之，何令人之天分皆高出昌黎上也！」（《韓文百篇編年》卷下）一分勞動，一分收穫。藝術上的破舊立新，談何容易！其實，推之生活的其他領域，也無不如此。韓文所論，何嘗只是古文創作！

古人云：「詩無達詁。」詩富意境，語言空靈，常常可做多種理解。其實何嘗只是詩歌，散文也講意境。因此，推而廣之，可稱「文無達詁」。一個高明的散文家，往往以有限的語言篇幅，寫無盡豐富的內容，深刻的寓意，時在不言中。散文藝術之妙，常是留有充分餘地，讓讀者各自根據不同的生活經歷，展開聯想的翅膀，去進行藝術的再創造。「作者功半」，是說作者把另一半創造之功，留給眾多的讀者。這就可以充分利用讀者的無限創造性，幫助作者突破時空的種種限制。聰明的散文家常以「作者功半」，來啟迪「讀者功半」，使創作與欣賞相結合，構成了有機統一的藝術，這樣富有餘味的藝術才更具有永久的生命力。笨拙的散文家則相反，他們總是抱著「話不說不明」的態度來創作，不留餘地，難免失敗。韓愈非常清楚這個道理，並自如地運用了這一藝術規律。他常是「虛者實之」、「實者虛之」，以「不言之言」來促使文章主題的深化。當日文壇的問題很多，為什麼韓愈在信中要特別突出破舊立新的問題？不言之中，自有深刻寓意。如果聯繫到文章寫作的歷史背景來看，那就可知作者在借題生發，寄託感慨，它明是論文，卻是暗中抒寫了理想與抱負，從而促使文章主題的昇華與深化。

據宋代方成珪考證，本文寫於中唐憲宗元和六年（811年）以後，八年（813年）以前。但也有人以為受信人劉正夫是元和

十年進士，文稱「進士劉君」，據此斷爲元和十年（815年）之
作。二說是非，姑置勿論，但大致總不出元和中期。當時的中唐
社會，藩鎮跋扈，宦官專橫，佛老氾濫，問題嚴重；而朝廷中，
革新派與守舊派的鬥爭激烈。憲宗雖然號稱「中興」之主，實是
動搖派，最後因改革不徹底而死於「家奴」（宦官）之手。韓愈
作爲當時一個比較正直、進步的封建知識分子，一方面，他在政
治上倡議革新，以直言敢諫得罪權貴，遭受貶斥打擊，在將近半
個世紀的人生搏鬥中，幾經宦海沈浮，於元和六年又被召回京。
不久，舉朝爲平淮西叛鎮吳元濟事爭論不息。守舊的是多數派，
他們因循守舊，姑息養奸，力主罷兵；革新的是少數派，以裴度
爲首，力排衆議，破舊立新，堅主平叛。在這場重大鬥爭中，韓
愈是革新派的重要支柱，不管是理論宣傳，還是實際行動，都作
出了貢獻。另一方面，他又從文學角度來自覺配合政治思想戰線
的革新。他從青年時代起，就與柳宗元共同倡導古文運動，掀起
文學革命，以「復古」爲革新，反對時人「循常」守舊的傳統陋
習。因此，這篇文章的中心是「能自樹立不因循」，文學與政
治，雙管齊下，一箭雙雕，向因循守舊的頑固堡壘發起了攻擊。
文學鬥爭與現實革新，密不可分。這就具體補充說明了「能自樹
立不因循」的深刻社會意義。有識於此，讀者就能以各自豐富的
藝術聯想，來加深對於文章主題的認識。

　　其次，筆鋒充滿感情，藝術形象鮮明。對於散文的藝術形
象，應有特殊的理解。它常抓住生活火花閃現的刹那，捕捉生活
的一鱗半爪，來渲染某種特定的情緒。散文的藝術形象，更多重
視感情的抒發，人們從感情的屏幕上，見到了鮮明藝術形象的再
現。書信藝術更是如此。因爲它多是私人信件，更須「以情爲
主」，所以韓文說是「有來問者，不敢不以誠答」，感情形象在
書信藝術中至關重要。本文的收信人劉正夫，字子耕，元和十年

進士。據《新唐書‧宰相世系表》，他是劉伯芻之子。伯芻與韓愈是同朝爲官的知己好友。伯芻在元和八年被迫出刺虢州，不甚得意，韓愈寫有《奉和虢州劉給事使君三堂新題二十一詠》詩相贈，可證二人交往之密。好友的兒子應進士試，正是需要指導提攜的關鍵時刻，他在這時求教於韓愈，韓愈怎能不以誠相答呢？而且，當時應進士試的有爲青年，如果稍加指點，就會成爲國家的棟梁之材。在古文運動中，給予引導，很有希望成爲文學家，爲新文學隊伍輸送新血液。所以，韓愈重視青年工作，特別重視做青年進士的工作。信中說：「先進之於後輩，苟見其至，寧可以不答其意邪？來者則接之……而愈不幸獨有接後輩名。」感情眞摯動人，有充分的事實根據。《舊唐書》本傳記載了他「不避寒暑」、獎掖青年的故事：「頗能誘厲（勵）後進，館之者十六七，雖晨炊不給，怡然不介意。大抵以興起名敎、弘獎仁義爲事……後學之士，取爲士法。」《新唐書》本傳也稱：「成就後進士，往往知名，經愈指授，皆稱韓門弟子。」即使吃不上飯，也要做好青年工作。對一般人尚且如此，更何況是好友之子劉正夫？從信中可以看出，他對劉正夫的關懷備至，「愈於足下，忝同道而先進者，又常從遊於賢尊給事（指伯芻），旣辱厚賜，又安得不進其所有以爲答也。足下以爲何如？」感情極其眞切，態度和藹誠懇。「足下以爲何如？」一個簡單的反問句，染上了濃烈的感情色彩，旣沒有師道尊嚴的嚇人面孔，更沒有官場中居高自傲的惡習架式，而是平等待人，推心置腹，以誠相見。他在《師說》中曾提出：「弟子不必不如師，師不必賢於弟子。」指導青年，正是爲了他們有所成就；學生成就超過老師，正是老師的期望。所以師生盡可平等地討論問題，目標只有一個：「惟其是爾」。也就是說，以是非作準繩，以合乎實際爲標尺，而不應有「我即眞理」的狂妄態度！在這裡，韓愈以言行爲表率，對後進

青年是很好的教育。不過韓愈對青年的關懷，並沒到此爲止。他在信中又更深一層指出，青年的健康成長，必須經過鬥爭的考驗。他以自己爲例，說明了「名之所存，謗之所歸」的事實。關於這一點，他在《原毀》中有形象的描繪：「事修而謗興，德高而毀來。嗚呼，士之處此世，而望名譽之光，道德之行，難已！」悲憤的抨擊，動人心弦，引起了千古共鳴。一個有理想的青年，希望有所成就，爲國爭光，就必須頑強拚博，而不可知難而退。信中的言語之間，不知不覺，一個充滿激情、愛憎分明、高瞻遠矚、諄諄善誘的仁人長者形象，就栩栩如生地躍然紙上。表面上拉家常似的隨意幾句話，實際是嘔心瀝血的結晶，撥動了讀者的感情心弦，並給人以智慧和力量。

　　再次，談談章法──也就是篇章結構之妙。散文創作有無定法？古人爭論不休。韓愈是巧於運用「活法」的散文大師。這篇文章因爲是私人書信，不是純粹的理論文章，所以不能以論文的邏輯格式來嚴格要求。它只是因人之求，隨問隨答，如水流在川，隨物賦形，自由揮灑。因此難以固定的章法求之。從這角度言，便可說是「無法」。「無法」則自由自在，無所不達，很有「散」味。但如過分放縱，完全「無法」，又會產生混亂。韓愈此信，好就好在無法之中又自有脈絡章法可尋。這就好像把一盤亂滾的珍珠，用根紅線貫穿，成了一串耀人眼目的項鍊。這正是韓文勝人一籌的高明之處。

　　全文四百多字，分爲四個自然段：第一段到「名之所存，謗之所歸也」；第二段到「禁其爲彼也」；第三段到「顧常以此爲說耳」；餘下爲第四段。第一段說明寫信緣由。「愈不幸獨有接後輩名」，一個「獨」字，說明「名」不好要，段末「名之所存，謗之所歸」的感慨，突兀而起，承上啓下，說明指導青年是件危險的工作，暗中又引出下段的中心問答。第二段開頭「有來

問者，不敢不以誠答」，即承此而發。工作雖然危險，但只要有
意義，就應拋開個人安危，堅決去做，所以韓愈說明要以「誠」
相見。這裡的「誠」，就是說眞話，而不是專揀青年愛聽的話
說，更不是說空話、應酬話、門面話……以誠相見，才能對青年
有切實的指導意義。能以誠相見，自然就會有問有答，這樣過渡
轉折，妙在不留痕迹。以下各個問題，各有新意，既步步深入，
環環相扣；又層層轉折，極盡波瀾變化，而變化之中，又自氣勢
連貫，一氣呵成。段末用「如是而已」這樣簡明的總結句，並以
「非固開其爲此，而禁其爲彼」一句申足，從而完成向第三大段
的過渡。這又是一轉。下面第三段以兩個既通俗又生動的譬喻，
形象地申明補足了第二段的論文中心，並又加以發揮，明確打出
「能自樹立不因循」的大旗，把文章推向高潮，促使主題昇華。
這又再一轉。第四段上承第三段末「願常以此爲說耳」，再次申
明誠意，相互勉勵，以情動人，又與首章開闊呼應，最後完成變
化中的統一，因而更富藝術魅力。

　　最後，談談語言。散文是語言的藝術。此信雖短，卻具長篇
不盡之勢。這首先體現在語言藝術上：言簡意賅，理溢辭外，既
簡潔暢達，又含蓄委婉，無盡之意，在不言中。如前面提到的
「名之所存，謗之所歸」、「能自樹立不因循」、「惟其是爾」
等語，看似平常，實是千錘百鍊，爐火純青。

　　關於風格問題。韓文風格，多是雄健奔放，行峻言厲。但風
格也常隨具體情況而變化。這封信有它的特殊收信對象，明顯有
針對性，他是在和老朋友的兒子說話，而不是在朝廷中寫堂而皇
之的《平淮西碑》，更不是在大庭廣眾與人論戰。回信時間充足，
深思熟慮，心境也自平靜安詳。文爲心聲，風格似人。因而此文
風格一反平常，顯現出另有一種優游不迫、心醇氣和之態。所論
雖是名言至理，卻能一一從肺腑眞情中傾瀉出來，情理相依，相

映成趣，因而感人至深，啓迪後人，更具藝術魅力。這正是它藝術上的成功神筆，值得學習與借鑑。

（原載《閱讀與欣賞》古典文學部分〔九〕，北京出版社1985年版）

第五部分

古今人物評傳

首次統一說李斯

　　秦二世二年（前 208 年）七月的一天，京師咸陽警戒森嚴，氣氛異常，似乎預示著什麼不祥事故的發生。天牢門外，全副武裝的士兵分列兩行，刀槍林立，如臨大敵。一會兒，牢門洞開，在刀槍的閃光中，只見獄卒從死牢裡牽出了一批又一批的犯人，男男女女，老老少少，什麼樣的人都有。為首的欽點要犯是前左丞相李斯。當時秦法苛刻，李斯以「謀反」罪被二世皇帝胡亥及丞相趙高論處極刑，夷三族，腰斬咸陽。李斯一出牢門，瞇眼眺望天上自由飄浮的白雲，觸景生情，感慨萬端，他意識到自己的生命旅途已走到了盡頭，一生追求建功立業，永保富貴，卻不料得而復失，化為雲煙，落得這麼悲慘的下場。於是回頭對二兒子說：「我現在想當個普通百姓，和你回上蔡老家去牽黃犬獵兔取樂，已經是不可能了！」說完，父子四目相對，淚如雨下，激起了數百名將刑囚犯一片撕肝裂肺的哭聲。無論士兵怎麼吆喝也禁遏不住，就急忙把犯人塞進囚車。一路上車聲轔轔，馬蹄得得，大隊人馬直奔咸陽街口。在當日咸陽市民的眼中，士兵把犯人押赴刑場，早已司空見慣。二世胡亥登基後的近兩年光景，為了維持獨裁統治，必須誅除異己，於是藉故殺了一批批的公子王孫、大臣貴要，更何況是那被賦稅徭役逼得走投無路的老百姓！咸陽大街早已被血染紅，市民的神經也似乎已經麻木了。但不知是誰眼尖嘴快，認出了李斯，默默的人羣開始騷動不安，萬頭攢動，觀者如堵，咒罵與嘆惋，交織成一曲扣人心弦的詠嘆調，不時越

過士兵的防線，飛入李斯耳中。這使李斯感到鑽心的疼痛，刹那間，人世的酸甜苦辣一齊湧上心頭。他低頭緊閉雙眼，悔恨交加，怎麼也無法控制那翻騰的思緒。伴著轔轔囚車那通向死亡深淵的單調節奏，往事又一幕幕如畫地在眼前浮現……

李斯生於七雄並爭的戰國末期，具體出生年月，史書失載。但他與韓非同是荀況學生，年歲應當相近，或略晚於韓非數年。韓非生於前 280 年，則李斯大概生於前 270 年左右，到他被刑的前 208 年，約爲六十多歲。他原是楚國上蔡（今河南上蔡縣西南）的一介布衣。年輕時曾做過郡小吏，是管理鄉文書的辦事員。郡小吏地位低下，侍奉長官，唯恐閃失，這使滿懷理想與抱負的李斯非常不滿。有一天，他看到官舍廁所中的老鼠偷吃糞便，一旦人來狗咬，立刻驚恐萬狀，倉皇逃竄；而糧倉中的老鼠則不然，它們吃的是上等糧食，住的是高敞庫房，盡情享受，公然出入，不受驚擾。兩相對照，形成了強烈對比，給他留下了很深的印象，因此很感慨地說：「人有君子小人之別，就像老鼠一樣，在於自己選擇所處的環境和地位！」他不滿意布衣的處境，決心拋開貧賤，去幹一番轟轟烈烈的功業。在李斯的胸中，雄心與野心混合在一起，化爲追求功名富貴的欲望之火在熊熊燃燒。爲了改變生活航向，李斯辭去了郡小吏的職務，遠離家鄉，來到千里外的蘭陵（今山東蒼山縣蘭陵鎮），拜荀況爲師。荀況，史稱荀卿或孫卿，人尊之爲荀子。他是戰國晚期的儒學大師，他的思想並不褊狹，而是在批判先秦諸子的同時，兼容並蓄，以適應地主階級統一天下的形勢需要。後人說他「儒中有法」，也有一定的根據。而韓非和李斯這兩個學生，則拋棄了老師的儒家仁義道德，而吸收他那符合法家理論的「帝王之術」。後來，韓非終於成爲法家理論的集大成者；而李斯則化理論爲實際，成爲眞正實現法家統治的政治家。其實，李斯的才能是多方面的，不僅是

政治，即在文學藝術方面，也有一定的才華。比如他的文章，文
采風流，近人曾稱讚說：「秦之文章，李斯一人而已。」又如書
法藝術，據說秦時的《琅邪台刻石》等碑篆都是出自李斯手筆。據
後世的《墨池編》，李斯曾自負地說：「吾死後五百三十年間，當
有一人替吾迹焉！」這材料不一定可靠，但從側面說明李斯小篆
書法藝術的高明。不過李斯的主要興趣是在政治方面，這是他一
生事業的靈魂。這是後話，暫且不說。當李斯完成學業以後，分
析了天下形勢，認爲「楚王不足事，而六國皆弱」；只有秦最強
盛，具備了統一中國的條件。爲了建功立業，只有西入秦國。於
是他向老師荀況辭行說：「我聽人說，機不可失，時不再來。現
在七國競爭激烈，正是遊說之士大顯身手的時刻。出身貧賤不要
緊；但是如果安貧樂道，毫無改變生活處境以取榮華富貴的願
望，那只是徒有一張好臉孔的禽獸而已。卑賤與貧困是可悲的。
處士橫議而又說自己羞於富貴，如此『無爲』，只是人們掩飾自己
無能的表現，這是不合人之常情的。我將西行遊說秦王以取榮華
富貴。」這樣，李斯就滿懷雄心與野心，離開楚國，踏上了爭取
功名利祿的冒險之路。

　　秦莊襄王三年（前247年）五月，李斯來到了秦國，正值莊
襄王逝世，太子嬴政即位。當時秦王政只有十三歲，國家大權盡
在丞相呂不韋手中。因此，李斯去投靠呂不韋，成爲呂門「舍
人」──也就是門下食客。當時諸侯貴族養士之風甚盛，呂不韋
也有門客三千。三千人中，李斯很快顯露才華，成爲其中的佼佼
者，因此得到呂不韋的賞識，推薦他擔任朝廷「郎」官。「郎」
官雖然品級低微，職務只是守護宮門、侍衛人君，但由於職務之
便，李斯就有了接近國王的機會。當時秦王政年輕有爲，思想活
躍，在丞相呂不韋的輔助下，正在爲統一中國做準備，因此很重
視外來知識分子的建議。李斯認準時機，立刻上書秦王，提出併

吞六國、統一天下的戰略建議：「小人之過是不知時局微妙；而成大功的人，則善於捕捉時機，洞察敵人的矛盾而加以利用。昔日秦穆公雖然稱霸諸侯，但卻無法實現東向併吞六國的宏圖，為什麼呢？因為當時諸侯尚多，周天子仍有一定的號召力，所以雖然春秋五霸迭起更興，大家都還要打起尊周的旗號，當時統一中國的條件還不具備。而從秦孝公以後，周朝衰微，諸侯兼併，關東廣大地區只剩六國，於是秦國乘勝役使諸侯，已有六世（指孝公、惠文王、武王、昭王、孝文王、莊襄王）。現在六國臣服秦國，就像地方服從中央。以秦之強盛，和大王的英明，只要像清掃鍋灶污垢那樣簡單的行動，就足以消滅諸侯，一統天下，建成帝業。目前正逢此千載良機；一旦坐失良機，就會悔之莫及。如果六國復強，合縱聯盟，到那時，縱然是賢如黃帝，也無能為力了！」這封短信以簡明斬絕的語言，剖析形勢變化，以推動秦國加快完成基本國策的戰略設計。李斯認為秦統一中國的條件已趨成熟，關鍵在於人君的決斷。果然，這封信的內容，正是秦王政及其決策大臣日思夜想的中心議題。因此秦王對他很欣賞，任命他做長史，參與基本國策的討論。於是李斯和尉繚等就具體計劃，暗中派遣能言善辯、巧於謀略的官員，各帶金銀財寶，去遊說諸侯。各諸侯國的權臣貴要有的貪財，就行賄收買；如果不為金錢名位所動，就派刺客暗殺。總的謀略，是遠交近攻，並利用一切手段，在六國君臣之間挑撥離間，破壞其團結，然後等待機會，派良將精兵乘亂攻取。如趙國將軍李牧，善於用兵，屢次擊敗了秦軍。於是秦國就派人收買趙國權臣郭開，在趙王面前進讒言，結果趙王下令殺了李牧，自毀長城，使秦軍乘亂進攻，不久就滅了趙國這個勁敵。三晉一亡，燕、楚隨之，最後齊國不戰自降。這是後話。秦國基本上就是按照李斯的戰略安排，逐步蠶食六國，達到統一的。秦王政因此更加信任李斯，提升他為客卿，

與國王、丞相共謀國家大事。

　　但就在李斯的仕途開始一帆風順時，秦國卻同時孕育著一場嚴重的「逐客」政治危機，秦王政元年（前 246 年），韓國因為抵抗不了秦國的進攻，就用計派「水工」（即水利專家）鄭國入秦，勸說秦國大修灌漑渠。本意是調動秦國的人力物力轉向水利工程，以便暫時減輕秦對韓的軍事壓力。後來秦人有所覺察，宗室大臣更從宗法利益著眼，借題發揮，大作文章。他們對秦王說，一切外來的知識分子在秦做官，都是間諜，是為其本國利益來破壞秦國的，因此要求把這些客籍官吏統統驅逐出境。當時秦國本已準備停修水利工程，並把「水工」鄭國殺掉。但鄭國申辯說：「我來只不過是為韓國延長幾年的壽命而已。但是只要水渠修好，秦國就會獲得萬世大利的。」權衡了利害以後，秦國暫停逐客之議，繼續修好水渠，灌漑關中四萬多頃田地，年年豐收，關中地區從此富饒，為秦統一中國準備了良好的經濟條件。這是第一次「逐客」風潮。當時李斯還年輕，新來乍到，官職不高，還沒處在政治漩渦中心，因此，這次未遂的「逐客」，對他只是微震，很快風平浪靜。但秦王政十年的第二次「逐客」就大不相同了，事情是這樣的。秦王政九年，長信侯嫪毐發動叛亂被鎮壓後，秦王政下令清查，牽涉到推薦嫪毐的丞相呂不韋。於是在秦王政十年下令罷免呂不韋，並把他軟禁在河南封地。呂不韋當然也不甘心，於是利用地處中原的條件，交通諸侯賓客，陰謀有所作為，引起了秦廷的重視。鬥爭結果，呂不韋在秦王政十二年被迫遷蜀，終於自殺。秦國的宗室大臣以為有機可乘，於是舊調重彈，再次要求堅決「逐客」，並對秦王說：「各國入秦做官的人，實質上都是間諜。請把他們一概驅逐出境，免貽後患。」於是秦王正式頒布「逐客」令，進行全國大檢查，一時氣氛很緊張。當時的李斯人已中年，是個頗有影響的客卿，是被驅逐的重

點對象。但他故意拖延時刻,邊上路邊思考緣由,認為這樣的政策對於秦國統一天下的大業不利,也毀滅了自己的前途,於是上書秦王,這就是歷史上有名的《諫逐客書》。文章洋洋灑灑,多用排比句式和形象比喻,並巧於運用虛詞助字作轉折過渡,來增加文章氣勢和襯托作者的精神。邏輯嚴密,很有說服力。從藝術上說,這是秦文的優秀代表作。文章開宗明義:「臣聞吏議逐客,竊以為過矣。」針鋒相對,觀點鮮明。接著,他回顧了秦國自穆公以後逐漸強盛的歷史,重點談客卿的豐功偉績和關鍵作用。如穆公任用由余和百里奚,孝公用商鞅,惠王用張儀,昭王用范睢。作者借助事實有力地反問道:「客何負於秦哉?」如果秦的祖先「卻客不用」,那怎麼會有今天強大的秦國呢?明珠美玉、駿馬利劍、音樂舞蹈,並不因為不是秦國出產就捨棄不用;用人也一樣,應該分析是不是有用,而不該「不問可否,不論曲直,非秦者去,為客者逐」。「逐客」將破壞秦國威望,從此天下背秦,這實際是拋棄百姓去資助敵國,排除「客」籍人才而去成就各諸侯國的功業,這就不是「跨海內制諸侯」的統一之術,而是俗話所說的「藉寇兵而齎盜糧」的做法。他由此得出結論,逐客之舉是既損害了人民,又資助了敵國,「內自虛而外樹怨」,破壞秦國統一天下的大好形勢,這樣下去,秦國太危險了!當時秦王政還算頭腦清醒,看到信後,幡然覺悟,立刻廢除逐客令,並派人把李斯追了回來。當時的李斯,由於對秦王政的了解與信心,所以一路慢慢地走。追回的命令下達時,他才走到離京師不遠的驪邑(今陝西臨潼縣東北)。這也說明李斯性格的機敏及其政治預見性。《諫逐客書》說明秦國要統一中國,就必須打破保守貴族那閉關鎖國的宗法統治,實行開放政策,廣收人才,這是統一事業的重要保證。因而,這篇文章不僅表現了李斯的政治膽識,為他個人展現了光明未來;而且預示了秦國將要改變歷史航

向而統一天下的輝煌前景，因而具有深遠的意義。秦王政也因此
更加器重李斯，並把他提升爲廷尉。廷尉是主管全國刑獄的長
官，又是朝廷最高層次的九卿之一，對國家的基本決策有重要的
發言權。後來，秦國基本上是依照李斯等的謀略而行，有計劃有
步驟地掃滅羣雄。李斯也盡力輔助秦王政，使秦國在十數年內，
完成了兼併六國、統一中國的大業。秦王政終於在前221年登上
皇帝寶座，稱爲始皇帝，他希望傳之子孫，二世、三世直至萬
世。李斯也因爲在實現統一天下方面的卓越功勳與貢獻，進位左
丞相，終於稱心如願地爬上了人生的輝煌頂點。

　　李斯寫《諫逐客書》時，慷慨陳辭，似乎一心爲國爭取人才；
但是時過境遷，當他一旦權勢在握，對於人才卻又是另一副面
孔。往上爬的野心使他時刻不忘私利，當他以爲別人的才幹和學
問威脅到自己的地位時，就什麼人才都不要，甚至不惜要陰謀詭
計而必置之死地而後快。這是李斯內心、本性的另一面。如秦王
政十四年，韓國納地效璽，請爲藩臣，並派公子韓非作爲使者來
聘。過去韓非因韓的國勢日益削弱，屢次上書韓王，要求運用法
家理論勵精圖治，進行改革，但不被採納。於是他發憤寫了《孤
憤》、《五蠹》、《說難》等數十篇文章，約十餘萬言，後人編爲《韓
非子》一書，集先秦法家理論之大成。秦王政讀了他的文章以
後，非常佩服，大發議論：「太精彩了！如果我有幸與作者交
遊，死而無憾！」據說秦軍攻韓，韓國求和，秦王就點名要韓非
入秦。現在韓非眞的來求和，開始秦王政很想與他會見。韓非對
形勢的分析估計，與李斯基本相同，認爲秦國統一中國的條件已
經具備，因此本人也想入秦施展抱負，並且上書秦王：「現在秦
國地方數千里，雄師百萬，號令賞罰，天下無雙。所以臣昧死上
書，希望一見大王，獻上擊破六國合縱的計謀。如果按我計劃行
事，一舉而六國聯盟不破，趙、韓不亡，楚、魏不臣服，齊、燕

不依附，可殺我以戒不忠。」但秦王身邊的心腹李斯諸人從中作梗。韓非是李斯的老同學，但對法家來說，只講利害，而不紋友誼。雖然韓非爲秦統一天下所設計的政治路線與理論基石，本質上與李斯相同，甚至是更完善。李斯非常了解這位老同學。但處在得勢之時的李斯所需要的人才，是唯命是從的助手，而不是比自己高明的競爭對手。韓非的才華、聲望遠在自己之上，如果他也成爲秦國客卿而被秦王重用，就會威脅到自己的地位和利益。想到韓非的名位可能遠在自己之上，內心不由升起一股無明的嫉妒之火。於是李斯就暗中勾結韓非的仇人姚賈，在秦王面前百般詆毀說：「韓非是韓國的公子。現在是大王掃平諸侯、兼併天下的時代，韓非當然是忠心於韓而不會爲秦效勞的，這是人之常情。現在大王不用他，把他扣留很久然後釋放回國，那是放虎歸山，他會伺機報仇，給秦國留下無窮的後患啊！所以還不如藉故交付刑法處死算了。」意思很明確，韓非是外來間諜，於秦不利，應該殺掉。秦王政被李斯等人的花言巧語所蒙蔽，下令把韓非逮捕入獄。這時身爲廷尉的李斯，就利用職權，一方面不讓韓非有見秦王申辯的機會；一方面又派人用毒藥逼韓非自殺。後來秦王覺悟，派人赦免韓非，但已悔之晚矣。同是爲了人才，寫《諫逐客書》與殺韓事件中的李斯，判若兩人。殺韓事件中的李斯，似乎犯了政治健忘症。他殺韓的理由，是被他的《諫逐客書》早就駁得體無完膚的客籍間諜論，這是昔日保守的秦國宗室大臣的老調重彈。法家當權，也是實用主義，此一時彼一時麼！法家雖然主張「任人唯賢」，但當別人強於自己時，嫉妒、陰險、殘酷的本性立即暴露無遺，什麼親朋友好盡可格殺勿論。由此可見，李斯既是個做出卓越歷史貢獻的能幹政治家，同時又是個無情無義、殘酷寡恩的無恥小人。李斯能用陰謀殺掉強於自己的韓非，那麼別的陰謀家也會爲了搬掉阻礙自己往上爬的絆腳石，而

伺機除掉他，這也就是所謂螳螂捕蟬，黃雀在後，防不勝防。封建制度下的內部爭鬥是極其殘酷的，當李斯殺韓非時，也早為自己埋下後來的殺身之禍。因為他捲入了一場瘋狂的權力鬥爭，這是時代的悲劇。作為一代名相，李斯幾十年協助秦王政統一中國，積極有為，卓有貢獻，主要有以下幾方面：

㈠是掃平六國，消滅割據，兼併天下，統一中國。秦國的勝利，與實現李斯的戰略設計有關。一個統一的中國，促進了中華民族的形成與發展。

㈡是取消分封制，實行郡縣制，建立了封建的中央集權制。後來漢承秦制，中國幾千年來的封建國家體制基本成形。

㈢是修築萬里長城，北伐匈奴，南征百越。在開疆拓土的「外攘四夷」擴張行動中，保衞了邊疆的安全。

㈣是「書同文」。春秋戰國以來，由於諸侯分封割據，文字多有不同。周朝文字筆畫繁多，不便行文書寫，稱為大篆或籀文。戰國時東方齊魯諸國通行古文。李斯則融會貫通，重新訂正文字，力求簡省劃一，稱為秦篆或小篆。李斯自己用小篆寫《蒼頡篇》以資示範，並作為學童課本，以求全國的「書同文」。後來由篆入隸，直到演變為今天的字形。這種「書同文」的統一趨勢，成為聯結整個中華民族的一條無形紐帶，李斯有開創之功。

㈤是「車同軌」，建設交通驛遞，增進文化交流，刺激經濟發展。

㈥是統一全國的度量衡，為後來科技、文化、經濟的發展與繁榮準備了條件。

當然，上述工作並非李斯一人完成，但他作為廷尉、後來又是丞相，是主要的決策者與執行者，歷史貢獻不可抹煞。上述決策在實行的過程中，矛盾重重，困難很大，需要有勇氣去克服。如秦始皇二十六年，秦統一中國，當時丞相王綰建議實行分封

制，分封諸公子爲王。秦始皇把王綰的建議交付朝臣共議，文武
百官多以爲意見正確。唯獨李斯力排衆議，極力爭辯說：「周朝
所封子弟同姓諸侯很多，但彼此疏遠，相互攻擊誅戮，如同寇
仇，連周天子也無法禁止，這個歷史敎訓記憶猶新。現在依賴陛
下英明，好不容易天下統一，諸侯國變成郡縣，公子王孫或有功
之臣用國家賦稅收入加以賞賜，這就易於控制，天下太平，是行
之有效的安定社會的策略。所以分封諸侯是行不通的。」這一席
話符合歷史發展潮流，閃爍著眞理的光彩，因此打動了秦始皇，
終於果斷地下了結論：「正因爲過去諸侯割據，所以天下戰亂不
息，百姓受苦。現在天下初定，如果再行分封，那是重新授人以
柄，爲國樹敵，天下將永無太平之日。廷尉李斯的意見是正確
的。」據此，秦廷把天下劃分爲三十六郡，派太守治郡，都尉掌
武備，御史行監督。從此之後，秦始皇對李斯寵幸有加，並擢至
左丞相，成了一人之下、萬民之上的權貴。這時，李斯功成名
就，躊躇滿志，爬到了他一生的頂點，因此，如何保住祿位，已
逐漸成爲他心中最重要的問題。他把秦始皇的心理研究得很透
徹。皇上完成統一大業後，愈加好大喜功，窮奢極欲，大興土
木，嚴刑酷賦，民不聊生，國家迅速走下坡路。作爲丞相，李斯
心中有數，但他爲什麼不直言極諫？因爲他這個有名的政治家，
本質上是極端的個人主義，一旦國家利益有損私利，那他會毫不
猶豫地使前者服從後者。他明白皇帝的心思，如違背聖意，後果
嚴重。爲了永保富貴，李斯更善於奉迎人主。秦始皇的一切暴
政，史上從不見丞相李斯說個「不」字。因此，李斯一方面與秦
始皇分享歷史的功績，一方面也應同負歷史的罪責。「焚書坑
儒」就是一例。

　　秦始皇三十四年，秦皇置酒咸陽宮。博士僕射周靑臣「面
諛」始皇，歌功頌德。齊人淳于越進諫，指責周爲不忠，並藉話

頭重新要求實行分封制。始皇把這意見交由丞相共議。李斯明白皇帝心思，認為這是陳辭濫調，不能答應。堅持郡縣制，反對分封制，原是無可厚非的。但真理向前跨越一步就是謬誤。李斯因此而進一步附和始皇帝的獨裁心理，不僅要求一統行政，而且嚴格要求一統思想。於是他變本加厲，肆意發揮，上書皇帝，認為學術上的諸子百家「非法教之制」，是不合法家理論規範的「私學」。如「私學」繁榮，思想活躍，「入則心非，出則巷議」，人人都想國家大事，那就會造成「主勢降於上，黨與成乎下」的混亂局面，破壞了封建獨裁統治，犯了毀謗人主的罪行。因此他要求採取鐵的行政措施，對於「《詩》《書》百家之語」，必須嚴加禁絕，只允許留下「醫藥卜筮種樹之書」，不是秦國史記，統統燒掉。如果想要讀書，那就必須「以吏為師」。秦始皇批准李斯建議。這樣，從商鞅提出「燔詩書而明法令」理論以來，直到秦始皇、李斯掌權，才化為具體行動而付之實現。事一開頭，就不可收拾，愈演愈烈。第二年又藉故儒生「譏刺」而大舉實行思想鎮壓措施，並從「焚書」發展到「坑儒」，一次活埋了四百六十幾名知識分子。於是人心動搖，對新皇朝失去了信任。「焚書坑儒」，禁絕自由思想，只許一家獨鳴，推行的是愚民政策。在上聰聰，在下蒙蒙，命你向西就不敢朝東，這樣的統治固然方便；但歷史證明，思想獨裁是行不通的。

李斯放棄丞相對國家的責任而一味向始皇阿諛奉迎，秦始皇心裡並不感謝。相反的，對李斯也時刻提防，頗多疑忌。大概是怕人刺殺，始皇的行蹤不定，不讓人知。有一天，他到梁山宮，從山頭上往下望，突然看見丞相的車馬隨從甚盛，心中一陣不快。有一侍從宦官把這事偷偷告訴李斯，從此李斯出門就減少了車馬隨從。秦始皇知道後大發雷霆，認為是內侍把他的話泄漏出去，於是嚴刑逼供，在毫無結果的情況下，把當時身邊的內侍盡

行誅殺。這時的李斯也是誠惶誠恐，日子並不好過。他是丞相，位極人臣，顯赫一時，大兒子李由做三川守，領兵在外，鎮撫一方。其他的兒子都娶了秦公主爲妻，女兒們則盡嫁給皇族公子。一次李由告假回家，李斯設宴爲他洗塵接風，滿朝文武聞訊紛紛趕來「祝壽」，車水馬龍，絡繹不絕。此情此景，使李斯大發感慨：「啊，我師荀卿說是『物禁太盛』。我原是上蔡的一介布衣，皇帝不嫌我愚頑，擢我爲相。當朝文武百官的地位沒有在我之上的，可算是達到富貴的極限了。天下事是盛極而衰，我今後的前途吉凶未卜啊！」統治階級內部的鈎心鬥角，已在李斯身上逐漸露出了悲劇氣氛了。但在秦始皇年代，悲劇命運只是微露端倪，並沒眞正發生。秦始皇幾度出巡全國，李斯總是不離左右。秦皇出巡，既可了解各地民情風俗、政治動向，又可鎮壓反叛、示威使勢，以便恩威並施，鞏固統治。在這方面，秦皇要借重李斯的才幹。而且每到一地，無論是泰山封禪，或巡視隴右，據說所有刻石的書法文章，都是出自李斯的手筆。這不僅是因爲李斯的文采風流，更重要的是顯示了政治上的親信。

就在始皇三十七年最後一次出巡時，情況有了變化。據說秦始皇有二十幾個兒子，一直沒立太子。大兒子扶蘇因對父親「焚書坑儒」等政策犯顏直諫，被派到北方邊境上蒙恬的軍營去做監軍。其他的兒子留在京師。唯獨第十八子胡亥最受寵愛，隨駕出巡。這次陪同出巡的還有丞相李斯，中車府令趙高則除車馬安排外兼管符令印璽。盛暑七月，走到沙丘（今河北廣宗西北大平台），始皇病逝。臨終前，命趙高起草給大兒子扶蘇的遺囑：「以兵屬蒙恬，與喪，會咸陽而葬。」實際上是讓他回京主持喪禮，繼承帝位。但遺囑來不及發出，他就死了，遺囑及印璽都在趙高手中。這事只有李斯、胡亥等少數幾人知道。李斯等以爲始皇死在外地，又沒正式立太子，路上報喪，生怕發生動亂。於是

嚴守祕密,並把皇帝屍首安置在一部簾幕低垂的輼輬(溫涼)車中,食行辦公如故,百官奏事,宦官則從車中傳達上命。回京路上,因為天氣酷熱,屍體腐爛發臭,於是李斯想了一個辦法,命令同車載上一石鮑魚,以腥亂臭,一直回到京師咸陽,方才正式發喪。但就在回京路上,卻生出事變來了。

當時的中車府令趙高出身低賤,秦始皇認為他博聞強記,機敏過人,通曉律令,就提拔了他。他善觀政治風雲,看到公子胡亥得寵,就私下投靠,並教他刑法知識。一次趙高犯罪,蒙毅依法判他死刑;但始皇不僅赦免,而且官復原職。趙高從此與蒙氏家族結下仇怨。而蒙恬是蒙毅的哥哥,於是首當其衝。在回京路上,始皇遺囑尚未宣讀,趙高鼓勵公子胡亥篡位自立,但擔心大權在握的李斯不同意。趙高是個偽善狡詐、善於探測人們內心隱私的小人。丞相李斯當然是他研究的重點對象。於是他巧舌如簧,用保住功名富貴去撥動李斯的心弦。趙高說:「所賜長子書及符璽皆在胡亥所,定太子在君侯與高之口耳。」開始李斯不同意。但趙高接下去問李斯:「先皇去世後,如果扶蘇繼位,又有誰比蒙恬更親近?在功勞、謀略及得民心諸方面,你能比得過蒙恬嗎?」他知道李斯用人,很是忌才,而且又權欲薰心,因此又進一步用秦朝歷代丞相被罷免後「卒皆誅亡」的嚴酷事實,去刺激李斯固保祿位的私心。李斯也明知皇子「兄弟爭亂」,必將天下大亂,但這是以後的事;還是保住眼前的身家性命要緊。於是他一面「仰天長嘆,垂淚太息」;一面贊同趙高陰謀,成為事變的主謀。他與胡亥、趙高商定後,就假傳遺詔,宣布立胡亥為太子。接著又假託先皇遺囑,把始皇的長子扶蘇及勞苦功高的將軍蒙恬賜死。兩人死後,李斯也是一陣狂喜,以為除掉了自己的心腹大患。到咸陽後,立刻發喪,擁立胡亥為二世皇帝。二世就以趙高為郎中令,掌宮禁並常侍中用事,權勢迅速上升。這時趙高

心中的主要政敵已是李斯，但李斯卻聰明一世，糊塗一時，竟然毫無覺察。他以為自己於二世有扶立之功，可保祿位萬無一失。趙高勸二世為保帝位，大開殺戒，變更法律，誅戮功臣，「法令誅罰日益刻深」，即使是皇帝的兄弟姊妹，也是誅殺殆盡，慘無人道。加以秦二世步始皇後塵，繼續大造阿房宮，「賦斂愈重，戍徭無已」，結果是羣臣亂於上，百姓叛於下，陳勝、吳廣揭竿而起，大規模的農民起義及六國貴族的義軍迅速發展，如火如荼。周文曾率農民義軍數十萬攻到鴻門，距離京師咫尺之遙，後雖被章邯等擊潰，但秦廷基礎業已動搖。二世胡亥卻被蒙在鼓裡，還以為只是幾個盜賊流竄，仍然一味縱情酒色，大權實際操縱在趙高手裡。李斯心急如焚，幾次進諫，但都受到二世的斥責。再加李由為三川守，農民義軍過境而無力禁遏，也被趙高作為理由，立案追查。這時李斯一心只知保祿尸位，心懷恐懼，簡直不知所措，昔日的聰明幹練早就消失得一乾二淨，只能被對手牽著鼻子走。於是他阿順二世，獻媚求寵，上《嚴督責書》，批評那些為國為民而辛勞的君主，是「以天下為桎梏」；認為「賢明之主」，應該「窮樂之極」，「獨制天下而無所制」，鼓吹絕對獨裁。這種只顧眼前一己之私利而背叛國家民族利益的言論，出自丞相之口，後果極為嚴重。書奏，二世大悅，暫時放過了李斯，但卻害苦了天下百姓。當時朝廷因為嚴於督責，「刑者相半於道，而死人日成積於市」。這時趙高又勸二世不與羣臣照面，居深宮盡情享樂，事實是一切權力歸趙高。趙高雖大權在握，但李斯未除，心無寧日。於是他以「忠臣」面貌出現，勸李斯盡責極諫，並答應密切配合。過了幾天，趙高趁二世正在宮中玩得高興的時候，通知李斯進諫。當內侍報告李斯已到宮門等候召見時，二世勃然大怒道：「我平日空閒，丞相不來；現在我玩得正開心，丞相就到。這分明是藐視寡人！」站在一旁的趙高接過話

頭，添油加醋地說：「如果這樣就危險了。沙丘之謀，扶立陛下
爲帝，丞相實主其事，而丞相至今仍是丞相。他是希望陛下對他
裂土封王啊！他的大兒子李由，勾結盜寇，聽說有文書往來。丞
相的權威比陛下還大，眞危險啊！」一席話說動二世下決心要除
掉李斯。於是就從立案審查李由通匪入手，涉及李斯。李斯也知
道是中了趙高的詭計，於是上書二世，反擊趙高，斥責他是劫君
亡國、無恥反覆、貪得無厭、求利不止的危險人物。但二世對趙
高恩寵正深，毫不在意。他認爲趙高精明強幹，通達人情，忠心
耿耿，無可懷疑。二世並把李斯的話通知趙高，於是趙高哭訴
道：「丞相所恨，唯獨趙高。我一死，他就可以爲所欲爲、弒君
造反了！」於是二世下令把李斯及其宗族賓客統統逮捕入獄，交
由趙高審訊處置。李斯一被套枷鎖，就仰天長嘆：「太可悲了！
昏君無道，不足爲謀。二世罪責超過古時的夏桀、殷紂和吳國的
夫差，我將因忠心國家而被殺。二世殺兄弟而自立，誅忠良而貴
賤人，繼續大造阿房宮，重賦斂天下萬民。如此倒行逆施，怎不
天下大亂！不是我不盡忠直諫，但他只知寵信小人趙高。我可預
見盜寇入咸陽而國破家亡的嚴重後果了！」後來在李斯死後一
年，趙高弒二世，秦王子嬰則計殺趙高，而子嬰又被先行入關的
劉邦所俘，並死於項羽之手，秦朝就此滅亡。殺李斯加速了秦的
滅亡。當時被捕的還有右丞相馮去疾、將軍馮劫。二馮堅持士大
夫的氣節，以爲「將相不辱」，相繼自殺。而李斯則留戀政權，
苟且貪生，以爲自己有功於二世，實無謀反的企圖；又自負辯
才，希望上書二世，以求恩赦，出獄重享富貴。但趙高心狠手
辣，嚴刑拷打，李斯不勝痛楚，就自誣供認。但思來想去，心裡
不甘失敗，於是在獄中上書二世：「臣作爲丞相治理國家三十多
年，原先秦地狹隘，先皇時秦地不過千里，兵數十萬。臣盡薄才
獻謀略，謹奉法令，派遣謀士遊說諸侯，又發展軍隊，整飭朝

廷，賞功罰過，國力大盛，終於掃滅六國，俘其國王，一統天下，尊秦爲天子，一罪也。開拓疆土，北伐匈奴，南征百越，以張秦強，二罪也。重重賞賜功臣，讓他們熱愛國家，三罪也。立社稷，修宗廟，以示皇帝英明，四罪也。『書同文』，統一度量衡，公布天下，以明秦的建樹，五罪也。『車同軌』，治交通，巡遊全國，以見我主之得意，六罪也。緩刑薄賦，收拾民心，擁戴君王，死而不忘，七罪也。像我這樣，早夠死罪了。先皇不棄，盡臣之力，所以還能活到今天。願陛下明鑑。」這信正話反說，歷敍自己的功績貢獻，希望藉此感動二世。但信一寫好，趙高就嚷道：「囚犯哪有上書皇上的權利！」馬上叫獄吏把信毀掉。又分派門客十餘批，假扮御史、謁者、侍中，輪番前去審訊。李斯一說實話，立刻痛加捶楚。幾次一打，把李斯打得膽戰心驚。後來二世眞的派人覆查，李斯卻猶如驚弓之鳥，怕像前幾次一樣，說實話要皮肉受苦，因此再也不敢說實話，終於自誣謀反。這供辭一上去，二世大喜道：「如果沒有趙君，差點被李斯出賣了！」而三川守李由也已被項梁率領的楚軍所殺，死無對證。趙高就愈加肆無忌憚地編織李斯謀反罪狀。於是經二世批准，把李斯「具五刑」，「夷三族」，腰斬咸陽。判決一宣布，行刑時刻很快到來……

突然，囚車行進的單調節奏戛然而止，迷糊中的李斯從回憶中驚醒。怎麼離開囚車的？他自己也不知道。當他睜開雙眼時，只見一片刀光，趕快又閉起了眼睛，此後什麼也不知道了。一代名相，就此慘死在屠刀之下，終於退出了歷史舞台。

蕭何傳

　　秦二世元年（西元前209年）九月的沛縣（今屬江蘇），已是晚秋季節，稀疏黃葉，颯颯西風，早有幾分蕭殺之意。但更主要的是，滿縣人情洶洶，街上三五成羣，紛紛傳說七月在離沛縣不遠的蘄縣（今安徽宿縣）陳勝、吳廣揭竿起義，一呼百應，攻城略地，發展壯大，擁立陳勝爲王，國號「張楚」。眼下，農民義軍正向沛縣蜂擁而來。許多郡縣的人民，因爲不堪秦王朝的酷政壓迫，先後響應張楚王號召，組織義軍，殺掉原先騎在人民頭上作威作福的貪官污吏，這類消息不脛而走，猶如大海波濤撼天動地，整個沛縣開始騷動了起來，怎麼也禁遏不住。這使沛縣令膽戰心驚，爲保身家性命，他百般無奈，認爲與其坐而待斃，還不如主動響應，日後見機行事，另圖發展。於是他派差役趕快把縣主吏掾蕭何和獄掾曹參找來商量。蕭、曹都是沛人，土生土長，人情熟悉，他們或許有辦法。特別是蕭何，雖然正值盛年，但具文辦事，卻是穩重老練，很有主見。他的才能，更在衆吏之上。過去他曾做過泗水郡卒吏，考核時名列第一等。前監郡御史（秦無刺史，派御史監郡）。把他辟爲從事，有事和他商量，他都能條分縷析，妥當處置，所以上司很是賞識。該御史返京述職時，原準備因奏事之便，建議破格起用，只用蕭何自己不願意，於是作罷。事情雖然沒有成功，但說明蕭何地位雖低，卻是個頭腦清醒，素有方略的人。再加上他從不舞文弄墨，橫行鄉里，所以頗得人心。沛縣令認爲找這樣的人來商量，或許能找到一線生

機。突然，沈重的腳步聲驚醒了沛縣令的徬徨與沉思。睜眼一看，蕭何、曹參已到。這時沛縣令也顧不得寒暄，立刻開門見山，和他們商量響應張楚王號召、順應潮流、參加「造反」的大事。蕭何等坦率地說：「大人是秦廷官吏，現在想要率領全縣父老兄弟背秦『造反』，恐怕老百姓不一定信任吧！到時如果百姓不聽你的號令，那可怎麼辦呢？所以希望你還是把沛縣那些因抗秦犯法逃亡在外的豪傑之士召集回來，大概可得數百人，用他們的力量去駕馭百姓，還有誰敢不聽號令？」商議之後，決定派樊噲去把以劉邦為首的一批逃亡者請回來。這時，劉邦身邊也早已聚集了百把人了。但就在這批人馬回沛縣途中，沛縣令卻變卦了，他怕這批亡命之徒回來，不聽控制，於己不利，於是命令士兵緊閉城門，驅趕百姓守城，並派人搜捕主謀蕭何、曹參，準備把他倆殺掉，以斷內應。幸虧蕭、曹人緣好，早有人通風報信，於是急忙翻越城牆逃走，找到劉邦隊伍的紮營地，並和這批逃亡者站在一起，商量怎樣攻城起事。

蕭、曹原來就是劉邦的朋友。特別是蕭何，更是了解劉邦的為人。有一次，沛縣令宴請其好友呂公，沛縣的士紳都來祝賀助興。當時蕭何是主史，負責宴會司儀，他下令道：「禮物不滿千錢的人都坐在堂下。」這時，劉邦大搖大擺地進來，騙收禮儀的縣吏說：「我用萬錢相賀。」實際上他是一文莫名前來白食的。一聽通報，呂公大驚，延入上座，只有蕭何明白地戳穿了劉邦的無賴把戲，他說：「劉季（劉邦字季）好說大話欺人，根本沒有此事。」但蕭何對劉邦並無惡意。天下擾亂，無賴膽豪，敢於冒險，日後或許有所作為。因此他又處處護著劉邦。當劉邦還是農村中一個不事生產的農民時，有事受責，蕭何作為縣中豪吏，總是盡量保護他；劉邦做亭長時，一有困難他又常予幫助，一次，劉邦因徭役出差咸陽，諸縣吏循例贈錢助行，大家都送三百錢，

唯獨蕭何送他五百錢。這使劉邦大爲感激，早已引爲知己。現在蕭、曹一到，劉邦特別高興，膽氣也更壯了。交談之後，明白形勢，劉邦動了心。但他肚裡缺少文墨，於是蕭何等就幫他起草了給沛縣人民的公開信，用箭把帛書射到城裡。信中有這麼一段話：「天下同樣被秦廷苦害，由來已久。諸位父老子弟雖然替秦令守城，但現在諸侯並起，義軍遍地，早晚會把沛縣攻破，到時全縣百姓將受刀兵屠殺之難。如果全縣父老子弟同心努力，誅殺沛縣令，並選擇有才能的人來帶頭，響應諸侯起事，這樣就可以保全百姓的身家性命。如若不然，堅持助紂爲虐，一旦城破，父子盡死，玉石俱焚，又有何益？」信寫得懇切、實在，很能打動人心。於是沛縣父老率領武裝的子弟共同殺掉了沛縣令，打開城門，歡迎劉邦、蕭何的隊伍入城。當時大家公推劉邦做頭領。但劉邦自感無何把握，客氣一番，說：「現在天下大亂。如果選擇將領不得其人，就會一敗塗地，後果嚴重。我不敢自愛，但恐才疏學淺，不勝其任，到時無法保全父老兄弟。希望大家還是愼重地另外推選一位吧！」但是除劉邦外，當時最有威信的就是蕭何、曹參，他倆都是文吏，頗爲自愛，有些私心，冒險精神不足，怕一旦造反不成，會招殺身滅族之禍。因此蕭、曹兩人再三謙讓，共同保薦劉邦。於是縣裡的父老同聲說：「平時就聽到劉季有許多奇異的故事，都說日後當大富貴。現在我們占卜問卦，也說選劉季吉。這是天意啊，千萬不要再推讓了。」於是劉邦被沛縣義軍立爲沛公。當時像蕭何、曹參、樊噲等一批豪吏，在羣衆中有一定威信和影響，他們就幫沛公劉邦徵集了沛縣子弟二、三千人參加義軍。所以應該說劉邦的帝業，從一開始就滲透了蕭何的許多心血。

劉邦稱沛公，馬上命蕭何爲丞，作爲副手，幫助料理日常政務軍務。不久，陳勝、吳廣失敗被殺，但起義烽火，已燃遍整個

中國。當時項梁、項羽及劉邦諸人，同時楚懷王的將領。項梁死後，項羽率楚軍主力北上救趙，與章邯統帥的秦軍主力酣戰中原。劉邦則率偏師西征，鬥力鬥智，很快過南陽，入武關，克嶢關，直逼秦京咸陽。漢元年（西元前206年）十月，沛公大軍進駐霸上，秦王子嬰素車白馬，頸繫組綬，封皇帝的璽印符節，在大路邊跪拜求降。於是沛公軍隊首先入咸陽，宣告了秦王朝的滅亡。一入京師，許多義軍將領被秦都的繁華所震驚，紛紛攘攘地忙著搶占府庫車馬，瓜分金銀美女。就是劉邦本人，一看到秦朝的宮殿、帷帳、狗馬、珍寶及無數美女，也不禁傻了眼，一心要住進皇宮享受人生的榮華富貴，充分表現了農村流氓的貪婪本性。後來還是因為樊噲、張良苦諫，才不得不下令退回霸上的軍營中。唯獨蕭何例外，什麼金銀財寶、宮室美女都不動心，而是另具隻眼，首先進入相府、御史府等衙門府第，收集有關國家的公文圖籍檔案資料。由於掌握了這批珍貴資料，對以後劉邦的統一事業大有助益。劉邦集團因此知道了天下的地理山川，形勢險要，戶口賦稅，財力強弱，以及各地的民生疾苦。當時劉邦的勢力與項羽相比，相差懸殊。但蕭何卻很有遠見，早為日後新國家的統一和建設作準備。他雖然只是沛公的副手，但已用宰相的眼光來觀察事物。當時他就勸沛公不要滿足於眼前的勝利，取天下在於得民心。劉邦和蕭何等商量後，就在同年十一月，召集關中各地的父老、豪紳約法三章，劉邦說：「關中百姓長期被秦王朝的酷政苛法所苦，我曾與眾諸侯在楚懷王面前約定，先入關中的人就在關中為王，因此，我是你們當然的大王。現在我和各位父老兄弟約法三章：殺人者死，傷人及盜抵罪。除此以外，其餘的嚴刑苛法統統廢除，各地百姓照舊安居樂業。我輩所到，是來聲張正義為民除害，而不是魚肉鄉里，侵暴百姓的，千萬不要驚慌。現在我所以回軍霸上，是在那兒等待其他諸侯義軍的到來，

以便共同商訂約束之法。務請諸位放心！」約法三章雖然只是戰爭時期的臨時法律，但在收拾民心、穩定形勢、取得人民的支持和擁護方面起了巨大的作用。當時的秦民，簞食壺漿以勞義軍，唯恐劉邦不在關中稱王。但當項羽率領諸侯聯軍主力進駐關中時，鴻門宴上，劉項相會，形勢發生了急遽變化。當時項羽目無懷王，背信棄義，恃強毀約，自封西楚霸王。為了捆住劉邦手腳，項羽改封他為漢王，主巴蜀、漢中險地。又封章邯等三個秦降將三分關中，以便牽制劉邦，堵截漢軍出路。分封之後，劉邦大怒，樊噲、灌嬰、周勃諸將也紛紛勸他不要屈服，於是劉邦決心與項羽決一死戰。在這關鍵時刻，還是蕭何頭腦清醒，他一反潮流，力勸劉邦接受漢王封號，大丈夫能屈能伸，來日方長麼！他們有這樣一段對話：

蕭何對劉邦說：「你不在關中、而是到漢中稱王，當然不是喜事；但這樣做不是比死強一些嗎？」

劉邦說：「怎麼會嚴重到死的程度呢？」

蕭何說：「現在我軍的力量大大不如項羽，形勢於我不利，不戰則已，一戰即敗，以卵擊石，不是自取滅亡又是什麼！《周書》說：『上天的恩賜如果不要，就會反受其咎。』古有『天漢』之語，說明封號為『漢』也是一個美稱麼，這是天意所在啊！古代的聖賢如商湯、周武王，在形勢不利時，他們就暫時屈服於暴君夏桀，殷紂之下，但卻因此獲得了萬民的信任。我希望大王學習湯、武，到漢中去，休養萬民，搜羅賢才，以巴蜀之力，在形勢有利時，迅速回師平定三秦，然後才可能進一步爭天下。」

劉邦說：「完全正確！」

於是漢王劉邦聽從蕭何勸告，收拾行裝，整頓軍隊，到漢中稱王，同時又任命蕭何為漢丞相。在楚漢戰爭一觸即發的危機中，蕭何第一次挽救了劉邦的事業。後來的事實證明，當時蕭何

的決策是正確的。

在楚漢戰爭序幕即將拉開的時候，蕭何作爲丞相，非常注重收羅人才，推薦韓信作爲漢軍統帥，本身就是一則生動的故事。原來，韓信少有大志，仗劍從軍，先投奔項羽，但項羽有眼無珠，不識英雄，只讓他做一個小小的郎中。韓信感到壯志難酬，於是亡楚歸漢，偏又犯法當斬，他仰天長嘆道：「漢王不是想爭天下嗎？爲什麼要殺壯士呢？」當時夏侯嬰監斬，奇而救之，並加以推薦。但劉邦也未能人盡其才，只命他做治粟都尉。韓信鬱鬱不樂，就去拜謁蕭丞相，幾次談話，推心置腹，非常投機，兩人對形勢的分析估計大體一致。蕭何很器重韓信，準備力薦漢王重用。但當時漢王部隊一到南鄭，因爲楚強漢弱形勢明顯，再加以漢軍將士多是山東（即潼關以東）人，農民意識嚴重，大都不願遠離故鄉，於是半途紛紛逃亡。這時蕭何再三推薦韓信，但漢王不用，這使韓信很失望。他想，天下紛爭，漢王不用我，自有用我處。於是掛冠漢營，逃亡他鄉，以便另覓出路。蕭何作爲丞相，聽說許多將領逃走，只是淡淡一笑：「這些沒眼光沒出息的傢伙，少幾個沒什麼了不起。」但當下人報告韓信逃離南鄭時，他一反平常鎮定自若之態，非常驚慌，甚至來不及報告漢王，就一迭連聲地催人備馬，躍上馬背，立即揚鞭疾馳，拚命追趕韓信。這時有人報告漢王說：「蕭何丞相已經逃走。」漢王一下子驚呆了。他大發雷霆，如失左右手，不知如何是好。但過了一兩天後，蕭何突然回來拜謁漢王，於是出現了戲劇性的場面：

漢王又怒又喜，大罵蕭何：「別人逃走還可理解，你我知己已久，怎麼也要逃走，這究竟是什麼道理？」

蕭何說：「臣不敢逃走，臣是去追趕一位逃亡者啊。」

漢王急著問：「你所追趕的是誰？」

回答說：「韓信。」

漢王根本不信，又破口大罵了起來：「諸將領逃走了數十人，你一個也不去追趕，卻偏偏去追趕韓信這樣一個無名之輩，這不是騙人的鬼話又是什麼？」

蕭何坦然地反駁說：「要得到諸將容易；但像韓信這樣的人才，可稱是國士無雙。大王你如果是安心長期在漢中稱王，那就不必用韓信；但如果想要爭天下，則除韓信外，無人勝此重任。這就要看大王的決策了。」

漢王說：「我怎能鬱鬱寡歡地久困此地呢？當然想東向與項羽決一雌雄、爭奪天下了。我的心思你是清楚的。」

蕭何說：「大王想要爭天下，如果能重用韓信，韓信就會留下為你所用；反之，韓信就會立即逃走的。」

漢王說：「看你的面子，我就任命韓信做將領吧。」

蕭何說：「即使是做將領，韓信也不會留下來的。」

漢王痛快地說：「那好，就乾脆命他做大將，統帥諸將，你看怎樣？」

蕭何說：「很好。」

於是漢王就要下令召見韓信，拜為大將，但蕭何懇切地阻止說：「大王你平時待人傲慢無禮，現在拜封大將就像吆喝小孩一樣，這就是韓信所以會逃走的原因。大王如果要拜韓信為大將，那就必須選擇良辰吉日，齋戒設壇，禮儀俱全，慎重從事，然後才可以登壇拜將。」

漢王終於答應。全軍將士一聽說要封拜大將軍，都很高興，人們紛紛猜測這獲得殊榮的人是誰。但到了登壇拜將的那天，才知道竟然是個毫無聲望的小人物韓信！全軍將士大為驚奇。

當時，漢王向韓信請教爭奪天下的策略。於是韓信縱談天下形勢，提出養巴蜀之力以定漢中，然後併關中之力以東向爭天下的戰略設計；並具體說明了項羽雖強不足畏、三秦兵分易破的事

實。這就大大發展了蕭何勸劉邦入漢稱王的戰略思想，並在行動
上作出了詳盡的計劃安排，踏踏實實地去爭取勝利。於是漢王按
照韓信之策，具體部署軍事行動。他先留下蕭何鎮守巴蜀，安撫
百姓，經營地方，收取租賦，以供軍餉。實際上，當時的巴蜀漢
中，成了漢王進軍關中的根據地。在西楚霸王項羽忙於東齊而無
暇西顧時，漢王引軍東向三秦，在關中百姓的支持擁護下，很快
平定關中。於是漢軍聲勢大振。漢二年，漢軍東出函谷關，收
魏、河南，韓王、殷王皆降，然後合齊、趙諸國之兵聯合擊楚。
這時蕭何留守關中，侍奉太子，治櫟陽。蕭何丞相具體制定了政
策律令，開始立宗廟，建社稷，修宮室，定郡縣，使漢在戰時建
立了相應的國家規模與體制。當時君、相關係融洽，相互信任，
有關建國方針大計，蕭何隨時上奏漢王，漢王無一不如所請，依
以行事；有些事來不及請示，丞相則便宜行事，日後再作匯報。
由此可見當時漢王對蕭丞相是何等倚以為重了，他把關中完全托
付給蕭何了。蕭何也是忠心耿耿，兢兢業業，勤奮工作。他統計
關中戶口，收取租賦糧食，積極動員百姓，迅速補充兵員，水陸
並發，源源不斷地開赴前線。因此漢軍的兵源糧餉從未欠缺，有
力地支援了戰爭。漢王幾次被項羽打得狠狠而逃，損兵折將，幸
虧蕭何從關中及時給他補充，然後才能重振軍威。如漢二年五
月，漢軍於彭城大敗後退守滎陽，楚軍乘勝追擊，漢軍危急。在
這關鍵時刻，蕭何把關中能動員的人馬都動員了起來，發赴軍前
效力，這對損失慘重的漢軍無疑是增添了一支生力軍。恰巧韓信
率領的軍隊也同時趕到。於是漢軍復振，大敗楚軍於滎陽南面的
京、索之間。以此楚軍包圍滎陽幾年，卻無法越滎陽而西向。這
時，在蕭何治理下的關中，已成為漢王統一全國的根據地。所以
後來司馬遷在《史記・太史公自序》中高度評價了蕭何這一歷史貢
獻：「楚人圍我滎陽，相守三年；蕭何填（鎮）撫山西（指華山

以西），推計踵兵，給糧食不絕，使百姓愛漢，不樂為楚。」民心向背，正是決定戰爭勝負的根本因素。蕭何作為丞相，注重治國安民，講究實效，發動人民擁護和支持漢王的統一事業，功勞可謂大矣！

但漢王並不這樣想。蕭何雖是有德於劉邦的故人，但他在巴蜀及關中政績頗佳，百姓稱頌，這對帝王就是一種無形的威脅。為此劉邦也常懷猜忌，這是農村流氓的本性所致。漢三年，楚漢又鏖戰滎陽，這時漢王經常派使者回關中慰問，對蕭丞相表現了特別的關懷。這時，鮑生來見蕭何，說：「目前漢王披戰袍露宿野外，苦戰項羽，卻居然有心思幾次三番派人慰問丞相。豈非咄咄怪事！這是對丞相的忠心產生了懷疑。因此，為丞相設想，不如把蕭氏家族能夠當兵打仗的子弟，統統發赴滎陽前線，以示絕無二心。這樣漢王一定會重新信任你的。」蕭何按照鮑生計策行事，漢王果然高興了。但這不過是君相猜忌的一次前哨戰。

但在開國君主中，比較而言，劉邦還不算太壞。他有一定的雄才大略，對於有用的人才，常常一面肆意謾罵，一面又提拔重用。為了漢室江山，他還必須保住蕭丞相的功名。既猜忌提防，又封賞任用，這是劉邦用人的訣竅。漢五年，項羽敗死垓下。二月，劉邦即皇帝位，在洛陽南宮置酒慶賀。高祖劉邦與羣臣談到楚漢戰爭，坦率地說：「運籌帷幄之中，決勝千里之外，我不如張良；建設國家，安撫百姓，轉運給養，充足軍糧，我不如蕭何；連兵百萬之眾，戰必勝，攻必克，我不如韓信。這三人都是一代人傑。但我能夠信而用之，這是我所以得天下的奧妙啊！」可見他對蕭何的功績是有一定認識的，評價還算公允。所以一年後論功行賞的時候，蕭何功第一，封酇侯，食邑八千戶，比出生入死的將軍如樊噲等要多。下面是君臣間的辯駁：

諸功臣爭功，不服，紛紛對高祖言道：「我等出入沙場，披

堅執銳，多的百餘戰，少則數十戰，可說是九死一生。而蕭何一
介書生，安坐後方，寫寫公文，發發議論，未有汗馬功勞，從不
衝鋒陷陣，怎麼功勞反倒在我輩之上呢？實在想不通。」

高祖說：「諸位將軍該知道打獵的事吧！」

回答說：「知道。」

高祖說：「行獵時，追殺野獸狐兔的是獵狗，而指示野獸隱
藏蹤跡的是人。現今各位將領的功勞是獵取野獸，功與狗等；而
蕭何指示獸蹤，功與人同。並且各位都是隻身跟隨於我，最多也
不過是隨帶二、三人來；而蕭何則舉其家族數十人隨我南征北
戰，此功不可沒。」

高祖的即席發言說得眾功臣不敢再有異議，但心中仍在嘀
咕，因此又生出一件事來。列侯封畢，接著是排名次。當時的功
臣們對排名次很重視，私下商量之後，就對高祖說：「平陽侯曹
參身上有七十處傷痕，並且攻城略地最多，他應該名列第一。」
在論功勞時高祖已壓服了眾功臣一次了，現在不好意思再去壓
服，但他心中仍然想把蕭何排在第一位。這時關內侯鄂千秋看準
了皇帝的心思，於是挺身抗言道：「大家的意見都錯了。曹將軍
攻戰之功雖大，但這只是一時的事。楚漢戰爭持續五年，皇上幾
次三番大敗虧輸，全仗蕭丞相從關中給他補充損失的兵馬糧草。
雖然沒有接到皇上的命令，但在皇上瀕臨困境的時候，關中的數
萬新軍總是如雪中送炭一樣及時趕來救駕，這樣的事還少嗎！楚
漢滎陽會戰持續幾年，軍中一旦缺糧，蕭丞相就及時把關中軍糧
運到前線。陛下雖然幾次丟失了中原廣大地區，但蕭丞相卻能以
完整、鞏固的關中作根據地，給陛下以堅強有力的支持，這是萬
世之功啊！陛下即使是亡失曹將軍一類的戰將數百員，這對漢朝
的損失不算太大，因為陛下不一定要依靠曹將軍等才能打下漢室
江山。現在大家為什麼要以曹將軍的一旦之勞，加之於蕭丞相的

萬世之功的上面呢？所以應該是蕭丞相第一，曹將軍第二。」劉邦當場表態，說聲「好！」於是欽定蕭何爲十八列侯中的第一位，賜劍履上殿，入朝不趨。原來，古時君子出必佩劍，既可護身，又示不忘武備。這是一般情況，而上殿面君則不同。漢承秦制，按照秦法，羣臣見君，不得持尺寸之兵（即兵器）。而履在古時多是皮革製的軍靴，按規定，軍容不入國。所以無論是隨身佩劍或足登軍靴，一概不准上殿，以免驚駕。而所謂趨，是聽到傳令召見，小步疾行，以示對皇帝的崇敬，這是一般人臣應盡的禮節。現在賜蕭何劍履上殿，入朝不趨，正是皇帝對丞相表示了特殊的恩寵。劉邦又說：「我聽說推薦賢人應受上賞。蕭何功勞雖大，得鄂君一席話才明白。」於是改封鄂千秋爲安平侯。當日，又盡封蕭何家族的父子兄弟十餘人，並再增添蕭何食邑二千戶，以示皇帝不忘舊情，算是紀念昔日他比別人多贈二百錢的恩情。於此可見，開國功臣之中，劉邦對於蕭何尤爲親近，倚爲腹心。但這只是一方面。另一方面，恩寵有加並不說明皇帝已經忘記了猜忌，特別是打下江山以後，對待功臣更是如此，後來韓信之死，就是一例。一旦皇帝認爲對自己的統治不利，那麼什麼樣的「人傑」都要拋棄。蕭何治國，深得民心，順民之意，與民休息，這本身對皇帝的威信就是一種無形挑戰。皇帝的猜忌是可怕的，蕭何明顯地感受到了眞正的危險。他雖然貴爲丞相，一人之下，萬民之上，但卻常是誠惶誠恐，如臨深淵，如履薄冰。他因此不得不謹小愼微，以圖自保。

項羽死後，劉邦統一天下，但各地諸侯的叛亂仍此起彼伏。漢七年，劉邦東擊韓王信及匈奴。這時，蕭何爲了討好皇族，在長安大造未央宮，立東闕、北闕、前殿、武庫、太倉。劉邦回來，見宮闕巍峨壯麗，於是把臉色一沉，生氣地說：「方今天下洶洶，戰禍連綿，成敗尚未可知，你爲什麼要大造宮室呢？」蕭

何知道，表面說的不一定就是心裡想的，因而不慌不忙地說：
「正因爲天下未定，刀兵不斷，才可以因勢動員人力物力，成就
宮殿，這時有誰會來責備呢？並且天下以四海爲家，非壯麗難以
重威望，還可令後世子孫難以超越，這不是更加可以表達陛下的
創業之功了嗎！」一席話，說得劉邦滿心歡喜。於是下詔自櫟陽
遷都長安，置宗正官以序九族。又在未央宮前殿擺酒宴，大會諸
侯羣臣。

　　早年樸實惟謹的蕭何，在宦海浮沈中，業已諳練世事，洞達
人情，他常以幾分機智和狡詐與人主周旋。有時，爲了保護自身
利益，不得不違心而行，這又有什麼辦法呢？處理韓信事件就是
不光彩的一例。

　　在消滅項羽、掃平羣雄的統一戰爭中，韓信功勞最大，劉邦
稱之爲「一代人傑」。以韓信之才之力，如果有野心的話，早已
聽從謀士蒯通之說，割土自立，天下即非劉邦所有了；但韓信沒
有這樣做。在天下一統後，劉邦對功臣的猜忌與日俱增，動輒誅
戮。他曾計捕韓信，貶爲淮陰侯，軟禁在京師，韓信當然頗有牢
騷。漢十一年，陳豨反於趙，劉邦征邯鄲。這時，呂后與蕭何留
守京師。她怕韓信在京城做陳豨的內應，很想把他除掉。正巧韓
家有位門客得罪了韓信，韓信把他囚禁起來準備殺掉，這位門客
的弟弟便上書誣韓信謀反。於是呂后決心行動；但又怕韓信謀略
過人，黨羽眾多，萬一召而不至，反受其害。這時她想到了蕭丞
相，蕭何是韓信的恩人，如果由蕭何出面相邀，韓信一定不會生
疑。於是她把蕭何請入宮中祕密商議。蕭何早年力薦韓信，對韓
信當然熟知，他明白韓信有牢騷而無野心，說他「謀反」確是冤
枉。但夾在君權與將權之中，他無法一碗水端平，而只能違背良
心行事。因爲只有維護君權，才能保住自己身家性命。當年他發
現的一代英才，在完成了歷史使命以後，現在大概不得不由自己

來給他送葬了。想到這裡，蕭何心亂如麻，心理的矛盾化爲巨大的痛苦使他無法平靜。但事已至此，無可奈何。況且，韓信是諸功臣中，最有本事的一位，呂后（背後是劉邦）要殺他，以便殺一儆百，制止叛亂戰火的蔓延，這對國家的統一安定，或許能起一定作用，但願天才的血不會白流。想到這裡，蕭何默默禱告上蒼，終於邁著衰老的步子離開皇宮，來到了淮陰侯府。韓信認爲蕭丞相是忠厚長者，自己的恩人，對他很尊重。這時蕭何騙韓信說，皇帝已派使者送來陳豨已死的消息，現在滿朝文武正準備進宮慶賀。韓信推說有病，無法入宮，但蕭何曉以利害，說：「雖說有病，還是勉強一行，以免日後皇上生疑。」因有蕭丞相的保證，韓信放鬆了警惕，放膽入宮慶賀。誰知進宮之後，呂后早已埋伏武士，立即逮捕韓信，並且迫不及待就在長樂宮中行刑。韓信之死，備受五刑之苦：先黥、劓、斬四肢、殺頭，然後把骨肉剁爲肉醬示衆。事後，劉邦聽說韓信已死，又驚又喜，就令使者持印拜丞相爲相國（一說蕭何於漢九年封相國），益封五千戶，並命都尉率兵爲相國衞隊。蕭何同樣用故人的鮮血染紅了自己的官服，但韓信的鮮血並沒有消除皇帝對蕭相國的猜忌。這時，朝廷官吏前來相府致賀，唯獨布衣召平以弔喪之禮進見。召平，原是秦朝的東陵侯，秦亡後，隱居長安城東，種瓜爲生，他的瓜特別甜美，世稱「東陵瓜」。他對蕭何說：「相國的大難臨頭了！現在皇上作戰在外，你安守於內，沒有什麼大的功勞或危難，反而加官進爵，備有衞隊。以我之見，這是因爲韓信事件又進一步懷疑到你頭上了。置兵設衞，並非恩寵於你，而是暗中監視。希望你讓封不受，並盡量把家產私財捐獻出來，以助軍用。」一席話說得蕭何如夢初醒，就按召平計謀行事，因而劉邦又高興非常，終於度過了又一難關。但是一波未平，一波又起。

漢十一年秋，淮南王黥布反，劉邦親征，苦戰南方。這時，

他又重施故伎，多次派使者慰問相國，並關心他的起居和作爲。蕭何因爲皇帝勞苦於外，也就和鎮壓陳豨時一樣，努力安撫百姓，鼓勵人們罄其所有以助軍需，藉以報答皇上的恩寵，但有一賓客不以爲然，對他說：「相國這樣做，很快會自取抄家滅族之禍。你現在官爲相國，功居第一，即使工作再好，還有什麼加封於你呢？從初入關到現在，已有十多年了，你深得民心，百姓依附，威信很高。皇上之所以一再對你表示關懷慰問，主要還是怕你有野心，占據關中以自立。爲了表明心跡，你爲什麼不多買田地，強行賤買賒貸，以破壞自己的清廉聲名，這樣皇上就會放心了。」要這樣糟蹋自己的形象，蕭何很難過。自己一貫主張勤儉節約，提倡無爲而治，田宅一定建在窮僻處所，不買良田美池，現在出於無奈，也只能由自己來醜化自己了。這樣一來，劉邦果然大爲開心。漢十二年，劉邦凱旋回京，這時有許多百姓紛紛攔道上書，控告相國欺負百姓，強行賤買民產。後來相國進見劉邦，劉邦馬上把一疊控告信丟給他，笑嘻嘻地說：「你身爲相國，卻去與民爭利！」要他自己向百姓道歉。這樣，蕭何又闖過了一場危機。

　　但君權與相權的矛盾並沒有根本解決。劉邦的猜忌永遠存在。有一次，蕭何體察民情，爲民請願，對劉邦說：「長安地狹，皇上的上林苑中有大片空地，白白丟荒，太可惜了。如果陛下能夠捨棄，讓百姓進去開墾種田，暫時不收租稅，該有多好。」劉邦一聽，勃然大怒，說：「相國一定是接受商人賄賂，爲人來算計我的苑圃了。」於是立即命令廷尉逮捕相國。過幾天，王衛尉侍奉皇帝，乘機問道：「蕭相國有何大罪而鄉鐺入獄呢？」劉邦說：「我聽說李斯做秦始皇的丞相時，好事歸主上，壞事自己承擔。現在蕭相國則相反。他收取賄賂，爲民求取我的苑圃，這是收買民心，所以我要逮捕他治罪。」王衛尉反駁說：

「因爲職務關係，爲民請願，於國有利，這是眞宰相的事啊！陛下爲什麼要懷疑蕭相國受人賄賂呢？楚漢戰爭有好幾年，陳豨、黥布叛亂時，陛下出征在外，蕭相國留守關中，那時，如果他有二心，那麼關中動搖，整個中國也就不會成爲陛下的江山了。蕭相國不在那時謀利，而到現在才來收受人家的一點賄賂，這可能嗎？而且秦皇因聽不到臣下批評自己的過失而亡天下，區區李斯爲主受過，有什麼值得效仿的呢？陛下對蕭相國的懷疑實在太淺薄了！」當時開國不久，劉邦還算大度，能夠聽取一些批評。聽了王衛尉的話，雖然心裡不是滋味，但又自知理虧，無言以對。於是當天就派使者把蕭何給赦免了。蕭何年事已高，並且平素恭謹，一出牢獄，就以罪人打扮赤腳來見皇上謝罪。劉邦這時只好厚著臉皮對他說：「相國回家休息去吧！你爲民請願，我不允許，說明我不過是一個像夏桀、殷紂那樣的暴君，而你是賢宰相。我之所以逮捕你，是要讓百姓知道我的過錯啊！」實際上，劉邦對蕭何治國得民心仍然很是忌諱，耿耿於懷。但不久劉邦逝世，因此蕭何終於幸運地避免了最後的悲劇命運。

　　惠帝二年（西元前193年），蕭何卒，諡文終侯。他究竟活了多大歲數，因爲史書失載，難以查考，但他與劉邦等年紀大體相仿，所以大概活了六十歲左右。當他病重時，惠帝親自前去探望他這位開國元勳，問他說：「相國百年以後，誰可以代替你呢？」蕭何謹慎地說：「知臣莫如主上。」惠帝說：「曹參怎麼樣？」蕭何在病榻上叩頭說：「陛下說得對，老臣死無遺憾了！」原來，蕭、曹是多年故友，後因封拜將相鬧得有些不愉快。曹參忌妒蕭何，對他很有意見，因此兩人關係不和。但即使是不滿自己的人，只要是賢才，於國有用，蕭何死前還是不忘推薦。後來曹參爲相，一依蕭何約束，漢初社會很快恢復。可見蕭何確是爲國鞠躬盡瘁了。

蕭何任丞相後的主要貢獻有以下幾方面：

一、經營巴蜀漢中，繼而建立堅固的關中根據地，計戶轉漕，及時給劉邦補充兵源糧餉，爲統一中國、建立大漢帝國作出了貢獻。

二、在戰亂之中，能留心民生，經營地方，治理國家，安撫百姓，收拾民心，使百姓愛漢不爲楚。由於人民的支持與擁護，保證了新國家的勝利、鞏固與發展。

三、爲國舉賢授能。如楚漢戰爭伊始，力薦韓信爲漢軍統帥；臨死之前，推薦自己的對手曹參爲相，就是很好的例子。又如爲相國時，推薦張蒼爲計相，負責國家的戶口賦稅、經濟計畫等重要工作，很快使國家走上正軌。張蒼原是秦柱下史，明習天下圖書計籍，兼通天文曆算，人才難得，所以蕭何用以爲副手以協調國家的建設工作。

四、爲漢王朝立宗廟，修社稷，建宮室，定郡縣，創設國家體制。特別是在律法政令方面，更是公認的漢律宗師，如初入關時的約法三章。後來，因四方未附，兵革不息，約法三章已不能符合形勢發展需要，於是蕭何又參考戰國時李悝《法經》及秦法，刪繁就簡，作《九章律》，與秦法相比較，《九章律》有很大進步，它刪除參夷連坐之罪，增加部主見知之條，反對無限株連，依法繩檢官家，更加符合漢初社會現況，成爲漢代刑法的基礎。

五、政治上因勢利導，順應民心，提倡無爲而治，讓人民暫時得以休養生息，恢復戰爭創傷。漢初，人民因戰禍而蒙受極大苦難，飢饉相繼，死者過半。即使貴爲天子，也不能乘醇種駟馬，王侯將相或有乘牛車者。於是蕭何建議，約法省禁，輕徭薄賦，十五稅一，嚴禁苛捐雜稅，國家量入爲出。這在一定程度上減輕了人民的負擔，因此衣食滋殖，刑罰稀用，生產迅速恢復，促進了社會發展。所以蕭何死後，百姓中便流傳著這樣的歌謠：

「蕭何爲法，講若畫一；曹參代之，守而勿失。載其清靖，民以寧壹。」這是蕭何政績的歷史見證，也是人民對他的最好紀念。

韓愈

　　韓愈（768～824年），河陽（今河南孟縣）人。唐人仕宦婚
嫁頗重門閥，大概河北昌黎韓姓爲唐時望族，曾昌盛一時，所以
韓愈依附假稱郡望昌黎，後人因而也稱之爲「韓昌黎」，並以名
其文集。其實，韓愈既非昌黎韓家之後，又沒到過昌黎。他於中
唐代宗大曆三年（768年）的一天，生在京城長安一個小官僚家
裡。兒子生下後，是否能光宗耀祖，給家族帶來前途和希望？小
孩的父親韓仲卿心裡茫然得很。

　　韓家自稱出自後魏安定恆王茂之後，但到唐代，早已衰落了
下來。韓仲卿曾做過縣尉、縣令一類的地方官，晚年入調京師，
在朝廷中任祕書郎，官卑職微。他頗重視文學之士，曾與大詩人
李白、杜甫交遊。他在武昌令任上政績斐然，離任他調時，李白
爲作《去思頌碑》加以稱頌，說他治政雷厲風行，「奸吏束手，豪
宗側目……官絕請託之求，吏無絲毫之犯」，抑制豪強地主，重
視發展生產。但不幸的是，韓愈生下未滿二月，母親即去世了。
三歲時，父親又一病不起，終於成了孤兒，寄養在哥哥韓會家
裡。關於父親的伉直性格與鬥爭事迹，韓愈雖是懂事後聽說的，
但早已在幼小的心靈中打下了很深的烙印。他三叔父韓雲卿，曾
任禮部郎中，也曾因文章名動一時，韓愈後來曾驕傲地說：「愈
叔父，當大曆世，文辭猶行中朝，天下欲銘其先人功行，取信來
世者，咸歸韓氏。」比他大二十八歲的大哥韓會，與柳宗元之父
柳鎮是年齡相仿的好朋友。韓會也頗有文學修養，史稱善清言，

能歌嘯，「以道德文章伏一世」，名噪江淮間。後入京任起居舍人。曾與其叔雲卿同遊當代古文家蕭穎士、李華之門，與梁肅等為改變時俗駢文而作古文。他有論文《文衡》，提倡崇聖宗經，以為散文應該「簡而不華，婉而無為」，以質樸無飾為本，用來表現「君臣父子」、「道德五常」等內容。這一家學淵源，對後來韓愈從事古文創作和理論建設，是有影響的。

韓愈三歲，隨兄會、嫂鄭氏護父喪回河陽老家。大曆九年韓會調京師任起居舍人，七歲的韓愈隨他到了長安，並開始讀書識字。因為自幼喪失雙親，無論兄嫂對他怎樣關心，心理上總有寄人籬下的感覺。因此，他自幼刻苦攻讀，日誦數百千言而不以為苦。大曆十二年，韓會因是奸相元載黨羽，被貶為韶州（今屬廣東）刺史。韓愈十歲，隨兄嫂南遷到了韶州。但禍不單行，韓會沒過幾年就病死在韶州，於是在建中元年（780年）左右，十二、三歲的韓愈隨嫂嫂鄭夫人護喪又回到河陽老家。建中二年，中原發生大規模戰亂，河陽很不安全。幸虧韓家還有祖業田產在江南的宣城（今屬安徽），於是其嫂鄭夫人率領百口之家，歷盡顛沛流離之苦，避亂宣城，總算暫時安定了下來，這給少年韓愈創造了一個較好的學習環境。他在《復志賦》中回憶說：「值中原之有事兮，將就食於江之南，始專專於講習兮，非古訓為無所用其心……考古人之所佩兮，閱時俗之所服。」十幾歲的孩子，以其初生牛犢不怕虎的精神，已開始了攻擊「時俗之所服」的通行文體——駢文的鬥爭，並努力學習寫作闡明儒道「古訓」的散文。可惜他在這時期的文章沒有流傳下來。在刻苦攻讀中，韓愈年輕氣盛，以為憑自己的學問和文章，「謂青紫之可拾」，求取功名是很容易的事。於是他在貞元二年（786年）十九歲時，帶著美好的幻想，拜別了待他像母親似的嫂嫂，離開了宣城，到京師長安讀書交友，習舉子業，準備應進士試，以便步入仕途，實

現理想。

　　但到京師後，情況與想像距離太大，生活無情地教訓了這個年輕人。他原來以為，讀聖賢書而做官，「非有利乎己也」，只是為了別人；現在到京城投親靠友，衣食無靠，受盡白眼，於是他若有所悟地宣稱：「及年二十，苦家貧，衣食不足，謀於所親，然後知仕之不足唯為人耳。」他在這裡公開承認，做官既要為人，又要為己，這種想法貫穿其一生。他後來汲汲於功名利祿而不以為羞，但同時在國家民族危難當頭又能挺身而出、捨己為公，這種複雜的矛盾心態早在年輕時已埋下了種子。在京師應試的八、九年期間，寄人籬下的生活，缺乏獨立的人格，使年輕人十分痛苦。他後來回憶說：「僕在京城八九年，無所取資，日求食於人以度時月，當時行之不覺也；今而思之，如痛定之人思當痛之時，不知何能自處也。」感慨極深。貞元四年、五年、七年三次應進士試失敗。一直到貞元八年（792年）第四次應進士試才金榜題名。這年知貢舉（主考官）是兵部侍郎陸贄，梁肅、王礎佐之。這一科共取進士三十二名，其中不少人後來都成了宰相（如李絳、崔群、王涯）和名流（如韓愈），所以史稱「龍虎榜」。在這以前，韓愈與李觀、李絳、崔群等人定交，共遊左補闕梁肅之門。二、三年來，多次登門，梁肅不見，但四人依舊攜帶自己的詩文作品前往求教，企望推薦。精誠所至，金石為開。梁肅終於感動了。他賞識李絳、崔群的政治才幹，欣賞韓愈、李觀的文才。並預言四人「他日皆振大名」。韓愈的進士及第，大概是古文家梁肅向陸贄推薦的結果。韓愈後來倡導古文，當與梁肅的提攜與啟發有關。但唐代中進士後，並不能馬上做官，還必須經過吏部考試，及格才能「釋褐」入仕，正式做官。貞元九年、十年、十一年，韓愈一連三次應吏部博學宏辭科試，因為缺乏推薦，沒有後台，因此名落孫山。他憤慨地說：「四舉禮部

（進士試）乃一得，三選於吏部（博學宏辭）卒無成」。他被吏部黜落，無官可做，於是不得不走一般人常走的干求之路。在貞元十一年正月二十七日、二月十六日、三月十六日，三上宰相書，希望宰相能「薦之天子而爵命之」。爲了做官往上爬，他不惜低聲下氣：「古之進人者，或取於盜，或舉於管庫。今布衣雖賤，猶足以方此……亦惟少垂憐焉！」這就招致了後人的「搖尾乞憐」之譏。但在唐代，這是當時知識分子的尋常事。他們不做官，連養家活口都有問題，更不要說什麼實現理想和施展抱負了。從歷史眼光看，爲飢寒所驅，公開要求官做，這也是可以理解的。但三上宰相書如石沈大海，杳無回音。在京入仕無望，使年輕的韓愈憤恨之極，決計東歸家鄉，另謀出路。這年五月離京，在潼關遇見河陽使者籠白烏白鸜鴿入京獻於天子，他就寫了《感二鳥賦》，借題發揮，抒發牢騷，大有人不如鳥之嘆。以此批評朝廷堵塞賢路，埋沒人才。從此以後，抒發牢騷，便成了韓文的一大內容，如《送窮文》、《進學解》等。隨著年齡的增長、閱歷的加深，他又把個人牢騷與社會共同關心的問題緊密結合，促使主題深化，爲一代知識分子鳴不平。回家以後，韓愈與朋友讀書品畫，日子倒也清閒。但這樣下去，名爲進士，實是一介布衣，怎麼生活呢？因此他於同年九月到了東都洛陽，尋覓機會，另找出路。

貞元十二年（796年）韓愈二十九歲。七月，駐紮汴州（今河南開封）的宣武軍亂。當時宣武軍是一支十萬大軍，既要對抗河南河北及山東的叛鎮，西保洛陽、潼關，又要保護唐王朝的生命線——運河漕運，可說地處要害，非常重要。因此朝廷極爲重視，派出入將相的老官僚董晉爲宣武軍節度使赴任平亂。當時韓愈雖然感到汴州之行危險，但人總要有點冒險精神，於是他就應董晉之聘來到汴州，做了觀察推官，從地方入仕，開始了做官的

生涯。在汴期間，與窮詩人孟郊定交，友情至死不渝。又有李翱和張籍來向他學習古文寫作，成了最早的韓門弟子。師生之間切磋學問，推敲文章，自由爭論。當時張籍曾寫信給他，批評他以文爲戲，「多尙駁雜無實之說」。可見「以文爲戲」、追新尙奇，早已是韓文的一個重要特色了。這大概與唐代傳奇小說的發展有關，傳奇與古文相互影響，啓發了韓愈的創作思維。他爲增加文章的生動性與形象性，採取類似小說的方法來開拓古文領域，這就招來了社會的非議和學生的批評。但韓愈沒有師道尊嚴的偏見，他給張籍回了兩封信。說是文章當然要排斥佛老、宣揚儒道，但也應該注意生動有趣，才能引人入勝。他引古詩「善戲謔兮，不爲虐兮」爲證，說明孔子「猶有所戲」，因此，以文爲戲的做法無害於道。他提倡古文運動的宗旨，於此略見端倪。貞元十五年（799年）二月三日董晉卒，韓愈護喪至洛陽。幾天後汴州軍亂，殺節度留後陸長源等。韓愈有《汴州亂》詩二首紀其事。二月，他從洛陽到徐州符離，被徐州刺史、武寧節度使張建封辟爲節度推官。韓愈生性率直，幾次諫諍，張建封對他不甚滿意。因此，韓愈在徐也鬱鬱不得志。貞元十六年五月張建封卒，韓愈於是遷居洛陽。五月十四日去徐赴洛途中，與侯喜、王涯、李翱等共遊睢陽（今河南商丘）名勝。汴徐時期，是韓愈步入仕途的起點，也是他宣傳古文運動的開始。只是當時年紀尙輕，又爲前途奔波，文章較少，學生也不多，再加上離開京師，爲地域所限，故未形成什麼聲勢。而一旦身處京師長安，情況就不同了。

　　貞元十七年（801年）秋冬之際，三十四歲的韓愈被任命爲國子監四門學博士，正式進入京師官場。博士官是閒職，地位不高，常爲人輕視。但國子監是封建國家的最高學府，能在這裡教書，旣能面向廣大青年學生，又有機會接觸文人學士，這對韓愈

倡導古文運動是有利的。貞元十八年正月進士試,權德輿知貢
舉,陸傪佐之。韓愈寫了《與祠部陸員外書》,向陸推薦侯喜、李
紳等十人,其中尉遲汾、沈杞、侯喜、李翊四人,當年及第,其
餘六人也在後數年中陸續登第。於此可見韓愈的文名和影響在不
斷擴大,經他推薦,中進士的可能性增大。所以當時許多應進士
試的舉子和國子監的生員,紛紛投奔韓愈,人稱「韓門弟子」。
韓愈也藉此來宣傳並擴大古文的影響,再加上他成功的具體藝術
實踐,於是逐漸壯大了古文運動的聲勢。從貞元十七年進入京、
洛,到貞元十九年冬被貶離京,時間雖然不長,但卻是他創作道
路上的第一個高潮,是創作與理論雙豐收的成熟時期。其散文珍
品如《圬者王承福傳》、《答李翊書》、《送李愿歸盤谷序》、《送孟
東野序》、《師說》、《送董邵南序》、《祭十二郎文》等,都作於此
時。這些作品琳琅滿目,光彩照人。其中《送李愿歸盤谷序》藉為
隱士李愿送行,從正反兩方面來諷刺和抨擊官場的黑暗、朝廷的
腐敗。文章形象生動鮮明,把那些「聲名昭於時」的達官貴人聲
勢煊赫,奔走權勢的趨附之徒「足將進而趦趄,口將言而囁嚅」
種種心態活脫寫出。而清高自愛的隱士則不然,他們遠離濁世,
「窮居而閒處,升高而望遠,坐茂樹以終日,濯清泉以自潔」,
不為利祿富貴所動。兩相對比,產生了強烈的藝術效果。文章氣
勢充沛,語言平易明白,音調和諧流暢,表現了很高的藝術成
就。宋·蘇軾曾說:「唐無文章,惟韓退之《李愿歸盤谷序》而
已。」話雖偏激,但很能說明韓文的藝術魅力及號召力量。而作
於貞元十九年的《祭十二郎文》,哀悼侄子,感情極其真摯。文章
反反覆覆,似無章法可尋,實是以感情的發展邏輯為無形的線
索,衝口而出,自然天成,聲聲血淚,一片悲音,讀來迴腸盪
氣,堪稱千古絕唱。於此可見,韓愈雖然高唱文以明道,但他是
各道其所道,對「道」自有靈活的理解並化為成功的創作實踐。

感情豐富、直抒胸臆的抒情性,是韓文藝術的另一重要特色。而
對於古文的理論建設,他與柳宗元一樣重視。如寫於貞元十八年
前後的《師說》,是一篇優秀的議論文。文中強調老師與學習的重
要:「道之所存,師之所在」,「弟子不必不如師,師不必賢於
弟子」,乃至理名言,很有創造性。文章譬喻生動,又採用對比
法從正反兩方面加以論證,因此很有說服力量。但它更是一篇組
織古文運動的宣言,而不僅僅是古文寫作的典範。因此這篇文章
一問世,立刻遭到文壇保守勢力的猛烈攻擊。在這場鬥爭中,柳
宗元堅決支持韓愈,他在《答韋中立論師道書》中說:「由魏晉氏
以下,人益不事師。今之世,不聞有師,有輒嘩笑之,以爲狂
人。獨韓愈奮不顧流俗,犯笑侮,收召後學,作《師說》,因抗顏
而爲師。世界羣怪聚罵,指目牽引,而增與爲言辭。愈以是得狂
名,居長安,炊不暇熟,又絜絜而東,如是者數矣。」於此可見
推動古文運動所經歷的激烈鬥爭。被人造謠毀謗,指著鼻子罵爲
「狂人」,對於中年的韓愈、柳宗元來說,可能影響前途,但他
們並不因此後悔。他的《答李翊書》是當時李翊向韓愈學習寫古
文,韓愈藉機所作的回答。文章從內容到形式都對散文提出了革
新的理論要求。從思想內容看,要完成文以明道的任務,就必須
言行一致,從儒家的道德修養入手,「行之乎仁義之途,遊之乎
詩書之源」,持之以恆,不以時俗的毀譽而轉移。從藝術形式
看,是「惟陳言之務去」,要求創造與駢文不同的、比較接近口
語的平易流暢的文學語言,文章戛戛獨造,有所創新;另外又提
出著名的「文氣」說,認爲古文創作要有雄偉氣勢,「氣盛則言
之短長與聲之高下者皆宜」。這些理論,對於拘限聲對的「時俗
文字」及六朝駢文末流是一種有力的批判。《送孟東野序》則發揮
司馬遷的「發憤著書」精神,藉爲窮詩人孟郊送行,提出了「不
平則鳴」之說,影響極其深遠。所謂「不平」,既指現實生活的

矛盾鬥爭，又指作家因現實「不平」而激起的心中波瀾；而所謂「善鳴」，就是要針對現實，有爲而發，用現在話說，就是積極干預生活。再加上貞元末年韓愈外貶時所作的《原道》，公開打出「扶樹教道」排斥佛老的大旗以資號召；元和年間的《答劉正夫書》諸文，提倡「能自樹立不因循」，要求古文無論是構思立意、章法布置或語言文字，都要獨具隻眼，翻新出奇。這就逐漸形成了韓愈自己的古文理論系統。這些理論主張，基本上以儒家思想爲核心，其中也具有某些保守因素；但總的說來，是以「復古」爲革新，富有强烈的現實鬥爭意義。由於有了比較系統的理論指導，方向明，決心大，從而戰勝了論敵，得到不少文士的擁護，古文運動也隨之蓬勃地開展了起來。後人以「摧陷廓清」稱譽韓愈在古文運動中的功績，也說明韓文的藝術成就及古文運動的成功，是經過了激烈的鬥爭的。

貞元十九年（803年）冬，韓愈任監察御史，曾寫《御史台上論天旱人飢狀》，向皇帝告了京兆尹李實一狀。李實是嗣道王，既是皇親國戚，又是唐德宗晚年所信任的佞臣，他與李齊運等勾結，勢傾朝野。在這年春天，韓愈爲求官還寫了《上李尙書書》干謁李實，謳歌權臣李實「赤心事上」、「憂國如家」。不耐貧賤的諂媚之辭，爲後人所譏。但到了關鍵時刻，他卻又能堅持原則，揮戈相向。這年關中大旱，秋又早霜，「田種所收，十不存一」。而京兆尹李實卻爲了獻媚皇帝，照樣橫征暴斂，致使百姓「寒餒道塗，斃踣溝壑」。滿朝文武爲保富貴，對此視而不見，裝聾作啞。這使生性鯁直的韓愈憤恨難忍，因有控告之舉，要求皇帝減免百姓租稅，給條生路。這下得罪了權貴李實，立刻被貶到千里之外的陽山做縣令。唐時廣東一帶開發較遲，文明程度低，瘴癘流行，北人視爲九死一生的蠻荒之地，可怕得很。貞元二十一年也即永貞元年（805年）正月，德宗死，順宗即位，起

用出身低微的王叔文等，推行「永貞革新」，企圖外制藩鎮，內抑宦官，以加強中央集權。但鬥爭很快失敗。八月，順宗稱太上皇遜位，憲宗上台，王叔文集團的八司馬貶死相繼，而韓愈的好友柳宗元、劉禹錫因是王叔文集團的骨幹，也在其中。「永貞革新」時韓愈在陽山貶所，並沒有直接參加。順宗上台，他原先也希望藉大赦機會直接調回京師。但是，「州家申名使家抑」，當時陽山縣屬湖南觀察使楊憑管轄，由於楊憑是柳宗元的丈人，韓愈於是懷疑這量移江陵法曹參軍的命令，大概是王叔文集團搞鬼。再加上他在政治上比較接近武元衡、裴度、李絳一派，雖然這些人也同樣主張革除弊政，但他們一般出身較高，瞧不起出身低微的王叔文集團，而王叔文集團一旦上台，又操之過急，不善於團結人，凡不按自己意見辦事者，概在打擊之列。種種因素，主要是個人恩怨與宗派利益不同，而不是政治原則問題上的分歧，使韓愈在王叔文集團失敗後，跟著肆加謾罵攻擊。這是不足為訓的。但韓愈與王叔文集團中的柳宗元、劉禹錫、韓泰諸人私交甚好，很快消除誤會，彼此友情至死不渝。

元和元年（806年）六月，韓愈回京權知國子博士，終於回到了朝思暮想的京師，開始了元和年間仕途幾起幾落的生活。回京任國子博士，雖然品級不高，不過當時的宰相及當權者慕其文名，想要提拔他擔任翰林學士一類的文學官職。但謠諑立即隨之紛起，說他狂妄有野心。這正如他在《原毀》一文所說，是「事修而謗興，德高而毀來」，於是他寫《釋言》自辯，並避謗離京赴洛，仍作權知國子博士分司東都。元和四年六月十日，改授都官員外郎分司東都兼判祠部。當時朝廷制詞說韓愈「直亮而廉潔，博達而沈厚，守經嗜學，遂探其奧，希古為文，故得其精。美宋玉之微辭，尚揚雄之奇字，為求己道，暗然揚聲」。任命書中，突出褒揚了他的文學成就，可見當時他作為古文領袖的地位早已

自然形成。元和五年冬改授河南令。在東都洛陽任職期間，他曾據《六典》把東都寺觀的管理權從宦官功德使手裡奪回，歸了朝廷，並「日與宦者爲敵」；又曾鎮壓流氓，因爲這些流氓憑藉宦官之勢，假冒神策軍士，橫行不法，魚肉人民。在河南令任中，他又禁止各方藩鎮在洛陽置宅潛藏士卒，以保東都安全，因此又得罪了強藩。憲宗皇帝知道後，高興地說：「韓愈助我者。」得罪宦官與強藩，連皇帝都有所顧忌，而韓愈卻公然對抗，被宦官等頑固勢力告到東都留守鄭餘慶那兒，因此他在東都也站不住腳了，於元和六年夏又入調京師任職方員外郎。從外貶入京到任職東都期間，他的散文佳作有《張中丞傳後敍》、《毛穎傳》諸文。《張中丞傳後敍》作於元和二年，歌頌了爲保衛睢陽而犧牲的忠勇義士，閃爍著愛國主義精神的光芒。文章夾述夾議，以飽滿的激情，淋漓酣暢的筆觸，刻畫了生動的藝術形象，至今讀來，仍感大義凜然，非常感人。其中細節描繪，也栩栩如生，如：

> 南霽雲之乞救於賀蘭（進明）也，賀蘭嫉（張）巡、（許）遠之聲威功績出己上，不肯出師救。愛霽雲之勇且壯，不聽其語，強留之。具食與樂，延霽雲坐，霽雲慷慨語曰：「雲來時，睢陽之人不食月餘日矣！雲雖欲獨食，義不忍；雖食，且不下咽！」因拔所佩刀，斷一指，血淋漓以示賀蘭。一座大驚，皆感激爲雲泣下。雲知賀蘭終無爲雲出師意，即馳去。將出城，抽矢射佛寺浮圖，矢著其上磚半箭，曰：「吾歸破賊，必滅賀蘭，此矢所以志也。」……（睢陽）城陷，賊以刃脅降巡，巡不屈，即牽去，將斬之。又降霽雲，雲未應。巡呼雲曰：「南八，男兒死耳，不可爲不義屈！」雲笑曰：「欲將以有爲也。公有言，雲敢不死！」即不屈。

　　《毛穎傳》則是「以文爲戲」的典範。文章仿效《史記・滑稽列傳》，以小說的詼諧筆調，寓言的擬人化手法，爲毛筆立傳，生動地刻畫了毛穎的形象。其得志時，「善隨人意，正直邪曲巧拙，一隨其人」，因此平步青雲，得意非凡。而一旦老而無用，則被人主一腳踢開：「上見其髮禿，又所摹畫不能稱上意。上嘻笑曰：『中書君老而禿，不任吾用……吾嘗謂君中書，君今不中書耶？』……因不復召。」一方面諷刺講究門閥、腐朽無用的圓滑官僚政客，抨擊人主的刻薄寡恩；一方面又暗中抒發了志士失路的無限悲痛，寓失望、傷心與憤世嫉俗於滑稽幽默之中，讀來笑中含淚，字字心酸。此文一出，以其新奇的文學面貌，驚動了社會。循俗守舊者「獨大笑以爲怪」，肆意加以攻擊詆毀。即使是好朋友，也有不理解的。如裴度曾批評韓愈，說他「恃其絕足（才力超羣），往往奔放，不以文立制，而以文爲戲。可矣乎，可矣乎？」這使韓愈的文學鬥爭變得更加艱苦和複雜起來。這時又是柳宗元站了出來與他共同戰鬥。柳宗元寫了《讀韓愈所著〈毛穎傳〉後題》。不僅讚揚其藝術，而且明言其「以文爲戲」，一抒胸中「鬱積」，是「有益於世」的文學創舉；同時又批評時俗文字「模擬竄竊」、專事塗澤、空洞無物、華而不實。兩者藝術上的高低，一比較就清楚了。

　　元和七年二月，韓愈又被藉故再降，第三次入國子監任博士。這時他有滿腹牢騷無處說，於是在元和八年初寫了不朽名篇《進學解》，對此進行了自我解嘲。文章諷刺深刻，嬉笑怒罵，妙趣橫生。他以國子先生自況，「口不絕吟於六藝之文，手不停披於百家之編」，「沈浸醲郁，含英咀華，作爲文章，其書滿家」；「觝排異端，攘斥佛老……障百川而東之，回狂瀾於既倒」，可說是道德文章，卓絕超羣。但命運卻和他開玩笑，正如學生所指出的那樣；「然而公不見信於人，私不見助於友，跋前

躓後，動輒得咎，暫爲御史，遂竄南夷……命與仇謀，取敗幾時！冬暖而兒號寒，年豐而妻啼飢，頭童齒豁，竟死何裨！」這是在爲一代正直的知識分子鳴不平。文章的形象鮮明，很有典型性；同時議論精闢，發人深省；語言則運駢入散，於整齊中見變化，從而增加了文章的氣勢。據史記載，當時的宰相讀了以後，也不禁爲之感動，對他的文學才華很是賞識。於是這年三月，韓愈升爲比部郎中兼史館修撰，元和九年十月改爲考功郎中兼史館修撰，十二月以考功郎中知制誥。元和十一年正月升任中書舍人，接近皇帝，地處機要，似乎一帆風順。作爲史官，他曾在韋處厚的三卷本《順宗實錄》基礎上，重新編寫了五卷本《順宗實錄》。該史除對王叔文集團中某些人有攻擊言論外，基本上忠於史實。就是對王叔文集團的「永貞革新」進步措施，也如實寫來，加以肯定。對於強藩叛鎮及宦官專政，則暗中譏諷，加以批判。書中因言宮禁祕事，矛頭直指宦官集團，因而爲後來當政的宦官集團所惡，於穆宗及文宗朝，幾次挾制皇帝下令刪改。從中不難看出韓愈進步的政治傾向。目前，除韓愈《順宗實錄》外，唐代所有實錄皆已亡佚，因而此書的史學價值更高。

從元和十年至十二年，淮西軍閥吳元濟侵擾中原，朝廷震動，派大軍征剿，但戰事並不順利。當時主戰派是少數，主和派充斥朝廷。力抗潮流，是需要膽識和勇氣的。這時韓愈寫了《論淮西事宜狀》，敦促憲宗下決心，他說：「以三小州殘弊困劇之餘，而當天下之全力，其破敗可立而待也。然所未可知者，在陛下斷與不斷耳。」文章很有說服力量，對憲宗起了一定影響。因此主和派宰相很討厭他，後來藉故把他降爲無所事事的太子右庶子。但韓愈不妥協，主戰態度更加堅定。而自元和十年六月三日淄靑李師道派人刺殺主戰宰相武元衡、重傷裴度後，皇帝也逐漸堅定了主戰的信念，於當月二十三日拜裴度爲相。元和十二年

（818年）七月二十九日，又以裴度擔任淮西宣慰招討處置使
（即討叛元帥），韓愈任行軍司馬（相當於參謀長兼執法官）。
韓愈先赴汴州說服韓弘協力出兵，又爲裴度具體謀畫，建設出奇
兵襲蔡州擒吳元濟，與後來李愬之謀如出一轍。於此可見，韓愈
並非迂腐的書生，也頗有軍事才能。十月，淮西平。十二月班師
凱旋，回京後因功升任刑部侍郎。由此躋身朝廷高級官吏行列，
但這時他年已半百，鬢髮染霜，步入晚年了。元和十三年正月，
奉詔撰《平淮西碑》。文章主要從當時朝廷政策及政治高度著眼，
歌頌憲宗及宰相裴度的英明決策，又全面敍述了諸軍平蔡之功。
文仿《尚書》古體，辭奇旨奧，莊重典雅，氣勢雄奇，很有力量。
但將軍李愬之妻唐安公主出入禁中，訴說埋沒李愬雪夜入蔡州擒
吳元濟首功，大概朝廷中主和諸人又忌諱韓愈，因此羣起攻訐，
致使詔令磨去，令段文昌重撰。其實無論思想或藝術，段文都不
能與韓碑爭高低，古人早有公論。後人詩云：「淮西功業冠吾
唐，吏部文章日月光。千載斷碑人膾炙，不知世有段文昌。」
（《苕溪漁隱叢話》前集引蘇軾記臨江驛詩）晚唐李商隱《韓碑》詩
也說：「公之斯文若元氣，先時已入人肝脾……願書萬本誦萬
過，口角流沫右手胝。」可見其影響之深。淮西一役，韓愈又獲
得了政治與文學的雙豐收。總之，憲宗朝的「元和中興」，韓愈
有一份功勞。

　　元和十四年正月又發生了一件大事。憲宗平叛成功，志得意
滿，以爲天下太平，於是轉向佛老，祈求延年。當時鳳翔法門寺
藏有釋迦牟尼指骨一節，憲宗遣宦官迎入宮中供養三日。上行下
效，焚頂燒指，解衣散錢，舉國如狂。這從思想上干擾了儒家正
統，從政治上經濟上又損害了國家利益。但是「羣臣不言其
非」，爲保爵祿，迎合皇帝唯恐不及。韓愈並沒吸取過去外貶的
經驗教訓，仍堅持直言極諫，寫了《論佛骨表》上奏皇帝。文章表

現出弘揚「先王之道」的巨大熱忱，堅決主張排斥佛老，要求將佛骨「投諸水火，永絕根本」。語言斬釘截鐵，反佛態度堅決。唐憲宗看後大發雷霆，馬上要把韓愈置於極刑，他說：「愈言我奉佛太過，猶可容；至謂東漢奉佛以後，天子咸夭促，言何乖剌邪？愈人臣，狂妄敢爾，固不可赦。」幸虧宰相裴度、好友崔羣等羣起救護，韓愈才幸免一死。他被貶潮州刺史，即刻離京，不許耽擱。走到藍關，風雪阻道，作了著名的《左遷至藍關示侄孫湘》一詩，其中「欲爲聖明除弊事」一聯表明了力求革除弊政的決心。

韓愈在潮州只有短短的八個月，做了幾件有利於人民的事：一是興辦學校，請趙德爲教師，以開發文化，提高文明；一是修堤壩攔鱷魚，使猖獗一時、危害人畜的鱷患得以平息。爲此，他作《祭鱷魚文》，借用當地百姓的宗教形式，表達了自己爲民興利除害的決心。他在潮州的文化建設，更是深得民心。在潮期間，他因無人交談，心情苦悶，就與當地靈山禪寺的大顛和尚交遊。後來謠諑紛起，說他放棄原有主張，已經皈依佛門。爲此他寫了《與孟尚書書》闢謠，公開聲明排斥佛老是自己的一貫主張。元和十五年春量移袁州刺史。在袁期間，仿效故友柳宗元在柳州的做法，釋放奴婢七百三十一人，有德於民。柳宗元於元和十四年十一月八日在柳州逝世。臨終前託孤韓愈。韓愈在袁州接到這一噩耗，悲痛萬分，懷著對故友的眞誠悼念，作《柳子厚墓誌銘》，引起了千古共鳴。文章主要從政績及文學兩方面來概括其生平，對柳宗元長期被貶、報國無門的痛苦深表同情；對落井下石的無恥之徒則痛加斥責，憤激之情，溢於言表。他又從文學角度立論，以爲文窮而後工，是生活與環境的壓迫，迫使進步的文學家奮起應戰，寫出了優秀作品，傳於不朽。於此可見韓愈對於文學重要社會意義的認識。這對古往今來一切眞正的文學家既是期望，又

是鞭策！文章熔敘事、議論、抒情於一爐，議論精闢，邏輯性強，感情真摯，氣勢充沛，言簡意賅，句法多變，很有感人的藝術魅力。當然其中對柳宗元參加王叔文集團之事，還是有微辭的。

　　元和十五年九月，韓愈被任命為國子祭酒，冬暮到京上任。這是他第四次入國子監任職。祭酒是這一最高學府的「校長」，雖是閒職，卻在文化界享有盛譽。穆宗長慶元年（821年）七月，轉兵部侍郎。當時駐河北鎮州的成德軍叛亂，王庭湊殺害了忠於朝廷的節度使田弘正，朝廷派裴度率軍征討不利，王庭湊兵圍深州。長慶二年，朝廷議論派使前往鎮州宣撫，以解深州之圍。派誰去呢？大家記憶猶新，過去德高望重的顏真卿宣慰淮西，被叛軍活活燒死。前往叛軍宣撫，這任務太危險了。滿朝文武，面面相覷。這時韓愈毅然挺身而出，擔起了出使的重任。二月二日，作為兵部侍郎的韓愈被任命為鎮州宣慰使，前往叛軍巢穴鎮州。在韓愈出發後不久，元稹站出來對穆宗皇帝說，韓愈如果被殺，實在太可惜了。穆宗後悔了，他派快馬追上韓愈，要他到境觀望，意思是要他回京，以保安全。詔令宣讀後，韓愈回答說：「止，君之仁；死，臣之義。安有受君命而滯留自顧？」於是快馬加鞭，奮然前行。正如他詩中所述：「奉命山東撫亂師，日馳三百自嫌遲。」明知赴死地，偏要日馳三百里前去送死，韓愈首先考慮的是國家的命運。一到鎮州，沿路武裝士兵分列兩旁，弓上弦，刀出鞘，劍戟森立，寒光逼人，令人心悸，氣氛十分緊張。但韓愈毫無畏懼地昂首而進，使叛軍首領王庭湊很是吃驚。在叛將亂軍面前，韓愈不辱使命，慷慨陳辭，大義凜然，終於說服王庭湊解深州之圍，出色地完成了任務。在這場生死搏鬥中，韓愈在關鍵時刻經受了嚴峻的考驗，表現出中華民族優秀兒女的高風亮節。

　　長慶二年九月，韓愈轉吏部侍郎。長慶三年正月，任京兆尹兼御史大夫，後因「台參」問題與御史中丞李紳不和，朝廷兩罷之。十月，復任兵部侍郎，旋改吏部侍郎，一直到死，所以世稱「韓吏部」。長慶四年（825年），韓愈五十七歲。五月時請病假，在長安城南黃子陂邊上的別墅韓莊休養治病，病中還與張籍等人吟詩唱和。八月回長安靖安里家中，百日假滿，免去吏部侍郎職務。十二月二日溘然辭世，一代文壇巨星終於隕落了。據說韓愈臨終前把家人及友朋召集病榻之前，叫他們仔細看看自己的身體，然後說：佛老之人造謠，說我排斥佛老會遭報應，必得癩病而死。現在你們看明白了，我的身體完整無損。「報應」顯靈之說，純屬欺人之談。可見他至死不忘古文運動的宗旨：排斥佛老，維護儒道。

　　總之，韓愈爲人，性格倔強鯁直，脾氣躁急難忍。他有急功近利、不耐貧賤的一面，有時干謁求告，言辭低下，人有「搖尾乞憐」之譏。但在更多的場合，他又能濟人貧困，救人危難，熱心幫助了許多窮朋友、窮學生、窮親戚，對青年很熱情；更重要的是，他在關鍵時刻，能夠堅守原則，站穩立場，公而忘私，見義忘利，爲維護國家與民族的利益，不惜犧牲自己的一切。所以蘇東坡稱頌他是「忠犯人主之怒，而勇奪三軍之帥」。作爲一個哲學家、政治家，不能說他沒有一點保守思想，但公正地說，他要求革除時弊，基本上是進步的；而作爲一個詩文兼優的傑出文學家，特別是散文方面的創造，在古代社會中，可說是取得了登峯造極的成就，因而更有其歷史地位。韓愈的古文理論主要有以下幾方面：一、文以明道，排斥佛老，維護儒家思想；二、不平則鳴，針對現實，有爲而發；三、以文爲戲，追新求奇，強調創造；四、鼓動文氣，短長隨宜，增強氣勢；五、提倡適時通用、比較平易流暢的文學語言，以加強古文的藝術表現力。上述理

論，有力地反對了駢文的流弊及時俗文字，是一面以「復古」爲革新的文學旗幟，爲中國古代散文理論的發展，作出了貢獻。在藝術創作方面，韓愈很好地實踐了自己的理論主張。總體說來，韓文雄奇奔放，剛健渾厚，生動風趣而不庸俗，翻新鬥奇而不怪僻，如長江大河，雖不免魚龍混雜，泥沙俱下，但其滔滔滾滾，一瀉千里，勢不可擋，是陽剛之美的典範。簡而言之，韓愈以其傑出的散文藝術成就和在唐代古文運動中的卓著功績，名傳不朽，爲中華民族自立於世界文化之林，作出了自己的巨大貢獻。

（原載顧易生主編《十大散文家》上海古籍出版社，1990 年版）

柳宗元小傳

　　中唐代宗大曆八年（773年），正是戰亂頻仍的動盪年代，京師長安西郊的一座普通宅院裡，傳出了「哇」的嬰兒哭聲，一個天才的生命誕生了。這個初生嬰兒就是傳主柳宗元，字子厚，原籍河東（今山西永濟），世稱柳河東，又因做過柳州刺史，人稱柳柳州。宗元生時，父親柳鎮已經三十五歲。此前，柳鎮已生有兩個女兒。古人云：不孝有三，無後為大。嬌女承歡，雖也自有樂趣，但要永續柳家香火，還是非有子嗣不可。因此，在夫人盧氏懷孕將育之時，這個為生活而四處奔波的六品以下小官匆匆趕回了京師家中，那不安的眼光中透露著幾多焦慮和期盼。現在兒子已經出世，柳鎮的臉色馬上陰轉為晴，出現了少有的笑容。從今以後，重要的是孩子的撫養和教育問題了。為此，柳鎮苦心孤詣，為兒子設計未來。對於獨養兒子，誰家不寶貴呢？這是人之常情。但要有所出息，光耀門楣，就不能一味嬌寵，只有嚴格教育，才有希望。他滿懷深情地望著襁褓中的兒子，想了很多很遠，可是嬰兒又怎能懂得爸爸的心思？春風春鳥，秋月秋蟬，時間飛馳，轉眼假期已滿，這個心事重重的嚴父不得不告別妻兒，又踏上外出的征途，撫養和教育兒子的重擔自然落到了妻子盧氏的肩上。盧夫人出身於范陽涿縣盧氏，名門望族范陽盧氏與河東柳氏可稱是門當戶對。丈夫柳鎮弟兄五人，鎮是長兄，她作為長嫂，孝敬公婆，照顧小叔子，搞好妯娌之間的關係，平日生活就夠忙的了，如今又生個寶貝兒子，眼看著一天天地長大，丈夫在

外作官幫不了太多，從孩子衣食住行到教育，她辛苦操勞，真是
費盡心思。好在她出生於書香門第，既通《毛詩》和劉向《列女
傳》，還讀了不少的舊史及諸子書，多少有些文化根基，就湊合
著教孩子吧。柳宗元四歲時，柳鎮外出在吳中（今蘇州一帶），
家中又沒有什麼藏書，母親盧夫人就依靠自己所讀，教柳宗元讀
古賦十四首，並要求幼小的孩子背誦，增強記憶以鍛鍊智力。後
來宗元長大以後，在騷賦文學方面的深厚文化修養，當與童年依
母誦賦有關。於此可見，母親盧夫人的嚴格教育，與嚴父柳鎮的
心思如出一轍。在兒子身上，柳鎮夫妻同心。健康成長的宗元已
十歲開外了，很想念辛苦在外的爸爸。而爸爸也在思念著家中的
獨養兒子，想要給兒子更加嚴格的教育和正規的文化基礎訓練，
以盡自己的責任。他寫信和夫人商量，經過周密的安排後，十來
歲的柳宗元外出謁父訪友，開始了家庭以外的新生活。當時柳鎮
在南方夏口（今武昌）做鄂岳沔都團練判官，頂頭上司是李兼，
後來李兼移鎮江西，柳鎮隨從赴南昌任職，宗元當然也隨侍父親
自夏口轉赴南昌。這幾年，少年柳宗元的生活既緊張又新鮮，內
容非常充實，父親的嚴格教育與訓練，為他日後的學習創作奠定
了堅實的文化基礎。

　　另外，李兼的情況也在此簡介一下。他建中四年（783 年）
任鄂岳觀察使，貞元元年（785 年）任江西觀察使，是後來宗元
妻子楊氏的外祖父。楊氏自幼到及笄，都是在外祖父家過的。李
兼對這個小外孫女，呵愛有加。楊氏的父親楊憑當時也曾與柳鎮
同事，二人是好友。他們看到宗元和楊氏青梅竹馬，兩小無猜，
童言相謔，玩得很開心，柳宗元的聰穎資質又很受李兼和楊憑的
賞識。於是在宗元十三歲、楊氏九歲時，李兼、楊憑和柳鎮商量
著訂下了這門楊柳春風的娃娃親。宗元後來在長安李府和楊府，
看到了許多古代名家書畫傑作，讀了二家的豐富藏書，同時又因

父親的老關係，再加上李、楊二家的關係網，得以「遍觀長安貴人好事者所蓄，殆無遺焉」，這和其他青少年貪玩而「一日看遍長安花」大不相同。宗元後來在思想學術和文學創作方面的傑出造詣，當然和他從小養成愛好讀書的習慣、又受到過嚴格的文化基礎訓練有關。人或稱宗元爲神童，其實少年的天才並非憑空而降，而是多少人的心血結晶！

柳集中現存最早的文章是《爲崔中丞賀平李懷光表》。繼涇師朱泚之叛，李懷光又叛，後被馬璲、渾瑊兵馬包圍於河中府（今山西永濟、聞喜一帶），懷光力屈而被部將牛俊斬首以獻，時在貞元元年（785 年）。柳表當作於該年，時宗元年方十三，故舊時注家疑其僞。其實，宗元從小具有很好的文化涵養，受過寫作訓練，依傳統體格而作一賀表，並非難事。當時他身在南方，天姿秀發，「始以童子有奇名於貞元初」①，又剛訂親，備受李兼楊憑賞愛。李兼是封疆大吏，崔中丞或是其屬下某州刺史（**按**：唐時刺史例帶中丞名譽虛銜），仰其上司，戲請神童作表，並非沒有可能。該表雖是殘篇，但是主張平叛以維護國家統一的態度鮮明，表現了少年人很高的政治熱情和理想，其譴責叛賊云：「逆賊李懷光，興台末人②，奚虜遺醜，務聞凶險之行，頗有殘暴之名。」對仗工整，文字練達，名童嶄露頭角也是勢出自然。

柳宗元的學習興趣是很廣泛的，比如他從小就喜歡音樂和書法，愛好彈琴寫字。另外，一旦從家門走向了社會，他的交遊日益廣泛，視野非常開闊，並不是一個只關在家裡死讀書的書呆子。青少年時，他就養成與人自由討論學術文化和詩文創作的習慣。在夏口，他結識了少年的盧鳴鶴；在南昌，又與蕭鍊友善；朋友切磋，談詩論文，議政言道，何其快哉！在貞元年間社會暫時安定以後，當時的青年士子喜歡去酒樓舞榭飲酒狎妓，但青年柳宗元繼承和發揚了家庭的優良文化傳統，拋棄這一世俗陋習，

獨嗜讀書學習，思考未來、憂國憂民逐漸成了他的思想基調。他
所讀的書當然以儒家經典爲主，同時三教九流、諸子百家無所不
及。而且，與一般人爲了功名而死背儒家經典不同，他對當時儒
學中的「章句師」很反感。他二十多歲未中博學宏詞科時，曾在
《上大理崔大卿應制舉不敏啓》中宣稱，自己是「學不能探奧義窮
章句爲腐爛之儒」。可見，他青年時代已經力求擺脫傳統章句經
學的拘縛，把讀書的視野日漸拓寬，轉向了結合現實的「及物之
道」的學習。他曾拜陸質爲師，學習啖助、趙匡的《春秋》新經
學，以深入生活和了解社會爲重要任務。比如貞元十年（794
年），宗元二十二歲時，叔父柳某在朔方邠寧節度使張獻甫手下
任參謀官③，他前去省親，一直待到十二年正月叔父去世爲止。
當時他曾漫遊祖國的西北邊疆，「出入岐、周、邠、鄜間（**按：**
在今陝西境內岐山、彬縣、武功諸縣一帶），過眞定，北上馬嶺
（按：在今甘肅慶陽縣西北一帶），歷亭鄜堡戍，竊好問老校退
卒」（見其《太尉逸事如右》），接觸社會底層，作了較爲深入的
社會調查，對歷史和現實都有了較爲深刻而清醒的認識。後來，
他的文學名篇《段太尉逸事狀》諸作就是在永州回憶這段激動人心
的美好生活而寫成的。經受了一定的社會生活鍛鍊，既洞明世
事，又積累豐富的素材，爲以後文學創作的成功作了必要的鋪墊
和準備，打下了堅實的創作基礎。文學的藝術之塔若要高聳入
雲，不先把基礎拓寬加深行嗎？年輕柳宗元的功夫沒有白費。

　　貞元五年（789 年），柳宗元十七歲，第一次參加了京師禮
部的科舉以求仕進，後來又連續參加了幾次考試，直到貞元九年
（793 年）方才於禮部侍郎顧少連門下進士及第，時年二十一
歲。當時流傳一句俗話：「三十老明經，五十少進士。」進士科
試相當熱門，參加科試的各地士子很多，且不乏名流，競爭非常
激烈。一旦進士及第，立刻身價百倍。所以，高官名宦爲其子弟

請託送禮走後門的很多。德宗皇帝一看名單上柳宗元那麼年輕，就有點懷疑，問禮部官吏：「得無以朝士冒進乎？」但當他知道宗元是柳鎮的兒子時，就嘆美道：「是故抗奸臣竇參者耶？吾知其不爲子求擧矣！」這是九年初的事，柳鎮還活著，他肯定爲兒子的眞才實學感到驕傲。可惜好景不長，該年的五月十七日，柳鎮就在長安親仁里家中去世了。柳鎮爲官清廉，品格端方，絕無奴顏媚骨，遇事堅持正義而不阿附權貴。爲盧岳家遺產一案，宰相竇參誣陷正直的審案御史穆贊，並把他逮捕下獄，贊弟質不服，上訴。於是柳鎮以殿中侍御史的身分，奉詔會同刑部和大理寺官員，主持三司重審，旣公平地處理了盧家遺產，又爲廉吏穆贊平反。這下忤觸了奸相竇參，於是不過一年就藉故貶鎮爲夔州司馬，給剛剛團聚不久的溫馨柳家吹去一股悲涼之氣。父親外貶，十六、七歲的柳宗元一直送到百里之遙的藍田縣，極目瞻望，年過半百的老父身影漸漸沒入商洛大山的蒼茫暮靄之中。但宗元似乎還能看到他縷縷白髮在風中抖動，記得父親告訴自己：「吾目無淚。」爲了眞理，大丈夫淚不輕彈。那剛崛的錚錚誓言擲地有聲，在兒子耳中回響。德宗皇帝所說「抗奸臣竇參」就是此事。後來竇參下台，柳鎮官復原職，朝廷詔書稱讚他說：「守正爲心，疾惡不懼。」如此剛強方正的柳鎮，怎麼會去爲兒子中擧走後門呢？柳鎮爲官清廉、正氣凜然，是出了名的。這樣好的家風自然影響了柳宗元後來正直品格的形成。

按唐制，進士及第後並不能馬上做官，還須經過吏部如博學宏詞、直言極諫諸科考試中式後，才能正式銓選做官。而柳宗元因父親去世，按制守喪三年，於是到朔方邠寧省謁叔父，以慰其思親之念，直到貞元十二年正月叔卒，持喪返回京師，方赴吏部博學宏詞科試，未第。是年父喪除，與楊憑女結婚。年輕夫妻，情深意篤。貞元十四年（798年），宗元二十六歲，再赴吏部博

學宏詞科試，或許與妻子的關懷與激勵有關，又因德宗皇帝對他的進士及第有過專門「批示」，聲名頗佳，所以這次一舉中式，授集賢殿正字，算是朝廷命官了，負責校理朝廷經籍之類工作。官職雖卑，卻是清要官，有很多時間來閱讀皇家豐富的藏書，即熟悉了中華歷史，又了解了朝廷的典章制度及現實政治生活，為他後來的思想學術研究和文學創作提供了很好的條件。可貴的是，年輕人並沒有把自己的目光鎖定在宮殿文書之中，一踏入仕途，立即表現出關心國事政治的巨大熱情。就在他授集賢正字的同年，發生了國子司業陽城因直言極諫、關心學生而被貶為道州刺史的事件。太學生季儻、何蕃等百六十人「稽首闕下，叫閽籲天」，集體到皇宮門口上書請願，受到朝廷禁軍的鎮壓。這時，宗元挺身而出，揮筆作《與太學諸生喜詣闕留陽城司業書》、《國子司業陽城遺愛碣》二文，積極支持進步的學生運動及其正義要求，但朝廷不予理睬。他在集賢正字三年屆滿後，調選為藍田縣尉。按唐制，選拔朝廷要員必須要有地方工作經驗的官吏，擔任州府地方官吏就成了入選朝廷中樞的正常途徑。宗元被任命為藍田縣尉，正可見出朝廷對他的信任和培養。因為地方州府以京畿道最重要，而京畿道中，除長安，萬年二京縣外，藍田稱畿縣，地位也很重要。實際上柳宗元很少到藍田處理實際事務，因為文章才華橫溢，被當時的上司──京兆尹韋夏卿所賞識而留在身邊做文字幕僚了。在此期間的長安交遊中，友人中著名的有韓愈、獨孤申叔、韓泰、崔羣、李杓直、李行敏、王涯、李景儉、韋詞、呂溫、劉禹錫等。年輕進士，風華正茂，相互切磋，激揚文學，這使年輕人眼界大開，進步更快。其中，宗元與呂溫、劉禹錫關係尤為密切，志同道合，無話不談，形成了不畏艱險的銳氣，以及鋒芒畢露的傲氣；而與韓愈的交往至死不渝，為共同倡導古文運動作了成功的鋪墊。

　　這樣，柳宗元年輕時在仕途上一帆風順，於貞元十九年（803年）調御史台任監察御史裡行。監察御史官階雖然不高，但工作重要，可以監察朝廷禮儀、巡察地方，政治、經濟、司法各領域均有涉及，加以可參加朝會，面奏皇帝，是升遷爲朝廷要員的一個理想通途。當年，柳與好友劉禹錫及韓愈均爲御史。這幾個天才的年輕人，經常一起談道論藝，各述理想志向，對撰寫歷史著作也有很大興趣。對於柳、劉、韓三位知友這段春風得意的生活，劉禹錫在《祭韓吏部文》中回憶說：「昔遇夫子（按：指韓愈），聰明奮勇，常操利刃，開我混沌。子長在筆，予長在論。持矛擧盾，卒不能困。時惟子厚，竄言其間。贊詞愉愉，固非顏顏。磅礴上下，羲農以還。會於有極，服之無言。」在自由論爭中，既堅持了明道見志的共同理想，爲古文運動建立了「文以明道」的理論綱領，同時又在爭論中各展其能，相互促進，求得共同進步。這樣朋友間的自由論爭，互爲諍友，是一文壇佳話，成爲世人學習的楷模。

　　在貞元末年以前，柳宗元暗中正在做一件大事，即結識了以王叔文爲首的政治力量，積極爲革新弊政做思想理論與政治組織的準備。按其《與蕭翰林俛書》云：「與罪人（按：指王叔文）交十年，官又以是進，辱在附會。」考俛於元和六年至八年任翰林學士，元和六年（811年）上推十年爲貞元十七年（801年）任藍田尉時，如自元和八年上推十年，則爲貞元十九年任監察御史之時。總之，貞元末年，王叔文輔助太子李誦，很注意搜羅新進士之類的英才，以便爲將來太子登基及改革朝政作組織上的準備。柳宗元、劉禹錫等理想遠大，意氣風發，當然雙方一拍即合。組織工作，主要是王叔文的事。柳宗元劉禹錫等，則主要是做思想理論的準備工作。這期間，他寫了《禖說》、《送寧國范明府詩序》、《舜禹之事》、《天爵論》、《時令論》、《斷刑論》及《種樹

郭橐駝傳》、《梓人傳》等。時而運用理性的思想武器批判,從哲學的高度去闡述其唯物思想,宣傳其以「利安元元爲務」的「大中之道」,力破迷信,強調事在人爲的改革。而《種樹郭橐駝傳》及《梓人傳》等,則是借助感性的動人文學形象,來對讀者進行潛移默化的藝術薰陶,從而爲將來的政治改革描摹出一幅又一幅的美麗藍圖。通過文學手段及藝術形象,表達了柳宗元胸中洶湧澎湃的一股旺盛激情和干雲銳氣,形象地描繪了年輕一代改革家匡時濟世、治國安民的宏偉理想與抱負。不過與韓愈積極從事古文運動的文學創作相比,在貞元末年以前的青年時期,文學創作不是柳宗元的主要目標。他在文學上產生質的飛躍,成爲中國古典散文大師,主要是在永貞改革失敗後長貶永州時期。但是,其藝術成熟並非突如其來,那顆品質優良的文學種子,是在貞元末年以前的青少年時期種下,並正在茁壯成長。

永貞元年(805 年)是年僅三十三歲的柳宗元政治上步向成熟的時期。當年正月,德宗崩,太子李誦繼位,是爲順宗。順宗一登基,就任用王叔文集團,推行了一系列的政治改革措施。王叔文從一個小小的侍書學士,一下子躍升爲翰林學士、度支鹽鐵轉運副使、戶部侍郎,成爲永貞改革集團的領袖。而柳宗元躍升爲禮部員外郎,掌管朝廷章奏大權,與劉禹錫等均成爲改革的核心力量。他們在短短的幾個月裡,銳意推行新政,據韓愈《順宗實錄》所載,主要是壓制跋扈的藩鎮,反對地方割據、力爭國家統一;謀畫奪驕橫宦官的兵權,以維護中央集權;罷宮市,禁止掠奪市場和保護人民財產;釋放大批宮女,許其回家婚配;免除百姓長年逋欠的租賦;嚴懲貪官墨吏,並爲被貶謫的廉正官員平反復職。這一系列的改革措施,獲得了百姓的擁護,但卻觸犯了保守與反動統治集團的利益,宦官與強藩及官僚集團中的頑固派保守派,形成了強大的政治力量,聯合反撲,加上永貞改革集團

推行新政操之過急，又未能做好團結中間力量的統一戰線工作，因此改革很快失敗，順宗被迫下台而憲宗即位。永貞革新集團被一網打盡。王叔文貶後不久就被賜死道上。當年九月，柳宗元貶爲邵州刺史，未至，十一月改貶爲永州司馬。當時永貞改革集團的骨幹人物如柳宗元、劉禹錫等八人，皆被貶爲遠州司馬，史稱「八司馬」。他們貶死相繼，如韋執誼被詔自盡，鎮壓相當殘酷。但政敵猶不解恨，元和元年（806 年）八月，憲宗有詔云：「左降官韋執誼、韓泰、陳諫、柳宗元、劉禹錫、韓曄、凌準、程異等八人，縱逢恩赦，不在量移之限。」④黑雲壓城城欲摧，經此重擊，柳宗元在政治上一蹶不振，長貶不起。但是，無論經受怎樣的重壓，柳宗元絕不賣友爲榮。他講究政治的原則性，對「罪人」王叔文始終懷有敬仰之意。其高尚的政治品格，令人敬佩。比如，他在明知永貞改革失敗已成定局的情況下，毅然爲王叔文母作《故尚書戶部侍郎王君先太夫人河間劉氏誌文》，稱頌王叔文「堅明直亮，有文武之用」，「獻可替否，有匡弼調護之勤」，「訏謨定命，有扶翼經緯之績」。改革功敗垂成，故文稱「時有痛焉」，「知道之士，爲蒼生惜焉」。利安之道不行，這是國家和人民的損失！這並非僅是宣傳個人業績，實際上是向政敵公開挑戰，爲永貞改革的傑出政績定下了基調。

從永貞元年末至元和十年（815 年）的永州司馬時期，柳宗元步入了人生的中年，這是他在政治上長貶不起的黑暗年代，但同時又是他在思想與文學創作方面雙獲豐收的黃金時期。永貞元年年底，他帶了老母盧夫人，經歷了幾個月的艱苦跋涉和順流漂泊，終於登上了永州地界。一到永州，所見到的自然不會有夾道歡迎的人羣，有的只是山顚水涯四處彌漫的瘴癘蠻煙，還有人們不時射來的冷冷目光，實在令人不寒而慄。一個負「罪」在身的流貶官吏無家可歸，只能寄寓佛寺，先住龍興寺，後居法華寺，

大約四五年時間都過著寄人籬下的生活。約元和五年時，才在永州城郊瀟水西邊的冉溪構建茅舍疏籬，算是有了一方安身立命之處，同時還可會見賓客，招待朋友。因爲自己的到來，他改居處名「愚」，溪名「愚溪」……總之，溪、丘、泉、渠、池、堂、亭、島，無處不「愚」，號稱「八愚」，並寫《八愚詩》刻石以誌，又寫有《愚溪對》以匯其憤懣。其所稱「愚」，實是對世俗不平的抗爭、對眞理的不懈追求，雖然世界黑暗、賢愚不分，但路漫漫其修遠兮，仍將上下而求索，其《愚溪詩序》憤世嫉俗之意噴薄而出。

剛到永州不久的幾年中，他還抱有一絲政治幻想，理想與才智怎甘就此沈沒？他連續給在京的親友寫了好幾封求告信。著名的有《寄許京兆孟容書》《與楊京兆憑書》《與李翰林建書》等，這幾封信寫於元和四年前後。在諸書信中，他追敍了自己的「犯罪」歷程，說明自己追隨王叔文而參加永貞革新，是「唯以中正信義爲志，以興堯舜孔子之道利安元元爲務」，改革雖然失敗，但永貞革新的目標並沒有錯。言外之意，他仍堅持眞理的追求。但世俗卻因此而落井下石，政敵又時時窺伺，其迫害手段極其卑鄙。接著，他又向好友傾訴了自己貶謫生活的孤獨與苦悶心情，久居濕熱蠻瘴的南方，渾身是病，又失去自由，想過幾天平民百姓的生活也不可得。所以希望親友能援手相助，以期量移或調回中原地區，娶妻續嗣，種田讀書，與世無爭而終其天年。這批書信，基調沈痛，字字帶血，讀來凄婉悲慟，令人黯然淚下。書信又因所寄對象不同，而在構思立意、設辭謀篇方面，各具藝術特色，眞摯動人則又是它們的共同抒情特徵。因此，這批書信不僅是寫信人流貶生活的眞實寫照，而且成了千古傳誦的散文名篇。

信寄出後，柳宗元迎來的是一次又一次失望，並非親友不幫忙，怎奈制度和時局不由人願。憲宗皇帝做太子時，曾與王叔文

集團發生嚴重的政治衝突。現在憲宗成了當今皇帝，雖然繼承並採用了順宗朝永貞改革的許多進步政策，但對王叔文集團餘恨未消；加以驕橫宦官及強藩集團的重壓，「八司馬」的起復何其難哉！這樣，一方面固然有不服南方水土的客觀原因，更重要的是社會制度與社會重壓的緣故，頗通醫理醫藥的的柳宗元無法照顧自己，既患有脾腹結塊上下氣脈壅塞的「痞疾」，又患有腳氣病關節炎，再加上嚴重的神經衰弱及神經功能衰退，可說是百病纏身，日益沈重。他只有在朋友或學生來訪的時候才暫時有點快樂。原來，永州是一個貶謫官吏的南方邊州。元和初，繼柳宗元到永州之後，又有一批貶官流人先後安置永州，如南承嗣、元克己、吳武陵、李幼清，另外如普通士子婁圖南等。柳宗元和他們成了好友，因爲他們有共同的特點，如柳宗元對婁圖南所說：「皆是太平之不遇人。」⑤而吳武陵等更拜宗元爲師，關係尤爲密切。他們經常一起飲酒酬唱、讀詩論文、切磋道藝，雖有爭論，但很開心。這就爲宗元孤寂的貶謫生活增添了一縷春色。比如，他們常成對出遊，以覓山水勝景。說是「覓」，即不僅尋找現成的景點遊樂，更以發現山水的個性爲要，並在山水中發現自我而另有創意。柳宗元著名的山水遊記代表作──《永州八記》，就是在永州司馬時期誕生的。這八記就是《始得西山宴遊記》、《鈷鉧潭記》、《鈷鉧潭西小丘記》、《至小丘西小石潭記》（**凡按**：以上四篇作於元和四年，人稱前四記）；《袁家渴記》、《石渠記》、《石澗記》、《小石城山記》（**凡按**：上述四篇作於元和七年，世稱後四記）。

　　在唐以前，詩歌方面有謝靈運等的山水詩，繪畫方面盛唐山水畫也有很高的成就，但在散文方面似乎落後一步。吳均《與宋元思書》、丘遲《與陳伯之書》雖也有模山範水的刻畫，但用的是駢文，而且只是片斷。《水經注》個別章段雖甚爲精彩，可惜主要

部分還是地理著作。只有到了柳宗元手裡，山水遊記才發展成爲一種獨立的散文樣式。在這方面，就是韓愈也難與比肩。在中國文學史上，人們稱柳宗元是山水遊記文學的奠基人，是合乎歷史實際的。八記用淸新優美的藝術筆墨描繪了永州的山水草木，展現了一幅幅幽淸潔峭、絢麗多姿的動人畫卷。作者羼入濃重的個人感情色彩，使無生命的山水自然在筆下鮮亮活蹦起來，獲得了全新的藝術昇華之美。其《愚溪詩序》說：「余雖不合於俗，亦頗以文墨自慰，漱滌萬物，牢籠百態，而無所避之。」又說：「溪雖莫利於世，而善鑑萬類，淸瑩秀澈，鏘鳴金石，能使愚者喜笑眷慕，樂而不能去也。」這些話很形象地概括了他的山水遊記文學的藝術個性，在山光水色之中凸現出作者那不與世俗同流合污的高潔人格，和作者其他詩賦議論一樣，都是「感激憤悱，思奮其志略以效於當世」的大手筆。溫溫而遊，施施而行，在看似毫不經心著力的賞心樂事中，「玩」出了新花樣和新精神，這就是天才文學大師的創造。

由於政治上的嚴重挫折，柳宗元在永州的十年，逐漸把自己的生命中心轉移到文學領域。他在《賀進士王參元失火書》中說：「僕近亦好作文，與在京城時頗異。」在《與楊京兆憑書》中又說：「自貶官來無事，讀百家書，上下馳騁，乃少得知文章利病。」於是他與韓愈南北呼應，共同探索「文以明道」的理論，以便化爲韓柳所共倡的古文運動的綱領。他在《答吳武陵論非國語書》中說自己的創作，「意欲施之事實，以輔時及物爲道（按：即追求眞理與現實事物相結合）……然而輔時及物之道，不可陳於今，則宜垂於後，言而不文則泥，然則文者固不可少耶？……僕故爲之標表，以告夫遊乎中道者焉。」高屋建瓴的理論指導促進了唐代古文運動的迅猛發展，同時也把柳宗元的文學成就推向了世人難以望其項背的一個新高峯。在貞元年間的青年

時期，他也有意氣風發的文學作品，但其注意力主要集中於經邦
緯民的治國方面，即如《梓人傳》《種樹郭橐駝傳》，雖然藝術上也
很成功，但篇末點題表明，文章意旨主要是爲後來永貞改革的施
政作準備的。而貶到永州以後，他眞正深入民間，親眼見到了民
生疾苦，體會認識就更加眞切和深刻。在這一階段，從思想到藝
術都產生了新的飛躍，達到了思想家的博愛仁義與高度的藝術造
詣完美的統一。因此，除了山水遊記散文以外，他的議論文、寓
言和傳記文學都有了新的創造，取得極高成就，詩歌創作甚或古
文小說的創作也都達到了一個新高度。政治上長貶不起，對於封
建士人，實是斷其生路，理想和抱負不通過治國理民，又將如何
實現呢？這是柳宗元的不幸。但是，禍福相因乃生活辯證法，因
其不幸而開拓了一片文學的新洞天，這又何其幸哉！

其政論以《封建論》、《貞符》、《非國語》、《天論》等最具代表
性，與韓愈《原道》、《原毀》、《師說》諸篇，雙峯並峙，各有藝術
成就，但就思想之深刻和理論的嚴密而論，實是柳高於韓。《封
建論》可見其大手筆，作者強調封建制的出現在於客觀之
「勢」，而非聖人的主觀意志，並以歷代史實爲據，論證了封建
的得失，有力的闡明了郡縣制統一天下的歷史貢獻。文章議論針
對中唐時期藩鎮割據的弊政而發，爲維護封建中央集權及國家統
一而作理論性的闡述，現實針對性強烈。當然，在寫作議論說理
的雜文方面，柳宗元也是聖手。如其《送薛存義之任序》、《桐葉
封弟辯》、《敵戒》諸篇，尺幅而具萬里之勢，尤見精神。如《送薛
存義之任序》，談官吏與人民的關係，是老百姓出錢雇傭官吏爲
民辦事的，官吏不是騎在人民頭上作威作福的老爺。官吏的本
職，「蓋民之役，非以役民也」。這篇贈送序，突破了泛泛應酬
的傳統陋習，尖銳地提出了一個關係國家百姓現實生活的命題。
從「傭乎吏」、「受其直」等話透露出，作者的政治理想及樸素

的民主思想可能染有當時新興市民思想的色彩。

柳宗元的傳記文學及墓誌碑版文字當然也不乏成功之作，如《先侍御史府君神道表》、《王侍郎母劉氏志》、《南霽雲睢陽廟碑》等。但總的說來，由於長貶在外，條件限制，成功有限，這方面難與韓愈爭鋒。但其《捕蛇者說》⑥、《段太尉逸事狀》、《宋清傳》等傳記作品，則可與韓愈《張中丞傳後敘》、《圬者王承福傳》諸篇並駕齊驅，而毫不遜色。《捕蛇者說》是膾炙人口的藝術名篇。文藉捕蛇者蔣氏之口敘述人民的苦難，一方面表現了作者對於水深火熱之中人民的眞摯同情，一方面有力地揭露了「苛政猛於虎」的中唐社會之腐敗黑暗。文中形象刻畫極其成功，作者激情湧動於字裡行間，很有震撼心弦的藝術感染力量。傳記文學即是現實人生的形象寫照。又如《段太尉逸事狀》這篇追憶少年外出漫遊時所作社會調查的變體傳記，他撰文時雖在貶謫中，但政治熱情並未熄滅。通過這篇文章，他不僅批判了社會的醜惡，而且善於選擇典型事件，塑造了段秀實這樣愛國憂民的英雄形象，使之成爲千古讀者學習借鑑的光輝典範。藝術筆墨生動如畫，遣詞用語貼切準確，敘述有「不著一字」的傳神之妙，而且愛憎分明，熱情洋溢。像「吾戴吾頭來矣」之語，展現人物慷慨赴難，視死如歸，眞乃石破天驚，撼人心弦。

寓言是柳宗元古文中很有光彩的部分，大都短小精悍，寓意深刻而耐人尋味，藝術造詣高過韓愈同類創作。《三戒》《謫龍說》《蝜蝂傳》等是代表作。先秦已有寓言之作，但多作爲哲理文中的設譬而存在，大都簡短平直，缺乏波瀾起伏的藝術獨立性。只有發展到柳宗元，寓言藝術才日趨成熟，成爲古代散文中的重要組成部分。如寫於永州時期的《三戒》，是由一個短序及三篇故事組成的寓言諷刺小品。三篇各有其藝術構思，均可獨立成篇，但從總體看，又有其內在聯繫，共同表現了「不知推己之本，而乘物

以逞」者，最終必然自取滅亡的主題。麋之恃寵生驕，驢之出技怒强，鼠之仗勢肆暴，每個小故事都有頭有尾，情節跌宕，有矛盾衝突，有起因發展。其騰挪變幻，的確引人入勝。寓言故事中寄託了作者深沈的人生慨嘆：中唐時代恃寵橫行的宦官和强藩，以及華而無實的貴族官僚，與麋、驢、鼠何其相似！現實針對性强烈。寓言創作從另一側面描繪了現實生活，同樣體現了作者的思想認識。

大概由於受到當時新興市民意識的影響，柳宗元大力支持了韓愈「以文爲戲」的理論構想，在永州寫了《讀韓愈所著〈毛穎傳〉後題》，反駁了世俗對於韓愈的詆毀與攻擊，認爲俳戲之謔，聖人不棄，「以文爲戲」的古文小說創作同樣可以「發其鬱積」而「有益於世」。以古文來創作小說，是韓愈和柳宗元的共同創造，也代表了唐代古文運動的一個新成就。在這方面，柳宗元的《河間傳》《李赤傳》是代表作。《河間傳》形象生動如畫而聲口畢肖，其心理描繪尤爲細膩，而篇末點題又歸於嚴正，說：「則凡以情愛相戀結者，得不其邪利之猾其中耶？亦足知恩之難恃矣。朋友固如此，況君臣之際，尤可畏哉！」

受古代辭賦影響而加以發揚光大的騷體文學，柳宗元也是獨擅勝場，成就很高，於此可見古代文化修養對其文學創作的影響。集中如《憎王孫文》《哀溺文》《罵屍蟲文》《乞巧文》等，是作者充分發揮其豐富浪漫想像的藝術傑作。這類作品，大都筆墨幽渺峭厲，在嘲諷中染有沈鬱悲憤的感情色彩。如《哀溺文》，融敍事、議論、抒情於一體，寓意精深，手法佳妙。文敍善游者因其腰纏千金之累，沈船後，在水中一再「搖其首」不捨金銀而致溺身亡，心理刻畫，入木三分。貪嗜一國之權柄和榮祿富貴，其後果更是不堪設想，不僅誤己，而且禍國殃民，遺害子孫後代。推而廣之，在今天商業大潮中游泳的人們，讀後能不引以自儆乎？

至於詩歌藝術，永州也是其創作高峯時期。如《田家》三首
（其二）：「籬落隔煙火，農談四鄰夕。庭際秋蟲鳴，疏麻方寂
歷。蠶絲輸盡稅，機杼空倚壁。里胥夜經過，雞黍事筵席。各言
長官峻，文字多督責。東鄉後租期，車轂陷泥澤。公門少推恕，
鞭扑恣狼藉。努力慎經營，肌膚眞可惜。迎新在此歲，唯恐踵前
迹。」對於社會底層農民的痛苦，詩人觀察深刻，反映及時，詩
風似陶淵明，但平淡的口氣之中，又另有一番苦澀況味。如王國
安《柳宗元詩箋釋》引周敬評語：「本實事眞情以寫痛懷，如泣如
訴，讀難終篇。」其現實主義的詩風很有特點，蘇東坡以之與陶
詩並論，以爲是「外枯而中膏，似淡而實美」。至於其《漁翁》
《江雪》諸詩，更是千古傳誦的藝術名篇。於傳統詩壇，獨樹一
幟，後世稱「柳子厚體」，或與韋應物並稱「韋柳」。其《江雪》
詩云：「千山鳥飛絕，萬徑人蹤滅。孤舟蓑笠翁，獨釣寒江
雪。」勁氣內歛，境界極其高潔，詩而如畫，像一幅獨釣寒江的
寫意畫，其孤淸高潔人格如在目前。故范晞文《對牀夜語》卷四評
說：「唐人五言四句，除柳子厚《釣雪》一首外，極少佳者。」譽
爲唐人五絕的絕唱，信然。在孤寂苦悶的長期貶謫生涯中，柳宗
元並非迷途羔羊任人宰割，而是把生命移師於另一戰場。在「發
憤著書」的巨大熱情中，終於化精神爲物質，迎來了文學創作的
豐收。那一批又一批的優秀文學傑作，就是不屈服於壓迫而向敵
人公開挑戰的有力武器。永州十年，豈是虛度年華！

元和十年（815 年）至十四年的柳州刺史期間，是柳宗元的
晚年。元和九年十二月，憲宗下詔召回這批長貶在外的永貞「司
馬」，但因驛遞路遙，柳宗元等直到元和十年正月方才接到詔
書，於是匆匆打點行裝，即刻踏上返京的新的人生旅途。他以爲
從此可以擺脫拘囚生活，實現理想而報效國家朝廷，生活的熱火
又重新在心中點燃。所以他一奉詔，心情非常興奮，寫了《朗州

竇常員外寄劉二十八詩見促行騎走筆酬贈》詩，形象地展現了自
己的歡欣情狀：「投荒垂一紀，新詔下荊扉。疑比莊周夢，情如
蘇武歸。賜環留逸響，五馬助征騑。不羨衡陽雁，春來前後
飛。」劉二十八，即劉禹錫。剛過年節的正月仍是嚴冬之季，但
柳宗元想到的卻是：寒冬將逝，春天還會遠嗎？他一展愁眉，暢
開胸懷，將要迎接一個花紅柳綠的新世界。其《詔追赴都二月至
灞亭上》詩云：「十一年前南渡客，四千里外北歸人。詔書許逐
陽和至，驛路開花處處新。」聲調極其歡暢明快，眼前一片明媚
春光。但事實證明詩人過於天眞，政敵並不願眞正放過這批仍想
有所作爲的「司馬」。劉禹錫回京《戲贈看花諸君子》詩有「玄都
觀裡桃千樹，盡是劉郎去後栽」句，他們即藉口此詩意在諷刺那
些反對永貞改革的新貴，而向皇帝告狀，說這批永貞司馬並無悔
改之心，不適合在朝任職，因此三月時就下令把他們出爲遠州刺
史，柳宗元得柳州（今屬廣西），劉禹錫是播州，官職雖然升
遷，地方卻愈行愈遠。當時，劉禹錫家有八十老母，播州在今貴
州遵義一帶，比柳州更僻遠險惡。出於對劉禹錫的同情和眞摯友
誼，柳宗元向皇帝提出，願意以柳易播，雖死不恨。後來，由於
宰相裴度、崔羣說服了皇帝，劉禹錫改刺連州（今廣東連縣），
柳宗元仍是刺柳。這年三月，柳劉二人結伴南行，直至衡陽方才
依依不捨地分了手。暮春三月，江南草長，羣鶯亂飛，原是天氣
和暢景色如畫的季節，但柳宗元此時此地的心情卻看出了另一副
景色：「十年憔悴到秦京，誰料翻爲嶺外行……今朝不用臨河
別，垂淚千行便濯纓。」（《衡陽與夢得分路贈別》）在以淚洗面
的痛苦心情中，同年六月底，柳宗元終於到達柳州並接印赴任。
剛到時，心境自然不佳，好不容易才脫離永州樊籠，現在又重新
被柳州的窮山惡水所困。他作詩《登柳州城樓寄漳汀封連四州》：
「城上高樓接大荒，海天愁思正茫茫。驚風亂颭芙蓉水，密雨斜

侵薜荔牆。嶺樹重遮千里目,江流曲似九迴腸。共來百越文身
地,猶自音書滯一鄉。」言登樓即目,所見情景莫非悲涼,不明
言謫宦而貶斥之意自見,讀之令人慘然淚下。但可貴的是,柳宗
元並非永遠消沈而難以自拔。要知道,他是一個時刻不忘生人之
患的正直士人。到柳州之後,他嘆息道:「是豈不足為政邪?」
(見韓愈《柳子厚墓誌銘》)於是化悲痛為力量,投入了興利除
弊、建設柳州而造福柳民的新生活中。

作為一州之長,他主要做了以下方面的事:

㈠**革除弊政陋俗**。比如南方的地區,掠奪人口、販賣良家百
姓為奴隸的問題很嚴重。其《童區寄傳》中的主人翁區寄,就差點
被劫奪賣做奴隸而失去自由。在這方面,柳刺史深惡痛絕而嚴加
禁絕。另外,當時的南方仍然殘存著奴隸制,不僅是官宦人家,
就是土豪劣紳家也有許多奴隸賤人在伺候。當時法律明言:「奴
婢賤人,律比畜產。」(見《唐律疏義》卷六)並不把奴婢當人看
待,而且,奴隸世代人身依附於主人,不僅奴婢本人,而且其子
孫後代都是主人家的奴婢,形同財產一樣加以繼承。於是柳宗元
制訂了解放奴婢的具體措施,即奴婢可以用錢贖買,沒錢的奴
婢,則政策明文規定,從淪為奴婢時起向主人計算工錢,一旦工
錢與貸款相抵,其奴婢身分也就自動解除。也就是說,柳刺史出
於人道主義,運用了市場雇傭關係來解放奴婢,解除了人民的部
分苦難,獲得了很大成功。後來其上司桂管觀察使裴行立及袁州
刺史韓愈加以學習和推廣,相繼釋放了上千個奴婢,可見其政績
的影響。

㈡**關心人民生活,注意發展生產**。比如柳州百姓原來飲用江
水,很不衛生。天寒地凍,雨濘路滑,遠到江邊打水,有諸多不
便。於是元和十一年,柳宗元撥公款打井,採用了中原地區的先
進技術,解決了當地人民喝水難的問題。其《井銘》即載此事。又

如柳州是少數民族聚居地區，文化極其落後，生病不懂得請醫求治，而是相信巫師神婆的雞占卜，跳神弄鬼，殺大牲口如牛馬一類以祭，因此，不僅人口死亡率極高，作爲生產力的大牲口也數量銳減，春天沒有牛耕，怎麼不影響生產呢？針對這種落後的文化習俗，柳宗元大力推廣醫學驗方，加強羣衆的保健事業，盡量運用當時他們所掌握的文明手段去克服愚昧和迷信。有時在推行中碰到困難，他甚至不得不借助佛教慈悲爲懷不殺生的思想做宣傳。另外，他很注意種果植樹，綠化地方，保護環境，以提高人民的生活質量。比如在修復大雲寺時，他帶頭鑿井種菜，僅竹子就種植三萬株，後來竹林參天成片，成了一方勝景。他在城西北種柑桔兩百多株，有《柳州城西北隅種甘樹》詩云：「幾歲開花聞噴雪，何人摘實見垂珠。若教坐待成林日，滋味還堪養老夫。」想像著將來與民同嘗甘果的甜美滋味。他還帶頭在柳江邊種植柳樹，以保護江堤，有詩《種柳戲言》云：「柳州柳刺史，種柳柳江邊。談笑爲故事，推移成昔年。垂陰當覆地，聳幹會參天。好作思人樹，慚無惠化傳。」他感到自己能爲柳州人民所做的事太少了，怎能不令人慚愧呢？柳宗元思想中的「無忘生人之意」，豈是虛言！

㈢修孔廟，興學府，提倡文化教育，傳播中原先進文化，以提高柳州地區的文化水平。由於專心政務，這一時期柳宗元文學創作銳減。當然，寫於柳州的七言律絕之詩聲色俱佳，已臻爐火純青，非常人所及。柳州時期的柳詩成爲元和詩壇的瑰寶。而《童區寄傳》、《箏郭師墓誌》等少數散文名篇，也是寫於柳州公務之暇，可惜數量不多。柳州經過柳刺史的精心治理，出現了一些新氣象。但是宗元本身拖著日益沈重的病體，終日憂國憂民而操勞奔忙，以致勞累過度，身心疲憊，倒在了柳州的土地上。其逝世時間是元和十四年（819 年）十一月八日，享年僅四十七歲，

可說是含恨瞑目，英年早逝。爲了紀念這位爲柳州作貢獻的好刺史，柳州人民懷著沈重的悲痛，爲他修建了衣冠冢，又建立了羅池廟，也即今天的柳侯祠，以作永久的紀念。在中國古代文學史上，享有藝術、政治雙重盛譽的文學家能有幾個？薪盡火傳，柳宗元的精神永遠激勵著中華兒女。

①見劉禹錫《柳君集記》。

②凡按，唐時南方凡罵庸賊曰台。此稱「輿台末人」，可作柳宗元寫於南方的佐證。

③考孟郊《抒情因上郎中二十二叔監察十五叔兼呈李益端公柳縝評事》詩，孟郊三試不第，於貞元九年自京師至朔方漫遊。其時詩人李益與柳縝同在邠寧節度使張獻甫幕，柳縝內職虛銜爲大理評事，與宗元墓版所稱時地稱名相合。故宗元此叔名柳縝。

④見《舊唐書》卷十四《憲宗紀》上。

⑤見其《婁二十四秀才花下對酒唱和詩序》。

⑥《捕蛇者說》雖題稱「說」，似是議論的文字，但因其寫實性質，實是爲永州人立傳的文字。

力挽危亡張居正

　　明朝後期的萬曆十年（1582 年）二月，朝廷內閣的首腦
——內閣大學士首輔張居正病了，起初只以爲是勞累過度而精神
委頓，後請來名醫割了痔瘡，但仍不見好轉。於是，張居正只好
請假在家養病。但一切有關國家要事的公文，內閣中另外兩位大
學士張四維、申時行不敢專擬，依然送到病榻前聽候首輔的「票
擬」。所謂「票擬」，也就是代皇帝起草文件批示，然後送還宮
中，由皇帝親筆（或由皇帝指定秉筆太監代理）「朱批」公布生
效。當時的皇帝是朱翊鈞（死後稱神宗），年方二十，在母后慈
聖太后的護持下，一切仰仗老師張居正。皇帝心目中的老師，眉
宇軒昂，長鬚過腹，修飾整齊，袍服永遠是摺痕分明如新，很有
風度。他嚴肅剛正，學問淵博，是智慧的象徵。他要麼不說話，
一旦開口，總是言簡意賅，切中要害，再也無須補充什麼。年輕
的皇帝不敢直呼其名，而尊之爲張先生。現在先生一病，國家社
稷可怎麼辦？太后心憂，皇帝著急。於是皇帝多次親調湯藥，派
太監送到張府，但先生的病勢卻日益沈重了起來。於是滿朝文武
及全國各地許多封疆大吏，紛紛修齋建醮，爲首輔祈福禳災。六
月上旬，張居正已感不支，於是上疏乞求「早賜骸骨」——也就
是退休。神宗悲從中來，含著晶瑩淚珠對這位忠心老臣信誓旦
旦：「先生的功勞太大了，朕已無法酬報，以後只能好好照顧先
生的子孫了。」並在居正去世前，加封太師。這是文官至高無上
的榮耀，明朝二百年歷史，生前加封太師銜的可說是史無前例。

但無論是上蒼神靈或帝后恩寵，都抗拒不了生老病死的自然規律。六月二十日，五十八歲的張居正終於謝世作古。

後來明神宗究竟如何對待自己的老師並照顧其子孫的呢？曾幾何時，先生的抔土尚濕、屍骨未寒，那些善於窺測人主心思的文武百官，認準時機，掉轉筆鋒，把對張居正的頌辭改爲彈劾的奏章，昔日再造國家的救星立刻變成了萬惡不赦的惡魔。神宗讀後，深感到自己受到了愚弄，竟然成了張居正掌中的玩偶。於是天威赫然震怒，那壓抑在潛意識深處的皇帝絕對權威，一旦掙脫居正的鐵掌，就釋放出瘋狂的能量。國家制度中，凡是張居正所推行的，不問是非，統統反其道而行之。除了賦稅方面的一條鞭法外，考成法廢除了，全國性的清丈土地宣布無效，已被整上軌道的驛遞制度再也無須遵守，一切與前首輔關係密切的人無不受到株連處分……一股反張浪潮鋪天蓋地而來。年輕皇帝的心腸陡然硬了起來。萬曆十一年三月，距張居正死僅九個月，詔奪居正上柱國、太師及文忠公謚，貶斥其子錦衣衞指揮簡修爲庶民。十二年四月，又詔令查抄張家，派司禮監張誠、刑部右侍郎邱橓等前往江陵執行，張家合府老小紛紛在飢餓與血泊中倒了下去。在欽差的嚴刑拷問下，居正的大兒子禮部主事敬修被迫自殺，死前留下血書，控訴劊子手的罪行，其中有這麼一段：「邱侍郎、任撫按，活閻王！你也有父母妻子之念，奉天命而來，如得其情，則哀矜勿喜可也，何忍陷人如此酷烈！三尺童子亦皆知憐之，今不得已，以死明心……寧不悲哉！」血的控訴，撕肝裂肺！幾年後，萬曆皇帝欽定張居正的罪狀是「蔽塞朕聰，專權亂政」，本當剖棺戮屍，僅因皇帝仁慈，加恩寬貸，其弟居易及兒孫嗣修、張順、張書諸人，俱充軍到煙瘴地區。在飽嘗老師一家的血肉之後，皇帝的復仇心理得到了暫時的滿足。但客觀的歷史不依帝王個人的意志爲轉移。張居正並沒有因此而從歷史上消失，作爲一

個改革家，他仍然是明朝的一代名相。

　　張居正，小名白圭，字叔大，號太岳。明嘉靖四年（1525
年）五月初三生於湖廣江陵（今屬湖北省）的一個破落小地主家
庭。其先祖張關保，鳳陽人，原是朱元璋起義隊伍中的士兵，因
軍功授歸州千戶所世襲千戶，加入湖廣軍籍。張居正的曾祖是次
子，不能世襲，於是從歸州遷江陵。祖父張鎮是遼王府護衛。父
親張文明，號觀瀾，不事生產，落拓不羈，二十歲補府學生，多
次鄉試，皆名落孫山，直到兒子居正中進士點翰林後，方才扔下
考籃，自嘆命運不佳。居正自幼資質聰穎，據說二歲時堂叔父龍
湫抱他在膝上，他就認得《孟子》書中的「王曰」兩字，因此有
「神童」之稱。這樣，張家就把光宗耀祖、改換門庭的希望寄託
在這個孩子身上。居正五歲從師啟蒙，十歲通六經大義。十二歲
時，到荊州府參加考試，知府李士翱很賞識，把他介紹給湖廣學
政田頊，面試《南郡奇童賦》，揮毫立就，令人驚嘆，很快補府學
生。嘉靖十六年，遼王府招待居正，正巧遼王的繼承人朱憲㸅與
他同年，其母毛妃拉著居正的手對憲㸅說：「你不求上進，總有
一天被居正牽著鼻子走。」可見這個荊州小秀才在當時的名氣。
這年他十三歲，曾到武昌參加鄉試。考試期間，曾遊楚王孫園
亭，寫下《題竹》詩：「綠遍瀟湘外，疏林玉露寒。鳳毛叢勁節，
只上盡頭竿。」這是他留下的最早詩篇，雖不免幼稚，但「只上
盡頭竿」的嚮往，很能說明少年人的自信和抱負。當時的湖廣按
察僉事陳束很欣賞他的試卷，極力主張錄取。但湖廣巡撫顧璘很
懂得愛護人才，他認為居正是塊好材料，尚須雕琢磨練。一旦少
年中舉，可能得意忘形，因驕生狂，停步不前，反而會誤了張居
正的前途。因此他就和監試的馮御史打招呼，讓他落選。果然，
這小小的挫折使他更加發憤讀書，終於在下次鄉試時中式成舉
人，這時他不過十六歲。於是他到安陸拜謝顧璘，顧璘很高興，

當場贈以犀帶，預祝他日後仕途成功。顧璘說居正佩犀帶是暫時
的，日後必然成為腰圍玉帶的朝廷大臣，並勉勵他說：「古人都
說大器晚成，這只是對中材的人說說罷了，你當然不會滿足於中
材的。上次鄉試，因我多嘴，耽誤你三年，實在抱歉。但我希望
你要有遠大的目光，要做伊尹、做顏淵，不要只是一個年少得意
的張秀才。」傳說伊尹是商湯的開國執政大臣，幫助湯攻滅了暴
虐的夏桀，後來繼承王位的太甲無道，他又放逐太甲，直到三年
後太甲悔過，才把他接回復位。伊尹一心只有國家。顧璘鼓勵他
做伊尹，這話在少年舉人心中激起了美好的憧憬與希望，成為他
後來終身奮鬥的目標。嘉靖二十六年丁未，二十三歲的居正舉進
士。丁未科的同年，如李春芳、殷士儋、王世貞、汪道昆、吳百
朋、楊繼盛等，都是一代名流。當時居正被選為翰林院庶吉士，
嚴格地說，庶吉士只是見習翰林，品級雖低，但已是文人嚮往的
職務。明代自太祖朱元璋殺掉了幾個丞相後，唯恐君權旁落，就
不再設置丞相職位，而改由內閣大學士數人作為皇帝的諮詢顧問
及祕書班子，設計國策，起草詔令，實際取代宰相職能。因為自
天順二年（1458 年）後，內閣大學士非翰林莫屬。所以翰林院
雖是清閒去處，沒有實際職權，可是入翰林為庶吉士卻人人羨
慕，已目之為「儲相」了。且其中學習條件優越，不僅有全國第
一流的圖書資料，而且薈萃人文精華。張居正因為少年得意，以
為從此可以平步青雲，施展抱負了。為了繪製未來的國家宏圖，
他日夜埋頭圖書檔案之中，並向前輩請教，研討國家典制及文物
掌故，以備將來「作伊尹」、整頓乾坤之用。青年的遠大目光，
使禮部尚書、掌院翰林學士徐階對他很器重。三年後，照例授翰
林院編修，仍然是一個沒有實際政務的清衙，但年輕人卻充滿進
取的熱情。在此期間，他伸出了自己的政治觸角，第一次寫《論
時政疏》上奏皇上，指陳朝廷弊政，以為有癰腫痿痺之病五（宗

室驕恣，庶官瘝曠，吏治因循，邊備未修，財用大虧）。由於缺乏經驗，他所論未必中肯，卻表現了年輕翰林的政治熱情與才幹。但在首輔嚴嵩當政擅權之時，奏疏上去後，卻如石沈大海，杳無反響。他感到政治空氣的不利，於是把已經伸了出去的政治觸角又縮了回來。事實說明，政治並不簡單，光有進取的熱情是不夠的。前任首輔夏言被嚴嵩讒言所殺就是一例。世宗朝有三個大學士給他很深的印象，他們從正、反各方面教育了他。這是三個性格完全不同的人物：夏言剛愎自用、盛氣凌人；嚴嵩阿順柔佞、口蜜腹劍；徐階剛柔相濟、不動聲色。對於北方蒙古遊牧民族的入侵，夏言力主對抗，以求收復失土。嘉靖二十五年他當政後，起用曾銑總督陝西三邊軍務，積極備戰，準備一舉收復河套。但當時世宗昏庸，猶豫動搖。嚴嵩則窺測人主心思，以柔克剛，上書皇上，指責曾銑開邊啓釁、貽誤國計，夏言作爲後台，混亂國事。世宗因此勃然大怒，在嘉靖二十七年正月罷免夏言，同年十月與曾銑一同棄市。在張居正剛踏入仕途不久，他親眼見到了這一血的事實，暗中爲夏言痛惜慨嘆。但人微言輕，說有何用？後來夏言積極抗戰、鞏固國防的理想，終於在張居正的時代得以實現。嚴嵩當政時，世宗整年不朝，終日與道士鬼混，乞求長生不老。嚴嵩和徐階，爲了固媚求寵，同樣幫助這位道士皇帝精心結撰青詞、祭奉上天。但徐階並沒忘記國家的安危。嘉靖二十九年，北方俺答率蒙古鐵蹄蹂躪了中原大地，北京告急，世宗召見大臣商量對策。首輔嚴嵩說是不必擔心這羣「餓賊」。禮部尚書徐階則嚴正地反駁說：「俺答的騎兵就在北京城外，殺人如切草，怎能說是一羣餓賊？」這次戰爭給居正很深的印象，認識到國家兵備的廢弛，以及鞏固國防的重要。另外，通過嚴、徐之爭，認清了兩人的思想品格。幾年的官場「見習」，使他逐漸明白做官必須有陰陽兩面。公開場合，他是無所是非。對於嚴嵩這

個炙手可熱的大人物，爲了立足朝廷、以圖將來，他也善於周旋、巧爲應酬。嘉靖二十九年正月嚴嵩七十壽辰，張居正也隨俗寫了《壽嚴少師三十韻》詩，頌揚嚴嵩「補袞功無匹，垂衣任獨專，風雲神自合，魚水契無前」，奉迎之辭，並不高明。但在內心深處，他的政治天平是傾向徐階一邊的。徐階是他的老師，學習的楷模。嚴、徐交惡，人們因懼怕嚴嵩而不敢接近徐階；張居正卻在公開場合照樣尊敬老師。他對老師的感激，直到臨終前也未改其初衷。萬曆元年九月二十日，是徐階的八十大壽，身爲首輔的張居正早就爲老師作準備，上《乞優禮耆碩以光聖治疏》說：「臣等看得原任少師大學士徐階，當世宗時，承嚴氏亂政之後，能矯枉以正，澄濁爲清，懲貪墨以安民生，定經制以核邊費，扶植公論，獎引才賢，一時朝政修明，官常振肅，海宇稱爲治平，皆其力也。」對嚴、徐之爭，是非分明。後來病中他還在病牀上寫下《少師存齋徐相公八十壽序》一文，明白地說：「居正讀書中祕時，既熟吾師教指，茲受成畫，服行唯謹。」又說徐階「絜其生平所爲經綸蓄積者，盡以屬之居正」，可見所受影響之深。但居正不是徐階，他不是守成宰輔，而是要做伊尹，重整乾坤，目標更爲遠大。但終世宗朝，張居正牢記徐階教導，行韜晦之計，聲色不動，蓄積能量，準備伺機而起。在嚴嵩當政的十五年內，他埋頭讀書，耐心等待。這對一個被理想抱負無限膨脹了的心靈來說，無疑是一種嚴酷的壓抑與摧殘。於是他爲求得心理平衡，把滿腔心事都在詩文中傾瀉。他曾想到歸隱，在《述懷》詩中說：「厠身謬通籍，撫心愁觸藩。臃腫非世器，緬懷南山原。」政治上的苦悶，更使他想到家庭的溫暖。嘉靖三十二年，元配夫人顧氏去世一年了，他寫詩悼念，題目是《余有內人之喪一年矣偶讀韋蘇州傷內詩愴然有感》，寫得悽惻感人，其中有這麼幾句：「蹇薄遘遠屯，中路棄所歡。燕婉一何促，飲此長恨端。」直到

他續娶王氏，甚至是日後薊遼總兵戚繼光贈以「千金之姬」的時候，仍然不忘結髮夫妻的「燕婉」之情。他在《朱鳥吟》中託鳥作比：「仙遊誠足娛，故雌安可忘！」嘉靖三十三年，張居正已達而立之年，因爲不滿時政，憤而告假回江陵三年。行前，曾上書徐階，批評當時的宰相見利忘義而「不敢出一言」，是因爲貪戀人主爵祿，「不求以道自重」，因此懇求老師「披腹心，見情素」，敢作敢爲，公開抗爭。張居正家居三年，生活優游閒適，但內心波濤卻難以平靜，所以其《登懷庾樓》詩有「風塵暗滄海，浮雲滿中州」的慨嘆。嘉靖三十四年九月俺答再次入寇，京師戒嚴。張居正身在江湖，心仍關懷國事，其《聞警》詩云：「初聞鐵騎近神州，殺氣遙傳薊北秋。間道絕須嚴斥候，清時那忍見氈裘。臨戎虛負三關險，推轂誰當萬戶侯？抱火寢薪非一日，病夫空切杞人憂。」他明白爲救國家危難而「抱火寢薪」，並非一日之功。另外，他在閒居時也頗關懷民生疾苦，如在《荊州府題名記》文中批評權門豪宗撓法兼併，官吏催科敲骨吸髓，造成「田賦不均，貧民失業」的混亂局面。實際上，他家居三年是身閒而心不閒！他在《謁晦翁南軒祠示諸同志》詩中明白地說：「欲騁萬里途，中道安可留？各勉日新志，毋貽白首羞！」人只要活著，就必須永遠向前。他更在《獨漉篇》中大聲怒吼：「欲報君恩，豈恤人言！」於是在嘉靖三十六年秋，他鼓足勇氣，銷假回京，投入朝廷的政治漩渦之中。

嘉靖四十一年五月，朝廷內部的鬥爭已見分曉，以徐階爲首的官僚集團推翻了嚴嵩政權。當時，御史鄒應龍的彈劾章疏廣泛流傳：「今天下水旱頻仍，南北多警，而世蕃父子，方日事掊克，內外百官，莫不竭民脂膏，塞彼溪壑，民安得不貧，國安得不病？」首輔嚴嵩被勒令回籍「閒養」，其子世蕃不久棄市。嚴、徐惡鬥，居正表面應酬嚴氏，幕後力勸徐階攤牌。嚴嵩的倒

台，引起他的激動。是年中秋前二天，他夜不成寐，披衣行吟：
「佳辰已是中秋近，萬里清光自遠天。」在長期黑暗政治氣氛
中，他盼望「清光」，期待聖君賢相的提拔。老成的徐階升任內
閣首輔，該是自己有所作爲的時候了。但徐階是個很有經驗的政
治家，他不疾不徐，還是把張居正留在幕後，當成一張王牌以備
壓台之用。在徐階當政時，居正官職穩步上升。三十九年升右春
坊右中允領國子司業事，四十二年任《承天大志》副總裁，四十三
年進右春坊右諭德，當裕王的日講官。明世宗自莊敬太子死後，
諱立太子，皇子就剩裕王載垕、景王載圳。經過一番政治較量，
景王奪嫡計劃失敗，裕王已是實際上的太子，是將來皇位的當然
繼承人。作爲太子的老師，就成了大學士的當然候選人，爲以後
入閣拜相作必要的鋪墊。於此可見徐階栽培居正的良苦用心。如
果說昔日顧璘希望他日後做伊尹是一種精神鼓舞的話，那麼現在
徐階正按部就班地把他推向可見的現實。嘉靖四十五年十二月，
明世宗去世，穆宗載垕即位，國號隆慶。這時，徐階援居正爲知
己，和他祕密商量起草世宗遺詔，清除嘉靖弊政。什麼醮齋求
仙，大興土木，誅求財貨，一概停止，冤案得以平反，以死極諫
的名臣海瑞出獄升遷……作爲幕後人物，這一切實際都有居正的
一分功勞。後來他回憶說：「丙寅之事（指草遺詔、立穆宗），
老師手扶日月……相與圖議於帷幄者，不肖一人而已……大丈夫
既以身許國家，許知己，惟鞠躬盡瘁而已，他復何言！」就在這
時，徐階就把居正從幕後推向了前台。隆慶元年二月，四十三歲
的張居正升吏部左侍郎兼東閣大學士，正式入閣拜相，直接參與
國家中樞的領導工作。

　　入閣後，張居正原以爲可以大展宏圖了。但事實不然。隆慶
朝的內閣，主要成員是徐階、高拱、張居正，他們之間相互傾
軋，鈎心鬥角，先是高拱被擠下去，接著徐階下台，高拱升任首

輔。徐階臨行前，把一切未了之事都交代給居正。隆慶二年八
月，居正曾有《上陳六事疏》，要求朝廷「省議論」、「核名
實」、「振紀綱」、「重詔令」、「固邦本」、「飭武備」。從
政治、軍事到制度、輿論，有關國家要事的改革整頓，幾乎無不
涉及。這是他在萬曆初年改革計畫的雛形，可見其重要性。當時
的嚴熱酷暑，揮汗如雨，食欲不振，蚊蟲叮咬，他全然不顧。為
了這份奏疏，他熬過了多少不眠之夜，付出了幾多心血！但呈上
皇帝，換來的只是「責部院議行」的朱批。在明代官僚制度中，
「議行」云者，坐而論道，空議不行。這是舊規慣例，從此再無
下文。這像潑瓢冷水當頭澆下，他悵惘、痛苦、失望，要想大聲
疾呼，但卻又咽喉梗阻，喊不出聲。有志之士怎能不扼腕痛恨？
按照明代內閣制度，「票擬」之權專屬首輔。張居正資歷較淺，
只有暫時忍耐。隆慶三年高拱再次入閣，在短短的一年時間裡，
他又排擠掉李春芳、趙貞吉、殷士儋諸大學士。到隆慶五年末，
內閣中只剩首輔高拱，次輔張居正二人。長期的政治鬥爭，使張
居正更加熟悉權術的妙用。在官場中，沒有陰一套陽一套的本
事，是無法立足的。首輔高拱和居正是裕王府的老同事，應該說
是有一定交情的。高拱為人精明強幹，頗有能力，這與居正相
似。在處理國防大事、特別是對待北方俺答「封貢」問題上，兩
人志同道合，配合默契，取得了很大的成功。隆慶年間，南方倭
寇大致平息，最大的邊患是北方蒙古等遊牧民族的大規模軍事入
侵。當時俺答與北方蒙古諸部落結成了同盟，同時又網羅漢奸，
加強組織，於是力量驟增。屢次進犯北京的就是俺答率領的蒙古
騎士軍團。但在隆慶四年十月，發生了俺答的孫子把漢那吉投降
明朝的偶然事件。當時大同巡撫方逢時、宣大總督王崇古立即報
告北京，俺答大軍也跟蹤而至，一時氣氛異常緊張，戰端一觸即
發。朝廷畏戰，主張不接受把漢那吉之降；但在首輔高拱的支持

下，張居正再三主動向邊臣指示謀略，分析利害，主張受降，爭
取北方邊防的長期安定。居正的計畫是：內部加強國防，積極備
戰，陝西三邊有王之誥，宣大有王崇古、方逢時，而最重要的是
保衛京師的薊遼總兵戚繼光和各鎮兵將早已嚴陣以待，無論是戰
是和，都可立於不敗之地；對俺答則以把漢那吉事件爲契機，因
「互市」經濟之利，迫使俺答接受和談條件。這計畫終於被朝廷
所接受，同意俺答的「封貢」、「互市」要求：俺答封王入貢，
朝廷賞賜有加；開放邊境，互市互利；俺答交出漢奸趙全諸人，
並保證今後約束部衆，不再犯邊。在張居正當權的時代，國防鞏
固，北方邊境基本上安定下來了。但此時內閣中高、張的政治蜜
月很快過去。高拱有能力，張居正更強。但一山不容二虎，高拱
需要的只能是馴服的助手，而不是有條件取而代之的高才。高拱
心胸狹窄，張居正也不盡是光明正大。高拱在擠走徐階諸人後，
躊躇滿志，不能容忍不同的意見，似乎國家興衰只是他首輔的責
任。次輔張居正只得再次沈默，在沈默中窺伺和等待。高拱低估
了張居正的能耐，他只想到居正說過「周召夾輔」，公開表示與
自己同心同德，但沒料到謙恭與沈默是一種更加激烈的無聲對
抗。隆慶六年六月穆宗去世後一個月，高、張之鬥終於在戲劇場
面中結束。當時，高拱、張居正、高儀三位大學士同是顧命大
臣，但高儀很快病故。新皇帝只是一個十歲的孩子，於是朝廷一
切唯高拱馬首是瞻。他唯我獨尊，不僅管朝政，還要過問宮中的
人事安排，因此得罪了宦官頭目馮保。一次，太監到內閣傳達皇
帝的「中旨」——手諭，任命馮保爲司禮掌印太監、提督東廠。
高拱當場痛罵太監說：「中旨是誰的旨意？皇上只是一個十歲的
孩子！一切都是你們幹的，遲早要把你們這批人都趕走。」立刻
布置朝廷的御史、言官輪番彈劾馮保。馮保也很狡詐，他利用職
位方便添油加醋地向太后進讒言，說高拱蔑視皇帝。在高、馮鬥

爭白熱化的幾天中，張居正突然請「病假」回家。內閣中的次輔
沒幫首輔說話，這本身就是一種表態。馮保自幼在宮中的宦官學
校讀書，熟諳官場內幕，自然悟透此中玄機。六月十六日，天色
未明，神宗在神極門召見朝廷大臣。高拱抬頭一看，小皇帝邊上
站著神態自若的馮保，高、馮四目相對，勝負已分。很快，馮保
用鏗鏘有力的高調宣讀太后和皇帝諭旨，直斥高拱「攬權擅政，
奪威福自專，通不許皇帝主管，我母子日夕驚懼」。於是高拱立
刻被內侍褫去冠帶，落得「便令回籍閒住，不許停留」的處分。
所謂「閒住」，實際就是變相的軟禁。高拱罷官，內閣首輔的重
任自然就落到張居正的肩上，他是這次事件的最大贏家。這是場
持久的生死搏鬥！高拱至死也沒有忘記。張居正坐上首輔的位置
後，一場帶有張記色彩的改革運動就在全國迅猛地展開了。

　　明代中葉以後，土地兼併，賦斂無度，國防廢弛，生民塗
炭，階級、民族及統治階級的內部鬥爭，日趨尖銳激烈，形成全
面危機。到了嘉靖、萬曆年間，明室江山已是風雨飄搖，這就促
使統治階級分化為保守與改革兩大勢力。前者是既得利益者，無
限制地擴大特權、攫取財富，他們以維護「祖訓」、「成憲」為
由，反對一切形式的改革；後者則對國家危機有較清醒的認識，
希望在不破壞封建制度的基礎上，調整關係，實行一定程度的改
革，以便挽危圖強、長治久安。但不管是改革派或保守勢力，都
想利用皇權的支持，「挾天子以令諸侯」，以達到自己的目的。
張居正是當時改革派的代表。但與宋代王安石勇於打破「祖宗之
法」不同，他不得不在明代祖宗「成憲」的基礎上下功夫，並賦
予新的含義。他吸取前人教訓，首先從「宮府一體、上下一心」
入手，也就是努力調整皇宮與政府的關係，從而為推行改革消除
障礙。他在兩宮太后及馮保宦官集團身上，花費許多心血，結成
了無形的稀疏聯盟。他身為首輔，小事退讓，對原則問題卻不含

糊。爲神宗生母李太后進慈聖之號，無損國體；但太后因佞佛而
下諭免去全國刑殺，破壞國家法制，則力諫收回成命。馮保得
勢，自建生壙，居正爲他寫《馮公壽藏記》，稱爲仁智忠遠，雖有
阿諛之嫌，他也不在乎；但當時馮保干預政要，誣陷宰臣高拱、
御史胡涍時，他則巧妙地設法制止。當然，張居正的工作重心還
是教育小皇帝。神宗登基時只是十歲的孩子，他作爲首輔、顧命
大臣，親當老師，精心安排經筵與日講。經筵隆重，每月逢二的
日期舉行，寒暑停止。日講在文華殿，不用侍衛儀仗。居正猶如
小學老師，爲小皇帝詳細安排了學習經、史諸課程的計劃，甚至
是學習課本，也要親自編寫。他曾搜集有關古今治亂的故事百餘
則，用通俗的語言解釋，以便小皇帝理解。又根據兒童特點，特
地加上精美插圖，以提高閱讀興趣。對於經史內容，要求皇帝復
習背誦，一絲不苟。這使小皇帝對張先生敬而生畏。在上課時，
居正眼中只有學生而沒有皇帝。一次，小皇帝朗讀《論語》，把
「色勃如也」錯讀成「色背如也」，居正立即厲聲地說：「應讀
作『勃』字。」嚴厲的呼喝，眞使小皇帝誠惶誠恐，臉上變色。當
時張居正只想按照自己的理想模式來塑造皇帝和國家。但他忘了
皇帝也是人，一樣有人性，既有優點，也有缺陷。在嚴厲的老師
面前，皇帝的自由與個性受到了過分的壓制。張居正死後被神宗
大張撻伐，這可能也是一種緣由吧。但當時張居正不可能料及後
事，他只熱中於實踐自己的改革計劃，爲國鞠躬盡瘁，其餘一概
不顧。在他當政的十年期間，也即從隆慶六年六月至萬曆十年六
月，利用年輕皇帝，乾坤獨斷，強公室，杜私門，尊主權，課吏
責，信賞罰，一號令，從政治、經濟、文化、軍事各方面，進行
了一系列的改革：

　　㈠推行考成法，綜核名實，建立行政系統，提高辦事效率。
萬曆元年六月，他上《請稽查章疏隨事考成以修實政疏》，考成法

正式推行。張居正根據晚明特點，在洪武「成憲」的基礎上跨出
新的步伐。他認爲天下不是缺乏議論，而是議而不行，因循敷
衍，虎頭蛇尾，再重要的事情也會不了了之。指出天下事「不難
於立法，而難於法之必行；不難於聽言，而難於言之必效」，法
制不行，是因爲「人不力」的緣故。考成法是要革除這一弊病。
辦法很簡單：朝廷各衙門分置三本簿籍，一本登記一切公文及計
畫，留底以備查處；一本交中央六部的監察機關六科備案，實行
一件，註銷一件，如未實行，則須申明理由具奏候旨；一本呈送
內閣以備隨時考核。這樣，首輔控制內閣，內閣控制六科，六科
控制六部，再通過六部指揮全國。就這樣，張居正建立了自己控
制的行政系統，改變了內閣只是皇帝祕書班子的舊貌，把行政、
司法、監察大權集於中央內閣，大大提高了行政的辦事效率。史
書上說，當時張居正一聲令下，「雖萬里外，朝下而夕奉行」。
對於用人方面，他觀名察實，明白地說：「天下事豈有不從實幹
而能有濟者哉！」（《答凌洋山言邊地種樹設險》）有名無實的
「名士」，他喻爲「芝蘭當路，不得不除」，一概不用，雖像王
世貞這樣的文壇領袖，他也照樣「取旨罷之」。考成法成了張居
正驅趕疏懶成性的文武百官的一根鞭子，爲改革計劃的推行提供
了組織上的保證。

　　㈡**清丈全國土地，推行一條鞭法，實行經濟改革。**明中葉
後，封建生產力與生產關係發生某些變化，封建商品經濟漸趨活
躍，因此賦役制度也必須有所改革。在推行考成法後，國家財政
開始好轉。所以張居正自負地說：「考成一法，行之數年，自可
不加賦而上用足。」當時的賦役制度，因爲瘋狂兼併土地的貴族
大地主隱瞞土地，或倚官紳特權拒不向國家交納賦稅，「倚法爲
私，割上爲己」，把一切負擔統統壓在無地或少地的農民身上，
從而造成民不聊生的政治經濟危機。對此，張居正說：「孔子爲

政，先言足食。管子霸佐，亦言禮義生於富足。」只有人民「足食」，才能進一步談到國富兵強。而要改革賦役負擔，減輕民生疾苦，必須從清丈土地開始。他在萬曆五年提議清丈全國土地，丈量結束後，全國總田數從弘治時四二二八〇五八頃增加到七〇一三九七三頃，查出隱瞞田地二、七八五、九一五頃。同時核實了貴族豪紳的稅額，減輕了農民的負擔。故張居正指出：「清丈之議，在小民實被其惠，而於官豪之家殊爲不便。」在清丈土地的基礎上，他又銳意改革賦役制度，推行一條鞭法。一條鞭法並非張居正首創，早在嘉靖十年個別地區就已試行。到張居正當國的萬曆初年，他先支持福建、兩廣施行，然後在萬曆九年以國家法令形式在全國公布實行。一條鞭法的基本內容是：賦、役合併，「攤丁入畝」，「按畝徵收」，「計畝徵銀」，按照土地實際占有情況向國家交納賦稅，在一定程度上減輕了人民的負擔。這已具有賦役制向租稅制過渡的性質，反映了封建生產關係的量變過程。一條鞭法的推行，對緩和階級衝突、增強國家經濟實力、挽救社會危機起了一定的積極作用。

㈢治理黃河，整頓漕運，開發水利。黃河水患，自古已然，張居正「不忍坐視民之失所」，因此產生治河的決心。他不是水利專家，缺乏治河的實際經驗。但他最大的優點是能夠用人，起用並信任眞正有知識、有經驗的水利專家；並能尊重科學與實際，知錯必改。萬曆六年，他推薦水利專家潘季馴總理河漕。潘以科學推算爲根據，一反傳統治河方法，提出「以堤束水，以水攻沙」的治河方針；張居正則在朝力排衆議，作他的堅強後盾，治河終於獲得成功。於是被淹沒的土地田廬「皆盡已出……轉爲農桑」；並且漕運也得以暢達北京。水災減少，漕運暢通，對當時國家的財政好轉及經濟發展，其功厥偉。

㈣整頓驛遞制度。明代的交通郵政，主要依靠驛遞制度。從

北京到各省幹線設有許多驛站，驛站按規定供應出差官吏以馬
匹、船隻及食宿開支，這一切負擔均由沿線百姓負擔。明初對驛
遞限制較嚴，非有軍國大事，不許馳驛。這樣人民負擔相應輕
些。但中晚明後，制度遭到破壞，無論什麼官吏、不管公差私
事，都可隨意馳驛。他們一到驛站，爭馬匹，要酒席，敲詐勒
索，無所不為。為限制官吏濫用特權，張居正於萬曆三年提出了
整頓驛遞的計劃：非公差或軍務不許馳驛，即使是官吏丁憂、起
復、調任，也不許馳驛；出差官吏所需「轎扛夫馬」有限量，超
過規定，一律「不許應付」；驛站只供應旅途生活必需的「廩糧
蔬菜」和「油燭柴炭」，如果另有科歛，一律參究治罪。作為首
輔，張居正以身作則，帶頭實行。他兒子嗣修回江陵考試，自己
雇車；父親過生日，命僕人背壽禮騎驢回鄉祝賀；弟弟居敬病回
江陵調理，保定巡撫發給馳驛「勘合」（猶如今天的機關證
明），居正立即謝絕，並去信說明自己「欲為朝廷行法，不敢不
以身先」。這樣做，既維護了國家制度，又相對減輕了人民的負
擔。

　　㈤改革學政，整頓學風。對於教育事業，張居正頗為重視。
萬曆三年，他上《請申舊章飭學政以振興人才疏》，認為國家所需
是富於實幹精神的人才，而不是巧言佞色的浮誇之徒。地方教育
機關，府有府學，州有州學，縣有縣學，各有一定名額的廩膳生
員，由公家按月供給米糧魚肉，一人入學，三人免役。到中晚明
以後，增廣生員、附設生員等眾多名目出現，生員大增，享受特
權，不少人成為橫行鄉里、包攬詞訟的惡霸。因此張居正要求認
真選擇主管學政的官員，淘汰生員，肅清學霸，既減輕國家的包
袱，又可為地方百姓除害。另外，他急切需要務實之才而不需要
遊談之士，因此不許創設書院，重在改變學風。這一教育改革計
劃，並非完善，當時即謗議叢生。得罪生員，就是得罪社會輿

論。但張居正說：「浮言私議，人情必不能免」，「得失毀譽關頭，若不打破，天下事無一可爲者。」硬是頂住流言蜚語，推行改革主張。

㈥**整頓邊備，鞏固國防**。隆慶年間，張居正積極調整與北方蒙古族的關係，政績斐然，已如前述。在「南倭北虜」基本平息後，他在萬曆初建言，「天下雖安，忘戰必危」，必須早爲準備，以防不測。爲此，他採取了一系列措施，如積極支持薊遼總兵戚繼光加強西北邊防的計劃，「積錢穀，修險隘，練兵馬，整器械，開屯田，理鹽法」，以及修繕長城，鞏固國防等措施。還選派李成梁坐鎮遼東，一方面防禦蒙古，一方面鎮撫建州女眞，具有一定遠見。這些措施，有效地保衛國防和人民的生命財產。

總之，張居正的改革在當時確實行之有效。十年期間，明王朝的內憂外患大致平息，國家安定，經濟發展，太倉粟可支十年，太僕寺積金四百餘萬。明代中葉以後，只有張居正執政的十年是較清明富強的時代，在這以前和以後，都是烏煙瘴氣，一片混亂。在改革中，張居正曾不止一次地受到攻擊。如萬曆三年御史劉台彈劾他「威福自己，目無朝廷」，百官「畏居正者甚於畏陛下」，要求「抑損相權」。萬曆五年，張居正父親張文明去世，照例應丁憂三年，但太后與皇帝以爲張居正「身繫社稷安危」，命其「奪情」，不許守制。張居正也以爲改革處於關鍵時刻，因而順水推舟，堅守內閣。於是朝廷百官對他輪番攻擊，從國事到私密，無不涉及。言官攻擊他「戀棧」（即熱中權勢）並非沒有根據。要推行改革，沒有政權是不行的。一個荊州的窮秀才，一躍爲威震朝廷的首輔，談何容易！萬曆六年他奉命回江陵葬父，乘坐三十二人抬的大轎，據說轎中有臥室、會客室，還有兩童子奉侍左右。甚至回鄉侍從隊伍中，還有一隊由薊遼總兵戚

繼光派來的手執火器的精銳士兵。可說是威風凜凜，烜赫一時。他把明代宰輔的權勢提高到無以復加的地步。言官還攻擊他受賄，他矯飾，這也有事實。雖然北京的張府形同僧舍；但江陵的張宅則賽過王府。他執政幾年，立即「富甲全楚」，如光靠俸祿而不受賄賂是不可能這樣富足的，但他卻力戒官吏受賄。他自己不想貪污，但他父親等接受各地官吏的「饋贈」，性質不是一樣嗎？這豈非矯飾！又如對於農民起義和民族起義的頑固態度。他明知官逼民反，如其《答巡撫郭華溪》的信中說：「此事若非縣令苛急，亦未遽叛。」但卻要求官軍「盜者必獲，獲而必誅」，不問是非，格殺勿論。可見其凶狠！事實說明，張居正不是十全十美的聖人，他集偉大與藐小、高尚與卑劣於一身。但關鍵是他的改革計劃於國於民有利，因而無論是萬曆皇帝或文武百官的一切反張理由，都是難以立足的。打倒了張居正，同時也就葬送了大明江山。作為一個歷史的悲劇人物，我們應對他作出恰如其分的評價。

憶吾師

一、學海揚帆七十春
——郭紹虞教授的生平與學術

郭紹虞教授是我國著名的學者。他在中國文學批評史和漢語語法修辭等領域中的學術成就蜚聲國內外。他一生艱苦治學、奮鬥不息的精神，經常激勵著年輕一代。

在不久前舉行的慶祝郭紹虞執教、著述七十周年的茶話會上，人們看到前來祝賀這位老教授的學生來自四面八方，有年逾八旬的老博士，也有二、三十歲的小青年，從與會者的發言中，人們更知道，這位老教授的著述洋洋灑灑，能列出一張長長的清單。但是，許多人並不知道，就是這樣一位「桃李滿天下」、「著作等身」的老學者，卻是在自學的道路上搏鬥過來的。

郭紹虞（1893～1984 年）出生在蘇州的一個教員家庭。六、七歲時，曾由父親督教，苦讀《三字經》、《百家姓》和《古文觀止》，由於家境困難，除後來在崇辨學堂、蒙養義塾讀過一、二年書以外，他的最高學歷只是在蘇州中等工業學校讀了一年，那還是辛亥革命前體制不健全的學校。

但是，郭紹虞從小好學多思。就在工業學校讀書時，他就和同學一起創辦了《嚶鳴》雜誌，寫詩作文，縱論天下。1914 年到上海尚公小學任教，因為這所小學是商務印書館的子弟學校，在

友人的幫助下，他得到了接觸大量圖書資料的機會，便一頭扎進
了涵芬樓的書海，邊讀邊記，如飢似渴地吮吸著人類智慧的瓊
漿。不多久，他的狹小的書桌上，就堆起了一疊厚厚的筆記本，
裡面積累了大量的原始材料和讀書心得。這時，年輕的郭紹虞已
經養成了一個「癖好」：經常去逛舊書館和舊書攤。他以書為
師，有錢就買，無錢就站著看，邊看邊抄，如《國粹學報》等，只
要能搞到的，他都愛不釋手，幾乎是每期必讀。當時西洋文法之
學剛傳進中國，郭紹虞就把它融會到漢語的學習中去，立即編寫
了新教材《小學生文法》。進步書局發現了他的傑出才華，決定聘
請他當編輯。這期間，郭紹虞廢寢忘食地學習，完成了《清詩評
注讀本》和《戰國策詳注》兩書。1917 年 6 月，二十五歲的郭紹虞
在東亞體育學校兼課。他結合教學的需要，利用課餘時間，撰寫
了我國第一部《中國體育史》。

「五四」運動前後，郭紹虞來到北京，一方面每天為《晨報
副刊》撰寫一、二千字的藝文雜談、名人評傳等稿件，另一方
面，又到北大哲學系旁聽，常常忙得「團團轉」。1921 年秋
天，因胡適與顧頡剛推薦，缺乏高等學歷的郭紹虞到福州協和大
學任國文系主任兼教授。從此，真正開始了在大學的執教著述生
涯。數十年來，他輾轉於中州、中山（武昌）、燕京、大夏、同
濟、復旦等大學。不管酷暑嚴寒，無論順境逆境，他都不放走點
點滴滴可以利用的時間。學校的寒暑假正是他學習、工作最緊張
的時刻，別人遊山玩水，他卻伏案攻讀，著書立說。時至今日，
除了大年初一，他幾乎從無假日，不知休息的。正由於他含辛茹
苦的耕耘，終於在我國古典文學和漢語語法的各個研究領域內都
獲得了累累碩果，主要著作有：《中國文學批評史》上下卷三冊、
《陶集考》、《宋詩話輯佚》、《宋詩話考》、《滄浪詩話校釋》、《詩
品集解・續詩品解》、《杜甫戲為六絕句集解・元好問論詩三十首

小箋》、《語文通論》、《語文通論續編》、《學文示例》兩冊、《漢語語法修辭新探》上下冊，主編《中國歷代文論選》四冊、編撰《清詩話》和《清詩話續編》、《萬首論詩絕句》（手稿本），還有專題論文數百篇。

近幾年來，郭紹虞教授仍不顧年老多病，堅持寫作。醫生和親友都勸他休息，他卻把一塊木板搬到牀上，繼續讀書著述。即將出版的近一百四十萬字的《清詩話續編》就是他在病牀上定稿的。同時，他又親手校訂了凝聚著畢生心血的近百萬字的《照隅室文集》。在《九十雜詠》詩中，他表述過自己為什麼這樣鍥而不捨的心迹：「只因無多閒歲月，怎能頹廢失心紅。」充分說明了他在學業上孜孜不倦的進取精神。

郭紹虞教授的學術成就，首先表現在我國文學批評史的研究領域。他撰寫的《中國文學批評史》，是我國第一部較為系統的、有較高學術價值的文學批評通史專著。它問世至今，已近半個世紀，經歷了種種歷史的考驗，仍然是高等學校的重要教材之一。

我國文學批評史的研究，起步於本世紀的二十年代。在「五四」新文化運動的推動下，隨著西方文學批評觀念的傳入，中國傳統的詩文評開始受到了學者們的重視。陳中凡先生首先涉足這一領域，1927 年出版了《中國文學批評史》，但該書僅有七萬餘言，甚為簡略。在當時，「寫中國文學批評史有兩大困難，第一，這完全是件新工作，差不多要白手成家，得自己向浩如煙海的書籍披沙揀金去。第二，得讓大家相信文學批評是一門獨立的學問，並非無根的游談，換句話說，得建立起一個新的系統來。這比第一件實在還困難。」①然而，郭紹虞教授卻偏要完成這一件十分困難的工作。他從我國古代各種詩話、詞話、曲論、樂論及說部別集和圈點評論中，提要鉤玄，潛心搜集和整理我國古代文學批評理論遺產，經過長期的努力，終於在 1934 年出版了《中

國文學批評史》上卷。只是由於抗戰爆發，下卷二册才遲至 1947
年問世。他在《自序》中談到了著書的動機：

> 我屢次想嘗試編著一部中國文學史，也曾努力搜集材料，
> 也曾努力著手整理，而且有時也還自覺有些見解，差能滿
> 意；然而終於知難而退，終没有更大的勇氣以從事於巨大
> 的工作。《文心雕龍・序志篇》之批評以前各家，議其「各
> 照隅隙，鮮觀衢路」。在我呢？願意詳細地照隅隙，而不
> 願粗魯地觀衢路。所以縮小範圍，權且寫這一部《中國文
> 學批評史》。我只想從文學批評史以印證文學史，以解決
> 文學史上的許多問題。

　　「詳細地照隅隙」，這正是郭紹虞教授治學的一貫態度。爲
了從研究中國文學批評史入手，深入地研究中國文學史，他在廣
泛閱讀我國古代文學典籍的同時，還鑽研了哲學、語言、美術、
音樂等學科的許多著作，下「笨」功夫搜集整理了大量的歷史資
料。朱自清先生曾看到過他搜集的詩話目錄，驚嘆說：「那豐富
恐怕還很少有人趕得上」，「第一個大規模搜集材料來寫中國文
學批評史的，得推郭紹虞先生。」②這絕不是溢美之辭，郭紹虞
教授不僅僅從人所熟知的各種詩文評或「論文集要」等一類書中
去搜求，而是經常結合各歷史時代的思想文化思潮，從一般學者
不甚注意的地方去發掘，如史書的「文苑傳」、「文學傳」、歷
史筆記、評點派的眉批以及論詩等。在掌握大量材料的基礎上，
他不囿於成見，總是讓事實來說話。對於一些有爭議的人物、流
派和問題，從來「不敢自以爲是」，而總是「極力避免主觀的成
分，減少武斷的論調」，盡可能完整地「保留古人的面目」
（《自序》）。所以，他的《中國文學批評史》將我國文學理論遺產

中瑣屑和零亂的資料，「費過一番經營擘劃」的功夫，能博採眾長，融會貫通，建立起一個新的體系。由於他不拘泥於編寫的具體方法和體例，因此，在材料的運用上顯得十分靈活自如。既能反映歷史發展的順序，又能照顧到有關的文藝理論家、流派與問題的辨析，大綱細目，羅列清楚，立論也謹嚴、深刻，富有創見，能啓迪時人，給人以耳目一新之感。例如，對於儒、道兩家所論的「神」與「氣」，歷來聚訟紛紜。而他卻深刻細緻地析其同異，窮其根源，並進一步指出它對於後世文論的重大影響，這就不是瑣屑的資料匯集，而是經過深入研究的眞知灼見。又如，在評述公安派的文學思想時，他著重分析了其「前驅」和「羽翼」，並聯繫當時的思想界、戲曲家和其他詩人的影響。這樣，就既理清了公安派文學思想發展演變的軌迹，又看到了它的產生和形成同當時各種社會歷史條件、政治文化思潮的密切聯繫。正因爲如此，郭紹虞教授的《中國文學批評史》一出版，立即引起了學術界的重視。朱自清先生在上卷剛問世時就說：「郭君這部書，雖說只是上卷，我們卻知道他已花了七八年功夫，所得自然不同。他的書雖不是同類書中的第一部，可還稱得是開創之作，因爲他的材料與方法都是自己的。」③

　　儘管有了這樣的建樹，郭紹虞教授卻從不因此而以專家、「權威」自居。隨著研究的不斷深入，他發現《中國文學批評史》一書，基本上只是詩文批評理論的研究，戲曲文學批評只提到了李漁，而小說理論批評則未涉及。1979 年的《再版前言》中，他就說過：「長期以來，我總想把這部舊著改得差強人意，使它多少有利於具有民族形式的馬克思主義文藝理論的建立，有利於社會主義文藝理論的發展，但是目標愈高，愈覺畏縮，未能如願……這是非常抱歉和慚愧的。」「我雖年逾八旬，也必須抖擻精神，學到老，改造到老，戰鬥到老。我知道用馬克思主義觀點來

寫出一部完整的中國文學批評史是很不容易的，但也要與同志們共同奮鬥，爲此而努力探索，爭取爲人民多出一些力，多做一些工作。耿耿此心，是始終不變的。」爲此，他重新搜集了大量新的歷史材料，準備在以後再版時作較大的改動。

郭紹虞教授常常告誡後學：做學問，建事業，好比造塔，基礎不牢不寬，塔頂就造不上去。不求基礎的廣博，盲目追求塔高，勢必造成塔倒人毀的惡果。爲了把我國古代文學批評史的研究眞正深入下去，多年來，他就一直傾注全力於這門學科的「基本建設」上，重新開始龐大、繁重的資料搜集整理工作，對一些專題進行深入研究，先後完成了《宋詩話考》、《詩品集解》、《滄浪詩話校釋》等著作，深爲國內外學術界所矚目。其中，尤以《滄浪詩話校釋》和《宋詩話考》的影響最爲突出。

在《滄浪詩話校釋》一書中，郭紹虞創造了一種新的校釋方法，即把校、注、釋三者合而爲一。例如，在校勘方面，他除了參照從古至今流行的諸本外，還重點和《詩人玉屑》互校，「其間互有異同之處，或據《玉屑》改正，或於注文中說明」。對於古書異同，郭紹虞教授根據各種材料，努力作出準確的判斷，但在下結論時，又極爲愼重，從不隨心所欲地改動古書。在注解方面，他一方面既尊重前賢學術成果，一一注明出處，不敢掠美；另一方面又匠心獨運，合釋義與闡理爲一，使人們能對嚴羽文學理論批評的歷史淵源與體系，有更明確的認識。對此，他在《序》中說得極爲明白：

> 滄浪此書，雖自矜爲實證實悟，非傍人籬壁得來，實則任何人都不能不受時代影響，更不能不受階級的限制，故於注釋文中，特別重在滄浪以前之種種理論，以說明滄浪詩說之淵源所自。

　　另外，他在注釋之中，對於有關爭論問題的「癥結所在」尤加注意。至於「後人申闡或辨駁之語」，雖各有是非，不一定合滄浪原意，但郭紹虞教授認爲只要善加闡釋疏導，就能「使讀者清楚地看出從這些論點中所引起的問題」，這就避免了研究工作中的片面性，很能啓迪後人從多方面去進一步研究各種新問題。「釋」文這一部分，不少處寫得特別精彩，很有獨創見解。如他寫了長長一大段「釋」文，引證了大量文學史實，有力地說明了「滄浪別材別趣之說正是針對當時詩病而發，足爲當時救病之藥」。這是完全合乎歷史事實的公允評價。接著，他又進一步探討了「別材」「別趣」說的理論本質和產生錯誤的各種原因。這樣的「釋」文，旣有具體入微的事實分析，又有精深系統的理論闡述，能給人以知識、教人以方法，從而激起人們以更大的興趣去叩擊學術研究殿堂的大門。所以，此書一出版，就得到學術界高度重視。

　　1979 年出版的《宋詩話考》，是郭紹虞教授的又一力作。該書把宋代詩話加以整理，提要說明，每條文字雖然不多，但從版本目錄及其流傳演變，人物時代或有意義的掌故典實，到各種詩話的理論特色和功過是非，都有明晰的論述，已成爲了解宋代詩話發展概貌、研究宋代文學史和文學批評史的一部極其重要的參考書。

　　早在三十年代，郭紹虞教授在燕京大學工作的時候，就萌生了寫作此書的動機。其間搜羅剔抉，經歷了四十多個春秋。他在《宋詩話考·序一》中說：「余纂《宋詩話輯佚》，早有作《宋詩話考》之意，故於所輯各書未加提要，嗣在《燕京學報》、《文學年報》等雜誌分別發表有關宋詩話之論文若干篇，對《宋詩話考》之規模，固已大體初具矣。」由此亦可見他治學態度的嚴謹。

　　郭紹虞教授的學術成就，還表現在漢語語法研究領域。

　　解放前，郭紹虞教授出版了兩本論文集：《語文通論》和《語文通論續編》。這是他在「五四」前後到建國前幾十年中從事語文教學和研究的結晶。在這一時期內，從事我國新文學運動的作家們都在努力探索文學語言發展的新途徑。但在「五四」運動時期，這種探索還剛開始，存在問題很多。例如，當時西洋語法剛傳入我國，堅守「國粹」陣地的人想拒而不納；學習模仿者則食洋不化，融而未明；搞文學的不注意語言的研究，搞教學的人則忽略了文學的需要，語言與文學有脫節的傾向。郭紹虞教授從當時語文教學和研究的實際情況出發，廣泛搜集了豐富的第一手資料，並堅持結合漢語語言文字的具體特點，大膽吸收了西洋語法理論的合理因素，企圖從解決一個個具體問題入手，重點研究語言藝術，以便溝通文學與語言研究之間的聯繫。

　　在《新文藝運動應走的新途徑》一文中，他就說過：「我們若要說明中國語言文字之特性與文學之關係，則應著眼在兩點：其一，是語言或文字所專有的特性；其二，是語言與文字所共有的特性。由前者言，造成了語體的文學與文言的文學，造成了文字型的文學與語言型的文學。從後者言，又造成了中國文學所特有的保守性與音樂性。」

　　由此可見，郭紹虞教授緊緊抓住了「文學是語言的藝術」這一關鍵，來進行自己又一開拓性的研究。《語文通論》中的《中國語辭之彈性作用》，《中國文字型與語言型的文學之演變》，《語文通論續編》中的《論中國文學中的音節問題》、《中國語詞的聲音美》、《諺語的研究》等文，集中地闡述了這一問題。關於這方面的研究，對廣大語文工作者和研究者有著重要的參考價值，對於我國文學的發展，也將逐步顯示其有益的作用。

　　五十年代以後，郭紹虞教授在語文教學和研究方面繼續前進。1979 年出版了又一部新著：《漢語語法修辭新探》上、下

册。在我國語言學界，這是一部引人注目的重要著作。作者在
「前言」中說，「這是一部有關語法理論研究的書，不是一種研
究語法而自成體系的書，更不是爲語文教學而編寫的教材……此
書只能說是語法方面的一些理論性的建議。」這個「理論性的建
議」，是以大量的語言事實作爲基礎的，因而所論證據鑿鑿，自
成一家。郭紹虞教授強調漢語語法研究必須「古爲今用」與「洋
爲中用」相結合，他「希望今後的語法研究能另變一個局面，多
從漢語特徵上注意，多從人民大衆實用注意」。從漢語的特點入
手，講究語法爲人民大衆服務的實用性，強調語法、修辭、邏輯
相結合，這是《漢語語法修辭新探》一書主要的理論特色。他在
《後記》中說：「我寫這部書的主要意義，當然重在說明漢語語法
必須結合修辭的論點。環繞這個論點，於是從漢語特徵講起，談
到漢語語法的簡易性、靈活性與複雜性，說明漢語語法絕不能受
洋框框格局的影響和束縛，否則不會適於應用。同時又指出了漢
語的音樂性和順序性，從而更強調漢語語法必須結合修辭和邏輯
才能發揮它的實用意義。」

　　當然，由於《漢語語法修辭新探》旨在漢語語法理論方面建立
新體系，因而引起不同意見的討論，這是很自然的事。但在這種
討論中，有可能明辨學術上的某些是非，爲正確解決漢語語法的
理論性和實用性相結合的問題開闢道路，這本身不也是對科學文
化事業的一大貢獻嗎？

　　郭紹虞教授學海揚帆七十春，不僅以自己的學術成就馳名中
外，而且爲後學樹立了在科學征途上艱苦奮鬥的楷模。但他從不
自滿自足。最近，在回顧自己學習中國文學批評史的過程中，他
說了這樣一段感人肺腑的話：「在那時，教中國文學批評史課的
人並不多……只有陳中凡先生的《中國文學批評史》，這可說是我
國研究中國文學批評史的第一部書，是這門學科的開創者……我

只是一個跟隨者，照他走過的路追蹤而已。」粉碎「四人幫」
後，郭紹虞敎授寫過這樣一首七律：

> 莫説老來意興豪，妄圖語法植新標。
> 正因初識馬恩義，豈敢遽忘鉛槧勞。
> 薄有會心當抒寫，更無矜氣角低高。
> 外行强作内行話，只爲工農把筆操。

這些話充分表現了一個眞正的學者那誠懇、謙遜、實事求是的科
學態度。郭先生的研究之所以有貢獻，原因當然很多，但與此高
尚的思想境界也有密切的聯繫。

（原載《復旦學報》社科版1983年第3期）

二、永遠向前的足迹
——朱東潤敎授的生平與學術

　　1985年12月6日，上海市文聯大廳傳出陣陣的歡聲笑語，溫
暖的感情交流著，融化去初冬的一絲寒意。復旦大學爲慶祝朱東
潤敎授執敎及從事著述七十周年而舉行的紀念會，正熱烈地進行
著。年屆九十而精神矍鑠的朱先生端坐正中，凝視著來自各條戰
線的新、老學生，傾聽著種種發自肺腑的誠摯心曲，不禁想起古
人所說：「桃李不言，下自成蹊」，一股幸福的暖流在胸中激
盪。在生活的煉獄中，先生經歷了清朝、民國及中華人民共和國
三個時代，以其頑强的毅力、百折不撓的精神，終於看到幸福的
今天。「只要是中國人，活著就應該向前，向前，永遠向前！」
這是政治家的號召，還是演說家的鼓動？都不是。這是先生作爲
復旦大學中文系的主任，在五十年代向入學新生發出響亮的誓

言。在振興中華的艱難鬥爭中，先生永遠搏擊進取，爲人們留下了一串串不可磨滅的永遠向前的足迹。

現在讓我們沿著他留下的足迹，作個簡單的歷史回溯。

朱東潤先生，江蘇泰興人。生於 1896 年。先生原名世溱，後以字行。泰興朱氏，原是一個書香門第，但至其祖父輩已趨式微，父親是一個失業的店員，家境很清寒。朱先生自幼刻苦勤奮，好學深思，知識廣博，爲同窗中之佼佼者。因此而得到老師唐文治的賞識和器重。唐先生在訓誨學生時，常以箸擊几，曼聲長吟：「文學要問朱世溱」。這對一個年少氣盛的學生，旣是激勵，又是鞭策。先生於 1913 年以留英儉學會的安排到英國留學，攻讀英國文學。深厚的古文底子和廣泛的西方見聞，對他後來從事中國古典文學研究和教學，有著很大的影響。1916 年因反對袁世凱稱帝回國，次年步入教育界，到梧州擔任廣西第二中學的外語教師，時年僅二十一歲。二十三歲調到江蘇省南通師範學校任教。就在這一年，先生結了婚，生活有了賢內助，讀書作文有了第一讀者，當然幸福；但大家庭外又添加小家庭，在舊社會中，雙重包袱，負擔加大，生活也就更加清苦。但先生居陋室而不改其樂，仍然讀書不輟，並結合教學體會，寫了十幾篇討論外語教學法的文章，連載在商務印書館出版的英文雜誌上。此事先生早已忘卻，但復旦大學外文系的葛傳槼教授卻記得清楚，頗受影響。1929 年 4 月，先生被武漢大學聘請爲外語教師，自此登上大學講壇，但暫時還與中文系無緣。後來，經過聞一多先生的努力，才逐漸把立足點移到中文系的古典文學的教學與科研上面。事情是這樣的。當時的聞一多教授是武大文學院院長，他的思想比較開放，能動腦筋，對中文系那套陳舊的教學早致不滿，總想多少來點變動。朱先生到武漢大學任教，用現在的話說，就是作爲「羼砂子」而到中文系開「中國文學批評史」這門課程

的。據先生回憶這段經歷：

> 「東潤先生，」一多說：「是不是可以到中文系開
> 『中國文學批評史』這一課？」我是讀過森斯伯里的《英國
> 文學批評史》的，但是那時中國只出版過陳中凡教授的《中
> 國文學批評史》，雖然篳路藍縷，陳先生已經做出了最大
> 的貢獻，但是究竟只盡了啓蒙的責任，無法應用到大學的
> 講壇。因此我和一多說：「能不能給我一年的時間作些準
> 備工作？」「可以可以，」一多說：「好在今年下半年還
> 不開課，可以推到明年的秋天。」
>
> 這就是我的那本《中國文學批評史大綱》的由來。在這
> 本書的寫作方面，也考慮到那時武大中文系師生的特別要
> 求。劉弘度教授有一句名言：「白話算什麼文學！」好在
> 「之乎者也」那套本領我也領教過一些，因此這部大綱充
> 滿了不少的文言調子。

在武大期間，先生因開設「中國文學批評史」課而由外語教師轉
爲中文系教師；又因編寫了《中國文學批評史大綱》作教材，確定
了教授職稱。這一經歷也很有趣。據先生回憶，在中文系關於聘
請他開課並提及該定何職稱問題時，當時的武大校長問道：「東
潤先生有沒有教材或著作？」文學院長回答說是有的。校長接著
問：「教材是不是鉛印的？」回答說：「是的。」於是校長最後
下了斷語：「那就聘請作教授罷。」事情簡單明瞭，毫不拖泥帶
水，不像我們今天提職稱時必經無限的會議評審，有「過五關斬
六將」的苦處。朱先生就這樣在武大中文系任教授，當時不過是
三十幾歲。《中國文學批評史大綱》以後交由開明書店出版。在教
「中國文學批評史」的過程中，先生又結合教學體會，吸收了新

的研究成果，寫了近幾十篇專門論文，發表在武大的《文哲季刊》上，後結集成書，由開明書店出版，名爲《中國文學批評論集》。

在有關中國古典文學的教學與研究中，先生不斷加強基礎，開拓思路，注重經、史、子、集及外國文學理論的廣泛閱讀及材料的搜集工作，成爲一個既有理論指導、更重史料實證功夫的文史並茂的專家學者。先生認爲，中國古典文學作品的來源，主要出於《詩經》和《楚辭》，因此，決心從基本功夫做起，好好從《詩經》讀起。於是他先從《詩經》開篇的《關雎》開始，讀遍漢儒今文學派的魯、齊、韓三家詩說及古文學派的毛詩家詩說，而後再就鄭箋、孔疏以及宋儒和明清以來近代學者的說法，加以一番比較研究，從而得出自己的心得體會。當時的蘇雪林知道後，驚嘆道：「啊喲，那麼哪一年可以讀完呢！」但先生吸收傳統方法中一絲不苟的嚴謹治學精神，和西方理論的靈活原則，取揚雄博覽羣書而明其大義，「訓詁通而已」的態度，終於有所突破，寫出一本頗具特色的《讀詩四論》。後來，先生更向史學方面作縱深發展，以便爲古典文學的教學與研究打下堅實的基礎。在 1941 至 1950 年這十年中，陸續寫了《史記考索》、《漢書考索》、《後漢書考索》三部書。其中《史記考索》已正式出版；《漢書考索》只完成了三篇；《後漢書考索》寫好後，由於種種原因，暫時尚未出版。這三部書中，爲什麼先生比較偏愛的是《後漢書考索》？如果明白了「爲什麼」，那麼從學術研究中我們可以清楚地看到先生的爲人。《後漢書》是一部特殊的著作。范曄作書時，已有許多有關後漢時代的歷史著作完整地保存著，他多就諸家撰錄抄撮成篇，有時甚至還要抄錯。因此，從史料上看，《後漢書》並沒有多大的貢獻。但范曄爲什麼非常自負地說，《後漢書》「比方班氏所作（**按**：即班固《漢書》），非但不愧之而已」呢？這是因爲他作書時有宏偉的理想、堅强的信念在支持著。他作書的宗旨，借用現

在的話說，就是「古為今用」，寫的後漢，但心目中卻是為了現存的東晉。他認為後漢之所以亂而不亡，皆出於仁人君子之力。因此他認為要振弊起衰，挽危圖存，就必須有像李固、杜喬、范滂、郭泰一類的人物出現。劉宋篡晉後，就是一味地殺、殺、殺，在南北朝時代殺了個昏天黑地。范曄本人也是在此情況下被殺的。光靠殺人，能解決問題嗎？不能。要振興中華，還要依靠志士仁人以天下為己任。從學術研究中，我們可以明白先生那「天下興亡，匹夫有責」的理想與抱負。作為一個愛國的正直學者，先生是有所為也有所不為的。先生回憶年輕時發生在上海灘的一件事，至今仍然憤慨不已。大概是在清末民初，英籍猶太富翁哈同因販毒及投機生意而稱富上海。他作壽時，大擺威風，異想天開，一定要中國科名中的狀元、榜眼、探花三人給他祝壽，報酬是每人一千大洋。沒想到，他的卑劣目的居然達到了。一講到此事，先生記憶猶新，不禁拍案痛斥無恥。他說：「為了金錢而無臉面見祖宗，這還算什麼中國人！文人無恥，至此無以復加。」於此可見終其一生的耿耿愛國之心。這種凜然的民族正氣同樣充分體現於學術之中，特別是先生所專注著眼的中國傳記文學的創作及理論研究方面。事實將會說明，先生絕不是鑽進故紙堆中而出不來的人。

大約是從 1939 年開始，先生逐漸把研究的重點移到中國傳記文學的理論及創作上來。如先生本人所說：「對文學的這個部門，作切實的研討，只是 1939 年以來的事。那一年，我看到一般人對於傳記文學的觀念還是非常模糊，更談不上到對於這類文學有什麼進展，於是決定替中國文學界做一番斬伐荊棘的工作。」當時武漢大學內遷到四川，圖書條件很差，但先生沒有畏葸不前。他開始埋頭「下死功夫」，從頭做起，從精讀《史記》、《漢書》、《後漢書》和《三國志》入手，對魏晉六朝的「別史」做了

大量尋幽探微、鈎玄撮要、輯佚整理的工作，認眞探討了唐宋作
家所作的碑誌、墓銘、行狀等類作品在我國古代傳記中的價值，
並弄淸了元、明、淸三代在「傳記文學的理論和實踐上」的所作
所爲。與此同時，又致力於探究西方（尤其是英國）傳記文學的
特點。他從勃路泰格的《名人傳》，讀到當代作家的著作；從提阿
梵斯的《人格論》，讀到莫洛亞的《傳敍總論》。舉凡在當時武大圖
書館能找到的英文傳記和傳記理論，他都一一研讀。經過對中、
西傳記文學的認眞比較，他在理論上先後寫下了《中國傳敍文學
底進展》、《傳敍文學之前途》、《大慈恩寺三藏法師傳述論》、《傳
敍文學與人格》等論文，和長達十餘萬字的專著《八代傳敍文學述
論》等。這些成果，闡述了我國古代傳記的來龍去脈，塡補了我
國傳記研究的空白，也爲自己從事傳記文學的創作打下了堅實的
基礎。但先生認識到，正如佛家所說：「閱盡他寶，終非己
物」，單靠稱述古人或洋人是談不到什麼創造，更談不到繼往開
來。古人說：「知之者不如好之者，好之者不如樂之者」，但先
生又增添了一句：「樂之者還不如作之者。」他很明白，在自己
沒有動手去做的時候，是談不到眞正的「知」，更談不上「好」
和「樂」。於是他努力從事於中國傳記文學的「斬伐荊棘」的實
踐工作。從 1939 年到現在的將近半個世紀中，先後寫成了《張居
正大傳》、《王守仁大傳》、《陸游傳》、《梅堯臣傳》、《杜甫敍論》
和《陳子龍和他的時代》。其中，除《王守仁大傳》手稿因文化大革
命而亡佚外，其餘五部均已出版。在中國傳記文學的理論與創作
方面，先生的開創之功，永遠值得人們紀念。大概因爲他是數十
年從事古典文學敎學與科研的專家，因此他的傳記文學創作所選
擇的傳主大多是古人④。但先生並沒有抱殘守缺，爲古而古，傳
主的選擇，正可見出先生熱愛中華、熱愛人民的浩然正氣。如寫
《張居正大傳》，主要是因抗戰關係，想到要救中國，就必須具有

像張居正這樣不辭艱苦、爲國獻身的精神，先生回憶說：

> 這時正是 1940 年左右，中國正在對日本軍國主義者
> 進行艱苦抗戰。我隻身獨處，住在四川樂山的郊區，每周
> 得進城到學校上課，生活也很艱苦。家鄉已經陷落了，妻
> 室兒女，一家八口正在死亡線上掙扎。我決心把研讀的各
> 種傳記，作爲範本，自己也寫出一本來。我寫誰呢？我考
> 慮了好久，最後決定寫明代的張居正。第一，因爲他能把
> 一個充滿內憂外患的國家拯救出來，爲垂亡的明王朝廷延
> 長了七十年的壽命。第二，因爲他不顧個人的安危，當時
> 人的唾罵，終於完成歷史賦與他的使命。他不是沒有缺點
> 的，但是無論他有多大的缺點，他是唯一能夠拯救那個時
> 代的人物。

正因爲有這股不可抑制的愛國正氣的激盪，先生意味深長地在
《張居正大傳》中寫下了中華兒女爲祖國、爲民族而獻身的悲壯一
幕作爲結束語：

> 整個的中國，不是一家一姓底事，任何人追溯到自己的祖
> 先的時候，總會發見許多可歌可泣的事實；有的顯煥一
> 些，也許有的黯淡一些，但是當我們想到自己的祖先，曾
> 經爲民族自由而奮鬥，爲民族發展而努力，乃至爲民族生
> 存而流血，我們對於過去，固然看到無窮的光輝，對於將
> 來，也必然抱著更大的期待。前進啊，每一個中國民族底
> 兒女！

《張居正大傳》出版後，很有影響。從有了第一本後，先生的傳記

文學作品就一本接一本地誕生。繼《張居正大傳》，先生深入一步地想到明代王陽明那掃除陳言、即知即行的努力，這對抗戰中的中國，不正是有益的借鑑？因此，先生決心繼寫《王守仁大傳》。當時的四川，借書、抄書都極端困難。但先生是「焚膏油以繼晷，恆兀兀以窮年」，經過不懈的努力，終於寫成了《王守仁大傳》。但因處於抗戰後期，開明書店的出版能力衰退了，書的出版一時成了問題。書不能出版，猶如母親看到自己的親生嬰孩沒奶吃一樣，其苦惱是可想而知的。1946 年，那家一時蒸蒸日上的正中書局曾派人找上門來，接洽出版事宜。辛勤的勞動成果能夠和廣大讀者見面，對於一個作者來說，還有什麼比這更令人高興的呢？可是，先生卻拒絕了。原來，先生知道，正中書局乃是國民黨官方資辦，同中統頭目陳立夫、陳果夫有著密切的關係。他不願把自己的著作交給這樣一個出版社去出版，而「寧願交給老鼠去批判」，表現出一個正直知識分子應有的骨氣與風節。以後這部書稿就這樣留在泰興老家。1949年後，先生的一家人都出來到了上海，書籍手稿仍舊留在家鄉。此後家中又來了許多不速之客。十年文革期間，更是經歷一場浩劫，人遭劫，房子遭劫，書籍遭劫，手稿遭劫。性命雖是僥倖保住，但《王守仁大傳》的手稿卻不翼而飛，蹤影全無。古人的「藏之名山」，還是期望有朝一日能夠「傳與其人」，重現光彩。《王守仁大傳》是否有此僥倖？難言哉，難言哉！仁人君子如有知其蛛絲馬迹者，望能披露一二，以對民族文化負責。總之，昂揚的時代精神，對中華民族命運與前途的關心，是先生學術的精髓。先生不僅是專家，而且首先是個愛國者。

抗戰中的武漢大學，學術的宗派性仍然很強，因此而影響到人事安排。葉聖陶也被當權者以請假條「文字不通」為由而解聘，事雖荒唐，但卻是真實的。朱先生這樣非武大宗派中人，當

然也很難立足。1942 年後，先到重慶，後回到南京中央大學任教，也因非中大嫡系而被排擠出去。於是先後輾轉於無錫國學專科學校、江南大學、齊魯大學、滬江大學等。解放後的 1952年，全國高校進行院系調整，於是轉入上海復旦大學中文系任教授。而從 1957 年起，兼中文系主任。八〇年代，為名譽系主任。現任博士研究生導師，仍在為祖國培養人才而奮鬥不息。

現從四方面簡要介紹先生的學術特點及貢獻。

第一，經、史研究方面。先生認為，作為一個古典文學工作者，必須具有經、史方面的深厚基礎。對於經、史如果一竅不通，那就無法理解中國的傳統思想特點，更談不上對於士大夫生活習俗、文化心態的了解。不了解中國的傳統文化、不了解中國的士大夫出身的人，研究中國古典文學就只是一句空話。因此，為了古典文學教學與研究的博大精深，先生先後寫出了《公羊探故》、《史記考索》、《漢書考索》、《後漢書考索》諸書。這些論著，以對原始材料的充分把握為基礎，闡幽發微，獨抒己見，頗多精湛之論，因而受到學術界的廣泛重視和稱譽。

第二，中國文學史研究方面。先生主要著作有《讀詩四論》、《楚辭探故》、《左傳選》、《陸游研究》、《陸游選集》、《梅堯臣詩選》、《梅堯臣集編年校注》等。另外還在六十年代主編凡六冊二百萬言的《中國歷代文學作品選》，由上海古籍出版社出版。此書作為大學文科教材，影響巨大。它雖是集體著作，但先生總其成，審稿時夜以繼日，一絲不苟，但又不囿己見以束人手腳，善於發揮各位作者的長處，因此全書既有統一體例，又處處閃爍著集體智慧的光彩。在教學與學術研究中，此部著作頗有參考價值。在個人著作方面，也是很有特點的。先生既不囿於傳統偏見，又不被時人的時髦說法所束縛，獨立思考，實事求是，是其一貫作風。如抗戰初期出版的《讀詩四論》（解放後增加《詩三百

篇成書中的時代精神》一篇，以《詩三百探故》之稱由上海古籍出
版社再版），有的見解就與古今的學者很不相同。他寫此書，是
有鑑於古人「知有經而不知有詩」，近人又「惑於歐美之舊說，
以是非未定之論來相比附」。他以客觀的分析態度，認為《詩經》
不是民間的作品，不但雅、頌不是，連風詩也不是。一般論師，
從古代的經師直到近代的文學史專家都認為風詩是民間的著作，
特別是那些談情說愛的，一定是民間的作品。在古典文學研究
中，這種見解成了定向思維，誰也不敢越雷池一步，往其他方面
去想。先生則勇於打破傳統偏見。他說：「民間要談情說愛，這
是沒有疑問的，但這不是說士大夫乃至封建主就不要談情說愛
了。照我的認識，民間的談情說愛，還是有一定節制的，到了奴
隸主或是向封建主過渡的奴隸主，那就沒有限制了。晉惠公烝於
賈君；晉文公納懷嬴；宋公子鮑美而豔，襄夫人欲通之。這些奴
隸主什麼事做不出來！我們有什麼理由把談情說愛的事都由民間
負責呢？何況這個『民』字，象徵著一個帶了鐐索的人，他不知命
在何時，當然既是有生命的動物，他不會沒有傳宗接代的潛意
識，但說他的愛人是『將翱將翔，佩玉瓊琚』，那真和晉惠帝的
『何不食肉糜』走上了同一條道路。」對於具體論述，還可作深入
探討，但從反思中打破定向思維的傳統框框，這種見識，絕不僅
僅是懷疑，而是懷疑之中見創新，是一種學術研究中的創造性思
維，它的真正價值在此。中國古典文學的研究，必須具有創造性
的思維，以便在闡述史實的基礎上發明創新，發揚光大。不敢接
受懷疑與挑戰而作單一不變的定向思維，是會把學術引向窮途末
路的。

　　第三，中國文學理論批評史的研究方面。先生主要著作有
《中國文學批評史大綱》、《中國文學批評論集》，以及學術專論
《滄浪詩話探故》、《梅堯臣作詩的主張》、《黃庭堅的論詩主張》諸

文。他在三十年代初期撰寫的《中國文學批評史大綱》一書，以中國歷代的文學理論批評家爲線索，提綱挈領，系統論述了中國古代文論的精粹，成爲我國古代文學批評史研究中開拓性著作之一，在這一研究領域中，至今仍然是具有代表性的一家，占有重要的地位。朱自清先生曾譽之爲我國「第一部簡要的中國文學批評全史」。在《自序》中，先生說明此書不同於其他的特點：一是章目裡只見無數的個人，而不見時代和宗派。雖然有關時代及流派問題，先生也加以論述，但爲什麼不特別標幟出來呢？先生說：我認爲偉大的批評家不一定屬於任何的時代和宗派。他們受時代的支配，同時他們也超越時代。這是一個矛盾，然而人生本來是矛盾的……就宗派而論，偉大的批評家也和偉大的政治家一樣，他們的抱負往往是指導宗派而不受宗派指導。宗派會有固定的規律，甚至也會有因襲的恩怨，然而偉大的人生常會打破這些不必要的規律和不可理喩的恩怨。」二是對於每個批評家，常把論詩和論文的主張集中概括論述，所以書中所見，「常常是整個的批評家，而不是每一個批評家的多方面組合。」三是特別注重近代的批評家，也就是他所說的「應當根據遠略近詳的原則，對於近代的批評家加以詳密的「敍述」。總之，先生此書，在史的敍述裡，「盡力排除主觀的判斷」；但寫史必受作者史觀的制約，作者的觀點立場不能不產生影響，先生是在微觀事實的基礎上，加以宏觀的理論概括。這種研究方法對我們是很有啓發的。例如書中敍盛唐以後的詩論，「大都可分兩派。一、爲藝術而藝術，如殷璠、高仲武、司空圖等。二、爲人生而藝術，如元結、白居易、元稹等。大抵主張爲藝術而藝術者，其論發於唐代聲華文物最盛之時，如殷璠是；或發於戰事初定，人心向治之時，如高仲武是；或發於離亂既久，忘懷現實之時，如司空圖是。唯有在天下大亂之際，則感懷悵觸，哀弦獨奏而爲人生而藝術之論

起：元結於天寶之亂，故有《篋中集序》；元白在元和間，目睹藩
鎮割據，國事日非，故有論詩二書。」其論言簡意賅，讀來饒有
滋味。至於《司空圖詩論綜述》一文（見於《中國文學批評論
集》），又能從時代、現實及其流變入手，以慎思明辨的高瞻遠
矚的眼光，從具體史實而至於宏觀概論，確乎獨具隻眼。如引表
聖《白菊雜書》等詩：「黃鸝囀處誰同聽，白菊開時且剩過。漫道
南朝足流品，由來叔寶不宜多！」以為「浮世榮枯，在表聖固可
不計，而生民之艱苦，國事之危疑，則一日不能去懷」。晚唐亂
世，正是其二十四《詩品》產生的社會基礎。所以他出言不同凡
響，與眾迥異。以為「《詩品》一書，可謂為詩的哲學論，對於詩
人之人生觀，以及詩之作法，詩之品題，一一言及」，並加分
列：

一、論詩人之生活：疏野，曠達，沖淡；

二、論詩人之思想：高古，超詣；

三、論詩人與自然之關係：自然，精神；

四、論作品：

陰柔之美：典雅，沈著，清奇，飄逸，綺麗，纖穠；

陽剛之美：雄渾，悲慨，豪放，勁健；

五、論作法：縝密，委曲，實境，洗煉，流動，含蓄，形
容。

大綱細目，羅列清疏，所論二十四《詩品》的理論體系，很有識
見，很有深度，給人以良好的啟迪。

第四，中國傳記文學的創作及理論研究方面。這是先生至今
為之耕耘不輟的又一學術領域，是他的工作重點所在。其主要著
作，前面已作交代，茲不贅述。在這方面，先生從強烈的民族責

任感和歷史感出發，借鑑與繼承了西方傳記文學的有益經驗敎訓和中國古代傳記文學的優秀傳統，爲我國現代傳記文學的發展作出了開創性的試驗和貢獻。在傳記文學理論上，不論古今中外，只要是有幫助，先生是主張「拿來主義」的。他說：「在中國出生的傳記文學的發展既然已有許多曲折，爲了求得這類文字的進展，勢不能不求助於國外。學術是人類共同創造的，在此路不通的時候，在外國文學的發展中，求得一些啓示，一些幫助，我們並不感到羞恥，也無所用其慚愧。」表現出貫通古今、揉合中西的恢宏器識。並在其文學創作實踐中形成了自己的風格和特點：

一、博採史料，辨僞求眞。

傳記文學的作者有責任眞實地再現傳主的眞相。這就涉及到史料的搜集、抉擇和運用。西方傳記文學有多種寫法，有鮑斯威《約翰遜博士傳》之繁，妙趣橫生；斯特拉哲《維多利亞女王傳》之略，言簡意賅。先生則採用十九世紀西方那種「有材料、有證據」的力求詳盡之法，又融入了我國傳統的辨僞考據之學。他的傳記，在材料上花了很多心血。如其《陸游詩選》、《陸游研究》，是爲寫《陸游傳》作準備；《梅堯臣詩選》、《梅堯臣集編年補注》，是爲寫《梅堯臣傳》作準備。他還注重材料的考訂和識別，如考證明白南宋羅大經《鶴林玉露》和劉壎《隱居通議》有關陸游晚年躁進求媚於權相韓侂冑的記載失實，了卻一椿歷史公案，爲正確紋寫陸游的愛國主義精神掃淸了障礙。但在旁搜博引的同時，先生更加強調「以本人底著作爲本人的史料」，「因爲傳主關於自己的紋述，總是比較可靠一些。」如《梅堯臣傳》中，以梅集爲據，糾正《宋史》本傳及歐陽修《梅聖兪墓誌銘》之失，因而具有很高的史料價值。

二、客觀、辯證地塑造人物形象，著力於複雜性格及其心理變化的描繪。

傳記文學雖然不同於一般的文學作品。但傳記文學中的傳主，同樣是作者創造的結果。所不同的是，它必須嚴格地在史實的基礎上來創造。先生很注意客觀地、辯證地爲人物作傳，擅長把人物的經歷同時代的變遷揉合敍述，探究傳主豐富、細微的內心世界，充分刻繪其思想之複雜，性格的變化。如《張居正大傳》之張居正，史上毀譽參半。先生則盡量客觀地加以敍述，對言過其實的頌揚和事失其眞的詆毀一概不取，詳盡寫出了傳主在各個歷史時期的功過，比較眞實、生動地描繪了一個「受時代陶熔而又陶熔時代」的地主階級政治家的歷史形象。

三、緊密結合傳主的身世經歷，描繪其成就和貢獻。

先生的傳記作品一般有兩條線索：一是人物經歷，包括其思想、性格的發展變化；另一條是傳主在各自領域中的成就和貢獻。兩條線索相互補充說明，結合成有機整體。如其《杜甫敍論》，聯繫杜甫在安史之亂前後的經歷和進入夔州以後的生活變化，闡述了杜詩的兩次大發展，把對杜甫詩歌成就的評介同傳主生平的敍述緊密結合在一起，其論證因有生動事實作鋪墊，所以既感人又增加了說服力。又如陸游的《清商怨·葭萌驛作》一詞，歷來被誤解爲愛情詞，先生經過周密考證，弄清其創作年代，把它放到當時特定的環境中來討論，使人清楚地看到此詞乃是用隱晦的比興手法，抒寫對於抗戰派將領王炎的一腔懷念。

四、濃郁的文學色彩。

先生強調指出：「傳記文學是史，同時也是文學。因爲是史，所以必須注意到史料的運用；因爲是文學，所以也必須注意人物形象的塑造。」因此，在尊重史實的前提下，他的傳記作品很注意充分運用文學的表現方法和技巧，講究語言的傳神，描寫的精切，和敍述的生動活潑，因而富有濃郁的文學色彩。其中特別是細節描繪和生動對話更見出色，使人物形象更鮮明，個性更

突出，從而使整部傳記擺脫了學術論著的枯索乏味之弊。如《梅堯臣傳》中的「西夏戰事的陰影」一章，對宋朝將士抗擊西夏的熱情和決心，以及朝廷的處理不當，通過生動具體的事例，用濃墨作了詳細的描述，從而爲梅詩「鬥爭性不斷加強」和發展作了有力的鋪墊。另外，先生傳記作品中的人物對話也很有特色。他認爲「對話是傳記文學的精神」。一段精彩的對話，會使讀者感到書中人物栩栩如生，神情盡出。爲了逼眞地再現當時對話的原貌，他對古代口語、乃至帝王后妃的特殊用詞進行了探索，以求盡量恢復當時人「說話的大概」。他的傳記中的對白既求眞實，不作毫無根據的憑空臆造，又發揮一定的想像力；雖使用白話語體，又力戒近代語彙的羼入，以求學術性和文學性的完美統一。

在概述先生的學術特點和貢獻之後，我們還要補充說，先生認爲學無止境，因而他也從不停止自己前進的腳步。他很明白，自己的學術成就與社會、家庭及親朋師友的幫助支持分不開。有關《張居正大傳》的成功，先生在《1943 年序》中有這樣的一段生動的回憶：

> 二十餘年的生活，養成我不事家人生產的習慣。我獨自漂流異地，難得在寒暑假中回去一次。對日作戰以後，我從越南入國，繞到大後方，從此沒有看到故里。家事底處分，兒女底教養，以及環境底應付，一向我不過問，現在更落到一個人底肩上。我沒有聽到抱怨，也沒有聽到居功……正因爲有人把整個的心力對付家庭，我才能把整個的心力對付工作。我自己底成就只有這一點點，但是在我歷數這幾種撰述的時候，不能忘懷數千里以外的深閨。我認爲我底一切成就之中，這是和我共同工作的伴侶。

這不是謙虛，而是發自肺腑的名言。先生的成就，是時代的結晶。他不是大男子主義者，而是個很有感情的老人。讓我們用先生幾十年前的話，作爲對被「四人幫」迫害致死的朱師母的永久悼念。時至今日，九十二歲的朱先生仍然有新的渴望和追求，他伏案疾書，正爲《元遺山傳》的誕生而奮鬥。老人身體力行，仍然邁開堅定的步伐，一步一個腳印地踏實前進，鼓舞人們向前、向前，永遠向前！

附錄：朱東潤教授主要著作目錄

《讀詩四論》（商務印書館）

《中國文學批評論集》（開明書店）

《史記考索》（開明書店）

《中國文學批評史大綱》（開明書店）

《陸游傳》（上海中華書局）

《陸游研究》（上海中華書局）

《陸游選集》（上海中華書局）

《梅堯臣傳》（北京中華書局）

《梅堯臣詩選》（人民文學出版社）

《梅堯臣集編年校注》（上海古籍出版社）

《左傳選》（上海中華書局）

《杜甫敍論》（人民文學出版社）

《張居正大傳》（開明書店）

《陳子龍及其時代》（上海古籍出版社）

（原載《唐代文學研究年鑑》陝西師大出版社 1988 年版）

①朱自清《評郭紹虞〈中國文學批評史〉上卷》。

②朱自清《詩文評的發展》。

③朱自清《評郭紹虞〈中國文學批評史〉上卷》。

④朱東潤先生另有現代傳記作品：《朱東潤自傳》及《李方舟傳》，東方
出版中心1999年版。**按**：《李方舟傳》，實爲紀念其夫人鄒蓮舫女
士而作。此注爲結集時所加。

後記

　　在歷經諸多磨難之後，這本學術論集終於誕生。論集基本上記錄了本人在二十世紀下半葉的學術軌迹。早在五十年代的大學期間，作者仰慕學人生涯，並曾嘗試評論文章的寫作，從音樂、美術、戲劇、文學以及美學，興趣廣泛，多方涉獵，四處投稿。當時偶有幾篇文章被報刊錄用，即沾沾自喜。但是，時過境遷，站在世紀之交的今天回眸顧視，不禁爲當年的粗陋幼稚而臉紅。其所謂「粗陋幼稚」，不僅是因爲當時年輕人的空疏乏學，更重要的還在於當年的文化心態和學術氣氛。爲此，論集基本上捨棄了五、六十年代的早年之作，唯有留下在一九六一年寫的《柳子戲〈玩會跳船〉漫記》一文，因談藝術，無關大雅，以資紀念而已。集中另有《古典詩詞與黃河風光巡禮》一組三篇，從表面看似乎不類學術論證之文，但卻另有良苦用心，即試圖從大文化的角度，來考察作爲中華文明發祥地的母親——黃河，其古今變化及歷史教訓。此文曾在電台連續播送，頗生影響，後由報刊轉載。友人曾要我多作此類文章，以生動形象之筆，描繪艱深的學術道理。這一有益的試驗，惜因工作所圍，經費局限，未能如古人「行萬里路」而一一深入考察，所以只能就此打住而期待後賢。不過，受此啓發，從此即把「深入淺出」的學術表述，作爲自己寫作學術文章的一種境界追求，這就是力求把嚴肅的學術性和文筆的生動性、通俗性相結合。比如曾在上海《文匯讀書周報》連載的《讀易隨筆》及《重讀〈世說新語〉札記》之類，都有延續上述試驗

的意思，在生動形象的歷史故事中，令讀者自然體悟到某些人生的眞諦。如此寫法，不因於往昔學術論文「深入深出」的莊重面目，同時對於出其次者的「淺入深出」，也含有批評的意思。但是，這一嘗試，爲時已晚，本人許多文章都達不到這一要求，只能祈請讀者宥諒。而且，即使是有意爲之的試驗之作，其成敗如何，也不敢自以爲是，而只能期待讀者的公論。

集中另有《憶吾師》一組二篇，從歷史的角度，記錄吾師朱東潤、郭紹虞的學術生涯及其貢獻。選載上述文章，並非僅是私於師長，重要的是啓迪莘莘學子向「五四」時代的名師學習。在作者就學、工作之時，曾孜孜往還於朱、郭之門，親蒙二師日夕敎誨，耳提面命，度我金針，引愚魯於學術之門。朱、郭二師治學各有巧妙，但實事求是之心，及提倡豐富的學術想像，則是其共同的治學精神。二師曾諄諄誨人，治文史者，千萬不要只炒冷飯而拾人牙唾，而是應該旣尊重歷史和前賢成果，同時又自具膽識和豐富的想像力、準確的判斷力，以便另闢新徑而自創自立。二師曾多次引韓愈《師說》云：「師不必賢於弟子，弟子不必不如師。」鼓勵學生砥礪鑽研，以求創新超越。又釋者有言，我佛慈悲，普渡衆生。弟子親蒙二師沾漑，不敢自私，而願與廣大讀者分享。二師雖然早歸道山，但其音容笑貌，仍宛然如在目前，令人思之愴然。

論集承蒙復旦大學顧易生敎授、台灣師大王更生敎授不吝賜序，倍增光寵，不勝感激。顧、王二位先生，皆學富五車，思悟靈動，術貫中西而博通今古，是我所敬仰的師長。加以顧先生和我同一師門，共事數十載，學海風浪，同舟共濟；王先生則以詩人火般的熱情，隔海提攜，成忘年交。故二位師長之序，其激勉之情，躍然紙上，在此謹表衷心之謝忱。還有，在論集編撰過程中，摯友林中明、黃雅純賢伉儷，熱情奔波，給予親切關懷和諸

多鼓勵；又台灣師大劉渼教授不辭，親自審校，減少了魯魚豕亥之誤，爲提高論集質量而殫精竭思；特別一提的是，因設在美國的「張敬教授國學基金會」的具體幫助，和「國文天地」雜誌社和萬卷樓圖書有限公司諸位先生的共同努力，論集才能順利出版。在此一併誌之，以示銘心之謝意。

　　蔣凡　二〇〇〇年十一月二十六日於上海望珠樓半萬齋

國家圖書館出版品預行編目資料

蔣凡學術論文集／蔣凡著. --初版. --臺北
市：萬卷樓，民90
　　冊；　公分
　　ISBN 957－739－371－3（上冊：平裝
）. --ISBN 957－739－373－X（下冊：平
裝）

1.經學－論文，講詞等　2.中國文學－論
文，講詞等
030.7　　　　　　　　　　　90018880

蔣凡學術論文集（下）

著　　　者：蔣凡
發　行　人：許錟輝
出　版　者：萬卷樓圖書有限公司
　　　　　　台北市羅斯福路二段 41 號 6 樓之 3
　　　　　　電話(02)23216565・23952992
　　　　　　FAX(02)23944113
　　　　　　劃撥帳號 15624015
出版登記證：新聞局局版臺業字第 5655 號
網 站 網 址：http://www.wanjuan.com.tw/
E － mail：wanjuan@tpts5.seed.net.tw
經 銷 代 理：紅螞蟻圖書有限公司
　　　　　　台北市內湖區文德路 210 巷 30 弄 25 號
　　　　　　電話(02)27999490
　　　　　　FAX(02)27995284
承 印 廠 商：晟齊實業有限公司
電 腦 排 版：浩瀚電腦排版股份有限公司
定　　　價：500 元
出 版 日 期：民國 90 年 11 月初版

ISBN 957－739－373－X